여러분의 합격을 응원하는
해커스공무원의 특별 혜택

FREE 공무원 무역학 **특강**

해커스공무원(gosi.Hackers.com) 접속 후 로그인 ▶ 상단의 [무료강좌] 클릭하여 이동

KB214991

 해커스공무원 온라인 단과강의 **20% 할인쿠폰**

7C735638649788UH

해커스공무원(gosi.Hackers.com) 접속 후 로그인 ▶ 상단의 [나의 강의실] 클릭 ▶
좌측의 [쿠폰등록] 클릭 ▶ 위 쿠폰번호 입력 후 이용

* 등록 후 7일간 사용 가능(ID당 1회에 한해 등록 가능)

✉ 합격예측 **온라인 모의고사 응시권 + 해설강의 수강권**

86779642B2DD9F64

해커스공무원(gosi.Hackers.com) 접속 후 로그인 ▶ 상단의 [나의 강의실] 클릭 ▶
좌측의 [쿠폰등록] 클릭 ▶ 위 쿠폰번호 입력 후 이용

* ID당 1회에 한해 등록 가능

쿠폰 이용 관련 문의 **1588-4055**

단기 합격을 위한
해커스공무원 커리큘럼

입문
▼
탄탄한 기본기와 핵심 개념 완성!
누구나 이해하기 쉬운 개념 설명과 풍부한 예시로 부담없이 쌩기초 다지기
TIP 베이스가 있다면 **기본 단계**부터!

기본+심화
▼
필수 개념 학습으로 이론 완성!
반드시 알아야 할 기본 개념과 문제풀이 전략을 학습하고
심화 개념 학습으로 고득점을 위한 응용력 다지기

기출+예상 문제풀이
▼
문제풀이로 집중 학습하고 실력 업그레이드!
기출문제의 유형과 출제 의도를 이해하고 최신 출제 경향을 반영한
예상문제를 풀어보며 본인의 취약영역을 파악 및 보완하기

동형문제풀이
▼
동형모의고사로 실전력 강화!
실제 시험과 같은 형태의 실전모의고사를 풀어보며 실전감각 극대화

최종 마무리
▼
시험 직전 실전 시뮬레이션!
각 과목별 시험에 출제되는 내용들을 최종 점검하며 실전 완성

PASS

단계별 교재 확인 및
수강신청은 여기서!

gosi.Hackers.com

* 커리큘럼 및 세부 일정은 상이할 수 있으며,
자세한 사항은 해커스공무원 사이트에서 확인하세요.

해커스공무원

이명호
무역학

이론 + 기출문제

1권	이론

해커스

이명호

약력

관세사
고려대학교 경영전문대학원 MBA 석사 졸업
제18회 관세사 자격시험 수석 합격

현 | 해커스공무원 무역학, 관세법, 한국사 강의
전 | 아모르이그잼 관세법 강의
전 | 국제무역사 시험 출제위원
전 | 이의신청 심의위원, 과세전적부심 심사위원

저서

해커스공무원 이명호 무역학 이론 + 기출문제
해커스공무원 이명호 올인원 관세법
해커스공무원 이명호 관세법 뻥령집
해커스공무원 이명호 관세법 단원별 기출문제집
해커스공무원 이명호 관세법 핵심요약집
해커스공무원 이명호 한국사 기본서
해커스공무원 이명호 한국사 암기강화 프로젝트 워크북
해커스공무원 이명호 한국사 기출로 적중

공무원 시험 합격을 위한 필수 기본서!

무역(貿易)이라는 용어는 다분히 실무적인 것이어서, 이것을 학문화하여 무역학(貿易學)이라고 이름 짓는 것은 그 자체로 무리한 부분이 있습니다. 이것이 무역학이라는 과목의 한계이며 특징이기도 합니다. 무역학은 그 자체로 독립된 한 학문 분야를 구성한다기보다는 경제학, 경영학과 실제 무역현장에서의 실무에 뿌리를 두고 있는 종합적인 학문입니다. 무역학은 관세직 7급 공무원 시험의 중요한 과목으로, 앞서 말씀드린 무역학의 특징으로 인하여 '무역학'이라는 시험과목의 범위도 아래와 같이 폭넓게 잡을 수밖에 없는 상황입니다.

[무역학의 시험 범위]
- 무역 이론: 무역의 발생 원인과 무역 패턴에 관한 제이론
- 무역 실무: 운송, 결제, 보험, 통관 등 수출입 실무와 관련 국제 규범
- 외환: 국제수지 및 환율, 환평가이론
- 국제 경영: 해외시장 진출, 국제적 계약에 관한 제이론과 방법론

기존의 기출 상황을 보면, 어떤 해에는 '무역실무'가 월등히 많이 출제되었고, 어떤 해에는 '외환' 문제의 출제비율이 유난히 높았습니다. 최근에는 '국제경영' 부분에서 심도 있는 문제가 대거 출제되기도 했습니다. 이렇게 광범위한 스펙트럼을 갖고 있는 무역학의 특성상 시험 대비를 위하여 어느 정도까지 그 접근 범위를 넓혀야 할 것인가는 늘 대두되는 문제입니다. 무역학을 가르치는 입장에서 이 '범위'에 대한 명확한 해답을 내놓아야 하겠지만 어느 분야 전공교수님이 출제를 하느냐에 따라 시험의 성격이 많이 달라지는 현 상황을 고려하였으며, 이러한 고민 속에서 『해커스공무원 이명호 무역학 이론 + 기출문제』를 제작하였습니다.

본 교재는 인코텀즈 2020을 적극 반영하되 각 규칙별로 그림까지 추가하여 이해하기 좋게 구성하였습니다. 최근 기출문제를 심층적으로 검토하여 향후 출제 가능성이 있는 내용을 최대한 예상해 보았으며, 그 예상된 내용을 요약하여 책에 포함시켰습니다. 가급적이면 시험 현장에서 만나게 될 '용어' 및 '표현'에 일치하게 쓰려고 노력했습니다.

더불어, 공무원 시험 전문 사이트 해커스공무원(gosi.Hackers.com)에서 교재 학습 중 궁금한 점을 나누고 다양한 무료 학습 자료를 함께 이용하여 학습 효과를 극대화할 수 있습니다.

여러분이 무역학을 이해하고 시험에서 높은 성적을 거두는 데 『해커스공무원 이명호 무역학 이론 + 기출문제』와 강의가 도움이 되기를 바랍니다. 감사합니다.

이명호

목차

해커스공무원 학원·인강
gosi.Hackers.com

PART 1

무역이론

CHAPTER 1 무역의 기본개념

1 무역의 의의

1. 무역의 정의

(1) 개념

무역(貿易, trade)이란 재화, 용역 및 생산요소를 대상으로 국가 간에 이루어지는 상거래를 말한다. 여기에서 'trade', '貿', '易'이라는 단어는 모두 '교환하다', '바꾸다'의 뜻을 가지고 있다.

> ① 무역 거래의 대상인 재화에는 유형재와 무형재가 모두 포함되며, 재화의 생산에 필요한 생산요소도 무역 거래의 대상이 된다. 그러나 재화 뿐만이 아니라 서비스(용역), 전자적 형태의 무체물도 무역 거래의 대상이 되고 있다.
> ② 상거래(商去來)에는 매매행위뿐만이 아니라 물물교환과 같은 교환행위도 포함된다.

(2) 수출과 수입

무역은 국가 간 재화 등의 이동으로 이루어지며, 그 이동방향에 따라 수출과 수입으로 구분된다.

> 무역 = 수출 + 수입

2. 수출과 수입

(1) 대외무역법상의 정의

① 대외무역법상 무역의 대상

무역이란 다음의 '물품', '대통령령으로 정하는 용역', '대통령령으로 정하는 전자적 형태의 무체물' 중 어느 하나에 해당하는 것을 수출하거나 수입하는 것을 말한다(「대외무역법」 제2조 제1호).

물품	다음의 것을 제외한 동산(動産)을 말한다. ㉠「외국환거래법」에서 정하는 지급수단 ㉡「외국환거래법」에서 정하는 증권 ㉢「외국환거래법」에서 정하는 채권을 화체(化體)한 서류

대통령령으로 정하는 용역	㉠ 경영 상담업, 법무관련 서비스업, 회계 및 세무관련 서비스업, 엔지니어링 서비스업, 디자인, 컴퓨터시스템 설계 및 자문업, 문화산업에 해당하는 업종, 운수업, 관광사업에 해당하는 업종, 그 밖에 지식기반용역 등 수출유망산업으로서 산업통상자원부장관이 정하여 고시하는 업종의 사업을 영위하는 자가 제공하는 용역 ㉡ 국내의 법령 또는 대한민국이 당사자인 조약에 따라 보호되는 특허권·실용신안권·디자인권·상표권·저작권·저작인접권·프로그램저작권·반도체집적회로의 배치설계권의 양도(讓渡), 전용실시권(專用實施權)의 설정 또는 통상실시권(通常實施權)의 허락
대통령령으로 정하는 전자적 형태의 무체물 (無體物)	전자적 형태의 무체물이란 다음에 해당하는 것을 말한다. ㉠ 「소프트웨어산업 진흥법」 제2조 제1호에 따른 소프트웨어 ㉡ 부호·문자·음성·음향·이미지·영상 등을 디지털 방식으로 제작하거나 처리한 자료 또는 정보 등으로서 산업통상자원부장관이 정하여 고시하는 것 ㉢ 위 ㉠과 ㉡의 집합체와 그 밖에 이와 유사한 전자적 형태의 무체물로서 산업통상자원부장관이 정하여 고시하는 것

핵심체크 서비스 무역(Service Trade)

서비스 무역이란, 상품 무역 이외의 서비스업의 국제거래를 말한다. 우리나라의 대외무역법령에서는 '경영상담업, 법무 관련 서비스업, 회계 및 세무 관련 서비스업, 엔지니어링 서비스업, 디자인, 컴퓨터시스템 설계 및 자문업, 문화산업에 해당하는 업종, 운수업, 관광사업에 해당하는 업종, 그 밖에 지식기반용역 등 수출유망산업으로서 산업통상자원부장관이 정하여 고시하는 업종'을 서비스 무역의 대상인 '용역'으로 보고 있다.

1. 고소득 국가의 서비스 무역의 규모가 저소득 국가에 비해 크다. 저소득 국가는 1차 산업과 2차 산업의 비중이 높지만, 소득이 높은 국가일수록 양질의 용역을 수출하고 수입하는 일이 많아진다.

2. 세계무역에 있어 서비스 무역의 비중은 점차 늘어나고 있다. 각국의 소득 규모가 커지면서 국가 간 법률, 회계등의 용역거래도 증가하고 있기 때문이다.

3. 서비스 무역의 비중이 커지고 있지만, 아직 우리나라의 무역 비중에서는 상품 무역의 비중이 가장 크다. 국제수지표의 경상수지 항목에서 상품 수지의 규모는 서비스 수지의 규모보다 월등히 크다.

② 대외무역법령상 수출과 수입의 정의

수출	㉠ 매매, 교환, 임대차, 사용대차(使用貸借), 증여 등을 원인으로 국내에서 외국으로 물품이 이동하는 것[우리나라의 선박으로 외국에서 채취한 광물(鑛物) 또는 포획한 수산물을 외국에 매도(賣渡)하는 것을 포함한다] ㉡ 「관세법」 제196조에 따른 보세판매장에서 외국인에게 국내에서 생산(제조·가공·조립·수리·재생 또는 개조하는 것을 말한다. 이하 같다)된 물품을 매도하는 것 ㉢ 유상(有償)으로 외국에서 외국으로 물품을 인도(引渡)하는 것으로서 산업통상자원부장관이 정하여 고시하는 기준에 해당하는 것 ㉣ 「외국환거래법」 제3조 제1항 제14호에 따른 거주자가 같은 법 제3조 제1항 제15호에 따른 비거주자에게 산업통상자원부장관이 정하여 고시하는 방법으로 용역을 제공하는 것 ㉤ 거주자가 비거주자에게 정보통신망을 통한 전송과 그 밖에 산업통상자원부장관이 정하여 고시하는 방법으로 전자적 형태의 무체물(無體物)을 인도하는 것
수입	㉠ 매매, 교환, 임대차, 사용대차, 증여 등을 원인으로 외국으로부터 국내로 물품이 이동하는 것 ㉡ 유상으로 외국에서 외국으로 물품을 인수하는 것으로서 산업통상자원부장관이 정하여 고시하는 기준에 해당하는 것 ㉢ 비거주자가 거주자에게 산업통상자원부장관이 정하여 고시하는 방법으로 용역을 제공하는 것 ㉣ 비거주자가 거주자에게 정보통신망을 통한 전송과 그 밖에 산업통상자원부장관이 정하여 고시하는 방법으로 전자적 형태의 무체물을 인도하는 것

③ 대외무역법상 수출실적과 수입실적

수출실적	산업통상자원부장관이 정하여 고시하는 기준에 해당하는 수출통관액·입금액, 가득액(稼得額)과 수출에 제공되는 외화획득용 원료·기재의 국내공급액을 말한다. **❍ 산업통상자원부장관이 정하여 고시하는 기준** 수출실적 인정금액은 다음 각 호의 경우를 제외하고는 수출통관액(FOB가격 기준)으로 한다. 1. 중계무역에 의한 수출의 경우에는 수출금액(FOB가격)에서 수입금액(CIF가격)을 공제한 가득액 2. 외국인도수출의 경우에는 외국환은행의 입금액(다만, 위탁가공된 물품을 외국에 판매하는 경우에는 판매액에서 원자재 수출금액 및 가공임을 공제한 가득액) 3. 제25조 제1항 제2호 가목의 수출은 외국환은행의 입금액 4. 원양어로에 의한 수출 중 현지경비사용분은 외국환은행의 확인분 5. 용역 수출의 경우에는 제30조에 따라 용역의 수출·수입실적의 확인 및 증명 발급 기관의 장이 외국환은행을 통해 입금확인한 금액 6. 전자적 형태의 무체물의 수출의 경우에는 제30조에 따라 한국무역협회장 또는 한국소프트웨어산업협회장이 외국환은행을 통해 입금확인한 금액

산업통상자원부장관이 정하여 고시하는 기준에 해당하는 수입통관액 및 지급액을 말한다.

수입실적	● 산업통상자원부장관이 정하여 고시하는 기준 수입실적의 인정금액은 수입통관액(CIF가격 기준)으로 한다. 다만, 외국인수수입과 용역 또는 전자적 형태의 무체물의 수입의 경우에는 외국환은행의 지급액으로 한다.

(2) 관세법상의 정의

① 관세법상 수출·수입의 정의

수출	내국물품을 외국으로 반출하는 것
수입	㉠ 외국물품을 우리나라에 반입(보세구역을 경유하는 것은 보세구역으로부터 반입하는 것을 말한다)하는 것 ㉡ 외국물품을 우리나라에서 소비 또는 사용하는 것(우리나라의 운송수단 안에서의 소비 또는 사용을 포함하며, 수입으로 보지 아니하는 소비 또는 사용은 제외한다)

② 관세법상 수출·수입의 대상

「관세법」상 수출 또는 수입의 대상은 유형재(有形財)만을 의미한다. 형체가 있어 보세구역 등에 반입되어 확인될 수 있는 물품만이 수출 또는 수입의 대상이 된다. 국경을 넘어 거래되는 서비스나 온라인으로 거래되는 디지털화상품은 관세법상 수출입의 대상이 되지 않는다.

3. 무역의 특성과 성격

(1) 무역의 특성

무역은 격지자 간의 거래이며 장거리 운송이 수반되므로 국내거래와는 다른 특성을 가진다.

① 재화·생산요소의 이동이 제한됨

실정법, 언어장벽, 관습 등으로 인하여 재화와 생산요소(노동, 자본 등)의 국가 간 이동이 용이하지 않다. 특히 무역거래를 하는 경우 장거리 운송이 수반되므로 재화 등의 이동에 제한이 있을 뿐만 아니라, 이동에 소요되는 비용도 국내거래에 비하여 매우 큰 것이 특성이다.

② 국제적인 상관습에의 의존도가 높음

무역은 오랜 기간 쌓여온 정형화된 무역관습에 준거하여 계약을 체결하고, 분쟁발생 시 이에 따라 해결하는 국제상관습성이 두드러진다. 이에 따라 상관습에 대한 당사자 간의 해석의 차이를 줄이기 위해 국제상관습을 표준화한 UCP, Incoterms 등의 국제적인 규칙을 제정하였다.

③ 해상(海上) 의존성이 높음

무역운송은 해상을 주요 통상경로로 이용하므로 해상 의존성이 높다. 항공운송이 발달한 후에도 해상운임이 상대적으로 낮으므로 역시나 해상운송 의존성은 낮아지지 않았다. 해상 의존성이 높으므로, 그만큼 해상위험에 노출될 가능성도 커져 해상보험 분야가 함께 발전하였다.

④ 영업상의 위험(기업 위험)이 높음

무역거래는 격지자 간의 거래이므로, 상품을 상대국으로 공급하고 대금회수를 하지 못할 위험과 대금을 지급하고 상품을 입수하지 못할 위험에 노출되어 있다. 또한 장거리 운송과 기계하역 작업으로 인한 상품의 파손·분실의 위험이 크다. 이외에도 환위험, 정치적 위험(political risk) 등에도 노출되어 있다.

⑤ 고도의 산업연관성을 가짐

국제무역의 성장은 국내의 산업발전으로 이어지고, 국내의 산업발전은 국제무역의 성장으로 이어진다. 대규모의 국제무역 거래가 성사되었을 때, 이와 관련된 많은 국내 산업이 함께 발전하게 된다.

⑥ 주로 매매계약의 형식으로 이루어짐

무역은 주로 국가 간 소유권의 이전을 목적으로 한 물품매매계약의 형식으로 이루어진다.

(2) 무역의 3대 성격

국제무역은 그 기능적인 측면에 따라 개별경제적 성격, 국민경제적 성격, 세계경제적 성격을 가진다. 이 세 가지의 성격은 상호독립적인 것이 아니라, 국민경제를 중심으로 한 복합 경제적인 성격을 가진다.

개별경제적 성격	① 무역은 개별 경제주체 간의 사적인 물품의 매매활동이다. ② 자유무역을 통한 세계경제의 발전을 위해서 개별 경제주체의 자유로운 무역활동이 보장되어야 한다.
국민경제적 성격	① 무역은 개인이나 개별기업의 이익보다 국가의 기본이익을 우선시한다. ② 국가는 국민경제적 공익을 달성하기 위해서 무역을 정책적으로 관리한다.
세계경제적 성격	① 무역은 다른 국가와의 상호의존관계 속에서 이루어지므로, 지구촌 전체의 후생을 극대화하는 방향으로 이루어져야 한다. ② 세계경제적 성격은 WTO의 출범으로 더욱 확대되고 있으며, 다국적 기업의 출현으로 현실화되고 있다.

2 무역의 종류

1. 상품의 이동방향에 따른 분류

(1) 직접무역(direct trade)

제3자의 개입 없이 서로 다른 국가에 소재하는 수출자와 수입자가 직접 매매계약을 체결하여 거래하는 무역형태이다.

(2) 간접무역(indirect trade)

제3국의 중간상 등 제3자가 개입하여 무역거래를 성사시키거나 절차를 이행하는 거래형태를 말한다.

중개무역 (merchandising trade)	제3국의 중개업자가 개입하여 계약이 체결되며, 중개업자는 중개수수료를 취득하는 무역형태로서, 이러한 형태를 제3국의 입장에서 볼 때 중개무역이라 한다. ◐ 중개무역은 중개수수료를 수익으로 하는 거래이다.
중계무역 (intermediary trade)	수출할 것을 목적으로 외국에서 물품을 수입한 후 가공하지 않고 원형 그대로 제3국으로 수출하는 무역형태로서, 관세가 부과되지 않는 자유항, 자유무역지역 등이 중계무역항(예 싱가포르, 홍콩)으로 이용된다. ◐ 중계무역은 수입액과 수출액의 차이, 즉 중계차익을 수익으로 하는 거래이다.
통과무역 (transit trade)	수출물품이 수출국으로부터 수입국으로 직송되지 않고 부득이하게 제3국을 통과하는 경우, 제3국의 입장에서 본 무역형태이다. ◐ 통과무역은 제3국 통과시의 운임, 보험료, 통과수수료, 각종 노임 등을 수익으로 하는 거래이다.
스위치 무역 (switch trade)	수출자와 수입자 간에 매매계약이 직접 체결되고 물품도 직접 인도되지만, 대금결제만은 제3국의 업자(스위처: switcher)를 개입시켜 간접적으로 행하는 무역형태이다(대금결제의 순환). ◐ 스위치무역은 스위처가 수수료(switcher commission)를 수취하여 수익으로 하는 거래이다.
우회 무역 (round - about trade)	수출국과 수입국 간에 외교관계가 없거나, 수입국 내에서 수출제품에 대한 수입규제나 외환통제가 심한 경우, 제3국을 통해 수출입을 할 때 이용되는 무역형태이다.

2. 가공 방식에 따른 분류

일반가공무역 (processing trade)	외화가득을 목적으로 외국으로부터 원자재를 수입하여 가공한 후 이를 다시 외국에 수출하는 무역형태이다.	
	능동적 가공무역	원자재를 수입한 국가로 재수출하는 가공무역
	통과적 가공무역	원자재 수입국이 아닌 제3국으로 수출하는 가공무역
	수동적 가공무역	원자재를 수출하여 가공한 후 재수입하는 가공무역
수탁가공무역 (processing trade on indent)	외국의 거래상대방으로부터 위탁을 받고 제공받은 원자재를 가공하여 거래상대방 또는 지정하는 자에게 수출하는 무역형태이다.	
	무환수탁 가공무역	원자재를 무환으로 수입하여 가공비용만 받고 수출하는 가 공무역
	유환수탁 가공무역	원자재를 유환으로 수입하여 원자재의 수입대금과 가공제 품의 수출대금이 직접 지급 및 수취되는 가공무역

3. 거래주체에 따른 분류

(1) 민간무역과 국영무역

민간무역 (private trade)	무역거래의 주체가 민간기업인 무역형태로서, 자본주의체제하에서 주로 이루 어지며 오늘날 무역거래의 일반적인 형태이다.	
국영무역 (state trade)	무역거래의 주체가 국가인 무역형태로서, 국가의 경제계획과 무역협정에 따라 정부 또는 정부의 대행기관에 의하여 행하여진다.	
	공(公)무역 (public trade)	공공기관이 주체가 되는 무역
	정부무역 (government trade)	정부가 주체가 되는 무역(비영리 목적)
	정부베이스무역 (government basis trade)	정부 출자로 무역공사를 설립하여 대행시키는 무역

(2) 남북무역과 동서무역

남북무역 (north - south trade)	적도를 기준으로 남쪽에 위치하고 있는 개발도상국과 북쪽에 위치하고 있는 선 진국 간의 무역으로서, 남북간의 소득격차와 교역조건의 불균형 문제가 쟁점이 된다. * 남남무역: 저개발국간의 무역
동서무역 (east - west trade)	초기에는 동유럽과 서유럽 간의 무역을 의미하였으나, 최근에는 사회주의 국가 와 자본주의 국가 간의 무역을 의미한다. 사회주의 국가는 주로 노동집약적 산업 의 생산물을, 자본주의 국가는 주로 자본집약적 산업의 생산물을 수출한다.

4. 거래대상에 따른 분류

(1) 유형무역과 무형무역

유형무역
(visible trade)
	• 육안으로 확인 가능한 협의의 물품인 상품만을 수출입하는 무역을 말한다.
	• 특징
	  – 통관절차를 거친다.
	  – 무역통계상에 기록된다.
	  – 국제수지표상 상품수지로 기록된다.

무형무역
(invisible trade)
	• 광의의 물품인 노동·자본이나 용역 등을 수출입하는 무역을 말한다.
	• 특징
	  – 통관절차를 거치지 않는다.
	  – 무역통계상에 기록되지 않는다.
	  – 국제수지표상 서비스수지로 기록된다.

(2) 수평무역과 수직무역

수평무역 (horizontal trade)	경제발전 단계상 산업구조가 비슷한 국가 간에 이루어지는 무역으로서, 생산단계가 같거나 유사한 상품간의 무역형태이다. * 공산품 상호간의 무역 또는 1차산품 상호간의 무역을 의미하였으나, 최근에는 선진국 상호간의 무역을 의미하는 용어로 쓰이기도 한다.
수직무역 (vertical trade)	생산단계가 서로 다른 상품간에 이루어지는 무역으로서, 생산요소 부존량이나 기술수준 등의 차이가 있는 선진국과 후진국간의 거래에서 흔히 나타난다(공산품과 1차산품간의 교역, 경공업제품과 중공업제품간의 교역 등).

(3) 기타 거래대상에 따른 무역의 분류

플랜트수출	각종 공장 건설을 위한 중요 설비, 기계, 부품 및 선박, 철도, 차량 등의 자본재 수출이다(주로 턴키베이스 형태). 하드웨어와 소프트웨어가 결합된 생산단위체의 종합 수출이다. ❷ 플랜트 수출은 계약금액이 크므로, 대금결제도 '장기', '기한부'인 경우가 많다. 플랜트 건설 발주자가 대부분의 투자비를 플랜트 건설과정과 건설 후, 그리고 상당기간 동안 분할하여 지급하는 조건을 설정하고, 이런 조건을 감당할 수 있는 플랜트 수출자에게 발주하는 것이 일반적이다.
기술수출	특허권, 실용신안권 등 공업소유권이나 제조기술, 경영기술 등을 특허료, 로열티 등의 형태로 대가를 받고 외국에 제공하는 거래이다.
건설수출	고속도로, 항만, 댐, 통신시스템 등 사회간접자본 사업의 해외진출형태이다.
관광수출	외국관광객을 유치하여 외화를 획득하는 것이다(외화가득률이 높음, 일명 굴뚝 없는 공장).

5. 거래 형태에 따른 분류

(1) 구상무역과 삼각무역

구상무역 (compensation trade)	수출입에 따른 물품대금을 그에 상응하는 수출 또는 수입으로 상계하는 거래방식으로, 양국 간 수출액과 수입액의 불균형을 시정할 수 있도록 양국 간의 조약이나 협정에 의하여 행해지는 무역형태이다. 물물교환의 방식으로 환거래가 없을 수도 있으나, 유환 구상무역에서는 환거래가 발생한다. 구상무역에서는 대응수입의무가 제3국에 전가될 수 있다.

무환 구상무역	물물교환(barter trade)의 형태로서, 화폐의 이전 없이 상품이나 용역을 직접 교환하는 구상무역
유환 구상무역	물품대금의 수취와 지급이 이루어지는 구상무역

삼각무역 (triangular trade)	한 국가의 상대국에 대한 수출초과 또는 수입초과가 심화되어 대금지급에 문제가 발생하는 등 더 이상 무역거래가 진전되기 어려운 경우 제3국을 개입시켜 무역의 균형을 이루는 무역형태이다. 2개국만 거래에 참여하는 것을 쌍무무역(bilateral trade)이라 하고, 무역불균형의 해소를 위해 3개국 이상이 참여하는 것을 다각무역(multilateral trade)이라 한다.

(2) 연계무역(counter trade)

연계무역은 일종의 구상무역이며, 물물교환의 변형적인 복합무역형태로서 무역균형을 유지하기 위한 정책적 무역거래 방식이다.

물물교환 (barter trade)	연계무역의 초보적인 형태로서, 대금지급 없이 상품을 교환하는 거래형태이다.
대응구매(상호구매, counter purchase)	연계무역의 대표적인 형태로서, 수출자가 수출계약과 함께 일정기간 안에 수입국의 상품을 구매하겠다는 별개의 구매계약을 체결하여 대금을 상호지급하는 거래형태이다.[1]
선구매 (advance purchase)	수출자가 수출하기 전에 수입자로부터 상품을 먼저 구매하고, 수입자로 하여금 수출자의 상품을 일정기간 내에 구매할 것을 약속하는 거래형태(대응구매의 상대적 개념).
제품환매(역구매, product buy-back)	수출자가 플랜트, 장비 등의 기계설비를 수출하고 수출대금의 전부 또는 일부를 제공한 기계설비에서 생산되는 제품으로 회수하는 거래형태이다. * 산업협력(industrial cooperation): 산업기술이전을 수반하는 제품 환매
상계무역(절충교역, off-set trade)	수입국에서 생산한 부품과 자재를 수출국이 수입하여 생산하고, 그만큼 수출대금의 일부를 상계하는 거래형태이다(항공기, 고속전철, 첨단기술제품 등의 거래에 활용).[2]

---

1) 구상무역은 하나의 계약서에 의해 거래가 이루어지지만, 대응구매는 수출계약과 수입계약이 별도로 체결되어 거래된다는 점이 다르다.

2) 상계무역은 대응구매(counter purchase)와 유사한 형태이나, 대응구매는 판매대금 전액을 재구매해야 하는 것에 비하여, 상계무역은 판매대금 중에서 일정액만을 재구매하면 된다는 점에 차이가 있다.

(3) 기타 거래형태에 따른 무역의 분류

링크제 무역	수출과 수입을 연계시켜서 일정한 수출·수입과 교환할 것을 조건으로 수입·수출을 허용하는 제도로서, 수출의무제와 수입권리제가 있다(link system, 수출입링크제).
OEM 방식 수출	주문자 상표 부착 방식(OEM; Original Equipment Manufacturing)이라고 한다. 수입자로부터 수출상품의 생산을 주문 받아 생산된 제품에 수입자의 상표를 부착하여 수출하는 방식이다 .
ODM 방식 수출	제조자 개발 생산 방식(ODM; Original Development Manufacturing)이라고 한다. 설계와 개발 능력을 갖춘 제조업체에 제품의 생산을 위탁하면 제조업체가 제품을 개발 및 생산하여 주문자에게 납품하는 방식이다. 이 경우 주문자의 상표가 부착될 수 있지만, 제조업체가 연구개발 및 설계를 통해 제품 생산을 주도하기 때문에 단순하청 방식인 OEM과 구별된다. {표} | 방식 | 차이점 | | ODM | 주문자의 요구에 따라 제조업체가 주도적으로 제품 생산 | | OEM | 주문자가 제공한 설계도에 따라 생산 |
녹다운 (KD, Knock-down) 방식 수출	완제품을 수출하는 것이 아니라, 조립할 수 있는 시설과 능력을 가진 거래처에 부분품이나 반제품으로 수출하고 실수요지에서 제품을 완성하는 현지 조립방식의 수출을 말한다.
각서 무역	국교가 없는 두 나라 사이에서 행하여지는 준정부 차원의 무역거래로, 두 나라의 민간단체 상호간에 교환된 각서(覺書)에 따라 거래가 이루어진다.
사이버 무역	인터넷망을 통한 서류 없는 새로운 형태의 무역거래를 말한다(internet trade).

6. 기타 무역의 분류

(1) 자유무역과 보호무역

자유무역 (free trade)	국가 간 상품·용역·자본 등의 자유로운 유출 또는 유입을 보장하는 무역형태이다.
보호무역 (protective trade)	국가가 자국의 산업을 유지 또는 보호할 목적으로 무역거래를 간섭 또는 통제하는 무역형태이다.
관리무역 (controlled trade)	국가가 무역의 일부 또는 전부에 대하여 총액, 내용, 품목, 결제시기, 방법 등을 통제하는 무역형태이다.

(2) 육상무역과 해양무역

육상무역 (overland trade)	철도, 자동차 등을 운송수단으로 하는 무역형태이다.
해양무역 (ocean trade)	선박을 운송수단으로 하는 무역형태이다(= 해상무역). * 연안무역(coasting trade): 연안을 이용하여 운송 * 하천무역(river trade): 하천을 통하여 운송

7. 대외무역법상 특정거래 형태

(1) 의의

산업통상자원부장관은 물품 등의 수출 또는 수입이 원활히 이루어질 수 있도록 대통령령으로 정하는 물품 등의 수출입 거래 형태를 인정할 수 있다(「대외무역법」 제13조). 특정거래 형태란 수출 또는 수입의 제한을 회피할 우려가 있는 거래, 산업 보호에 지장을 초래할 우려가 있는 거래, 외국에서 외국으로 물품 등의 이동이 있고, 그 대금의 지급이나 영수(領收)가 국내에서 이루어지는 거래로서 대금 결제 상황의 확인이 곤란하다고 인정되는 거래, 대금 결제 없이 물품 등의 이동만 이루어지는 거래 등으로서 산업통상자원부장관이 정하여 고시하는 기준에 해당하는 거래를 말한다.

(2) 대외무역법에서 정한 특정거래 형태

위탁판매수출	물품 등을 무환으로 수출하여 해당 물품이 판매된 범위 안에서 대금을 결제하는 계약에 의한 수출
수탁판매수입	물품 등을 무환으로 수입하여 해당 물품이 판매된 범위 안에서 대금을 결제하는 계약에 의한 수입
위탁가공무역	가공임을 지급하는 조건으로 외국에서 가공(제조, 조립, 재생, 개조를 포함한다. 이하 같다)할 원료의 전부 또는 일부를 거래 상대방에게 수출하거나 외국에서 조달하여 이를 가공한 후 가공물품 등을 수입하거나 외국으로 인도하는 수출입
수탁가공무역	가득액을 영수(領收)하기 위하여 원자재의 전부 또는 일부를 거래 상대방의 위탁에 의하여 수입하여 이를 가공한 후 위탁자 또는 그가 지정하는 자에게 가공물품 등을 수출하는 수출입(다만, 위탁자가 지정하는 자가 국내에 있음으로써 보세공장 및 자유무역지역에서 가공한 물품 등을 외국으로 수출할 수 없는 경우「관세법」에 따른 수탁자의 수출·반출과 위탁자가 지정한 자의 수입·반입·사용은 이를「대외무역법」에 따른 수출·수입으로 본다)
임대수출	임대(사용대차 포함) 계약에 의하여 물품 등을 수출하여 일정기간 후 다시 수입하거나 그 기간의 만료 전 또는 만료 후 해당 물품 등의 소유권을 이전하는 수출
임차수입	임차(사용대차 포함) 계약에 의하여 물품 등을 수입하여 일정기간 후 다시 수출하거나 그 기간의 만료 전 또는 만료 후 해당 물품의 소유권을 이전받는 수입
연계무역	물물교환(Barter Trade), 구상무역(Compensation trade), 대응구매(Counter purchase), 제품환매(Buy Back) 등의 형태에 의하여 수출·수입이 연계되어 이루어지는 수출입
중계무역	수출할 것을 목적으로 물품 등을 수입하여「관세법」제154조에 따른 보세구역 및 같은 법 제156조에 따라 보세구역 외 장치의 허가를 받은 장소 또는「자유무역지역의 지정 등에 관한 법률」제4조에 따른 자유무역지역 이외의 국내에 반입하지 아니하고 수출하는 수출입
외국인수수입	수입대금은 국내에서 지급되지만 수입 물품 등은 외국에서 인수하거나 제공받는 수입
외국인도수출	수출대금은 국내에서 영수하지만 국내에서 통관되지 아니한 수출 물품 등을 외국으로 인도하거나 제공하는 수출
무환수출입	외국환 거래가 수반되지 아니하는 물품 등의 수출·수입

3 무역관련 지표

1. 무역의존도

(1) 의의

무역의존도(dependence on foreign trade)란 한 나라의 경제가 무역 활동에 얼마나 의존하고 있는지에 대한 지표로서, 수출의존도와 수입의존도를 합한 개념이다.

(2) 무역의존도와 수출·수입의존도

무역의존도는 국민총소득(GNP) 대비 무역액을 백분율로 나타낸 지수이다. 국민총소득(GNP) 대신 국내총생산(GDP) 또는 국민총생산(GNI)을 사용하기도 한다.

국민총생산(GNP, **gross national product)**	국내외를 불문하고 그 나라 국적을 갖는 국민에 의해 생산 또는 획득된 최종생산물의 가치의 총합
국내총생산(GDP, **gross domestic product)**	국적을 불문하고 그 국가 내에서(거주하는 자에 의해) 생산 또는 획득된 최종생산물의 가치의 총합[3]
국민총소득(GNI, **gross national income)**	생산지표인 실질 국내총생산(GDP)에 교역조건 변동에 따른 무역손익을 반영한 국민소득 통계의 총량지표

① 무역의존도(%) $= \dfrac{\text{1년간의 무역액 총액}}{\text{1년간의 GNP}} \times 100$

② 수출의존도(%) $= \dfrac{\text{1년간의 수출 총액}}{\text{1년간의 GNP}} \times 100$

③ 수입의존도(%) $= \dfrac{\text{1년간의 수입 총액}}{\text{1년간의 GNP}} \times 100$

(3) 무역의존도의 해석

① 무역의존도는 '일정 기간' 단위로 산정하는 것이다. 특정 시점을 기준으로 산정하는 것이 아니다.

② 무역의존도가 높다는 것은 외국경제와의 상호연관성이 높다는 의미이며, 무역의존도가 낮다는 것은 국내분업에 의한 자급자족도가 높다는 의미이다.

③ 무역의존도가 높다는 것이 그 나라의 무역규모가 크다는 것을 의미하는 것은 아니다.

④ 국토가 넓고 천연자원이 풍부한 나라는 해외자원 의존도가 낮으므로 무역의존도도 낮아진다.

⑤ 국내시장이 협소한 경우 수출에 의존할 수밖에 없으므로 무역의존도가 높아진다.

⑥ 수출의존도가 높은 경우, 세계적 불황이 국내경제의 불황으로 이어질 가능성이 높다.

---

3) 외국인이 우리나라에서 생산한 것은 GDP에 포함되지만, GNP에는 포함되지 않는다. 우리나라 사람이 외국에서 생산한 것은 GNP에는 포함되지만, GDP에는 포함되지 않는다.

⑦ 수입의존도가 높은 경우, 국제시장의 가격변동이 국민경제에 직접적인 영향을 주게 된다.

⑧ 수출산업 원료의 수입의존도가 높은 경우, 수출이 증가하여도 해외에서 공급되는 원료의 가격도 높아지면 교역 조건이 악화될 수 있고, 이 경우 수출에 의한 소득 유발 효과도 증가하지 않는다.

(4) 무역결합도

① 의의

무역결합도(intensity of trade)는 교역상대국에 대한 무역 집중 정도를 나타내는 지표로서, 상대국에 대한 한 나라의 무역의존관계를 세계무역과의 연관성 속에서 표현한다. '상대국에 대한 한 나라의 무역이 세계무역에서 어느 정도의 비율을 나타내고 있는가?'에 대한 답으로서, 브라운(Brown) 지수라고도 한다.

② 무역결합도의 해석

무역결합도는 수출결합도와 수입결합도로 구분된다. 한국 입장에서의 한국과 중국의 수출결합도는 '한국의 총수출 중 중국으로의 수출 비중'을 '세계 총수입에서 중국의 총수입이 차지하는 비중'으로 나눈 값이다. 이것은 전세계의 수입 중 중국의 수입이 차지하는 비중에 대한 한국산의 중국시장 점유율의 비율이다.

㉠ A국의 B국에 대한 수출결합도 $= \dfrac{\text{(B국에 대한 A국의 수출액 / A국의 수출총액)}}{\text{(B국의 수입총액/세계의 수입액)}}$

㉡ A국의 B국에 대한 수입결합도 $= \dfrac{\text{(B국에 대한 A국의 수입액 / A국의 수입총액)}}{\text{(B국의 수출총액/세계의 수출액)}}$

수출결합도의 크기	의미	한 – 중 무역관계의 긴밀함
수출결합도 > 1	한국의 중국에 대한 수출이 중국의 세계무역상의 수입비율 이상임	무역관계의 긴밀함이 세계 평균 이상 수준임
수출결합도 = 1	한국의 중국에 대한 수출이 중국의 세계무역상의 수입비율과 비례함	무역관계의 긴밀함이 세계 평균 수준임
수출결합도 < 1	한국의 중국에 대한 수출이 중국의 세계무역상의 수입비율 이하임	무역관계의 긴밀함이 세계 평균 이하 수준임

③ 무역의존도와의 차이

무역의존도는 '한 나라'의 경제가 무역에 얼마나 의존하고 있는지를 표시하는 지표이지만, 무역결합도는 '무역상대국'과의 의존관계를 표시하는 지표이다. 그러므로 국가 간 무역구조의 상호 보완성을 파악할 수 있는 지표는 무역결합도이다.

2. 교역조건

(1) 의의

교역조건(terms of trade)이란 1단위의 상품을 수출하여 획득한 외화로 얼마나 많은 상품을 수입할 수 있는지를 나타내는 지표이다. 이것은 교역 상대국 간 수출품과 수입품 사이의 수량적인 교환비율로, 특정 국가의 무역이익을 나타내는 지표로 사용된다. 교역조건에는 상품교역조건, 총상품교역조건, 소득교역조건, 요소교역조건이 있다. 이 중 순상품교역조건과 소득교역조건이 주로 사용된다.

(2) 종류

① 상품교역조건(순상품교역조건, 순교역조건)

㉠ 상품교역조건(commodity terms of trade)이란 수입가격과 수출가격의 변화율을 통해 무역이익을 판단하는 교역조건으로, 순교역조건(net terms of trade)이라고도 한다. 기준연도 대비 비교연도의 수입가격변화율에 대한 수출가격변화율을 고려하여 그 백분율 수치가 100 이상이면 교역조건이 개선된 것(또는 유리한 것)으로 해석하고, 100 이하이면 악화된 것(또는 불리한 것)으로 해석하며, 100이면 교역조건에 변동이 없는 것으로 해석한다. 무역으로 인한 후생의 변화를 판단하는 지표로는 상품교역조건이 유효하다.

㉡ 다음 산출식에서 N은 상품교역조건을, 'P_{X1} / P_{X0}'은 수출가격변화율을, 'P_{M1} / P_{M0}'은 수입가격변화율을 의미한다. 수출가격이 상승하거나 수입가격이 하락하면 수출국의 교역조건이 개선되며, 수출가격변화율이 수입가격변화율을 초과할 때에도 수출국의 교역조건은 개선된다.

$$N = \frac{P_X}{P_M} = \frac{(P_{X1}/P_{X0})}{(P_{M1}/P_{M0})} \times 100$$

P_X: 수출가격지수, P_M: 수입가격지수

P_{X0}: 기준연도의 수출가격, P_{M0}: 기준연도의 수입가격

P_{X1}: 비교연도의 수출가격, P_{M1}: 비교연도의 수입가격

② 총교역조건

㉠ 총교역조건(gross barter terms of trade)이란 수출물품과 수입물품의 교환량을 통해 무역이익을 판단하는 교역조건이다. 수출수량지수 대비 수입수량지수를 고려하여 그 백분율 수치가 100 이상이면 교역조건이 개선된 것(또는 유리한 것)으로 해석하고, 100 이하이면 악화된 것(또는 불리한 것)으로 해석하며, 100이면 교역조건에 변동이 없는 것으로 해석한다.

ⓛ 아래 산출식에서 총교역조건 G가 기준연도에 비하여 상승하였다면, 수출물품 1단위와 교환되는 수입물품의 양이 증가한 것이므로 대외거래조건이 개선된 것으로 볼 수 있다.

$$G = \frac{Q_M}{Q_X} \times 100$$

Q_X: 수출수량지수

Q_M: 수입수량지수

만일 수입액과 수출액이 동일하다면 총교역조건과 상품교역조건은 동일하게 된다.

$P_X \times Q_X = P_M \times Q_M$이면

$$\frac{P_X}{P_M} = \frac{Q_M}{Q_X}$$

이므로 $N = G$의 등식이 성립한다.

③ 소득교역조건

ⓖ 소득교역조건(income terms of trade)이란 한 나라의 수출액으로 외국물품을 얼마나 수입할 수 있는가(capacity to import)를 측정하는 지수로서, 도런스는 이를 '수입능력지수'라 하였고, 마리스는 '수출구매력'이라 하였다.

ⓛ 소득교역조건이 상승하면 한 나라가 일정시점의 총수출대금으로 기준시점보다 더 많은 수입을 할 여력이 생겼음을 의미한다. 소득교역조건은 무역이익의 척도로는 사용될 수 없으나, 수출수량에 의해 구입할 수 있는 수입량의 변동은 파악할 수 있다. 아래 산출식에서 소득교역조건 I가 증가한다는 것은 그 나라의 수입능력이 향상되었다는 것을 의미한다.

$$I = N \times 수출수량지수 (N: 상품교역조건)$$

④ 요소교역조건

요소교역조건(factoral terms of trade)이란 한 나라의 수출산업에 투입된 생산요소에 대한 실질소득의 변화지수로서, 수출물품과 수입물품의 가격비율을 생산요소의 생산성과 연결시켜 교역조건을 측정하는 지표이다. 수출부문의 생산지수가 높다는 것은 수출산업에 투입되는 요소량이 상대적으로 적어도 된다는 것을 의미한다. 요소교역조건은 한 나라의 수출산업 실질소득 변화를 통해서 소득 또는 복지수준의 변화를 판단하는 데 유효하다. 요소교역조건 S의 산출식은 다음과 같다.

$$S = N \times (한 국가의 수출부문 생산지수)$$

이때 본국의 수출재 산업의 생산성만을 고려하면 단일요소교역조건(single factoral terms of trade)이라 하고, 본국의 수입재 부문의 외국 생산성까지 함께 고려하면 이중요소교역조건(double factoral terms of trade)이라고 한다. 만약 단일요소교역조건이 상승했다면 수출재 산업에 고용된 일정한 양의 생산요소에 대하여 더 많은 수입이 가능해진다는 것을 의미하며, 이중요소교역조건이 개선되었다면 본국 수출재 산업의 생산요소가 더 많은 외국 수출재 산업의 생산요소와 교환된다는 것을 의미한다.

3. 외화가득률

(1) 의의

외화가득률이란 한 나라가 수출을 통하여 가득(취득)할 수 있는 외화를 측정하는 지표로서, 총수출액 중에서 실제로 가득한 외화의 비율로 표시된다. 실제로 가득한 외화 금액을 판단하기 위해서는 수출액에서 해당 물품을 제조하기 위해서 투입된 수입원자재의 총액을 공제하여야 한다.

$$외화가득률 = \frac{수출액(FOB가격) - 수입원자재총액(CIF가격)}{수출액(FOB가격)} \times 100$$

(2) 외화가득률의 해석

① 외화가득률은 특히 가공무역에 따른 수출이익을 측정할 때 유용하다.
② 특정기간, 특정품목을 기준으로 한다.
③ 수출품 생산에 투입된 원재료 중 국산원재료의 비중이 높으면 외화가득률이 높아진다.
④ 원재료를 수입하여 가공 후 수출하는 경우, 국내에서의 가공도가 높으면 외화가득률이 높아진다.

4. 수입자유화율

수입자유화율이란 한 나라의 총 수입물품 중 정부의 승인을 취득하지 않고 수입할 수 있는 물품의 비율을 나타내는 지표이다.

$$수입자유화율 = \frac{총수입 \ 상품수 - 수입승인 \ 상품수}{총수입 \ 상품수} \times 100$$

4 무역과 경제성장

1. 무역과 경제성장

무역을 통하여 경제성장을 이룩하면, 이것은 생산과 소비의 증가로 이어져 전체적인 후생수준도 이전보다 높아지게 된다. 무역으로 인한 소득이 투자와 소비로 이어지면서, 또 다른 소득을 창출하게 되면 무역으로 인한 경제성장의 효과는 더욱 커질 수 있다. 그러나 교역조건이 악화된 상태에서의 무역은 오히려 그 나라의 경제를 더욱 궁핍하게 만들 수도 있다. 무역과 경제성장의 관계를 파악할 수 있는 경제성장 이론에는 궁핍화 성장이론, 무역승수, 립진스키의 정리 등이 있다.

2. 바그와티의 궁핍화 성장

(1) 의의

대국의 경제성장은 세계 전체 공급량에 영향을 미쳐 국제시장가격을 변화시킨다. 대국에서 수출재 부문이 성장하면, 수출공급량이 증가하여 수출재의 국제시장가격이 하락한다. 이와 같은 교역조건 악화로 경제성장에도 불구하고 후생수준이 떨어질 수 있는데 이를 바그와티(J. Bhagwati)는 궁핍화 성장(immiserizing growth)이라고 한다.

(2) 요건

① 궁핍화 성장이 나타나기 위해서는 그 국가가 국제시장가격에 영향을 미칠 수 있는 대국(大國)이어야 한다.

② 수출산업이 그 국가의 경제에서 차지하는 비중이 커야 한다.

③ 국내에서는 수출재와 수입 경쟁재간 대체성이 희박하여야 한다.

④ 수출편향적 국가의 교역조건이 악화되어야 한다.

⑤ 교역상대국의 수요탄력성이 비탄력적이어야 한다. 그래서 수요탄력성이 낮은 농산품 교역에서 궁핍화 성장 현상이 많이 나타난다.

(3) 특징

① 수출재 부문의 성장으로 야기된 교역조건 악화 정도가 크지 않으면 후생수준은 오히려 증가할 수 있다. 수출재 가격하락에 의한 후생감소효과보다 생산증가에 의한 후생증가효과가 더 클 경우 궁핍화 성장이 발생하지 않을 수 있다. 국내 생산 증가로 고용이 창출되는 등 후생이 증가하면 '궁핍'하지 않을 수 있기 때문이다.

② 어떤 국가의 시장점유율이 국제시장가격을 조정할 수 있을 만큼 큰 경우가 많지 않으므로, 현실에서는 궁핍화 성장이 나타나기가 어렵다.

③ 경제성장의 패턴이 수출산업으로 편향될수록 오퍼곡선을 오른쪽으로 이동시키는 힘이 크게 작용하여 교역조건은 점점 악화되어 간다.

3. 무역승수

(1) 의의

무역승수(貿易乘數, foreign trade multiplier)란 수출의 증가분과 그로 인해 생기는 국민소득의 증가분과의 비율을 말한다. 수출과 수입은 오늘날 국민소득을 구성하는 중요한 요소가 되어 수출이 증가하면 국민소득도 그만큼 늘어나게 되며 그와 반대로 수입이 증가하면 국민소득도 그만큼 감소하게 된다. 다만 수출입은 그에 해당하는 금액만큼의 국민소득의 증감을 가져오는 것이 아니라 고용 및 국내산업에의 파급효과 등으로 그의 승수배만큼의 증감을 가져온다.

(2) 무역승수

① 투자와 저축이 없는 경우의 무역승수

$$무역승수 = \frac{소득증가}{수출증가} = \frac{1}{한계수입성향}$$

② 개방경제하의 현실적인 무역승수

$$무역승수 = \frac{소득증가}{수출증가 + 투자증가} = \frac{1}{한계저축성향 + 한계수입성향}$$

무역승수는 한계저축성향과 한계수입성향의 합이 1보다 작을 때 주어진 규모의 수출증대가 승수배의 국민소득의 증대를 유발한다는 것을 나타낸다. 따라서 일반적으로 한계저축성향과 한계수입성향이 클수록 소득증대 효과는 그만큼 감소하게 된다.

③ 국민소득의 증가분 계산

현실에서 실제로 관심을 가지게 되는 것은 무역승수 자체보다는 수출의 증가로 말미암은 국민소득의 증가분이다. 위의 산식을 소득증가 중심으로 정리하면 다음과 같다.

$$소득증가 = \frac{1}{한계저축성향 + 한계수입성향} \times (수출증가 + 투자증가)$$

예를 들어, 한계저축성향이 0.2, 새로운 투자가 20억불, 한계수입성향이 0.3, 수출증가가 100억불이라면, 국민소득의 증가는 1/0.5 × (100억불 + 20억불) = 240억불이 된다.

> **❍ 투자승수와의 비교**
>
> 무역승수가 수출증가에 의한 소득증가의 배수라고 한다면, 투자승수는 투자증가에 의한 소득증가의 배수이다.
>
> $$투자승수 = \frac{1}{1 - 한계소비성향} = \frac{1}{한계저축성향}$$

4. 립진스키의 정리

(1) 의의

립진스키(T. M. Rybczynski) 정리란 경제성장의 요인 중 요소공급의 변화에 의한 경제성장의 결과가 국제무역의 패턴을 어떻게 변화시키는가를 규명하는 경제성장 이론이다. 립진스키 정리는 상품의 가격이 일정하게 유지되는 상황에서, 하나의 생산요소의 양이 증가하는 경우에 그 생산요소를 집약적으로 사용하는 상품의 생산량은 증가하는 반면, 다른 상품의 생산량은 감소한다는 이론이다.

(2) 해석

① 자본축적이 이루어지면 자본집약재 생산은 증가하고 노동집약재 생산은 감소한다.

② 자본의 양이 증가하는 경우 자본을 집약적으로 사용하는 상품의 생산량은 증가하는 반면, 노동을 집약적으로 사용하는 상품의 생산량은 감소하게 된다.

③ (위 경우에서) 노동집약재가 열등재가 되지 않기 위해서는 노동집약재의 가격이 하락하거나 자본집약재의 가격이 상승해야 한다.

④ 생산요소량의 변화와 생산량의 변화 사이에는 일반적으로 생산요소의 변화율보다 생산량의 변화율이 큰 '확대효과'가 생긴다.

⑤ 립진스키 정리는 헥셔 – 오린 정리를 긍정한다.

핵심체크 잉여분출설(잉여분출론)

아담 스미스는 경제발전의 초기에 있어서는 전통적인 자급부문에서 충분히 이용되지 않았던 토지와 노동을 생산에 이용함으로써 수출을 확대시킬 수 있다고 했다. 이 이론을 민트(H. Myint)는 잉여분출론(vent – for – surplus theory)이라 부르고, 오늘날 1차 상품 수출국이 어떻게 수출을 하게 되었는가를 설명해주는 이론으로 보고 있다.

01
□□□
무역의 특성에 대한 설명으로 옳지 않은 것은?

① 분쟁을 최소화하기 위해 특정 국가의 실정법에 의존한다.
② 국가 간 상이한 법률과 언어장벽 등으로 인해 재화와 생산요소의 국가 간 이동에 제한이 있다.
③ 해상(海上) 의존성이 높다.
④ 고도의 산업연관성을 지닌다.

답 ①

무역은 특정 국가의 실정법보다는 국제적인 상관습에 많이 의존한다. 무역은 오랜 기간 쌓여온 정형화된 무역관습에 준거하여 계약을 체결하고, 분쟁발생 시 이에 따라 해결하는 국제 상관습성이 두드러진다. 이에 따라 국제상관습을 표준화한 UCP, Incoterms 등의 국제적인 규칙이 사용되기도 한다.

02
□□□
플랜트 수출의 특성으로 옳지 않은 것은?

① 계약금액의 대규모화　　　　　② 거래당사국 간의 경제협력수단
③ 단기 일시불 방식의 대금결제　　④ 선진국형 수출산업

답 ③

플랜트 수출은 각종 공장 건설을 위한 설비, 기계, 부품 등의 자본재를 수출하는 것을 말한다. 계약금액이 크므로 단기 일시불 방식의 대금결제는 곤란하다. 플랜트 건설 발주자가 대부분의 투자비를 플랜트 건설 과정과 건설 후, 그리고 상당기간 동안 분할하여 지급하는 조건을 설정하고, 이런 조건을 감당할 수 있는 플랜트 수출자에게 발주하는 것이 일반적이다. 그러므로 플랜트 수출의 대금결제는 '단기'도 아니고 '일시불'도 아니다.

03
□□□
중개무역, 중계무역, 통과무역, 스위치무역 및 우회무역에 모두 해당하는 개념은?

① 유형무역　　　　　　　　　　② 구상무역
③ 간접무역　　　　　　　　　　④ 동서무역

답 ③

직접무역(direct trade)란 제3자의 개입이 없는 무역형태이고, 간접무역(indirect trade)이란 제3자가 개입하는 무역형태이다. 간접무역에는 중개무역, 중계무역, 통과무역, 스위치무역, 우회무역 등이 있다.

04 □□□ 거래상대국 간에 매매계약이 직접 체결되지 않고 제3국의 중개업자가 개입하여 계약이 체결되는 무역거래로서, 중개수수료를 수익으로 하는 무역의 형태는?

① 중계무역   ② 중개무역
③ 통과무역   ④ 우회무역

답 ②

제3국의 중개업자는 무역을 중개하고 중개수수료를 수익으로 챙길 뿐, 수출자와 수입자가 되지는 않는다. 이런 형태를 중개무역(merchandising trade)이라고 한다.

05 □□□ 스위치 무역의 내용으로 옳은 것은?

① 중개업자가 이윤을 목적으로 한 무역
② 상품운송은 교역당사자 간에 이루어지나 대금결제는 제3국의 업자가 개입하는 무역
③ 반제품을 수입하여 가공한 후 수출하는 무역
④ 수입품을 원형 그대로 제3국에 다시 수출하는 무역

답 ②

수출자와 수입자 간에 매매계약이 직접 체결되고 물품도 직접 인도되지만, 대금결제만은 제3국의 업자(스위처)를 개입시키는 무역형태를 스위치 무역(switch trade)이라 한다. 스위치 무역은 스위처가 수수료(switcher commission)를 수취하여 수익으로 하는 거래 형태이다.

06 □□□ 수출자가 플랜트, 장비 등의 기계설비를 수출하고, 수출대금의 전부 또는 일부를 제공한 기계설비에서 생산되는 제품으로 회수하는 거래형태를 무엇이라 하는가?

① 대응구매   ② 선구매
③ 제품환매   ④ 물물교환

답 ③

산업시설의 건설에 필요한 기술, 설비 또는 플랜트를 수출한 수출업자가, 제공된 기술, 설비 또는 플랜트에서 직접 파생되거나 이를 이용하여 생산된 제품으로 그 대가를 회수하는 거래형태를 제품환매(product buy-back)라고 한다. 제품환매는 원재료를 수출한 후 제품을 수입하는 위탁가공무역과 구분하여야 한다.

07 산업기술 이전을 수반하는 제품환매를 무엇이라 하는가?

① 산업협력   ② 플랜트수출

③ 대응구매   ④ 간접무역

답 ①

제품환매는 생산기기의 수출부터 첨단 기술의 이전을 수반하는 거래까지 그 범위가 매우 광범위하다. 이 중 산업기술 이전을 수반하는 제품환매를 산업협력(industrial cooperation)이라고 한다.

08 다음 중 수출과 수입을 연계시켜서 일정한 수출·수입과 교환할 것을 조건으로 수입·수출을 허용하는 무역은?

① 링크제 무역   ② 녹다운 방식 수출

③ OEM 방식 수출   ④ 구상무역

답 ①

'허용'한다는 것은 '정부가 허용한다'는 의미로 제도화된 것을 말한다. 일정한 수출·수입과 교환할 것을 조건으로 수입·수출을 허용하는 제도를 링크제 무역(link system)이라고 한다.

09 완제품을 수출하는 것이 아니라 조립할 수 있는 시설과 능력을 가진 거래처에 부품이나 반제품으로 수출하고 실수요자에게 제품을 완성하도록 하는 현지 조립방식의 수출을 무엇이라 하는가?

① 녹다운 방식 수출   ② OEM 방식 수출

③ Off-set trade   ④ Product buy-back

답 ①

부분품을 수출하여 현지에서 조립하여 소비자에게 판매하는 형태를 녹다운(knock-down) 방식 또는 KD 방식이라고 한다. 녹다운 방식에는 완전히 분해된 부분품을 현지에서 일일이 조립하는 CKD(complete knock-down)와 어느 정도 조립이 된 반제품을 수출하여 현지에서 조립하는 SKD(semi knock-down)가 있다.

10 □□□ 다음 중 수출과 수입의 불균형을 시정하기 위해 채택하는 무역의 방식은?

① 구상무역, 중계무역　　　　　　　② 구상무역, 삼각무역
③ 우회무역, 삼각무역　　　　　　　④ 우회무역, 중계무역

답 ②

구상무역(compensation trade)은 수출입에 따른 물품대금을 그에 상응하는 수출 또는 수입으로 상계하는 거래방식이다. 삼각무역(triangular trade)은 한 국가의 상대국에 대한 수출초과 또는 수입초과 현상이 심화되었을 때 제3국을 개입시키는 거래방식이다. 구상무역과 삼각무역은 모두 수출과 수입의 불균형을 시정하여 무역균형을 이루는 무역형태이다.

11 □□□ 수입국에서 생산한 부품과 자재를 수출국이 수입하여 생산하고, 그만큼 수출대금의 일부를 상계하는 거래형태를 무엇이라 하는가?

① Product buy-back　　　　　　　② Off-set trade
③ Compensation trade　　　　　　④ Knock-down

답 ②

수입국에서 생산한 부품과 자재를 수출국이 수입하여 제품을 생산하고, 그만큼 수출대금의 일부를 상계하는 거래형태를 상계무역(off-set trade, 절충무역)이라고 한다. 상계무역은 대응구매(counter purchase)와 유사하지만, 대응구매는 수출액의 전부 또는 일정 비율만큼 수입업자의 제품을 본인 또는 제3자를 통하여 구매하는 거래형태로 수출계약과 수입계약이 별도로 체결되는 거래형태인 반면에 상계무역은 판매대금 중에서 일부만 재구매에 사용한다는 점이 다르다.

12 □□□ 다음 중 무역의존도를 가장 잘 표현한 것은?

① $\dfrac{\text{특정시점의 수출액} + \text{특정시점의 수입액}}{\text{특정시점의 국민소득}} \times 100(\%)$

② $\dfrac{\text{특정시점의 경상수지}}{\text{특정시점의 종합수지}} \times 100(\%)$

③ $\dfrac{\text{1년간의 수출총액} + \text{1년간의 수입총액}}{\text{1년간의 국민소득총액}} \times 100(\%)$

④ $\dfrac{\text{1년간의 수출증가량} + \text{1년간의 수입증가량}}{\text{1년간의 국민총생산}} \times 100(\%)$

무역의존도란 다음과 같이 국민총소득(GNP) 또는 국내총생산(GDP), 국민총생산(GNI) 대비 무역총액을 백분율로 나타낸 지수이다. 일정기간의 무역 총액이란 그 기간 동안의 수출총액과 수입총액을 합한 수치이다.

$$\frac{1년간의\ 수출총액+1년간의\ 수입총액}{1년간의\ GNP} \times 100(\%)$$

✓ 선지분석

① 무역의존도는 한 나라가 무역활동에 얼마나 의존하고 있는지를 '일정 기간'(일반적으로 1년) 단위로 파악하는 것으로, '특정시점' 기준이 아니다.

13 무역의존도에 대한 설명으로 옳지 않은 것은?

① 무역의존도가 높다는 것이 그 나라의 무역규모가 크다는 것을 의미하는 것이 아니다.
② 국토가 넓고 천연자원이 풍부한 나라는 무역규모가 크므로 무역의존도가 높아진다.
③ 국내시장이 협소한 경우 수출에 의존할 수밖에 없으므로 무역의존도가 높아진다.
④ 수출의존도가 높은 경우, 세계적 불황이 국내경제의 불황으로 이어질 가능성이 높다.

답 ②

국토가 넓고 천연자원이 풍부한 나라는 자급자족이 가능하므로, 무역 활동에 적극적이지 않다. 그래서 무역의존도도 높지 않다.

✓ 선지분석

① 무역의존도는 한 나라의 무역 규모가 크든 작든 상관없이 무역에 얼마나 의존하고 있는지 그 비율을 나타내는 수치이다. 무역의존도가 높다고 해서 무역규모가 큰 것은 아니다.
③ 우리나라는 국토가 좁고 천연자원이 부족하여 해외 시장에 크게 의존하고 원료 공급처도 해외에 의존하는 경향이 크다.
④ 수출의존도가 높으면 우리나라가 해외 시장에 큰 영향을 받게 된다. 그러므로 세계적 불황이 지속되면 국내에도 불황이 찾아오게 된다.

14 1년간의 수출총액이 $10,000, 수입총액이 $5,000, 국민소득총액이 $30,000일 때 무역의존도는 얼마인가?

① 20%   ② 25%
③ 50%   ④ 80%

$$무역의존도 = \frac{1년간의\ 수출총액 + 1년간의\ 수입총액}{1년간의\ 국민소득총액} \times 100(\%) = \frac{\$10,000 + \$5,000}{\$30,000} \times 100(\%) = 50\%$$

15 무역결합도(intensity of trade)의 개념을 가장 잘 설명한 것은?

① 한 나라의 총 부가가치 창출에서 무역이 차지하는 비율
② 한 나라의 무역이 세계의 무역구조에서 차지하는 비율
③ 세계무역구조에 비례한 특정기간 한 나라의 무역의 성장비율
④ 수출액과 수입액이 국민총생산액에서 차지하는 비율

답 ②

무역결합도(trade intensity / intensity of trade)란 '상대국에 대한 한 나라의 무역이 세계 무역에서 어느 정도 비율을 차지하고 있는가?'에 대한 답이다. 단순히 두 국가간의 무역 의존 관계만 나타내는 것이 아니라, 세계무역과의 연관성을 나타낸다. 즉 '한 나라의 무역이 세계의 무역구조에서 차지하는 비율'이다.

☑ 선지분석
④ 무역의존도에 대한 설명이다.

16 교역 상대국간 수출품과 수입품의 수량적 교환비율을 무엇이라 하는가?

① 교역조건
② 무역할당
③ 무역의존도
④ 환율

답 ①

교역 상대국간 수출품과 수입품의 수량적 교환비율은 정확히 말하면 총교역조건(gross barter terms of trade)이다. 수출수량지수 대비 수입수량지수를 고려하여 그 백분율 수치가 100 이상이면 교역조건이 유리하다고 해석하고, 100 이하이면 교역조건이 불리하다고 해석한다.

17 여러 교역조건의 유효성에 대한 설명으로 옳지 않은 것은?

① 무역으로 인한 후생의 변화를 판단하는 지표로는 순교역조건이 유효하다.
② 소득교역조건은 무역이익의 척도로서 유효하다.
③ 요소교역조건은 한 나라의 수출산업 실질소득 변화를 통해서 소득 또는 복지수준의 변화를 판단하는 데 유효하다.
④ 이중요소교역조건은 한 국가와 상대국의 생산성 변화를 파악하는 데 유효하다.

답 ②

소득교역조건(income terms of trade)이란 무역을 통해 얼마나 수입능력이 늘어났는지를 판단하는 교역조건으로, '수입능력지수' 또는 '수출구매력'이라 한다. 상품교역조건(순교역조건)이 수입가격과 수출가격의 변화율을 통해 무역이익을 판단하는 조건이라면, 소득교역조건은 그런 교역조건 아래에서 실제로 얼마나 버는지를 나타낸다. 그러므로 소득교역조건은 그 자체가 무역이익을 나타내는 데는 적합하지 않으며, 수출을 해서 번 돈으로 얼마나 수입능력이 향상되었는지를 나타낼 뿐이다.

18 다음 중 한 국가의 수출산업에 투입된 생산요소에 대한 실질소득의 변화지수는?

① 상품교역조건   ② 요소교역조건
③ 소득교역조건   ④ 총교역조건

답 ②

요소교역조건(factoral terms of trade)이란 한 나라의 수출산업에 투입된 생산요소에 대한 실질소득의 변화지수로서, 한 나라의 소득 또는 복지 수준의 변화를 판단하는데 유효하다. 상품교역조건과 총교역조건이 무역에 있어 얼마나 유리한가의 답을 준다면, 소득교역조건은 그 결과 얼마나 수입할 수 있는 여력이 생겼는가를 말해주고, 요소교역조건은 '얼마를 투입해서 얼마를 버는지'를 말해준다. 생산요소의 투입을 고려한다는 점이 다른 교역조건과 다르다.

19 다음 중에서 상품교역조건을 불리하게 하는 경우는?

① 수출가격 불변, 수입가격 하락
② 수입가격 불변, 수출가격 상승
③ 수입가격 불변, 수출가격 하락
④ 수출가격의 상승률이 수입가격의 상승률 초과

상품교역조건 N은 다음과 같이 계산한다.

$$N = \frac{P_X}{P_M} = \frac{(P_{X1}/P_{X0})}{(P_{M1}/P_{M0})} \times 100$$

P_X: 수출가격지수, P_M: 수입가격지수
P_{X0}: 기준연도의 수출가격, P_{M0}: 기준연도의 수입가격
P_{X1}: 비교연도의 수출가격, P_{M1}: 비교연도의 수입가격

N이 커지면 교역조건이 개선이 된 것으로 본다. N이 커지기 위해서는 수출가격이 상승하거나, 수입가격이 하락하면 된다. 또는 수입가격과 수출가격이 모두 하락하여도 수입가격 하락률이 수출가격 하락률을 초과하면 N은 커진다. 마찬가지로 수출가격 상승률이 수입가격의 상승률을 초과해도 N은 커진다. 수입가격이 변하지 않고, 수출가격만 하락하면 N은 작아진다. 즉, 교역조건은 악화된다(불리해진다).

20

다음 중 교역조건 또는 그 변동을 의미하지 않는 것은?

① $\dfrac{\text{한 품목의 수입비중}}{\text{한 품목의 수출비중}}$

② $\dfrac{\text{수입상품 수량}}{\text{수출상품 수량}}$

③ $\dfrac{\text{수출상품 물가지수}}{\text{수입상품 물가지수}}$

④ $\dfrac{\text{수출상품 가격}}{\text{수입상품 가격}}$

답 ①

✅ **선지분석**
- -
②를 이용하면 총교역조건을 나타낼 수 있고, ③과 ④를 이용하면 상품교역조건을 나타낼 수 있다.

21

외화가득률의 산출식을 가장 잘 표현한 것은?

① $\dfrac{\text{수출금액(FOB 기준)} - \text{외화획득용 원료 수입금액(CIF 기준)}}{\text{수출금액(FOB 기준)}} \times 100$

② (수출금액(FOB 기준) - 수입금액(CIF 기준)) × 100

③ (수출금액(FOB 기준) + 수입금액(CIF 기준)) × 100

④ $\dfrac{\text{수출금액(FOB 기준)} - \text{외화획득용 원료 수입금액(CIF 기준)}}{100}$

외화가득률이란 한 나라가 수출을 통하여 취득할 수 있는 외화를 측정하는 지표이다. 외화가득률은 다음과 같이 수출금액 대비 수출금액과 수입금액의 차액을 백분율로 나타낸다. 아래 계산식에서 분자가 '실제가득액'이다.

$$\frac{\text{수출금액(FOB 기준)} - \text{외화획득용 원료 수입금액(CIF 기준)}}{\text{수출금액(FOB 기준)}} \times 100$$

22 수출의 증가분과 그로 인하여 생기는 국민소득의 증가분과의 비율을 무엇이라 하는가?
□□□
① 무역승수　　　　　　　　　　　　② 무역의존도
③ 수출증가율　　　　　　　　　　　④ 한계대체율

무역승수(foreign trade multiplier)란 수출의 증가분과 그로 인한 국민소득의 증가분과의 비율을 말한다. 수출입이 증감하면 고용 및 국내산업에의 파급효과 등으로 국민소득은 승수배만큼 증감한다. 그래서 이것을 승수(乘數)라고 부른다.

23 투자와 저축이 없는 경우, 한계수입성향이 0.2, 수출증가액이 $50억일 때, 국민소득은 얼마나 증
□□□ 가하는가?
① $100억　　　　　　　　　　　　② $200억
③ $250억　　　　　　　　　　　　④ $400억

투자와 저축이 없을 때, 수출 증가 대비 소득 증가의 수치가 바로 무역승수이다. 이것은 한계수입성향과 역(逆)의 관계에 있다.

$$\text{무역승수} = \frac{\text{소득증가}}{\text{수출증가}} = \frac{1}{\text{한계수입성향}}$$

$\frac{x}{\$50억} = \frac{1}{0.2}$ 이므로, 소득증가(x)는 $250억이다.

24 한계저축성향이 0.1, 투자증가액 $50억, 한계수입성향 0.4, 수출증가액 $100억일 때 국민소득
☐☐☐ 은 얼마나 증가하는가?

① $4억   ② $20억

③ $150억   ④ $300억

답 ④

투자와 저축이 모두 있는 '현실적'인 무역승수는 다음과 같다.

$$무역승수 = \frac{소득증가}{수출증가 + 투자증가} = \frac{1}{한계저축성향 + 한계수입성향}$$

$\dfrac{\chi}{\$100억 + \$50억} = \dfrac{1}{0.1 + 0.4}$ 이므로, 소득증가(x)는 $300억이다.

25 자본의 양이 증가하는 경우 자본을 집약적으로 사용하는 상품의 생산량은 증가하는 반면, 노동을
☐☐☐ 집약적으로 사용하는 상품의 생산량은 감소하게 된다는 이론은?

① 유동성 가설   ② 잉여분출설

③ 입수가능성 이론   ④ 립진스키의 정리

답 ④

재화를 생산하는데 자본과 노동이라는 두 생산요소가 필요하다고 가정할 때, 하나의 생산요소의 증가하
면 그 생산요소를 집약적으로 사용하는 상품의 생산량은 증가하고, 다른 상품의 생산량은 감소한다. 이
이론을 립진스키의 정리(Rybczynski theorem)라고 한다.

☑ 선지분석

① 유동성 가설(liquidity hypothesis)이란 이자율이나 자산 가격 등이 유동성에 의해 영향을 받는다는
주장이다. 유동성 가설은 유동성이 증가하면 경제 활동이 활발해지고, 유동성이 부족하면 경제가 위
축된다고 말한다.

② 잉여분출설(surplus spillage theory)이란 잉여 생산력이나 자원이 일정한 방식으로 외부로 배출된
다는 개념이다. 한 국가의 경제가 성숙하여 잉여 생산력이 축적되면, 해외투자, 경제 원조 등의 형태
로 외부로 분출될 수 있다. 잉여분출설은 충분히 이용되지 않았던 토지와 노동을 생산에 이용함으로
써 수출을 확대할 수 있다고 말한다.

③ 입수가능성 이론(availability theory)이란 무역이 입수가능성(availability), 공급가능성 또는 유용
성과 같은 요인에 의존한다는 주장이다. 입수가능성 이론은 입수가능성이 큰 상품은 수출이 되고 입
수가능성이 없거나 적은 상품은 수입이 된다고 말한다.

26 경제발전의 초기에 있어서는 전통적인 자급부문에서 충분히 이용되지 않았던 토지와 노동을 생산에 이용함으로써 수출을 확대시킬 수 있다는 이론은 무엇인가?

① 립진스키의 정리 ② 잉여분출론
③ 무역승수이론 ④ 상품수명주기론

답 ②

아담 스미스는 경제발전의 초기에 있어서는 전통적인 자급부문에서 충분히 이용되지 않았던 토지와 노동을 생산에 이용함으로써 수출을 확대시킬 수 있다고 했다. 이 이론을 민트(H. Myint)는 잉여분출론이라 부르고, 오늘날 1차 상품 수출국이 어떻게 수출을 하게 되었는가를 설명해주는 이론으로 보고 있다. 한 국가의 경제가 성숙하여 잉여 생산력이 축적되면, 해외투자, 경제 원조 등의 형태로 외부로 분출될 수 있다.

27 바그와티(Bhagwati)의 궁핍화 성장(immiserizing growth)에 대한 설명으로 옳지 않은 것은?

① 궁핍화 성장이 나타나기 위해서는 그 국가가 국제시장가격에 영향을 미칠 수 있는 대국(大國)이어야 한다.
② 수입재 부문에서 성장이 발생하여 수입재 공급량이 증가하면 교역조건이 악화되므로, 궁핍화 성장은 일반적으로 수입재 부문에서 발생한다.
③ 수출재 부문의 성장으로 야기된 교역조건 악화 정도가 크지 않으면 후생수준은 오히려 증가할 수 있다.
④ 어떤 국가의 시장점유율이 국제시장가격을 조정할 수 있을 만큼 큰 경우가 많지 않으므로, 현실에서는 궁핍화 성장이 나타나기가 어렵다.

답 ②

대국(大國)에서 수출재 부문이 성장하면 수출공급량이 증가하고 이에 따라 수출재의 국제시장가격이 하락한다. 이런 경우 수출을 해도 교역 조건 악화로 후생수준이 떨어지게 되는데, 이를 바그와티는 궁핍화 성장(immiserizing growth)라고 불렀다. 궁핍화 성장이란 '팔아도 남는 것이 없다'는 의미로, 수출재 부문에서 주로 발생하는 현상이다. 수출편향적 구조를 가지고 있어서 해당 상품을 국내 시장에 쉽게 공급할 수 없을 때 궁핍화 성장이 주로 나타난다.

CHAPTER 2 국제무역이론의 전개

▌ 국제무역이론 요약표 ▌

고전적 무역이론	절대우위론	아담 스미스	절대우위 상품을 특화하여 수출하면 무역참여국 모두가 이익을 얻게 된다.
	비교우위론	리카도	비교우위 상품을 특화하여 수출하면 무역참여국 모두가 이익을 얻게 된다.
	상호수요설	밀	두 상품의 국내교환비율이 교역의 가능성을 결정하며, 그렇게 결정된 국제교환비율에 따라 무역이익이 배분된다.
근대 무역이론	기회비용이론	하벌러	특정제품의 상대가격은 기회비용에 의해 결정되며, 상대적으로 기회비용이 적은 비교우위 제품을 특화하게 된다.
	요소부존이론	헥셔 – 오린	각국은 요소부존도에 따라 풍부하게 부존된 생산요소를 집약적으로 사용하는 제품의 생산에 비교우위를 갖는다. * 레온티에프 역설: 자본풍부국 미국이 실제로는 노동집약재를 수출한 것으로 통계상 검증되었다.
	요소가격 균등화이론	사무엘슨	자유무역을 하면 국가 간 생산요소의 가격이 장기적으로 같아진다.
현대 무역이론	수요선호 유사이론	린더	대량생산이 가능하고 국내수요가 큰 제품을 국내수요와 유사한 소비선호를 가진 해외시장에 수출하게 된다.
	기술갭이론	포스너	기술선진국은 무역상대국이 기술을 모방하여 역수출할 때까지(수요갭이 지나 모방갭이 끝날 때까지) 수출 비교우위를 갖는다.
	국제제품 수명주기론	버논	신개발물품의 수명주기에 의하여 결정되는 비교우위의 변화가 국제무역의 흐름을 결정한다.
	글로벌 경쟁우위모델	포터	각국은 요소부존도, 수요조건, 연관산업의 경쟁력, 기업의 전략 및 구조 등 4요소에 가장 유리한 제품을 수출하고 가장 불리한 제품을 수입하는 무역패턴을 보인다.
	산업내 무역이론	그루벨, 로이드	규모의 경제, 제품차별화, 부품무역활성화 등으로 인해 동종 산업 내에서도 무역이 발생한다.

1 고전적 무역이론

고전적(고전파) 무역이론은 자유무역주의를 신봉하며, 무역의 발생근거를 규명함에 있어 노동가치설에 입각하여 노동을 유일한 생산요소로 보고 있다. 아담 스미스의 절대우위론, 리카도의 비교우위론, 밀의 상호수요설이 여기에 해당한다.

1. 아담 스미스의 절대우위론(Absolute Advantage Theory)

(1) 의의

절대우위론(절대생산비설)이란 한 나라가 무역 상대국에 비해 절대우위에 있는 재화를 특화하여 그 일부를 수출하고 절대열위에 있는 재화를 수입하면 무역참여국 모두가 이익을 얻게 된다는 이론이다. 절대우위론은 생산특화에 기초한 국제분업 생산활동이 모든 상품의 생산량 증가로 이어지고 그 이익은 무역참여국 모두에게 분배된다는 사실을 강조한다.

(2) 주요내용

① 영국의 고전 경제학자인 아담 스미스(A. Smith)는 1776년 저술한 『국부론』이라는 저서를 통해 절대 우위설을 제시함으로써 자유무역의 이론적 토대를 마련하였다. 국부란 금, 은의 축적량이 아닌 한 국가에 주어진 부존자원하의 생산 및 소비가능성으로 측정된다.

② 아담 스미스는 국제분업이란 개념을 도입하여 국제무역도 국내거래와 마찬가지로 생산의 분업을 통하여 생산의 효율성을 제고함과 동시에 모든 거래참여자의 이익증대까지 실현할 수 있다고 주장하였다.

③ 아담 스미스의 이론은 노동이 유일한 생산요소이고 노동의 투입량에 따라 상품의 가치가 결정된다는 노동가치설에 기초하고 있다.

(3) 예시

┃ 재화 1단위를 생산하는 데 필요한 노동량 ┃

구분	한국	프랑스
쌀 1톤	1	3
포도 1톤	2	1

한국에서 쌀 1톤은 포도 0.5톤과 교환될 수 있고, 프랑스에서 포도 1톤은 쌀 0.33톤과 교환될 수 있다. 이때 한국은 포도 1톤의 생산을 줄이는 대신 쌀 2톤을 더 생산하여 프랑스의 포도와 1 : 1로 교환한다면 쌀 수출 1톤당 포도 0.5톤만큼의 이익을 얻게 된다. 프랑스도 쌀 1톤 생산을 줄여 포도 3톤을 더 생산하고 이를 한국의 쌀과 1 : 1로 교환한다면 무역전에 비해 포도 수출 1톤당 쌀 0.67톤만큼의 이익을 얻게 된다. 즉, 모든 국가가 무역을 통하여 상호이익을 실현할 수 있다는 것이다.

(4) 한계

절대우위론에 따르면 하나의 국가가 모든 재화의 생산에 있어 모두 절대우위 또는 절대열위를 가지는 경우 무역이 발생하지 않게 된다. 그러나 실제로는 모두 절대우위 또는 절대열위를 가지는 경우에도 무역이 발생하고 있다. 절대우위론은 이 점을 설명하지 못하고 있다.

2. 리카도의 비교우위론(Comparative Advantage Theory)

(1) 의의

비교우위론(또는 비교생산비설)이란 한 나라가 두 재화 모두의 생산에서 절대우위를 가진다 하더라도 두 상품 중 상대적으로 더 효율적으로 생산할 수 있는 재화에 특화하여 서로 교환할 때 양 국가 모두에게 이익이 돌아간다는 이론이다. 상대국에 비해 어떤 재화를 더 효율적으로 생산할 수 있을 때 그 재화의 생산에 비교우위가 있다고 말한다.

(2) 주요내용

① 후진국

리카도(David Ricardo)의 비교우위론은 선진국이나 강대국에 비해 내놓을만한 절대우위 제품이나 산업이 없는 후진국이나 약소국의 경우에도 무역을 통해 이익을 얻을 수 있다는 이론적인 근거를 제시하고 있다.

② 선진국

대부분의 산업에서 다른 국가에 비해 절대우위 산업이 많은 선진국도 자국의 다른 산업에 비해 비교우위가 떨어지는 산업을 보호하기 위해 반덤핑관세 등 보호무역조치를 취하게 되면 결과적으로 무역이익은 그만큼 줄어들게 된다. 따라서 절대우위가 있는 제품을 많이 가진 선진국도 비교우위 정도에 따라 특정제품 생산을 특화 수출하고, 다른 재화를 수입하게 되면 전체적으로 종전에 비해 새로운 무역이익을 누리게 된다.

(3) 예시

❚ 재화 1단위를 생산하는 데 필요한 노동량 ❚

구분	한국	중국
쌀 1톤	4	1
사과 1톤	3	2

이 경우 중국은 한국에 비해 쌀, 사과 두 재화 생산 모두에 절대우위를 가진다. 리카도에 따르면 이런 경우에도 국제무역이 발생하며 그 결과 교역국 모두에게 이익이 창출된다고 주장한다. 한국과 비교한 중국의 절대우위의 정도는 사과의 경우, 노동투입량(생산비) 비율이 한국의 2/3 이고, 쌀의 경우는 1/4이기 때문에, 상대적으로 노동투입량이 적은 쌀 생산에 비교우위를 가진다. 반대로 한국은 사과의 생산에 비교우위를 가진다. 그러므로 중국은 쌀의 생산에, 한국은 사과의 생산에 특화하여 무역거래가 이루어질 수 있다는 것이다.

▮ 비교우위에 의한 무역이익 ▮

구분	무역 전		무역 후		무역이익	
	쌀	사과	쌀	사과	쌀	사과
한국	1	1	0	2.3		
중국	1	1	3	0	1	0.3
생산량 합계	2	2	3	2.3		

(4) 특징

① 2국, 2상품, 1생산요소(노동)를 전제로 한 이론이다.

② 재화의 가격은 생산비용(노동투입량)과 같다.

③ 비교우위론은 생산요소인 노동의 질(質)은 같다고 가정하였다. 그러나 실제로 생산에서 모든 노동은 동질적인 것이 아니다.

④ 노동력(생산요소)의 국가 간 이동이 불가능하다고 가정하였다. 단, 산업간 이동은 가능하다.

⑤ 생산규모에 관계없이 생산성은 동일하다. 즉, 규모에 대한 수확불변을 가정한다.

⑥ 두 상품의 교환비율 또는 상대가격을 중시하고 있다. 여기에서 상대가격이란 특정 재화 1단위와 교환 가능한 다른 재화의 양을 의미한다.

⑦ 수송비 및 기타 무역장벽은 존재하지 않는다.

⑧ 노동투입량이 같더라도 노동생산성에는 국가 간, 산업 간 차이가 난다는 것을 가정하는 것으로, 국가 간 기술의 차이를 강조하는 이론이다.

⑨ 비교생산비 차의 발생요인에 대하여는 자세한 언급이 없다.

3. 밀의 상호수요설(law of equation of reciprocal demand, 상호수요균등의 법칙)

(1) 의의

존 스튜어트 밀(John Stuart Mill)은 두 상품의 국내교환비율과 국제교환비율의 차이를 통해 무역의 가능성을 설명하고 있다. 두 상품의 국내교환비율이 양국 사이의 교역의 가능성을 결정하며 국제교환비율에 따라 교역당사국 사이에 무역이익이 배분된다는 것이다. 이 때 두 상품의 실제 교역조건은 교역상품에 대한 상대국의 수요, 즉 상호수요에 의하여 결정된다고 보았다. 밀의 상호수요설은 그 이전의 무역이론이 간과하였던 수요측면을 고려했고, 교역조건의 결정요인을 밝힘으로써 무역이익의 배분문제를 설명하고 있다는 점에 그 의의가 있다.

(2) 주요내용

① 교역조건은 일국의 수출상품과 수입상품의 장기적인 국제교환비율을 말한다. 교역조건은 상호수요가 일치하는 점에서 결정되며 상호수요의 탄력성이 균형조건을 변동시키는 힘으로 작용한다.

즉, 외국의 수입상품에 대한 자국의 수요탄력성이 크면 자국의 교역조건이 불리해지고, 반면에 자국의 수출상품에 대한 외국의 수요탄력성이 큰 경우에는 자국의 교역조건이 유리해진다는 것이다.

② 위와 같이 결정되는 양국 사이의 무역이익의 배분 문제를 보면, 밀은 교역이 가능한 범위 안에서 교역조건이 자국의 국내교환비율과 괴리될수록 그 국가의 무역이익은 커지게 된다고 하였다.

(3) 예시

‖ 노동 1단위로 생산할 수 있는 재화의 양 ‖

구분	한국	프랑스
사과(X)	2	2
포도주(Y)	3	4

한국의 사과 생산비는 1/2, 포도주 생산비는 1/3 노동단위이다. 프랑스의 경우 사과 생산비는 1/2, 포도주 생산비는 1/4 노동단위이다. 비교우위론에 따르면 프랑스는 포도주 생산에 비교우위가 있으므로 포도주 생산에 특화하여 생산하고, 한국은 사과 생산에 특화한 후에 서로 생산물을 교환하는 경우에 양국 모두가 이익을 얻을 수 있다. 이 경우 두 상품의 국내교환비율의 차이가 교역의 가능범위를 결정한다. 한국의 국내교환비는 2X : 3Y이며, 프랑스의 국내교환비는 2X : 4Y이다. 이 경우 양국의 교역은 국내교환비율인 2X : 3Y와 2X : 4Y 내의 범위에서만 가능하다.

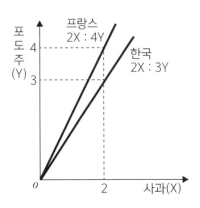

교역가능한 교환비율을 나타내는 위의 그림에서, 양국이 동일한 무역이익을 얻기 위해서 2X : 3.5Y의 교역조건을 설정할 수는 있으나 이것은 하나의 가상일 뿐, 실제 교역조건을 결정하는 요인은 상호수요의 규모와 수요의 탄력성이다.

(4) 상호수요설의 한계

① 수요의 탄력성 등 다른 요인들이 교역조건의 결정에 미치는 영향의 크기와 방식에 대하여 설명하지 못한다.

② 비교우위론(비교생산비설)이 가지는 비현실적인 가정에서 벗어나지 못하였다. 이 이론은 각국에서 찾아볼 수 있는 절대적 생산비차와 상대적 생산력의 변화를 무시한 측면이 있다.

③ 수요측면에 집중한 나머지 공급측면에 대한 설명이 상대적으로 부족하였다.

(5) 오퍼 곡선

① 의의

⊙ 밀의 이론은 후에 마셜(A. Marshall)과 에지워스(F. Y. Edgeworth)가 처음으로 전개하고, 그 후 미드(J. E. Meade)에 의해 재구성된 오퍼 곡선(Offer Curve)을 통하여 더욱 보완·발전되었다.

ⓒ 오퍼곡선이란 국제 무역에 관한 상호수요의 법칙을 도표로 설명하는 경우에, 상대국의 상품에 대한 수요의 강도를 자국에서 제공하려는 상품의 양으로 표시한 곡선이다.

ⓒ 오퍼곡선은 국제교환비율의 변화에 대응하는 한 나라의 무역지향에 관한 변화를 나타내는 것으로, 해당 국가의 수요측면과 공급측면을 동시에 반영하고 있다.

② 해석

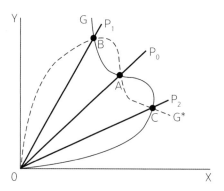

(단, $p_0 = (P_x/P_y)_0$, $p_1 = (P_x/P_y)_1$, $p_2 = (P_x/P_y)_2$는 X재의 상대가격으로 교역조건을 나타냄)

⊙ G는 X재를 수출하는 국가의 오퍼곡선이고, G^*는 Y재를 수출하는 국가의 오퍼곡선이다. 곡선 G는 Y재를 수입하기 위해서 기꺼이 제공(수출)하려는 X재의 여러 가지 양을 나타낸다.

ⓒ 2개국의 오퍼곡선 G와 G^*가 교차하는 경우, 그 교차점인 A, B, C 점에서 무역균형이 달성된다. A, B, C 점은 양국이 기꺼이 제공(수출)하고 수요(수입)하려는 무역균형점이 되고, 그 교점과 원점을 연결한 선인 OA, OB, OC는 균형교역조건선이 된다. OA, OB, OC 선의 기울기는 교역조건(국제교환비율)이 된다.

ⓒ 체증기회비용의 생산가능곡선이 주어진 경우에 수출재 수량을 표시하는 축에 대해 볼록한 모양을 갖는다(수출재인 X재 수량을 표시하는 축에 대해 X재 수출국의 오퍼곡선 G가 볼록한 모양을 갖는다).

ㄹ X재의 국제상대가격이 p_0보다 크고 p_1보다 작은 경우 X재 시장에서는 초과수요가, Y 재 시장에서는 초과공급이 나타나게 된다.

③ 오퍼곡선의 탄력성

오퍼곡선의 탄력성(elasticity of offer curve)이란 수출재에 대한 수입재의 상대가격(교역 조건의 역수)이 변동될 때 수입수요량은 얼마나 변동되는가를 나타내는 계수이다. 이를 오 퍼곡선의 수요탄력성이라고도 한다. 상품의 가격이 하락할 때 그 상품에 대한 지출이 증가 하면 수요곡선이 탄력적이라 하며, 가격이 하락해도 총지출이 불변하면 수요곡선의 탄력 성은 1이다. 이런 경우 총지출이 감소한다면 수요곡선은 비탄력적이라고 한다. 국제무역에 있어서의 무역오퍼곡선은 X상품의 가격이 하락할 때 Y상품의 총지출이 증가(탄력적)하 는지, 일정불변(탄력성 = 1)인지, 감소(비탄력적)하는지의 여부로 탄력성을 판단한다.

핵심체크 무차별 곡선

1. 무차별곡선

무차별곡선이란 동일한 수준의 효용을 발생시키는 여러 가지 상품조합을 곡선으로 나타낸 것 이다.

(1) 무차별곡선은 기울기가 우하향이다.

(2) 무차별곡선은 원점에 대해 볼록하다.

(3) 서로 다른 무차별곡선은 교차하지 않는다.

(4) 무차별곡선은 원점으로부터 멀리(우상방으로 멀리) 그려진 곡선일수록 효용이 높다.

(5) 한 점을 지나는 무차별곡선은 하나이다.

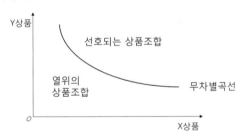

2. 한계대체율

상품이 효용수준을 바꾸지 않고 서로 대체될 수 있는 비율로서, 무차별곡선의 기울기가 한계 대체율이 된다.

3. 사회무차별곡선

모든 사람의 상품의 소비가 무차별이 되는 조합을 곡선으로 나타낸 것을 사회무차별곡선이라 한다. 국제무역론에서는 사회 전체의 후생을 문제로 삼기 때문에 소비면의 분석에는 사회무차 별곡선이 사용된다. 사회무차별곡선은 모든 사람의 기호와 소득수준이 같다고 가정한다.

4. 생산무차별곡선(등량곡선)

한 생산자가 일정기간 동안 노동과 자본의 두 가지 생산요소를 가지고 한 가지 생산물을 생산 할 때 동일한 생산량을 가져다주는 두 생산요소의 수량적 결합관계를 연결한 선이다.

(1) 등량곡선은 원점에서 멀어질수록 생산량이 더 많아지고, 생산요소의 투입이 더 많아짐을 의미한다.

(2) 두 개의 등량곡선은 교차하지 않는다.

(3) 등량곡선은 우하향 형태를 가진다. 즉, 등량곡선은 (‑)의 기울기를 가지는데, 이는 두 생산요소가 서로 대체관계에 있기 때문이다.

(4) 등량곡선은 원점에 대해 볼록하다.

5. 기술진보

동일한 양의 생산요소를 사용하여 전보다 더 많은 양을 생산하거나, 동일한 양의 산출량을 생산할 때 전보다 더 적은 양의 생산요소를 투입하여도 '가능'할 때 기술진보가 이루어졌다고 한다. 기술진보가 일어나면 동일한 생산요소로 더 많은 산출량을 얻을 수 있기 때문에 생산가능곡선은 원점에서 멀어지고, 동일한 산출량을 얻기 위해 이전보다 더 적은 양의 생산요소를 사용해도 되므로 등량곡선은 원점 가까이로 이동한다.

(1) **중립적 기술진보**: 두 생산요소의 한계생산력이 동일한 비율로 증가되는 기술진보

　　① 자본/노동 투입비율에는 영향을 미치지 않음

　　② 기술진보 이전보다 적은 생산요소를 투입하여 주어진 산출량을 생산함

　　③ 중립적 기술진보가 수출산업에서 일어나면 교역조건의 악화를 초래하는 반면, 수입산업에서 일어나면 교역조건을 개선시킴

　　④ 중립적 기술진보의 영향의 폭은 수입수요의 탄력성이나 교역상대국의 공급탄력성 등에 달려 있음

(2) **노동절약적(자본집약적) 기술진보**: 일정한 생산요소의 상대가격 아래 노동의 절약률이 자본의 절약률보다 큰 경우의 기술진보

(3) **자본절약적(노동집약적) 기술진보**: 일정한 생산요소의 상대가격 아래 자본의 절약률이 노동의 절약률보다 큰 경우의 기술진보

핵심체크 가격선(예산선)

가격선이란 한 소비자가 일정한 화폐소득과 주어진 두 재화의 시장가격 하에서 두 재화를 구매할 때, 주어진 소득을 전부 지출하여 구매할 수 있는 두 재화의 최대수량의 구매점을 연결한 선으로, 우하향하는 직선의 형태로 나타난다.

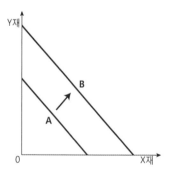

1. 가격선 A가 B로 이동한다는 것은 보다 많은 X재와 Y재를 구매할 수 있다는 의미이다. 가격선 A가 B로 이동하기 위해서는 다음 중 하나를 만족하면 된다.

    (1) 소득이 증가하면 A에서 B로 이동한다.

    (2) X재 가격과 Y재 가격이 같은 비율로 하락하면 A에서 B로 이동한다.

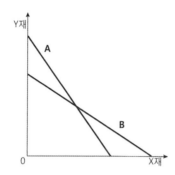

2. 가격선 A가 B로 이동한다는 것은 X재를 보다 많이 구매하고, Y재는 적게 구매하게 된다는 의미이며, 다음과 같이 해석할 수 있다.

    (1) 직선 A의 기울기는 이동 전의 두 재화의 상대가격비율이며, 직선 B는 이동 후의 두 재화의 상대가격비율이다. 즉, 가격선이 A에서 B로 이동하였다는 것은 X재와 Y재의 상대가격비율이 변동하였다는 의미이다.

    (2) 구매자의 소득이 불변인 상태에서 X재의 가격이 하락하고, Y재의 가격이 상승하면 A에서 B로 이동한다.

핵심체크 타우식의 비교가격설

교역상품의 생산에 필요한 노동량보다 국내가격과 외국가격을 상호 비교하여 '외국가격 > 국내가격'이면 수출하고, '외국가격 < 국내가격'이면 수입한다는 설명이다. 즉, 이 이론은 비교생산비설을 설명함에 있어 노동량이 아닌 비교생산비를 화폐가격으로 환산하여 비교하는 방법을 택하였다.

2 근대무역이론

근대무역이론은 고전파무역이론의 제약적 요인을 극복하고 무역의 실체와 원리에 보다 근접하였다. 하벌러는 비교우위론을 근거로 하되 노동가치설이 아닌 기회비용의 개념으로 무역현상을 설명하였으며, 헥셔 – 오린은 국가 간 요소부존도의 차이에 근거하여 비교우위론의 문제점을 보완하였다. 그러나 근대무역은 선진국과 선진국 간의 수평무역이 증대되는 현상에 대하여 설명하는 것에는 한계가 있었다. 하벌러의 기회비용이론, 헥셔 – 오린의 요소부존이론, 사무엘슨의 요소가격균등화이론이 근대무역이론에 해당된다.

1. 하벌러의 기회비용이론

(1) 의의
① 기회비용

기회비용(opportunity cost)이란 한 나라의 생산요소와 생산기술이 일정하고 두 제품만을 생산한다고 가정할 경우, 특정제품 일정량의 생산량 증대를 위해 감소시켜야 하는 다른 제품의 수량을 말한다. 자원이 한정되어 있는 경우에는 언제나 기회비용이 발생한다.

② 기회비용이론(기회비용설, 대체비용설)

기회비용이론에 의하면 특정제품의 상대가격은 비교우위론이나 절대우위론과 같이 생산에 투입된 노동량에 의해 결정되는 것이 아니라, 그 제품의 증산에 따라 포기해야 하는 다른 제품의 수량인 기회비용에 의해 결정된다. 즉, 각국은 상대적으로 기회비용이 적은 제품에 비교우위가 있으므로 그 제품의 생산에 특화하게 된다.

(2) 생산가능곡선
① 의의

생산가능곡선이란 한 국가가 보유하고 있는 일정한 생산요소를 완전히 투입하여 최대로 생산할 수 있는 두 가지 상품의 수많은 조합을 나타내는 곡선이다. 생산가능곡선은 두 생산요소 사이에 대체관계가 있으므로 대체비용곡선, 기회비용곡선 등으로 불리기도 한다. 하벌러(G. Haberler)가 기회비용과 생산가능곡선의 개념을 국제무역이론에 도입하여 비교생산비설을 체계화시킨 것이 기회비용이론이다.

② 생산가능곡선과 기술적 효율성

ⓐ 생산가능곡선 위의 모든 점은 기술적인 의미에 있어서 능률적이다.

ⓑ 생산가능곡선보다 아래쪽에 있는 영역은 기술적으로 비능률적이다.

ⓒ 생산가능곡선보다 위쪽에 있는 영역은 기술적으로 도달 불가능하다.

┃ 생산가능곡선 ┃

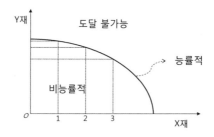

③ 생산가능곡선의 형태

 ㉠ **불변비용하의 생산가능곡선**: 우하향하는 직선의 형태[4]

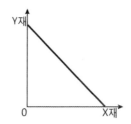

 ㉡ **체증비용하의 생산가능곡선**: 원점에 대하여 오목한 곡선

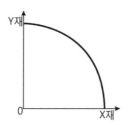

 ㉢ **체감비용하의 생산가능곡선**: 원점에 대하여 볼록한 곡선

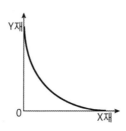

---

4) 불변생산비하의 생산가능곡선은 두 제품의 가격선과 일치한다.

1. 수확체감의 법칙(law of diminishing returns, 수익체감의 법칙, 한계생산성 체감의 법칙)이란 재화의 생산에서 다른 생산요소들의 투입은 모두 일정하게 하고 어느 한 가지 요소의 투입만을 증가시킨다고 가정했을 때, 어떤 시점에 도달하고 나면 그 이후로는 추가로 얻는 산출량이 차츰 감소하게 된다는 경제법칙이다(단, 기술적 진보가 이루어지는 역동적인 경제구조하에서는 수확체감의 효과가 상쇄될 수 있다).

2. 수확체감의 법칙이 적용된다는 것은 결국, 기회비용이 체증한다는 의미이므로 이러한 경우의 생산가능곡선은 체증비용하의 생산가능곡선과 그 형태가 같다.

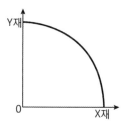

생산자가 일정량의 생산요소를 투입하여 생산을 할 때, X재의 생산량을 1단위 더 증가시키기 위해서 포기해야 하는 Y재 수량과의 비율(= 포기해야 하는 Y재의 수량 / 추가 생산하는 X재의 수량)을 말한다. 생산가능곡선의 접선의 기울기가 한계전환율(MRT)이다.

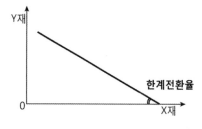

2. 헥셔-오린의 요소부존이론(헥셔-오린 제1명제)

(1) 의의

리카도는 무역 전 노동투입량의 차이가 국가 간 비교우위를 결정하고 이에 따라 무역의 패턴이 결정된다고 보았다. 그러나 이 이론은 비교우위가 궁극적으로 왜 발생하는가의 문제, 즉 비교우위의 기초가 되는 노동투입량의 차이가 애초부터 왜 발생되었는지의 문제를 확실하게 규명하지 못하는 한계점을 가진다. 이 문제에 대해 스웨덴 경제학자들인 헥셔(Eli Heckscher)와 오린(Bertil Ohlin)은 요소부존도(factor endowment)의 차이로 설명하고 있다.

(2) 요소부존도

① 요소부존도란 한 국가가 노동, 자본, 토지 등의 생산요소가 어느 정도 풍부하게 또는 희소하게 주어지는가의 개념이다. 여기에서의 요소부존도는 요소부존량이 아닌 요소부존비율을 의미하는 것으로서, 절대적인 개념이 아니라 상대국에 대한 상대적인 개념이다.

② 요소부존이론에 따르면 기본적으로 노동이 풍부하게 부존된 국가는 노동을 집약적으로 사용하는 제품 생산에 비교우위가 있어 노동집약적 제품을 수출하게 된다. 또 자본이 풍부하게 부존된 나라는 자본을 집약적으로 사용하는 제품 생산에 비교우위가 있어 자본집약적 제품을 수출하게 된다고 주장하고 있다.

(3) 특징

① 요소부존도(부존 생산요소의 차이)가 무역을 발생시킨다. 각국의 생산비 차이가 생산요소의 부존도 차이에 기인한다고 보았다.

② 두 국가 간에 생산요소의 이동은 불가능하다는 것을 전제로 한다.

③ 헥셔-오린 이론은 수확체감을 가정하고, 어느 한 상품의 생산에 완전히 특화하지 않는다. 즉 불완전특화를 가정한다.

(4) 레온티에프 역설(Leontief's Paradox)

① 의의

1940년대 미국은 일반적으로 다른 국가에 비해 자본이 풍부하고 상대적으로 노동이 부족한 국가로 인식되었으므로, 헥셔-오린 제1명제에 따르면 미국은 당연히 자본집약재를 수출하고 노동집약재를 수입했을 것이다. 그러나 레온티에프의 통계적인 검증결과 미국은 오히려 노동집약재를 수출하고 자본집약재를 수입하는 정반대의 현상이 나타났다. 레온티에프(Leontief)는 미국의 투입산출표를 이용하여 미국의 수출산업과 수입대체 산업의 생산에 투입된 자본/노동의 비율을 측정하여 이와 같은 검증결과를 내놓았으나, 검증방법이나 통계상의 문제 등이 제기되어 여러 경제학자들에 의해 추가적으로 검증이 시도되었다.

② 레온티에프 역설의 주요 원인
　　㉠ 생산요소의 이질성[5]
　　㉡ 자본집약재에 대한 수요편향
　　㉢ 요소집약도의 역전가능성
　　㉣ 노동집약재에 대한 수입규제
　　㉤ 기술집약산업에서의 우위성
　　㉥ 수입대체품 제조를 위한 원자재 수입

3. 스톨퍼 - 사무엘슨(Stolper - Samuelson)의 요소가격균등화이론

(1) 의의

요소가격균등화이론은 국가 간 생산요소의 이동이 불가능하더라도 자유무역을 하게 되면 국가 간에 생산요소의 가격이 장기적으로 같아진다는 이론이다. 이 이론은 상품무역이 국내생산구조의 변화를 가져오고 이러한 변화는 국가 간의 생산요소의 이동과 같은 효과를 가져와 결국 생산요소의 가격에까지 영향을 미친다는 것을 밝혔다는 점에 의의가 있다.

※ 요소가격균등화이론 = 스톨퍼 - 사무엘슨 정리 = 헥셔 - 오린(H - O) 제2명제 = 헥셔 - 오린 - 사무엘슨(H - O - S) 정리

(2) 주요내용

한국은 노동풍부국이며, 미국은 자본풍부국이라 가정한다면 이 경우 한국은 미국과의 교역에서 노동집약적인 재화의 생산에 특화하여 수출을 하게 된다. 한국에서의 노동집약재의 수출증가는 노동량의 증가를 필요하게 되고 국내에서 생산요소가 제약되어 있는 상황에서는 자본집약재의 생산에 사용되는 자원의 감소를 통해서만 가능하게 된다. 이러한 상황은 국내에서의 노동의 부족과 자본의 과다라는 상황을 가져와 노동의 가격이 상승하고 자본의 가격이 하락하는 현상을 가져오게 된다. 한편 미국에서는 같은 이치로 자본의 가격은 상승하고 노동의 가격은 하락하게 된다. 결국 상품무역을 통하여 양국 간 생산요소 가격이 같아지는 결과를 가져온다는 것이다.

(3) 한계

요소가격균등화이론은 상호무역의존도가 높은 비슷한 규모의 국가 간에 정태적인 가정하에 무역에 따른 요소가격변화를 설명할 수는 있다. 그러나 이러한 이론이 현실적으로 적용되는 데는 한계가 있다. 이 이론은 두 국가 간의 요소부존도가 일정하다고 가정하고 있기 때문이다. 따라서 오늘날처럼 자본과 노동의 국제간 이동이 자유롭게 이루어지거나 경제발전으로 노동풍부국에서 자본 풍부국으로 전환되는 경우에는 이 이론은 쉽게 적용되지 않는다.

---

5) 미국의 경우 노동의 생산효율이 다른 나라에 비해 높으므로, 다른 나라의 노동단위로 미국의 노동을 환산하면 미국은 노동이 상대적으로 풍부한 국가가 된다.

3 현대무역이론

현대무역이론은 기존 이론의 본질적인 문제점이었던 비현실적이고 제한적인 가정들을 현실에 맞게 수정 또는 보완하여 설득력을 높였다. 린더의 수요선호유사이론, 포스너의 기술갭이론, 버논의 제품수명주기론, 포터의 글로벌경쟁우위모델, 산업내무역이론이 여기에 해당된다.

1. 린더의 수요 선호 유사 이론(대표적 수요 이론)

(1) 의의

기존의 무역이론은 대부분 공급 측면만을 고려하였다. 그러나 현실적으로 볼 때 소비자의 소득수준, 원산지선호, 브랜드 이미지 등 수요측면변수도 주요한 무역결정요인이다. 린더(S. B. Linder)의 수요선호유사이론은 수요의 국가 간 동질성 정도가 클수록 무역의 기회가 크다고 주장하고 있다. 무역은 생산요인보다는 수요요인에 좌우되는데 기업은 대량생산이 가능하고 국내수요가 큰 소위 대중적 선호제품을 국내와 유사한 소비선호를 갖고 있는 해외시장에 진출하게 된다는 설명이다. 수요선호유사이론은 대표적 수요 이론(representative demand theory) 또는 수요유사성 가설(preference similarity hypothesis)이라고도 한다.

※ 수요 선호 유사 이론 = 대표적 수요 이론(representative demand theory) = 수요 유사성 가설 (preference similarity hypothesis)

(2) 유사선호의 결정요인

기본적으로 유사선호를 결정짓는 요인은 소득수준이라고 가정하였다. 또한 각 국가는 획일적인 몇몇의 소득수준과 기호가 존재하는 것이 아니고 다양한 소득수준과 기호가 존재하여 국가 간 수요의 유사가능성은 상존한다고 보았다. 따라서 다른 국가 소비자들 간에 공통적으로 선호하는 제품이 한 산업 내 다양하게 분포될수록 산업 내 무역이 발생할 확률이 높다.

(3) 특징 및 한계

① 소득수준이 비슷한 국가 간의 무역발생 원인을 설명하고 있다.

② 국내에서 상당한 크기의 시장이 형성된 재화일수록 수출상품이 될 가능성이 높다.

③ 수요선호유사이론은 공산품에만 적용이 가능한 것으로, 공산품의 무역형태를 설명하고 무역의 잠재적인 가능성을 규명하는 데는 성공하였으나, 실제의 무역패턴을 설명하는 데에는 한계가 있다.

④ 국내수요의 존재를 가정하고 수출활동을 설명하고 있다. 따라서 1980~90년대 내수시장보다는 해외수요를 주로 겨냥하여 개발된 한국의 일부 수출제품을 설명하는 데에 는 한계가 있다.

2. 포스너의 기술격차이론

(1) 의의

① 포스너(M. V. Posner)의 기술격차이론(기술갭이론, technology gap theory)은 무역현상을 국가 간의 기술격차로 설명하고 있다. 이 이론은 후프바우어(G. C. Hufbauer)에 의해 보완되었다.

② 한 기업이 신제품을 개발하여 시장에 내놓고 다른 나라에 수출하는 경우 무역상대국이 신제품 기술을 모방 또는 자체 개발할 때까지 모방시차(모방갭, imitation gap)가 존재하게 된다. 기술격차이론은 이러한 시차(gap)로 인하여 최초 개발 기업이 수출 비교우위를 갖는다는 주장이다. 이 이론은 저임금국가가 선진국의 기술을 모방함에 따라 무역패턴이 역전되는 현상을 동태적으로 파악하였다는 점에 의의가 있다.

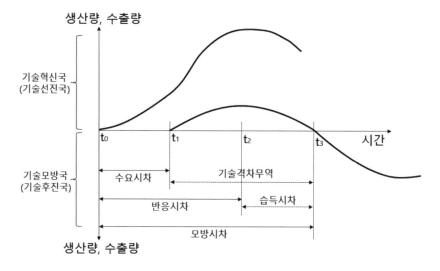

t_0: 기술선진국의 기술 개발 　 t_1: 기술선진국의 수출

t_2: 기술후진국의 모방 및 생산 　 t_3: 기술후진국의 역수출

(2) 기술격차무역

① 신제품 개발 즉시 수출이 가능한 것이 아니고 일정시점이 지나야 다른 국가에서 이 신제품에 대한 수요가 발생하는데 그때까지의 기간을 수요시차(수요갭, demand gap)라 한다. 즉 수요시차가 끝나는 시점부터 모방시차(모방갭, imitation gap)가 끝나는 시점까지가 기술선진국의 수출이 적극적으로 이루어질 수 있는 기간이다.

② 기술선진국의 수요시차보다 기술후진국의 반응시차가 길기 때문에, 기술선진국이 수출이익을 얻을 수 있다. 그러므로 수요시차와 반응시차의 차이가 클수록 기술선진국의 수출이익도 더 커진다.

③ 포스너의 기술격차이론을 통해 '기술 개발로 인한 비교 우위는 일시적인 현상'이라는 것을 알 수 있다.

3. 버논의 국제 제품수명주기론

(1) 의의

제품수명주기론(product life cycle theory, 제품 사이클론)은 신개발품의 수명주기(life cycle)에 의하여 결정되는 비교우위의 변화가 국제무역의 흐름을 결정한다는 이론이다. 버논(Raymond Vernon)[6]은 시간의 흐름에 따라 국가 간 무역 및 직접투자가 발생하는 현상과 패턴을 설명하기 위해, 1960년대 많은 미국의 신제품들이 시장에 소개되어 쇠퇴하는 일련의 과정을 4단계(도입기 – 성장기 – 성숙기 – 쇠퇴기)로 나누고 각 단계별로 특징을 유형화하였다.

(2) 단계별 특성

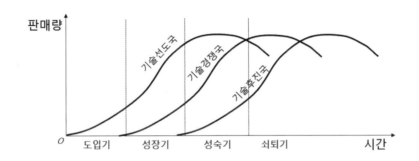

구분	도입기 (introduction stage, new phase stage)	성장기 (growth stage, growing stage)	성숙기 (mature stage)	쇠퇴기 (decline stage)
제품, 기술	기술선도국의 신제품 개발	기술경쟁국의 모방	기술 이전, 기술 완전 표준화	기술 가치의 급속한 하락
가격	제품의 가격탄력성이 낮으므로 독점가격전략에 따라 높은 가격으로 판매	대규모 생산체제로 가격 점차 인하	시장에서 기업 간 가격경쟁이 격화되어 가격수준이 낮아짐	원가수준으로 낮아짐
경쟁, 마케팅	기술선도국의 독과점 양상	기술경쟁국의 신규 진입으로 경쟁이 증가하고, 이에 따라 마케팅 노력도 증대됨	경쟁이 가속화되면서, 마케팅 노력이 급격히 증가함	경쟁이 서서히 약화되며, 마케팅 투자가 최소화됨
수요, 소비	생산이 수요를 초과하지 못하므로, 기술선진국에서만 소비됨	기술경쟁국으로 소비가 확대됨	개발도상국 시장까지 급격히 확대되고, 기술선도국은 신제품을 소비하는 수입국으로 전환됨	수요가 감소함

---

6) 제품수명주기론 학자: 버논(베르논, R. Vernon), 웰즈(L. T. Wells), 허쉬(S. Hirsch) 등

생산, 무역	최초 기술선도국에서 생산되고 소비되므로, 초기에는 무역이 발생하지 않음	기술경쟁국(기타 선진국)에서 생산되고, 개발도상국으로 수출됨	개발도상국으로 생산이 이전됨 • 저급제품: 개도국 → 선진국 • 고급제품, 핵심원료, 기술: 선진국 → 개도국	개발도상국에서 생산된 물품을 기술선진국이 역수입함

(3) 한계

많은 산업분야에서 제품수명주기이론이 비교적 설득력 있게 설명되고 있으나, 단일시장에서만 판매되는 제품, 신기술로 급속히 대치된 상품, 서비스제품, 생활필수품과 안보관련물품, 사치고가품 등에 대하여는 적용이 잘 되지 않는다.

> **핵심체크** **캐칭업 이론(캐칭업 프로덕트 사이클)**
>
> 선도국을 추격하는 기술후발국의 캐칭업(추월) 과정의 이론으로, 아키마스의 기러기형태론이라고도 한다. 캐칭업 프로덕트 사이클이란 지금까지 선도국으로부터 수입하던 상품을 국내에서 생산하고, 다시 수출로 성공한 나라에서 그 상품이 갖는 사이클을 말한다. 버논의 자생적 제품수명주기론과 비교되는 캐칭업 이론은 선진국의 비교열위 산업이 순차적으로 개발도상국으로 이전해가므로 순무역지향적이라고 한다.

4. 포터의 글로벌 경쟁우위 모델

(1) 의의

마이클 포터(Michael E. Porter)는 1990년 세계 10개 국가의 100개 산업을 조사하여 왜 어떤 국가에서만 특정산업이 성공했는지에 대한 연구를 발표하였다. 특정국가가 특정산업에 우위를 점하는 현상에 대하여 기존의 비교우위이론이나 헥셔 – 오린 이론의 설명으로는 충분치 않다는 가정하에 국가경쟁우위의 원천이 되는 네 가지 요인을 제시하였다. 포터의 이론은 헥셔 – 오린 이론, 린더의 수요이론 등 기존의 다양한 무역이론과 기업경영전략을 절충한 이론으로서 무역의 패턴을 설명하는 이론이라기보다는 국가나 산업의 경쟁력 설명에 관한 이론이다.

(2) 포터의 다이아몬드 모형(국가경쟁우위의 요인)

① 글로벌 경쟁우위 모델에 따른 국가경쟁 우위의 요인은 요소조건(요소부존도), 수요조건, 연관산업의 경쟁력, 기업의 전략·구조·경쟁자이다. 국가는 이 4가지 핵심요소에 가장 유리한 제품을 수출하고, 가장 불리한 제품은 수입하는 무역패턴을 보이게 된다.

∥ 포터의 다이아몬드 모형 ∥

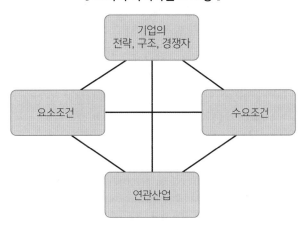

② 요소조건은 천연자원, 기후, 위치 등의 기본적 생산요소와 통신시설, 숙련노동력, 기술노하우 등 후천적 생산요소로 구분되기도 한다.

③ 수요조건이란 까다로운 국내소비자(수요자)가 기술혁신을 가속화시키는 현상 등을 말한다. 수요조건에서 말하는 수요란 '국내' 수요를 말하는 것으로, 국내 소비자의 수준, 수요의 성숙도가 높은 국내시장의 규모, 세계보다 빠른 내수 수요 등은 기업의 경쟁력을 향상시킨다.

④ 연관산업의 경쟁력이란 예를 들면 철강산업이 발달한 국가에서 조선산업이 성장할 가능성이 높다는 개념이다.

⑤ 포터는 상호연관성을 가지고 있는 위 4가지 요인 이외에도 상황적인 요인과 정부정책변수가 보조적인 결정요인으로 작용한다고 설명하였다.

⑥ 이 이론은 '어떻게 경쟁력을 높여야 하는지'에 대한 설명이 부족하다는 점이 한계이다.

(3) 포터의 가치사슬(value chain)

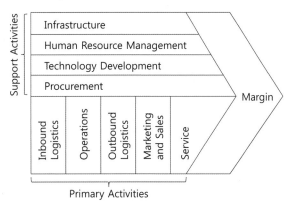

① 가치사슬(value chain)은 고객에게 가치를 제공하여 부가가치를 창출하는 활동들의 연계를 말한다. 포터가 제시한 가치사슬의 가치활동은 경쟁우위(competitive advantage)를 창출하는 구성요소이며, 이들 구성요소들은 독립된 활동의 단순한 집합이 아닌 서로 연계성(linkages)을 가진 활동들(activities)이 체계화된 것이다.

② 마이클 포터는 기업의 활동을 크게 기본활동(primary activities)과 지원활동(support activities)으로 구분한다. 기본활동(주활동, 본원적활동)은 직접적으로 부가가치를 창출하는 활동을 말하며, 지원활동(보조활동)은 말 그대로 기본활동을 지원하는 활동을 말한다.

기본활동 (주활동)	• Inbound logistics: 내부물류(구매물류, 내향로지스틱) • Operations: 생산활동 • Outbound logistics: 외부물류(출하물류, 외향로지스틱) • Marketing and Sales: 마케팅 및 판매 • Service: 고객 서비스
지원활동 (보조활동)	• Infrastructure: 기업의 하부구조 • Human Resource Management: 인적자원관리 • Technology Development: 기술개발 • Procurement: 구매활동

(4) 포터의 본원적 경쟁전략

마이클 포터의 본원적 경쟁전략(Porter's Generic Competitive Strategies)은 기업이 선택한 시장 범위 내에서 어떤 전략을 취해야 경쟁 우위를 추구할 수 있는지를 설명하는 이론이다.

경쟁 범위	(산업전체)	원가우위 전략	차별화 전략
	(특정산업)	원가우위 집중전략	차별화우위 집중전략

경쟁 우위

① 전략을 수립할 때 경쟁범위와 경쟁우위 요소를 고려하도록 하고 있다.

② **원가우위 전략**

타사보다 낮은 가격에 제품을 공급하는 전략이다.

③ **차별화 전략**

경쟁기업이 쉽게 대응할 수 없는 차별화된 제품이나 서비스를 제공하는 전략이다.

④ **집중화 전략(원가우위 집중전략, 차별화우위 집중전략)**

산업전체가 아닌 특정산업에 적용되는 전략으로서, 제품이나 서비스, 고객에 경영자원을 집중시켜서 다른 경쟁사가 끼어들지 못하게 하는 전략이다.

5. 산업내 무역이론(産業內 貿易理論)

(1) 의의

그루벨(H. Grubel), 로이드(P. J. Lloyd)에 의해 제기된 산업내 무역(intra - industry trade)이론은 서로 다른 산업 간에 이루어지는 산업간 무역과는 달리 동종 산업에서의 제품차별화, 규모의 경제에 의해 무역이 발생한다는 이론이다. 이로 인하여 두 경제는 무역을 통해 가격하락과 다양성 증가의 이익을 누린다. 한국과 미국은 서로 간에 상대국에게 자동차를 수출하면서도 동시에 상대국의 자동차를 수입하고 있는 것을 볼 수 있다. 이러한 무역현상을 산업내 무역이라고 하고, 이 이론은 주로 규모의 경제와 제품차별화라는 개념을 사용하여 설명하고 있다.

(2) 특징

① 비교우위 이론과 산업내 무역이론의 관계

산업내 무역은 요소부존도와 비교우위의 차이에 관계없이 발생한다. 헥셔 - 오린 모형과 리카도의 비교우위 이론이 산업간 무역을 설명하는 데는 적합하지만, 선진국 - 후진국 사이의 무역보다 서로 유사한 선진국들 사이에 더 많은 무역이 이루어지고 있는 실제 교역의 현실을 설명하는 데에는 한계가 있다. 산업내 무역이론은 선진국과 후진국 간의 무역보다는 선진국 간 또는 후진국 간의 무역현상을 설명하는 데 보다 설득력이 있는 이론이다.

② 무역패턴의 예측

산업내 무역에서는 무역패턴을 예측하기 어렵다.

(3) 산업내 무역이 발생하는 이유

① 규모의 경제(economies of scale)

규모의 경제란 요소투입량을 2배 증가시킬 때 산출량이 2배 이상 증가하는 경우를 말한다. 즉, 생산량이 증가함에 따라 단위당 평균비용이 하락하는 경우 규모의 경제가 있다고 말한다.

② 제품차별화(product differentiation)

제품차별화란 소비자의 선호도가 다양하므로 이에 맞추어 같은 종류의 제품이라도 기업마다 서로 차별화된 제품을 생산하여 시장에 공급하는 것을 말한다. 제품차별화가 이루어진 시장은 불완전경쟁시장의 특성을 가지고 있으며, 제품차별이 강화되면 규모의 경제가 축소될 수 있다.

③ 부품무역 활성화

선진국 중심으로 해외에 생산기지를 두고 원료, 부품 등을 공급하여 가공 후 다시 수입하거나 제3국으로 수출하는 형태가 증가하면서, 즉 부품무역이 활성화되면서 산업내무역도 증가하고 있다.

④ 시간 차별화

포도의 출하기인 여름에는 포도를 수출하였으나, 겨울에는 오히려 포도를 수입하는 등의 주기성 무역도 산업내 무역을 발생시킨다.

⑤ 기술 격차

한 국가가 기술을 개발하여 수출하고, 수준이 다른 기술로 개발된 물품은 수입할 때에도 산업내 무역이 발생한다. 예를 들면 기술 수준이 낮은 음향기기를 수출하고, 기술 수준이 높은 음향기기는 수입하는 경우이다. 다만, 기술격차가 산업내 무역을 발생시키는 이유가 되기도 하지만, 국가 간 기술 격차가 클수록 선진국과 후진국 간에 산업간 무역이 발생할 가능성이 높아진다.

핵심체크 불완전경쟁하의 무역모형

리카도 모형이나 헥셔 – 오린 모형 등은 완전경쟁적 시장구조를 가정하고 있으나, 현실적으로는 독점, 과점, 독점적경쟁 등과 같이 불완전경쟁적 시장구조가 지배적이다.

1. Kemp 모형

Kemp는 외부적 규모의 경제가 있는 경우 동일한 공급조건을 가진 국가 간에도 무역이 발생할 수 있다고 하였다. 양국이 각각 서로 다른 산업에 특화하면, 규모의 경제로 인하여 단위생산비가 하락되어 모두 무역으로부터 이익을 얻을 수 있다는 것이다.

2. Krugman의 독점적 경쟁모형(신무역 이론)

제품차별화로 시장이 독점적 경쟁구조를 띠면서 동종 산업내에서의 쌍방무역, 즉 산업내무역이 활발히 이루어지고 있다. 자동차를 수출하면서 또한 자동차를 수입하는 현상에서 국제무역의 발생원인은 국가 간 기술의 차이나 요소부존도 이외의 다른 어떤 요인이 있음을 말해준다.

---

6. 입수가능성이론

(1) 의의

미국의 경제학자 크라비스(I. B. Kravis)는 무역이 발생하는 것이 생산요소부존도의 차이에 의존하는 경우보다 입수가능성(availability), 공급가능성 또는 유용성과 같은 요인에 더욱 의존한다고 주장하였다. 즉, 입수가능성이 큰 상품은 수출이 되고 입수가능성이 없거나 적은 상품은 수입이 된다. 이 이론은 쿠웨이트가 석유를 수출하고, 칠레가 구리를 수출하는 이유를 설명하는데 적합하다.

(2) 예시

① 가정

㉠ A, B, C, D국이 있고, 식량과 기계의 2재가 있다.

㉡ 두 재화의 생산에는 노동과 자본이 모두 필요하지만 식량생산에는 토지가 더 필요하고 기계 생산에는 기술이 더 필요하다.

② 결론

A, B, C 3국은 토지를 생산요소로 소유하며, B, C, D 3국은 기술을 생산요소로 소유한다. 그러면 A국은 식량만을 생산할 수 있으며, D국은 기계만을 생산할 수 있고, B, C국은 양 재화를 모두 생산할 수 있다.

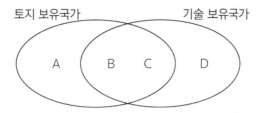

토지 보유국가 ⎯ 기술 보유국가

이런 경우 A국과 D국은 각각 한 재화만을 생산할 수 있기 때문에 자국에서 생산되지 않는 재화를 수입해서 획득하려면 자국에서 생산되는 재화를 수출해야만 한다.

③ 비교생산비설과 입수가능성이론

B국과 C국 간의 무역은 양국이 모두 두 재화를 생산할 수 있으므로 비교생산비설의 도입을 필요로 하나, A국에서 D국으로의 식량수출과 D국에서 A국으로의 기계수출은 입수가능성으로 설명되어야 한다. 입수가능성 이론은 석유나 희소광물과 같은 생산원료 또는 극히 특이한 형태의 생산요소 투입을 필요로 하는 재화의 무역에 있어서는 설득력 있는 이론이 된다.

7. 매서의 차별화 주기이론

매서(Mathur)는 기업의 혁신에 의해 차별화가 이루어지지만, 경쟁기업의 모방에 의해 곧 차별화 우위가 없어지고 해당 제품은 일상재(commodity)가 되며, 또 다른 혁신에 의해 차별화가 이루어진다고 주장하였다.

<소프트웨어>

<하드웨어>		차별화	동질화
	차별화	시스템 (system)	제품 (product)
	동질화	서비스 (service)	일상재 (commodity)

차별화를 하드웨어적인 성격과 소프트웨어적인 성격으로 나누어 볼 때, 시장 생성 초기에는 소비자들의 지식이 불충분하고 시장이 발달되지 않았기 때문에 기업들이 종종 하드웨어와 소프트웨어가 결합된 형태의 시스템을 제공해 준다. 그러나 점차 하드웨어면에서 탈 시스템화하고, 소프트웨어면에서 탈 시스템화하는 현상이 나타난다. 전자가 서비스이고, 후자가 제품이다. 이 과정을 거쳐 제품들은 일상재(commodity)화 되어간다.

CHAPTER 2 실전문제

01
☐☐☐
국제무역이론에서의 일반적인 가정이 아닌 것은?

① 완전경쟁시장　　　　　　　　　② 자유무역
③ 2개국, 2재화　　　　　　　　　 ④ 생산요소의 자유로운 이동

답 ④

국제무역이론은 완전경쟁시장, 자유무역, 2개국 2재화를 가정한다. 그러나 생산요소의 자유로운 이동은 가정하지 않는다. 자유무역을 하게 되면 국가 간 생산요소의 가격이 장기적으로 같아진다고 주장하는 사무엘슨의 요소가격균등화 이론도 생산요소의 국가간 이동을 가정하지는 않는다.

02
☐☐☐
아담 스미스의 절대우위론에 대한 설명으로 옳지 않은 것은?

① 노동가치설에 근거하고 있다.
② 중상주의 이념에 기초하고 있다.
③ 한 국가가 두 재화의 생산에 모두 절대우위를 가지는 경우에 대하여 설명하지 못한다.
④ 국제무역도 생산의 분업을 통해 거래참여자의 이익증대를 실현할 수 있다고 주장한다.

답 ②

아담 스미스는 절대우위론에 입각한 국제분업론을 주장하였다. 다른 고전적 무역이론과 마찬가지로 노동가치설에 근거하고 있으며 두 국가의 노동생산성에 차이가 있다고 가정한다. 그러나 한 국가가 두 재화의 생산에 모두 절대우위를 가지고 있을 때 무역이 발생하지 않는다는 점을 설명하지 못한다.

03 리카도의 비교생산비설의 이론적 기초는?

① 기회비용이론   ② 한계효용이론

③ 노동가치설   ④ 요소부존비율이론

답 ③

고전적 무역이론(절대우위론, 비교우위론, 상호수요설)은 모두 노동가치설에 그 이론적 기초를 두고 있다.

✅ **선지분석**

①, ④ 기회비용이 비교우위를 만든다는 '기회비용이론'이나, 각국의 요소부존도가 비교우위를 만든다는 '요소부존이론' 등의 근대 무역이론은 노동가치설에 근거하지 않는다.

04 다음은 한국과 일본에 있어서 섬유제품과 철강제품의 단위당 생산비를 나타내고 있다. 리카도의 비교생산비설에 의하면 양국의 무역패턴은 어떻게 이루어지겠는가?

국가 / 제품	섬유제품	철강제품
한국	90	110
일본	80	90

① 한국은 일본으로부터 두 재화 모두 수입한다.

② 한국은 일본으로 두 재화 모두 수출한다.

③ 한국은 일본으로 섬유제품을 수출하고, 일본은 한국으로 철강제품을 수출한다.

④ 한국은 일본으로부터 섬유제품을 수입하고, 일본은 한국으로부터 철강제품을 수입한다.

답 ③

한국의 일본에 대한 상대가격은 섬유 제품 90/80(= 1.125), 철강 제품 110/90(= 1.22)이다. 섬유제품의 상대가격이 낮으므로, 한국은 섬유 제품 생산에 비교우위가 있다고 볼 수 있다. 반대로 일본은 철강 제품에 비교우위가 있다. 그러므로 한국은 섬유 제품을 특화 생산하여 일본으로 섬유 제품을 수출하고, 일본은 철강 제품을 특화 생산하여 한국으로 철강 제품을 수출한다.

05
□□□

A와 B 두 국가에 있어서 X재와 Y재를 각각 생산하는 데 소요되는 단위당 노동시간은 다음과 같다. 이러한 경우 비교우위론에 따르면 수출과 수입이 어느 방향으로 이루어지겠는가?

구분	A국	B국
X재	10	15
Y재	12	24

① X재는 A국에서 B국으로, Y재는 B국에서 A국으로 수출
② X재는 B국에서 A국으로, Y재는 A국에서 B국으로 수출
③ 두 재화 모두 A국에서 B국으로 수출
④ 두 재화 모두 B국에서 A국으로 수출

답 ②

노동시간을 기준으로 한, A국의 B국에 대한 상대가격은 X재의 경우 10/12(=0.833), Y재의 경우 15/24(=0.625)이다. 그러므로 A국은 Y재에 비교우위가 있고, 이를 특화 생산하여 B국으로 수출하게 된다. 반대로 B국은 X재에 비교우위가 있고, 이를 특화 생산하여 A국으로 수출하게 된다.

06
□□□

리카도의 비교우위론에 대한 설명으로 옳지 않은 것은?

① 상대국에 비해 어떤 재화를 더 효율적으로 생산할 수 있을 때 그 재화의 생산에 비교우위가 있다.
② 절대우위 제품이나 산업이 없는 후진국이나 약소국의 경우에도 무역을 통해 이득을 볼 수 있다.
③ 절대우위 산업이 많은 선진국도 자국의 다른 산업에 비해 비교우위가 떨어지는 산업을 보호하기 위해 반덤핑관세 등 보호무역조치를 취하게 되면 결과적으로 무역이익은 그만큼 줄어들게 된다.
④ 노동생산성에는 국가 간 또는 산업 간 차이가 없다는 가정이 바탕이 된 이론이다.

답 ④

리카도의 비교우위론(비교생산비설)은 두 상품 중 상대적으로 더 효율적으로 생산할 수 있는 재화에 특화하여 교환할 때 양 국가 모두에게 이익이 된다는 이론이다. 그러므로 절대우위 제품이 없는 후진국이나 약소국의 경우에도 무역을 통해 이익을 얻을 수 있다는 이론적인 근거가 된다. 이 이론을 따르지 않고, 선진국의 경우 비교우위가 낮은 재화나 산업을 보호하기 위해 보호무역 조치를 하게 되면 무역이익은 그만큼 줄어들게 된다. 리카도의 비교우위론은 국가 간, 산업간 노동생산성에 차이가 있다는 것을 가정한다. 노동투입량이 같더라도, 국가별·산업별로 생산성에 차이가 난다는 주장으로, 국가 간 기술의 차이를 강조하는 이론이다.

07
□□□

재화 1단위를 생산하는 데 필요한 노동량이 다음과 같을 때, 비교우위에 의한 무역패턴에 대한 설명으로 옳지 않은 것은?

구분	한국	중국
쌀 1톤	4	1
사과 1톤	3	2

① 비교우위가 있는 재화에 완전특화하는 경우, 한국은 사과 7/3톤을 생산할 수 있다.
② 비교우위가 있는 재화에 완전특화하는 경우, 중국은 쌀 3톤을 생산할 수 있다.
③ 양국이 무역 전과 동일한 노동량을 투입하였을 때, 전체적으로 쌀 1톤이 더 많이 생산된다.
④ 양국이 무역 전과 동일한 노동량을 투입하였을 때, 전체적으로 사과 2톤이 더 많이 생산된다.

답 ④

한국의 중국에 대한 상대가격은 쌀 1톤의 경우 4/1, 사과 1톤의 경우 3/2이다. 그러므로 한국은 사과 생산에 비교우위가 있고, 중국은 쌀 생산에 비교우위가 있다.

구분	한국	중국	무역이익
쌀 1톤	4	1	7/3톤 – 2톤 = 0.33톤
사과 1톤	3	2	3톤 – 2톤 = 1톤
특화 생산(무역 후)	1/3톤 × 7명 (사과 생산)	1톤 × 3명 (쌀 생산)	

☑ **선지분석**
----
① 한국이 사과 생산에 완전특화하는 경우, 사과를 7/3톤(약 2.3톤) 생산할 수 있다.
② 중국이 쌀 생산에 완전특화하는 경우, 쌀을 3톤 생산할 수 있다.
③, ④ 무역 이익은 쌀 0.33톤, 사과 1톤이다.

08
□□□

노동생산성의 상대적 차이를 무역발생의 원인으로 보고 있으며, 그 차이로부터 발생하는 국제분업의 이익을 강조하는 무역이론에 의할 때, 다음의 자료에서 A국과 B국이 특화생산을 하여 교역을 하였을 때 최대 무역이익은 얼마인가?

구분	A국	B국
X재 1단위 생산에 필요한 노동량	100명	90명
Y재 1단위 생산에 필요한 노동량	120명	80명

① X재: 2단위, Y재: 2단위
② X재: 2.2단위, Y재: 2.125단위
③ X재: 1.2단위, Y재: 1.125단위
④ X재: 0.2단위, Y재: 0.125단위

'노동생산성의 상대적 차이를 무역발생의 원인으로 보고 있으며, 그 차이로부터 발생하는 국제분업의 이익을 강조하는 무역이론'이란 리카도의 비교우위론을 말한다. A국의 B국에 대한 상대가격은 X재 100/90(= 1.11), Y재 120/80(= 1.5)이다. 그러므로 A국은 X재 생산에 비교우위가 있고, 반대로 B국은 Y재 생산에 비교우위가 있다.

구분	A국	B국	무역이익
X재 1단위 생산에 필요한 노동량	100명	90명	2.2 - 2 = 0.2
Y재 1단위 생산에 필요한 노동량	120명	80명	2.125 - 2 = 0.125
특화 생산	1/100 × 220 (X재 생산)	1/80 × 170 (Y재 생산)	

09

양국이 서로 수요하고 공급하려는 재화의 양이 균등하게 되는 점에서 재화의 교환비율이 결정된다는 이론은?

① 상호수요설
② 기술갭이론
③ 요소가격균등화이론
④ 수요선호유사이론

두 상품의 국내 교환 비율이 양국 사이의 교역 가능성을 결정하며, 실제 교역조건은 상호수요에 의하여 결정된다는 이론은 밀의 '상호수요설'이다. 상호수요란 교역상대품에 대한 상대국의 수요인데, 양국의 상호수요가 일치하는 점에서 교역조건이 결정된다.

✓ 선지분석
④ '수요'가 언급되는 수요선호유사이론은 국내수요가 큰 대중적 선호제품이 국내와 유사한 소비선호를 가진 해외시장에 진출하게 된다는 이론이다.

10

비교생산비설을 보완하여 교역조건의 결정원리를 설명하려는 이론은?

① 수요선호유사이론
② 상호수요설
③ 헥셔 – 오린 이론
④ 기회비용 이론

밀의 상호수요설은 비교우위론을 전제로 한다. 그러나 비교우위론은 무역이 왜 발생하며 무역이익이 어느 정도인지는 말하고 있지만, 실제 교역의 가능범위를 말하지는 않는다. 밀의 상호수요설은 두 상품의 국내교환비율의 차이가 교역의 가능범위를 결정하며, 실제 교역조건을 결정하는 요인은 상호수요의 규모와 수요의 탄력성이라고 주장한다.

11 □□□ A국의 X재와 Y재의 국내 가격비율은 1 : 1.5이고, B국의 국내 가격비율은 1 : 2라면, 무역이 발생하여 양국에게 무역이익을 가져다주기 위한 교역조건은 어떻게 결정되는가?

① 1 : 1.5보다는 크고, 1 : 2보다는 작은 범위 내에서 결정된다.

② 1 : 1.5 또는 1 : 2에 귀착된다.

③ 1 : 1.5보다는 작고, 1 : 2보다는 큰 범위 내에서 결정된다.

④ 1 : 1.5와 1 : 2의 평균 수준에서 결정된다.

답 ①

A국의 국내교환비율은 1X : 1.5Y이고, B국의 국내교환비율은 1X : 2Y이다. 이 경우 양국의 국제 교역은 양국의 국내 교환비율인 1X : 1.5Y와 1X : 2Y 내의 범위에서 가능하다. 1X : 1.5Y보다 작은 범위에서는 A국이 무역을 하려고 하지 않을 것이고, 1X : 2Y보다 큰 범위에서는 B국이 무역을 하려고 하지 않을 것이다.

12 □□□ 다음은 한국과 프랑스가 포도주와 사과를 교역함에 있어, 교역가능한 교환비율을 나타낸 그래프이다. 이에 대한 설명으로 옳지 않은 것은?

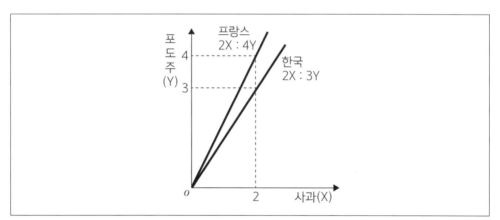

① 프랑스는 포도주 생산에 비교우위가 있으므로 포도주 생산에 특화하여 생산하고, 한국은 사과 생산에 특화한 후에 서로 생산물을 교환하는 경우에 양국 모두가 이익을 얻을 수 있다.

② 양국은 동일한 무역이익을 얻기 위해 결과적으로 2X : 3.5Y의 교역조건 하에서 특화한 생산물을 교환하게 된다.

③ 한국의 국내교환비는 2X : 3Y이며, 프랑스의 국내교환비는 2X : 4Y이다.

④ 밀의 상호수요설에 의하여 그래프를 설명하는 경우, 실제 교역조건은 상호수요가 일치하는 점에서 결정되며 상호수요의 탄력성이 균형조건을 변동시키는 힘으로 작용한다.

사과를 X, 포도주를 Y라 했을 때, 한국과 프랑스의 국내 교환 비율은 각각 2X : 3Y, 2X : 4Y이다. 국제 교역은 2X : 3Y와 2X : 4Y 사이에서 이루어진다. 두 국내 교환 비율의 가운데인 2X : 3.5Y라는 교역조건을 설정할 수는 있으나 이것은 하나의 가상일 뿐, 실제 교역조건을 결정하는 요인은 상호수요의 규모와 수요의 탄력성이다.

13

□□□

오퍼곡선에 대한 설명 중 옳지 않은 것은?

① 상호수요곡선이라고도 한다.
② 영국의 경제학자 마셜과 에지워스에 의해 도입되었다.
③ 비교생산비를 화폐가격으로 환산하여 표시하였다.
④ 양국 오퍼곡선의 교점과 원점을 연결한 선이 교역조건선이 된다.

오퍼곡선(Offer curve)이란 상대국의 상품에 대한 수요의 강도를 자국에서 제공하려는 상품의 양으로 표시한 곡선으로서, 상호수요곡선이라고도 한다. 양국의 오퍼곡선이 만나는 점과 원점을 연결한 선이 교역조건선이 된다. 아래 그림에서는 OA, OB, OC가 교역조건선이 된다.

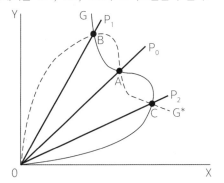

위 그림의 G는 X재를 수출하는 국가의 오퍼곡선이다. 이 곡선은 Y재를 수입하기 위해 기꺼이 제공하려는 X재의 여러 가지 양을 나타난 것으로, 비교생산비를 화폐가격으로 환산하여 표시한 것은 아니다. 비교생산비를 설명하면서 투입되는 노동량이 아닌 화폐가격으로 환산하여 비교하는 방법을 택한 이론은 타우식의 비교가격설이다.

14 □□□ 오퍼곡선에 관한 설명으로 옳지 않은 것은?

① 주어진 국제상대가격에서 생산하고자 하는 양과 소비하고자 하는 양을 나타낸다.
② 체증기회비용의 생산가능곡선이 주어진 경우에 수출재 수량을 표시하는 축에 대해 볼록한 모양을 갖는다.
③ 양국의 오퍼곡선이 교차하는 점에서 무역균형을 이룬다.
④ 해당 국가의 수요측면과 공급측면을 동시에 반영하고 있다.

답 ①

오퍼곡선은 상대국의 상품을 수요하기 위해서 자국에서 기꺼이 제공(offer)하려는 상품의 양으로 표시한 곡선이다. 오퍼곡선은 수요측면과 공급측면을 반영하고 있을 뿐, 생산량과 소비량의 관계를 나타낸 곡선이 아니다.

15 □□□ 비교생산비설을 설명함에 있어 노동량이 아닌 비교생산비를 화폐가격으로 환산하여 비교하는 방법을 택한 이론을 무엇이라 하는가?

① 타우식의 비교가격설
② 밀의 상호수요설
③ 하벌러의 기회비용이론
④ 린더의 수요선호유사이론

답 ①

비교생산비설을 설명함에 있어 노동량이 아닌 비교생산비를 화폐가격으로 환산하여 비교하는 방법을 택한 이론을 타우식의 비교가격설이라 한다. 교역상품의 국내가격과 외국가격을 상호비교하여 외국가격이 더 높으면 수출하고, 국내가격이 더 높으면 수입한다는 설명이다.

16 □□□ 하벌러(G. Haberler)의 기회비용이론에 대한 설명으로 옳지 않은 것은?

① 특정제품의 상대가격은 비교우위론이나 절대우위론과 같이 생산에 투입된 노동량에 의해 결정되는 것이 아니라, 그 제품의 증산에 따라 포기해야 하는 다른 제품의 수량인 기회비용에 의해 결정된다.

② 각국은 상대적으로 기회비용이 적은 제품에 비교우위가 있으므로 그 제품의 생산에 특화하게 된다.

③ 생산가능곡선이란 한 국가가 보유하고 있는 일정한 생산요소를 완전히 투입하여 최대로 생산할 수 있는 두 가지 상품의 여러 가지 조합을 나타내는 곡선이다.

④ 기회비용이론은 상품무역이 국내생산구조의 변화를 가져오고 이러한 변화는 국가 간의 생산요소의 이동과 같은 효과를 가져와 결국 생산요소의 가격에까지 영향을 미친다고 주장한다.

| 답 ④

하벌러의 기회비용 이론은 특정 제품의 상대가격이 생산에 투입된 노동량에 의해 결정되는 것이 아니라, 그 제품의 증산에 따라 포기해야 하는 다른 제품의 수량인 기회비용에 의해 결정된다고 말한다. 무역이 생산구조의 변화를 가져오고 생산요소의 이동과 요소가격의 변화로 이어진다는 주장은 하지 않는다.

17 □□□ 하벌러(G. Haberler)의 기회비용설에 대한 설명으로 옳지 않은 것은?

① 고전학파의 비교생산비설을 수용하기는 하였으나, 노동가치설에 입각한 노동비용 대신 기회비용이라는 개념을 도입하여 비교우위를 설명하였다.

② 생산가능곡선이 곡선인 경우에 양국에 무역이익이 발생하며, 직선인 경우에는 무역이익이 발생하지 않는다.

③ 생산가능곡선의 접선의 기울기는 한계전환율(MRT)로서, 어떤 재화 1단위를 더 얻기 위해 포기해야 하는 다른 재화의 양을 나타낸다.

④ 생산조건이 체증비용인 경우 생산가능곡선은 원점에 대하여 오목한 형태로 나타난다.

| 답 ②

생산가능곡선이란 생산요소를 완전히 투입하여 최대로 생산할 수 있는 두 가지 상품의 수많은 조합을 나타내는 곡선이다. 체증비용하의 생산가능곡선은 원점에 대하여 오목한 곡선이고, 체감비용하의 생산가능곡선은 원점에 대하여 볼록한 곡선이다. 그러나 불변비용하의 생산가능곡선은 우하향하는 직선의 형태이다. 생산가능곡선 자체는 무역을 설명하지 않으며, 어떤 형태일 때 무역이익이 발생하는지의 여부도 다루지 않는다.

18
생산가능곡선은 (㉠) 혹은 (㉡)이라고도 하는데 주어진 (㉢)과 (㉣)를 사용하여 두 상품을 생산할 수 있는 가능한 모든 조합의 궤적을 나타내는 곡선이다. 괄호 안에 들어갈 말로 옳은 것은?

	㉠	㉡	㉢	㉣
①	대체비용곡선	수요곡선	소비수준	공급요소
②	기회비용곡선	전환곡선	기술수준	생산요소
③	무차별곡선	공급곡선	투자수준	경기요소
④	경기변환곡선	소득곡선	저축수준	발전요소

답 ②

생산가능곡선은 (대체비용곡선) 혹은 (전환곡선)이라고도 하는데, 주어진 (기술수준)과 (생산요소)를 사용하여 두 상품을 생산할 수 있는 가능한 모든 조합의 궤적을 나타내는 곡선이다.

19
한 국가가 대체관계에 있는 X재와 Y재를 생산하는 경우, 체증비용하의 생산가능곡선은?

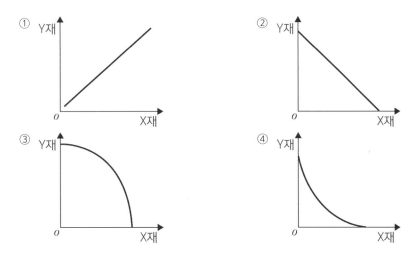

답 ③

☑ **선지분석**
② 불변비용하의 생산가능곡선이다.
④ 체감비용하의 생산가능곡선이다.

20
□□□

어떤 자원으로 한 재화를 1단위 추가 생산하기 위해서 포기해야 하는 다른 재화의 수량과의 비율을 무엇이라 하는가?

① 상대가격비   ② 한계전환율

③ 한계비용   ④ 한계생산물 가치

답 ②

생산자가 일정량의 생산요소를 투입하여 생산을 할 때, X재의 생산량을 1단위 더 증가시키기 위해서 포기해야 하는 Y재 수량과의 비율을 한계전환율(MRT; Marginal Rate of Transformation)이라 한다.

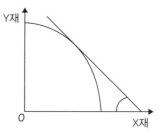

생산가능곡선의 접선의 기울기가 한계전환율이 된다.

21
□□□

X재는 노동집약재, Y재는 자본집약재이고, A국은 노동풍부국, B국은 자본풍부국이라고 할 때, A국과 B국의 생산가능곡선을 가장 잘 나타낸 것은?

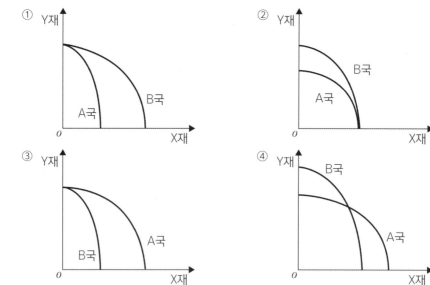

답 ④

X재는 노동집약재이지만 노동만 투입되는 것이 아니라 자본도 투입된다. 노동이 더 많이 투입될 뿐이다. 자본집약재인 Y재도 마찬가지이다. A국은 노동풍부국이므로 상대적으로 X재 생산을 더 많이 할 수 있고, B국은 자본풍부국이므로 상대적으로 Y재 생산을 더 많이 할 수 있다.

22 영국과 한국의 불변생산비용의 생산가능표가 다음과 같을 때 양국의 생산가능표로부터 찾을 수 있는 무역패턴은 다음 중 어느 것인가?

구분	영국					한국				
생산가능조합	A	B	C	D	E	A*	B*	C*	D*	E*
X재	120	90	60	30	0	40	30	20	10	0
Y재	0	30	60	90	120	0	30	60	90	120

① 영국이 한국에 X재와 Y재 모두를 수출
② 한국이 영국에 X재와 Y재 모두를 수출
③ 영국이 한국에 X재 수출, 한국이 영국에 Y재 수출
④ 한국이 영국에 X재 수출, 영국이 한국에 Y재 수출

답 ③

영국이 생산할 수 있는 X재와 Y재의 생산가능 조합인 A, B, C, D, E를 연결하면 영국의 생산가능곡선이 된다. 마찬가지로 한국이 생산할 수 있는 X재와 Y재의 생산가능 조합인 A*, B*, C*, D*, E*를 연결하면 한국의 생산가능곡선이 된다. Y재 30단위를 더 생산하기 위해 포기해야 하는 X재의 단위 수(기회비용)는 영국의 경우 30인 반면, 한국은 10이다. 하벌러의 기회비용이론에 따르면, 영국은 Y재 생산을 위한 기회비용이 한국보다 크므로, 기회비용이 적은 X재에 비교우위가 있다. 마찬가지로 한국은 Y재에 비교우위가 있다. 즉, 영국은 X재를 특화 생산하여 한국에 수출하고, 한국은 Y재를 특화 생산하여 영국에 수출하게 된다.

23 헥셔 - 오린의 비교우위이론에서 무역이 발생하는 요인은?

① 요소부존의 상대적 차이　　　　② 노동생산성의 상대적 차이
③ 무역규모의 차이　　　　　　　　④ 기술수준의 차이

답 ①

리카도의 비교우위론은 노동투입량의 차이가 국가간 비교우위를 결정한다고 주장하지만, 노동투입량의 차이가 왜 발생되었는지의 문제는 규명하지 못하는 한계가 있었다. 이에 대해 헥셔(Eli Heckscher)와 오린(Bertil Ohlin)은 요소부존도(factor endowment)의 차이로 설명하고 있다.
헥셔 - 오린의 요소부존이론(비교우위이론)에 따르면 노동이 풍부하게 부존된 국가는 노동을 집약적으로 사용하는 제품 생산에 비교우위가 있어 노동집약적 제품을 수출하게 된다. 또 자본이 풍부하게 부존된 나라는 자본을 집약적으로 사용하는 제품 생산에 비교우위가 있어 자본집약적 제품을 수출하게 된다.

24 레온티에프 역설의 주요 원인으로 볼 수 없는 것은?

① 생산요소의 이질성　　　　　　② 자본집약재에 대한 수요 편향
③ 노동집약재에 대한 수입규제　　④ 환율의 반전

답 ④

레온티에프 역설(Leontief's Paradox)이란 통계적인 검증결과 헥셔 - 오린의 요소부존이론이 주장하는 바와 정반대의 현상이 나타나는 것을 말한다. 미국의 경우 자본풍부국임에도 오히려 노동집약재를 수출하고 자본집약재를 수입하는 현상이 나타났다. 이것은 생산요소의 이질성(미국 노동자의 질이 다르다), 자본집약재에 대한 수요 편향(미국은 자본집약재에 대한 수요가 크다), 노동집약재에 대한 수입규제(미국은 노동집약재에 대한 관세율이 높다) 등이 원인이 되어 일어난 현상이다.

25 A국은 노동이 풍부한 국가로서, 노동집약재 생산에 특화하여 수출한 결과 노동의 가격이 상승하였다. B국은 자본이 풍부한 국가로서, 자본집약재 생산에 특화하여 수출한 결과 자본의 가격이 상승하였다. 이와 관련된 무역이론은?

① 사무엘슨의 요소가격균등화이론　　② 포터의 글로벌 경쟁우위 모델
③ 헥셔 - 오린의 요소부존이론　　　　④ 리카도의 비교우위론

답 ①

사무엘슨(Samuelson)의 요소가격균등화이론은 국가간 생산요소의 이동이 불가능하더라도 자유무역을 하게 되면 국가 간에 생산요소의 가격이 장기적으로 같아진다는 이론이다.

26 국제무역은 교역당사국 간에 존재하는 임금수준의 격차를 감소시키는 경향이 있다고 주장하는 이론은?

① 립진스키의 정리
② 헥셔 – 오린 정리 제1명제
③ 헥셔 – 오린 정리 제2명제
④ 상호수요균등의 법칙

답 ③

사무엘슨의 요소가격균등화이론은 '헥셔 – 오린 제2명제', '헥셔 – 오린 – 사무엘슨 정리', '스톨퍼 – 사무엘슨 정리'라고도 한다.

27 국내수요를 바탕으로 어떤 상품이 값싸게 생산되면 그 상품은 그 국내수요와 유사한 수요패턴을 가진 외국으로 수출된다는 이론은?

① 기술격차설
② 제품 사이클론
③ 수요선호유사이론
④ 헥셔 – 오린 이론

답 ③

기업은 대량생산이 가능하고 국내 수요가 큰 대중적 선호제품을 국내와 유사한 소비선호를 갖고 있는 해외시장에 진출하게 된다. 이것을 린더의 수요선호유사이론이라고 한다.

28 린더의 수요선호유사이론에 대한 설명으로 옳지 않은 것은?

① 유사선호를 결정짓는 요인은 각 국가의 생산성이라고 가정하였다.
② 대량생산이 가능하고 국내수요가 큰 대중적 선호제품에 적용되는 이론이다.
③ 주로 공산품에 적용되는 이론이다.
④ 다른 국가 소비자들 간에 공통적으로 선호하는 제품이 한 산업내 다양하게 분포될수록 산업 내 무역이 발생할 확률이 높아진다.

답 ①

린더의 수요선호유사이론에서 유사선호를 결정짓는 요인은 소득수준이다. 이 이론은 소득수준이 비슷한 국가 간의 무역발생 원인을 설명하는데 적합하다.

29 포스너의 기술갭이론에 의하여 다음의 그림을 설명하는 경우, 옳지 않은 것은?

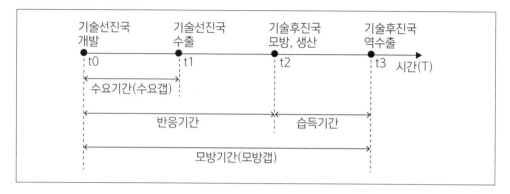

① 선진국에서 개발된 제품은 t1 시점부터 수출이 이루어진다.
② t2 시점에는 기술후진국이 선진국의 제품을 모방하여 생산을 시작하게 된다.
③ t2 시점으로부터 t3 시점까지의 기간에 선진국의 수출이 적극적으로 이루어진다.
④ t3 시점에는 기술후진국이 선진국으로 역수출을 하게 된다.

답 ③

포스너(Posner)의 기술갭이론(기술격차이론)은 무역현상을 국가 간의 기술격차로 설명한다.

 선지분석

① t0부터 t1까지를 수요갭(수요시차, 수요기간)이라고 한다. 신제품 개발 즉시 수출이 되는 것이 아니고, 다른 국가에서 수요가 발생해야 수출이 가능해진다.
③, ④ t2부터 t3까지를 습득시차(습득기간)이라고 한다. 선진국의 수출이 적극적으로 이루어지는 기간은 t1부터 t2까지이며, t2부터 t3까지의 습득시차에는 기술후진국이 선진국의 기술을 습득하며, t3에 이르면 기술후진국이 선진국으로 역수출하게 된다.

30 제품 사이클(cycle) 과정에 있어서 선진국 시장에서 개발도상국 시장까지 그 소비의 범위가 급속히 확대되는 단계는?

① 도입기
② 성장기
③ 성숙기
④ 쇠퇴기

답 ③

버논의 국제 제품수명주기론(product life cycle)은 신개발품의 수명주기에 의하여 결정되는 비교우위의 변화가 국제무역의 흐름을 결정한다는 이론이다. 소비 차원에서 본 각 단계의 특징은 다음과 같다.

도입기	성장기	성숙기	쇠퇴기
생산이 수요를 초과하지 못하므로, 기술선진국에서만 소비된다.	기술경쟁국으로 소비가 확대된다.	개발도상국 시장까지 급격히 확대되고, 기술선도국은 신제품을 소비하는 수입국으로 전환된다.	수요가 감소한다.

31 국제제품수명주기론에 의할 때 '성장기'에 발생하는 무역패턴으로서 옳지 않은 것은?

① 가격이 점차 인하되고, 대규모 생산체제를 갖추게 된다.
② 기술격차로 인하여 선진국이 개발도상국으로 수출을 하는 것이 일반적이다.
③ 기술의 혁신과 함께 기술모방이 이루어진다.
④ 개발도상국으로의 생산기지 이전이 본격화된다.

답 ④

성장기(growth stage)에는 기술경쟁국으로 소비가 확대되면서, 기술경쟁국도 해당 기술을 모방하게 된다. 대규모 생산체제가 가동되면서 가격이 점차 인하되며, 경쟁이 점차 증가한다. 개발도상국으로의 생산기지 이전이 본격화되는 단계는 성숙기(mature stage)이다. 이에 따라 기술선도국은 개발도상국으로부터 물품을 역수입하게 된다.

32 포터의 글로벌 경쟁우위 모델에서 국가경쟁우위의 주된 요인으로 언급되지 않은 것은?

① 기업의 전략 및 구조　　　　② 요소부존도
③ 정부정책변수　　　　　　　④ 연관산업의 경쟁력

답 ③

포터의 글로벌 경쟁우위 모델에 따른 국가경쟁 우위의 요인은 요소부존도, 수요조건, 연관산업의 경쟁력, 기업의 전략·구조·경쟁자이다.

33 산업내 무역이 발생하는 원인으로 주장되지 않는 것은?

① 제품의 차별화　　　　　　② 부품무역 활성화
③ 생산요소의 상대적 부존도 차이　　④ 규모의 경제

답 ③

산업내 무역이 발생하는 원인에는 제품의 차별화, 부품무역 활성화, 규모의 경제 등이 있다. 생산요소의 상대적 부존도 차이는 헥셔 – 오린의 요소부존이론에서 각국의 비교우위의 원인으로 언급되는 개념이다.

CHAPTER 3 무역정책과 경제통합

1 무역정책

1. 무역정책의 의의

(1) 의의

무역정책이란 국민경제의 균형적 발전과 무역거래에서 나타나는 모순과 불균형을 해소하기 위해서 정부가 무역거래에 의식적이고 의도적으로 개입하는 일련의 정책적인 조치를 말한다.

(2) 특징

① 상대국에 대한 영향

특정국가의 대외 무역정책은 그 국가뿐만이 아니라 거래 상대국의 경제에도 영향을 미친다. 그러므로 상대국에 대한 영향을 고려하여 상호간 호혜적 관점에서 무역정책을 실시하여야 한다.

② 종합정책적 성격

무역정책은 국내산업 보호, 자원의 배분, 고용수준, 경기변동, 물가 등과 같은 국내의 다른 경제정책들이 반영된 종합적인 성격을 가진다. 그러므로 각 부문의 상호연관성을 고려하여 무역정책을 실시하여야 한다.

③ 국제수지와의 연관성

무역정책은 다른 경제정책과는 달리 국제수지의 균형과 발전의 문제에 직접적인 관련성을 가지고 있다.

(3) 3요소

무역정책은 ① 무역정책의 목표, ② 무역정책의 수단 및 ③ 무역정책의 정책방안으로 구성되며, 이를 무역정책의 3요소라 한다.

2. 무역정책의 목표

(1) 의의

무역정책은 그 목표가 무엇인가에 따라 실행수단에 큰 영향을 미치므로 그 목표를 명확히 해야 할 필요가 있다. 일반적으로 무역정책의 목표는 다음과 같다.

(2) 목표

국내산업의 보호	• 유치산업, 정체산업, 사양산업의 보호 • 세계 전체적 후생수준의 저하 초래 가능성
자원의 효율적 배분	• 자국에 제한적으로 부존되어 있는 자원을 효율적으로 배분하여 가장 유리한 재화에 특화하여 수출(자유무역이 전제되어야 함) • 단기적으로 국내유치산업의 어려움과 산업구조의 편중화 내지 취약화 초래 가능성
완전고용	수출증대에 따른 고용창출의 확대
물가안정	국제수지의 개선과 외환시세의 안정을 통한 국내물가 안정
경제성장	• 수출증대에 따른 국제수지의 개선과 경제성장의 달성 • 선진국의 경제성장 목표는 완전고용 • 개발도상국의 경제성장 목표는 빈곤의 악순환 타파와 자립경제 확립
국제수지의 개선	• 비교우위 제품을 수출하고 비교열위 제품을 수입함으로써 수출액이 증가하고 수입액이 감소하여 국제수지 개선 • 외환보유고, 대외지급준비고의 확보
사회적 후생증대	• 무역정책의 궁극적 목표는 국민의 경제적 후생 증대(복지사회 건설과 생활수준 향상) • 경제정책과 국민후생 증대라는 양면을 동시에 고려

3. 무역정책의 종류

(1) 자유무역정책

① 의의

정부가 대외무역거래에 대하여 취할 수 있는 정책적 수단에 의한 정부규제조치를 가능한 한 축소 또는 폐지하여 국제무역을 자유롭게 보장함으로써 국제분업을 통한 자원의 최적 배분과 무역이익의 극대화를 추구하여 궁극적으로는 국민후생증대를 최대화하려는 무역 정책이다. 케네(F. Quesnay)의 자유무역론, 애덤스미스(A. Smith)의 자유무역론(국제분업론, 자유경쟁론, 소비자이익론)에 그 이론적 바탕을 두고 있다.

② 특징

㉠ 자유무역은 비교우위가 있는 산업을 특화 생산하고 교환할 수 있는 기회를 제공하기 때문에 자원의 효율적 배분에 유리하다.

㉡ 자유무역은 소비자의 선택범위를 넓혀줌으로써 소비자가 일정한 소득으로 최대의 혜택을 누릴 수 있게 해준다.

㉢ 자유무역은 시장경쟁을 촉진시킴으로써 기업들로 하여금 신기술을 개발하고 경영혁신을 유발하게 하는 등 혁신의 유인을 제공한다.

③ 자유무역이론
  ㉠ 케네(Francois Quesnay)의 중농주의

중상주의의 국가중심적 보호간섭주의가 경제사상을 지배하게 되자, 중상주의적 무역통제에 대한 비판으로 전개된 것이 '자유무역정책'이다. 최초의 자유무역사상은 프랑스의 케네에 의해 체계화된 '중농주의'에서 찾을 수 있는데, 케네는 중상주의의 극단적인 국가 간섭을 반박하고 농업을 중심으로 한 자유무역주의를 주장하였다.

  ㉡ 애덤스미스(A. Smith)의 자유무역론

애덤스미스(A. Smith)의 자유무역론은 국제분업론, 자유경쟁론, 소비자이익론으로 요약할 수 있다.

국제분업론	ⓐ 국제분업의 이익을 기초로 하여 자유무역의 우위성을 주장하였던 이론으로서 자유무역 이론 가운데 가장 유력한 것이라고 할 수 있다. 즉, 외국무역을 국내산업과 같이 자유원칙 하에 둔다면 국제분업이 완전하게 이루어지고, 이에 따라 모든 나라가 유리하게 된다는 것이다. ⓑ 자유무역을 통하여 자국에서 생산하는 것보다 싼 상품을 수입하고, 외국에 비하여 자국이 우위에 있는 상품은 국내에서 특화 생산하여 수출하면 모두 이익이 된다는 주장이다. ⓒ 그러나 국제분업론은 그 나라의 경제발전 단계에 따라 무역의 유형이나 기능이 다른 역사성을 도외시하였다는 점에서 비판을 받고 있다.
자유경쟁론	ⓐ 한 나라에 있어서 자유경쟁이 생산기술의 혁신이나 경영방법의 개선 등 산업발달에 유익한 것과 마찬가지로 외국과의 무역에 있어서도 자유경쟁에 맡기는 것이 상호간에 유익하다는 주장이다. ⓑ 그러나 이 주장은 그 당시 선진국인 영국의 입장만 고려하였으며 경쟁의 패자에게는 불리하다는 점을 간과하고 있다는 비판을 받고 있다.
소비자이익론	ⓐ 소비는 모든 생산의 목적이고, 생산은 이를 달성하기 위한 수단이므로 무역정책에 있어서는 소비자의 이익이 우선되어야 한다는 주장이다. ⓑ 보호관세의 부과는 외국상품의 수입을 억제하고 품질이나 가격면에서 떨어지는 국내상품을 소비자에게 사용하게 하는 조치이므로 있을 수 없는 일이라는 입장이다. 또한 수출장려금을 생산자에게 지급하여 수출하는 일은 국내물가를 등귀시키고 조세부담을 가중시키는 이중부담을 소비자에게 전가하므로 좋지 않다고 주장하여 이러한 제한조치를 철폐할 것을 주장하였다. ⓒ 그러나 수출산업을 보호 · 육성하는 것은 생산자에만 이익이 되는 것이 아니고 고용증대 및 생산량 증대의 효과를 가져옴으로써 장기적으로는 소비자에게도 이익이 된다는 것을 간과하지 못하였다는 비판을 받고 있다.

(2) 보호무역정책

① 의의

정부가 국내산업보호, 국제수지개선, 고용증대, 물가안정, 국민소득증대, 국내경제발전 등 제반 정책목표를 달성하기 위해서 관세 및 비관세장벽 등의 모든 정책수단을 동원하여 대외무역거래를 제한 또는 통제하는 무역정책이다. 중상주의, 해밀턴의 공업보호론, 리스트의 유치산업보호론 등에 그 이론적 바탕을 두고 있다.

② 보호무역이론

㉠ 해밀턴(A. Hamilton)의 공업보호론(산업분화론)

해밀턴은 미국의 공업이 유럽제국에 비해 아직 유치한 단계에 있으므로 선진국의 위협으로부터 보호하기 위해 보호정책을 실시해야 한다고 주장하였다. 또한 공업이 농업에 비하여 생산력이 유리하고 이익이 높으므로 공업의 진흥을 통해 산업을 분화시켜 분업의 이익을 얻어야 한다고도 주장하였다.

㉡ 리스트(Friedrich List)의 유치산업보호론(infant industry argument)

무역정책은 경제발전 단계에 따라 달라야 하며, 아직 공업화를 달성하지 못한 후진국은 공업부문이 일정 수준으로 성장할 때까지 공업부문을 보호해야 한다는 주장을 유치산업보호론이라 한다. 미국의 해밀턴(A. Hamilton)이 처음 주장하였고, 독일의 리스트(F. List)에 의하여 체계화된 이론이다.

> ⓐ 유치산업이란 산업발전단계의 초기에 발생하는 미숙한 산업이지만 미래의 전망은 밝아서 보호의 필요성이 있는 산업을 말한다. 보호대상이 되는 유치산업을 선정하는 것이 가장 중요한 문제이며, 사양산업을 보호 대상으로 잘못 선정한 경우 보호기간 동안 소비자들이 높은 가격으로 상품을 소비하며 겪게 되는 손실을 보상할 길이 없게 된다.
>
> ⓑ 일시적인 보호 후 국제경쟁력을 확보할 수 있고, 개방 후의 이득이 보호기간 동안의 손실을 보상하고 남음이 있어야 한다.[7] 장래의 사회이익이 과거의 희생(사회비용)을 보상하고도 남을 여지가 있다는 데 이 이론의 의의가 있다.
>
> ⓒ 개발도상국도 일정기간 공업부문을 보호하면, 공업부문에 비교우위를 가질 수 있고, 공업부문에서 발생한 경험에 의한 학습효과가 다른 산업에 파급되어 경제 전체의 생산량이 증가할 수 있다.
>
> ⓓ 외부경제가 있는 경우에는 시장실패(market failure)가 발생하여 과소생산이 나타날 수 있는데, 이런 경우 생산량 확대를 위한 보호무역정책이 정당화될 수 있다. 그러므로 유치산업보호론은 외부경제가 있는 산업에만 해당된다.[8]

---

7) 보호기간이 끝난 후 그 산업에서 얻게 되는 이익이 보호기간 중의 손실을 보상하고도 남음이 있어야 한다는 주장을 '밀 - 바스테이블 검정'(Mill - Bastable test)이라 한다.

8) 외부경제란 한 경제 주체의 경제적 행위가 이에 관련된 다른 경제 주체의 이익에 영향을 주는 것을 말한다. 외부경제에 의한 잘못된 특화의 손실을 방지하기 위해서는 자유무역을 제한하여 국내생산을 보호할 필요가 있는데, 이것이 외부경제에 의한 보호론이다.

③ 보호무역정책과 신(新)보호무역정책

아래와 같이 현대의 신(新)보호무역정책은 비관세장벽을 사용하기도 하지만, 리스트의 고전적 유치산업보호론은 여전히 관세장벽 중심이다. 수입물품에 고율의 관세를 부과하여 국내 유치산업을 경쟁으로부터 보호하는 것이 리스트의 유치산업보호론의 핵심이다.

보호무역정책	신보호무역정책
후진국 주도	선진국 주도
관세장벽	비관세장벽
후진국의 유치산업 보호	선진국의 정체산업 및 사양산업 보호

핵심체크 경제적 왜곡과 차선책 이론

경제적 왜곡(economic distortion)이란 특정한 경제활동에 대해 개인이 평가하는 사적인 비용·편익이 사회 전체적인 비용·편익과 차이가 나는 것을 말한다. 자유무역이론의 가정과는 달리 외부경제나 외부불경제 등 경제적 왜곡이 존재할 경우, 자유무역은 더 이상 최선의 정책이 될 수 없으며, 오히려 보호무역과 같은 차선의 정책이 보다 바람직할 수 있다. 이것을 차선책이론(theory of second best alternative)이라 한다. 예를 들자면, 돈을 많이 벌 수 있다고 하여 공해산업에 특화하여 자유무역을 하는 것보다는, 보호무역을 통해 외부경제가 큰 수입경쟁산업을 육성하는 것이 사회 전체의 경제적 후생을 늘리는 데에 도움이 된다는 것이다.

2 국제기구와 경제통합

1. 국제기구

(1) GATT와 무역자유화

① GATT의 의의

제2차 세계대전 종결 후 전후의 새로운 무역질서의 확립과 무역자유화를 실현하기 위해서 1947년 제네바에서 23개국이 참가한 관세인하협상이 이루어졌다. 이 결과 상호관세인하 약속의 효과를 확보하기 위해서 무역면에서의 규정을 하나의 조약으로 정리한 것이 '관세 및 무역에 관한 일반협정'(General Agreement on Tariff and Trade: GATT)이다.

② GATT의 기본원칙

㉠ 자유무역 원칙

GATT는 보호무역정책수단으로서 수량할당을 포함한 비관세장벽을 철폐할 것을 규정하고 있으며, 관세인하교섭의 방법으로는 한 가맹국이 관세를 인하하면 상대교역국역시 관세를 인하해야 한다는 상호주의를 기본원칙으로 하고 있다.

㉡ 최혜국대우 원칙

GATT는 무차별원칙을 기본원칙으로 하고 있으며, 이 원칙은 가맹국의 어떤 국가에도 타국가보다 더 큰 특혜를 주지 않는다는 최혜국대우(Most Favored Nation Treatment)의 조항에 나타나 있다.

㉢ 내국민 대우 원칙

외국인과 내국인을 동일하게 대우해야 한다는 원칙이다. 무차별 원칙(nondiscrimination principle)은 최혜국대우와 내국민대우를 근간으로 한다.

③ GATT의 특징

㉠ GATT는 수입할당제 등의 비관세장벽보다 장기적인 폐해가 적은 관세제도를 선호한다. 비관세장벽은 수입물량을 규제함으로써 장기적으로 기술진보에 의한 효율성 증가의 가능성을 없애기 때문이다.

㉡ GATT는 긴급수입제한조치(safeguard)를 두어 각국 정부가 자국 산업을 보호하기 위해서 잠정적으로 수입을 규제할 수 있는 권한을 부여하였다. 그리하여 GATT의 여러 단계의 라운드에 의해 관세율이 현저하게 하락하였는데도 GATT의 예외규정인 긴급수입제한조치를 통한 무역규제는 계속되었다.

(2) WTO 체제 출범

① WTO의 의의

세계무역기구(World Trade Organization: WTO)는 다자간 무역체제의 확립을 통해 전세계의 자유무역을 확대하고 국가 간의 공정무역질서를 확립하기 위해 GATT 제8차 다자간 협상인 우루과이라운드 협상의 결과에 따라 1995년 1월 1일 출범하였다. WTO의 출범은 과거 1960년대의 자유무역체제가 1980년대에 접어들면서 관리무역체제로 변환된 국제무역질서를 다시 자유무역체제로 전환시켜 세계경제의 활성화 계기를 마련하였는데 그 의의가 있다. WTO는 국가 간 무역 분쟁을 해결할 수 있는 강제적 권한을 가지고 있다.

② WTO의 기본원칙

㉠ 최혜국대우(Most Favored Nation Treatment) 원칙

특정국가에 대하여 다른 국가보다 불리한 교역조건을 부여해서는 안 된다는 원칙으로, 세계무역기구 체제의 모든 분야에서 요구되는 핵심원칙이다. 어느 국가에 관세를 낮춰 주면 다른 모든 WTO 회원국에게도 관세를 낮춰 주어야 한다.

㉡ 내국민대우(National Treatment) 원칙

외국인과 내국인을 동일하게 대우해야 한다는 원칙으로, 수입상품이 국내에 수입된 후에는 수입품과 동종의 국내생산품은 차별없이 동등하게 취급되어야 한다. 무차별 원칙(nondiscrimination principle)은 최혜국대우와 내국민대우를 근간으로 한다.

㉢ 시장접근보장의 원칙

관세 등 조세를 제외한 재화용역의 공급에 대한 일체의 제한을 철폐해야 한다는 원칙으로 내국민대우 원칙과 함께 시장개방의 양대 요소를 이루고 있다.

㉣ 투명성의 원칙

각국의 행정·사법기관의 의사결정이나 법령의 적용, 제도의 운용이 합리적이며 예측 가능하여야 하고, 결정에 관한 이유가 고지되어야 하며, 그러한 결정의 기초가 되는 모든 법령 및 자료가 공개되어야 한다는 원칙이다.

㉤ 공정무역 원칙(Fair Trade principle)

자유로운 무역과 함께 공정한 무역도 강조되고 있다. 공정한 경쟁을 촉진하고, 불공정한 무역행위를 방지하기 위해서 덤핑수출과 같은 불공정무역행위에 대하여 규제를 강화하고 있다.

③ WTO의 회의체

WTO는 각료회의(Ministerial Conference)와 일반이사회(General Council)로 구성된다. 각료회의는 WTO의 모든 회원국으로 구성되며, 최소한 2년에 1회 이상 개최된다. 일반이사회는 각료회의가 비회기 중일 때 개최되는 회의로서, 그 산하에 상품교역이사회, 서비스교역이사회, 무역관련지적재산권이사회를 두고 있다.

구분	GATT	WTO
구속력	법적 구속력이 없는 국제기구	법적 구속력이 있는 국제기구 ㉠ 무역분쟁을 해결할 수 있는 강제적 권한이 있다. ㉡ 분쟁해결기구(DSB)를 신설하였다.
대상	주로 공산품	공산품, 서비스, 지식재산권, 무역관련 투자 등
무역장벽 완화	주로 관세인하	관세인하, 비관세장벽 완화
무차별 원칙 (최혜국대우, 내국민대우)	○	○
시장접근보장의 원칙	×	○
투명성의 원칙	×	○
공정무역 원칙	×	○
의사결정 방법	만장일치제	㉠ 만장일치제 + 다수결 ㉡ 역만장일치제

> **핵심체크 뉴라운드(New Round)**
>
> 뉴라운드란 우루과이 라운드(UR) 협상 타결과 함께 새로 제기된 4개의 다자간 무역협상을 말한다.
>
> 1. 블루 라운드(BR; Blue Round): 국제기준보다 낮은 노동기준 하에서 생산된 제품의 수출국에 대해 무역 제재 조치를 취할 수 있도록 하는 등 노동이나 근로조건을 국제무역과 연계시키는 것을 논의한 라운드
> 2. 그린 라운드(GR; Green Round): 환경 비용을 동등하게 지출하여 상품 교역을 하자는 라운드
> 3. 경쟁 라운드(CR; Competition Round): 자유롭고 공정한 경쟁 조건에서 거래하자는 라운드
> 4. 기술 라운드(TR; Technology Round): 신국제 기술 규범 제정을 위한 라운드

2. WTO 협정

(1) WTO 협정

① 구조

관세 및 무역에 관한 일반협정(GATT)이 WTO 협정문의 기초적인 틀과 원칙을 제공하였다. 세계무역기구 협정문은 WTO 설립협정, 다자간무역협정(Multilateral Trade Agreement, MTA), 복수국간무역협정(Plurilateral Trade Agreement) 으로 구성되어 있다. WTO 협정문 본문에서는 WTO 자체에 대한 규정을 두고 있고 방대한 양의 실질적인 국제규범은 부속서(Annex)에 두고 있다. 부속서 1, 2, 3은 다자간무역협정을, 부속서 4는 복수국간무역협정을 규정하고 있다.

② 의사 결정 방법

㉠ GATT 체제에서의 의사 결정은 만장일치제였다. 그러나 의사결정 과정이 지연되는 문제를 보완하기 위해 WTO 체제에서는 만장일치제를 채택하되, 회원국 간 합의가 이루어지지 못할 경우 '다수결(과반수 찬성)'에 근거하여 의사결정을 한다.

㉡ WTO에서는 역만장일치제를 채택하였는데, 역만장일치제(Reverse Consensus System)란 WTO의 분쟁해결기구에서 '만장일치로 패널(panel)을 설치하지 않기로' 결정했을 때, 패널을 설치하지 않아도 되는 것을 말한다.

(2) WTO 협정의 내용

명칭	주요 내용
최종의정서 Final Act	–
WTO 설립을 위한 마라케쉬협정 Agreement establishing the WTO	–
1994년 GATT	–
농업에 관한 협정 Agreement on Agriculture	농산물에 대한 시장접근(예외없는 관세화), 국내보조금 및 수출보조금 지급제한 등을 규정한 협정
위생 및 식물위생조치의 적용에 관한 협정(SPS 협정) Agreement on the Application of Sanitary and Phytosanitary Measures	식품첨가물, 오염물질, 병원성 미생물, 독소 등에 관한 기준치와 규격을 국제적으로 정한 협정(수산물 등 식품안전 규제는 SPS 협정과 관련이 있음)
섬유 및 의류에 관한 협정 Agreement on Textiles and Clothing	
다자간 섬유 협정(MFA 협정) Multi Fiber Arrangement	섬유무역의 확대와 자유화를 위한 협정
비관세 장벽에 관한 협정	무역에 대한 기술장벽에 관한 협정(TBT 협정) Agreement on Technical Barriers to Trade	개별 국가의 기술 규정과 표준 검사, 증명 절차가 불필요한 무역장벽으로 작용하지 못하도록 규정한 협정
	1994년도 관세 및 무역에 관한 일반협정 제7조의 이행에 관한 협정(관세평가) Agreement on Implementation of Article VII of the General Agreement on Tariffs and Trade 1994(customs valuation)	공평하고 통일적이고 중립적인 관세평가를 위한 협정
	선적전 검사에 관한 협정(PSI 협정) Agreement on Preshipment Inspection	정부당국의 위임을 받은 민간 선적전 검사기관의 검사 수행을 규정한 협정
	원산지 규정에 관한 협정 Agreement on Rules of Origin	원산지 규정의 투명성, 예측가능성, 중립성을 확보하여, 불필요한 무역 장애가 되지 않도록 규정한 협정

	수입허가 절차에 관한 협정 Agreement on Import Licensing Procedures	국제무역상 행정절차와 관행을 최소화하고 공정하고 투명하게 운영하기 위한 협정
산업 피해 구제 제도 관련 협정	1994년도 관세 및 무역에 관한 일반협정 제6조의 이행에 관한 협정(반덤핑) Agreement on Implementation of Article VI of the General Agreement on Tariffs and Trade 1994 (antidumping)	반덤핑관세 부과 요건, 절차, 분쟁해결 등을 규정한 협정
	보조금 및 상계조치에 관한 협정(SCM 협정) Agreement on Subsidies and Counterva-iling Measures	보조금의 정의, 보조금의 범주 및 상계관세 부과절차 등을 규정한 협정
	긴급수입제한조치에 관한 협정 Agreement on Safeguards	긴급수입제한조치 발동 요건, 조치 등을 규정한 협정
상품외 거래 관련 협정	부속서 1나: 서비스무역에 관한 일반협정(GATS) ANNEX 1B: GENERAL AGREEMENT ON TRADE IN SERVICES	서비스 무역에 영향을 미치는 회원국들의 조치에 적용되는 협정[9]
	부속서 1다: 무역관련 지적재산권에 관한 협정(TRIPs 협정) ANNEX 1C: AGREEMENT ON TRADE-RELATED ASPECTS OF INTELLECTUAL PROPERTY RIGHTS	특허권, 실용신안권, 저작권, 상표권, 지리적 표시권, 디자인권(의장권) 등 무역관련 지식재산권을 규율하는 협정
	무역관련 투자조치에 관한 협정(TRIMs 협정) Agreement on Trade - Related Investment Measures	상품무역과 관련된 점진적 자유화, 투자촉진을 위한 자유경쟁의 촉진, 개발도상국 경제성장의 촉진을 위한 협정
	정부조달에 관한 협정 Agreement on Government Procurement	정부 조달에 참여한 외국 사업자에게 내국민대우와 최혜국대우를 규정한 협정

9) WTO 서비스 무역에 관한 일반협정(GATS, General Agreement on Trade in Services) 제1조 제2항에 규정된 서비스무역의 유형은 다음의 네 가지이다.

모드	공급 형태	내용
mode 1	Cross Border Supply(국경간 공급)	수출자와 수입자가 각자 자기 나라에 머물면서 인터넷, 팩스 등으로 서비스만 국경을 넘어 공급하는 형태
mode 2	Consumption Abroad(해외 소비)	수입자가 수출자가 머무르는 국가로 이동하여 서비스를 공급받는 형태
mode 3	Commercial Presence(상업적 주재)	수출자가 수입자가 있는 국가에 투자 방식으로 주재하면서 서비스를 공급하는 형태
mode 4	Presence of Natural Person(자연인의 주재)	수출자가 수입자가 있는 국가로 이동(출장)하여 서비스를 공급하는 형태

부속서 2: 분쟁해결규칙 및 절차에 관한 양해(DSU) ANNEX 2: UNDERSTANDING ON RULES AND PROCEDURES GOVERNING THE SETTLEMENT OF DISPUTES	• 분쟁해결기구(DSB; Dispute Settlement Body) 설치 • 교차보복(Cross – Sector Retaliation) 허용10) • 역만장일치제(네거티브 컨센서스) 방식 도입
부속서 3: 무역정책검토제도(TPRM) ANNEX 3: TRADE POLICY REVIEW MECHANISM	TPRB(무역정책검토기구) 설치
부속서 4: 복수국간 무역협정 ANNEX 4: Plurilateral Trade Agreement(PTA) (모든 회원국을 구속하는 기타 부속협정과는 달리 이를 수락한 일부 회원국에만 적용되는 협정)	• 민간항공기 무역에 관한 협정 (Agreement on Trade in Civil Aircraft) • 정부조달에 관한 협정 (Agreement on Government Procurement) • 국제낙농협정(International Dairy Arrangement) – 1997년 폐기 • 우육협정(Arrangement regarding Bovine Meat) – 1997년 폐기
각료 결정 및 선언 DECISION & DECLARATION	–
금융서비스 약속에 관한 양해 UNDERSTANDING ON COMMITMENTS IN FINANCIAL SERVICES	–

---

10) WTO의 협정하에서 패소국이 패널의 판정을 합리적 기간 내에 이행하지 않을 경우에 승소국은 분쟁 해결기구의 승인을 얻어 패소국에 대한 양허나 그 밖의 의무를 정지(Suspension of Concession) 할 수 있다. 양허의 정지는 문제된 분야만이 아니라 다른 분야에 대해서도 가능하며 이를 교차보복이라고 한다.

3. 그 밖의 국제기구

(1) IMF와 국제통화질서

① IMF의 의의

국제통화기금(IMF; International Monetary Fund)은 금본위제도 붕괴 이후 나타난 극심한 국제통화질서의 불안정성을 제거하고 세계무역질서를 수립하기 위해, 1945년 12월 브레튼 우즈 협정을 체결함으로써 탄생하였다.

② IMF의 목적

   ⊙ 국제통화협력의 증진

   ⓛ 세계무역 및 투자확대

   ⓒ 환율안정과 국제수지 불균형 조정

   ⓔ 중단기 국제통화기금 확보

   ⓜ 국제결제에 관한 정부의 간섭 축소·제거

③ 특별인출권(SDR)

SDR(special drawing right)은 IMF에서 승인하는 자금의 특별인출권한(IMF에 의해 창출된 국제유동성)으로서 금·달러에 이은 제3의 세계화폐이다. 1960년대에 달러 불안이 발생하여 금과 달러에 이어 새로운 국제통화의 창출이 불가피하게 되었고, 그 결과 특별인출권이 생겨나게 되었다. 특별인출권을 갖고 있는 나라는 국제수지가 악화될 경우 IMF의 지시에 따라 자국보유의 특별인출권을 다른 참가국에 넘겨주고 필요한 자금을 얻을 수 있다.

(2) UNCTAD와 남북문제

① UNCTAD의 의의

국제연합 무역개발 협의회(UNCTAD; United Nations Conference on Trade and Development)는 개발도상국의 무역확대 및 경제개발을 위해서 설립된 UN의 산하기구이다. 남북문제(북반구의 선진국과 남반구의 저개발도상국과의 경제격차 문제)를 해결하기 위해서 1964년 UN총회의 결의에 의하여 설립되었다.

② UNCTAD의 기능

   ⊙ 선진국과 개발도상국 간, 개발도상국 상호간의 무역 증진

   ⓛ 국제무역 및 이와 관련된 경제개발문제에 관한 원칙과 정책 수립

   ⓒ 국제무역 및 이와 관련된 경제개발분야에 있어 UN조직 내의 다른 기관이 행하는 활동의 조정 및 검토

4. 경제통합

(1) 의의

① 경제통합(economic integration)이란 국가 간 경제적 장벽을 제거하여 지역내 국가들의 이익을 도모하기 위해 결성된 경제협력조직이다. 경제통합을 체결한 역내국에 대해서는 무역제한을 철폐하고, 역외국에 대해서는 차별적인 무역제한조치를 실시한다.

② 발라사(B. Balassa)는 경제통합을 2개국 이상의 국가가 경제에 관한 협정을 체결하여 경제적 조직을 결성한 후, 상품 및 생산요소의 국제적 이동을 저해하는 여러 가지 요인들을 제거하고, 가맹국 상호간에 경제적인 측면에서 경제적으로 보조 또는 조정하는 경제적 조직체로 정의하고, 경제통합의 형태를 다음과 같이 다섯 가지 단계로 분류하였다.

(2) 단계

① **자유무역지대(FTA: Free Trade Area)**

가맹국 상호간에는 무역장벽이 존재하지 않으나, 비가맹국에 대해서는 각각 별도의 무역정책(독자적 무역정책)을 실시하는 경제통합단계이다. 북미자유무역협정(NAFTA), 유럽자유무역연합(EFTA) 등이 이에 해당한다.

> **핵심체크 무역 굴절 효과**
>
> 자유무역지역이 형성되면 역내국 간에는 관세가 철폐되지만, 역외국으로부터 수입할 때에는 경제통합 회원국 간에 다른 관세율이 적용된다. 이에 따라 역외 제품이 역내 저관세국을 통해 수입되어, 다시 역내 고관세국으로 이동하는 현상이 나타날 수 있는데, 이것을 무역 굴절 효과(trade deflection effect)라고 한다. 경제통합의 첫 단계인 자유무역지역에서 나타날 수 있는 효과이다.
>
> 무역 굴절 현상을 방지하려면, 엄격한 원산지 규정을 두어 '원산지국으로부터 수입되는 원산지 상품일 때에만 관세 인하 혜택을 준다'는 조건이 붙어야 한다.

② **관세동맹(Customs Union)**

가맹국 상호간에 무역장벽이 존재하지 않고, 비가맹국에 대해서는 공통의 무역정책(공동 관세 정책)을 실시하는 경제통합단계이다. 베네룩스 관세동맹(Benelux Customs Union), 적도아프리카 관세동맹(Equatorial Customs Union) 등이 이에 해당한다.

③ **공동시장(Common Market)**

가맹국 상호간에 상품뿐만이 아니라 노동과 자본 등 생산요소의 이동까지 보장되는 단계로서, 비가맹국에 대해서는 공통의 무역정책을 실시하는 경제통합단계이다. 유럽연합의 전신인 유럽공동시장(EC), 중앙아메리카 공동시장(CACM), 남미공동시장(MERCOSUR) 등이 이에 해당한다.

④ 경제동맹(Economic Union)

회원국의 재정, 통화, 금융, 운수, 통상 등의 모든 경제정책에 대한 조정과 협력이 이루어져 공동경제정책이 수행되고, 정치적으로는 긴밀한 유대관계가 형성되는 단계이다. 유럽연합(EU)이 이에 해당한다.

⑤ 완전경제통합(Complete Economic Integration)

경제통합의 마지막 단계로서, 단순히 경제만의 통합이 아니라 정치적·사회적인 면에서의 통합을 이루는 단계이다. 아직 이 단계에 이른 경제통합체는 없으며, 유럽연합이 이 단계를 목표로 진행 중이다.

구분	자유무역지대	관세동맹	공동시장	경제동맹	완전경제통합
역내관세 폐지	○	○	○	○	○
공동 대외관세	×	○	○	○	○
생산요소 이동	×	×	○	○	○
경제정책 조정	×	×	×	○	○
초국가기구 설립	×	×	×	×	○

(3) 경제통합의 실제

지역	주요 경제통합
아시아·태평양	ASEAN(동남아시아국가연합), AFTA(아세안자유무역지역), ANZCERTA(호주·뉴질랜드 경제협력긴밀화협정), APEC(아시아태평양 경제협력체), CPTPP(포괄적·점진적 환태평양경제동반자협정), RCEP(역내포괄적경제동반자협정)
유럽	EU(유럽연합), EFTA(유럽자유무역연합), EEA(유럽경제지역), CISFTA(CIS자유무역지대), BSECP(흑해경제협력기구)
미주	NAFTA(북미자유무역협정), CACM(중미공동시장), ANCOM(안데안공동시장), MERCOSUR(남미공동시장), CARICOM(카리브공동시장), LAIA(중남미통합연합)
중동	GCC(걸프협력위원회), AMU(아랍마그레브연합), ACC(아랍협력위원회)
아프리카	ECCAC(중앙아프리카경제공동체), SEAPTA(동남부아프리카특혜관세지대), SADDC(남부아프리카개발조정회의), ECOWAS(서부아프리카경제공동체)

① EU

1952년 출범한 유럽석탄·철강공동체(ECSC)를 모태로 해서 유럽경제공동체(EEC), 유럽공동체(EC)를 거쳐 1993년부터 현재의 유럽연합(EU; European Union)으로 발전하였다. 1995년 EU회원국 수는 15개국이었으나, 시장경제체제로 변모해가는 동구권 국가로 확대되면서, 2007년 불가리아, 루마니아가 가입하고, 2013년 크로아티아가 가입하여 그 회원국 수는 28개국이 되었다.

② NAFTA, USMCA

북미자유무역협정(NAFTA: North America Free Trade Agreement)은 미국, 캐나다, 멕시코의 3개국이 교역 및 상호 투자의 확대를 위해 관세 및 비관세장벽을 철폐하려는 지역경제협정이다. 그러나 도널드 트럼프 미국 대통령은 이 협정이 미국의 일자리를 뺏는다며 2017년 8월 상대국들과 재협상을 시작했고, 발효된 지 24년 만인 2018년 9월 30일 새롭게 합의한 무역협정을 미국·멕시코·캐나다 협정(USMCA)라고 명명했다.

③ ASEAN

동남아시아국가연합(ASEAN; Association of South East Asian Nations)은 1967년 발족한 동남아시아 국가들의 지역협력기구이다. 태국, 인도네시아, 필리핀, 말레이시아, 싱가포르, 브루나이, 베트남, 미얀마, 라오스 및 캄보디아가 그 회원국이다.

④ APEC

아시아·태평양경제협력체(APEC; Asia Pacific Economic Cooperation)는 한국, 일본, 미국, 캐나다, 호주, 뉴질랜드, 중국, 대만, 홍콩, 멕시코, 파푸아뉴기니, 칠레, 러시아, 페루, ASEAN의 7개국(태국, 말레이시아, 인도네시아, 싱가포르, 필리핀, 브루나이, 베트남)이 가입한, 총 21개국으로 구성된 경제협의체이다.

⑤ ANDEAN 조약

1969년 볼리비아, 에콰도르, 칠레, 콜롬비아, 페루가 체결한 경제협정으로, 유럽연합을 모델로 하여 만든 경제공동체이다.

⑥ MERCOSUR

남미공동시장(MERCOSUR)은 1990년 브라질과 아르헨티나 간의 부에노스아이레스 조약이 체결되면서 시작되었다. 다음해 파라과이와 우루과이가 가입하여 회원국은 4개국이 되었다.

⑦ CACM

중앙아메리카 경제통합에 관한 일반조약(CACM; Central American Common Market, 중미공동시장)은 1961년 발족한 지역경제협력기구로서, 과테말라, 엘살바도르, 온두라스, 니카라과, 코스타리카가 그 회원국이다.

⑧ RCEP

역내포괄적경제동반자협정(RCEP; Regional Comprehensive Economic Partnership)은 아시아·태평양 지역을 하나의 자유무역지대로 통합하는 '아세안 + 6' FTA로, 동남아시아국가연합(ASEAN) 10개국과 한·중·일 3개국, 호주·뉴질랜드 등 15개국이 참여한 협정이다. 이 협정은 이상의 15개국이 관세장벽 철폐를 목표로 진행하고 있는 일종의 자유무역협정(FTA)이다.

5. 자유무역협정(FTA)

(1) 정의

FTA(Free Trade Agreement)는 양국 간 또는 지역 간의 제반 무역장벽을 완화하여 무역자유화를 실현하기 위한 지역경제통합의 초보적 단계이다.

┃ 우리나라의 FTA 발효 현황(2025. 3. 1. 기준) ┃

FTA 명칭	발효일	적용 국가
한 – 칠레 FTA	2004. 4. 1	칠레
한 – 싱가포르 FTA	2006. 3. 2	싱가포르
한 – EFTA FTA	2006. 9. 1	스위스, 노르웨이, 아이슬란드, 리히텐슈타인
한 – ASEAN FTA	2007. 6. 1(상품) 2009. 5. 1(서비스) 2009. 9. 1(투자)	브루나이, 캄보디아, 인도네시아, 라오스, 말레이시아, 미얀마, 필리핀, 싱가포르, 베트남, 태국
한 – 인도 CEPA	2010. 1. 1	인도
한 – EU FTA	2011. 7. 1	<EU 27개국> 벨기에, 프랑스, 독일, 이탈리아, 룩셈부르크, 네덜란드, 덴마크, 아일랜드, 영국, 그리스, 포르투갈, 스페인, 오스트리아, 핀란드, 스웨덴, 폴란드, 헝가리, 체코, 슬로바키아, 슬로베니아, 리투아니아, 라트비아, 에스토니아, 키프로스, 몰타, 불가리아, 루마니아
한 – 페루 FTA	2011. 8. 1	페루
한 – 미국 FTA	2012. 3. 5	미국
한 – 튀르키예 FTA	2013. 5. 1	튀르키예
한 – 호주 FTA	2014. 12. 12	호주
한 – 캐나다 FTA	2015. 1. 1	캐나다
한 – 중국 FTA	2015. 12. 20	중국
한 – 뉴질랜드 FTA	2015. 12. 20	뉴질랜드
한 – 베트남 FTA	2015. 12. 20	베트남
한 – 콜롬비아 FTA	2016. 7. 15	콜롬비아
한 – 중미 FTA	2021. 3. 1	니카라과, 온두라스, 코스타리카, 엘살바도르, 파나마
한 – 영 FTA	2021. 1. 1	영국
RCEP	2022. 2. 1	(역내 포괄적 경제 동반자 협정) 한국, 아세안 10개국, 중국, 일본, 호주, 뉴질랜드
한 – 이스라엘 FTA	2022. 12. 1	이스라엘
한 – 캄보디아 FTA	2022. 12. 1	캄보디아
한 – 인도네시아 CEPA	2023. 1. 1	인도네시아
한 – 필리핀	2024. 12. 31	필리핀

(2) FTA의 경제적 효과

① 무역창출효과(Trade Creation Effects)

경제통합에 의하여 역내 관세가 철폐되면 종래 관세에 의하여 보호되었던 역내국의 생산비가 높은 생산자는 배제되고, 역내 다른 국가의 저생산비 생산자로부터의 수입이 창출되는 효과이다.

㉠ 무역창출효과는 관세동맹으로 인해 회원국 간에 관세가 철폐됨에 따라 역내국 간 무역이 창출되는 효과

㉡ 관세의 철폐에 의해 역내국 간 비교우위에 따른 특화가 실현되고, 이에 따라 국내의 자원이 보다 효율적으로 사용되며, 그 결과 역내국의 후생이 증대되며, 이는 전 세계적 자원배분의 측면에서도 정(+)의 효과가 있게 된다.

㉢ 무역창출효과는 관세의 철폐(무역장벽의 제거)로 비교우위가 생겨 발생한 생산효과와 관세의 철폐로 수입가격이 하락하여 소비가 증가하여 발생한 소비효과로 구성된다.

㉣ 경제통합의 규모가 크고, 역내국이 지리적으로 인접한 경우 무역창출의 효과는 증가한다.

② 무역전환효과(Trade Diversion Effects)

경제통합에 의하여 역내국가와의 관세가 철폐되고 역외국에 대해 상대적으로 높은 관세가 부과됨에 따라, 역외 저생산비 공급원에서 역내 고생산비 공급원으로 전환되는 효과이다.

㉠ 무역전환효과는 관세동맹 성립 전에는 역외국으로부터 수입되던 상품이 관세동맹 성립 후에는 그 제품의 수입선이 역내 타 회원국으로 전환되는 효과이다.

㉡ 무역전환효과는 관세의 철폐로 인하여 효율적인 역외생산자로부터 비효율적인 역내생산자로 공급선이 전환되므로 전 세계적 자원배분의 측면에서 부(-)의 효과가 있게 된다.

㉢ 소비자의 후생이 증대되기 위해서는 '무역창출효과 > 무역전환효과'의 관계에 있어야 한다.

㉣ 무역창출효과와 무역전환효과는 경제통합의 동태적 효과보다는 정태적 효과를 설명하는 데 많이 사용된다.

> **핵심체크** 무역전환효과 예시
>
> 한국이 미국과 호주로부터 쇠고기를 수입하는 경우, 그 수입가격이 각각 40달러, 30달러라고 하자. 한국의 쇠고기 가격이 50달러라면 자유무역 하에서 쇠고기가 수입될 수밖에 없으며, 특히, 수입가격이 낮은 호주로부터 수입될 것이다.
>
> 미국산 쇠고기와 호주산 쇠고기에 모두 관세율 40%가 적용되는 경우, 미국과 호주로부터의 수입가격은 각각 56달러, 42달러가 된다. 관세가 부과되어도 호주산 쇠고기의 가격이 한국의 쇠고기 가격보다 낮으므로, 역시나 호주로부터 수입이 이루어지게 된다.
>
> 그런데 한국과 미국이 FTA를 맺어, 미국산 쇠고기에 적용되었던 관세율 40%가 철폐되면, 미국과 호주로부터의 수입가격은 각각 40달러, 42달러가 되므로 미국으로부터 수입이 이루어지게 된다. 쇠고기 생산비용은 호주가 낮음에도 불구하고, FTA의 영향으로 생산비용이 높은 미국으로부터 수입이 이루어지게 되는 것이다.
>
> | 구분 | | 한국 | 미국 | 호주 | 교역관계 |
> |---|---|---|---|---|---|
> | 자유무역하의 쇠고기 가격
(관세 미부과) | | 50달러 | 40달러 | 30달러 | 호주로부터 수입 |
> | FTA 체결 전
(관세 40% 부과) | 관세 | – | 16달러 | 12달러 | 호주로부터 수입 |
> | | 가격 | 50달러 | 56달러 | 42달러 | |
> | 미국과 FTA 체결 후
(호주산에만 관세부과) | | 50달러 | 40달러 | 42달러 | 미국으로부터 수입 |

③ 외국인 투자 효과 등

    역내시장이 확대됨에 따라 규모의 경제가 실현될 수 있으며 기업 간의 경쟁이 촉진되고 외국인 직접투자가 증가하여 역내 경제활동의 효율성이 증대된다.

> **핵심체크** 경제통합의 효과(정태적 관점과 동태적 관점의 구분)
>
> **1. 정태적 관점**
>
>   경제통합으로 인해 발생하는 단기적인 효과를 말한다. 정태적 관점에서의 경제통합의 효과에는 무역창출효과와 무역전환효과가 있다.
>
> **2. 동태적 관점**
>
>   경제통합으로 인한 효과가 단기간 내에는 가시화되지 않더라도 어느 정도 시간이 지나면 서서히 나타나는 효과를 말한다. 최근의 경제통합이 관세철폐의 수준을 뛰어넘어 서비스, 투자, 경쟁, 환경, 노동 등 전 분야에 걸쳐 포괄적으로 규정됨에 따라 동태적 관점이 중시되고 있다.
>
> > (1) 기업의 경쟁이 심화된다.
> > (2) 규모의 경제가 실현된다.
> > (3) 외국인 직접투자가 증가한다.

④ 대시장 이론

대시장 이론은 경제통합으로 인한 시장규모의 확대에 따른 규모의 경제 효과와 경쟁력 강화의 효과를 설명한 이론이다. 이 이론은 시토프스키(T. Scitovsky)와 드니오(J. F. Deniau)에 의해 주장되었는데, 경제통합의 의의를 대시장의 실현에 따른 이익의 획득에서 찾으려고 한다. 즉 경제통합이 결성됨에 따라 대규모 시장이 형성되고, 그에 따라 대규모 생산시설을 통한 생산원가의 하락은 제품가격을 인하시키고 다시 시장을 더욱 확대시키는 규모의 경제효과를 발생시킨다는 이론이다.

(3) FTA와 WTO

① 공통점

회원국간 무역장벽을 축소하여 상품과 서비스의 교역 및 투자를 늘림으로써 회원국의 경제발전을 이루고, 아울러 고용과 국민들의 경제적 후생을 증대시키려는 목표는 동일하다. FTA 회원국 간 무역장벽 축소로 회원국 간 교역 및 투자가 늘면 회원국의 경제가 발전하고, 궁극적으로 FTA 회원국과 비회원국 간에도 교역, 투자가 촉진되어 WTO의 다른 회원국 경제에도 유리한 여건이 조성된다.

② 차이점

WTO는 모든 회원국에게 최혜국대우(Most Favored Nation Treatment)를 보장해주는 다자주의를 기본원칙으로 한다. 이에 비하여 FTA는 양자주의 및 지역주의를 기본으로 하는 특혜무역체제로서 회원국간에 낮은 관세 및 수출입제한을 적용하는 반면, 비회원국에게는 WTO 협정이 허용하는 범위에서 관세 및 수출입제한을 유지한다.

③ FTA에 대한 WTO의 입장

WTO 가맹국은 FTA 협정을 맺으면 반드시 이를 WTO에 보고해야 한다. FTA는 WTO의 최혜국대우(MFN)에 위배되는 측면이 있으나, 다자간 무역체제가 지향하는 자유무역 확대에 보완적인 역할을 한다는 점에서 WTO는 일정조건하에 FTA를 인정하고 있다. FTA는 다음의 요건을 갖추어야 한다.

㉠ 내국산 상품에 대해 "실질적으로 모든 교역(substantially all trade)"에서 관세 및 제한적 무역조치들(GATT 제11조에서 제15조까지의 수량규제와 GATT 제20조의 일반적 예외는 필요시 제외)을 제거하여야 한다. (GATT 제24조 제8항)

㉡ 역내국산 서비스에 대해서는 "실질적으로 모든 차별(substantially all discrimination)"을 철폐하여야 한다. (GATS 제5조 제1항)

㉢ 역외국에 대해서는 상품교역과 관련하여 지역무역협정 체결 이전보다 관세 및 기타 무역규정들이 더 높거나 무역이 제한되어서는 안 되며, 서비스와 관련 협정체결 전보다 서비스 교역에 대한 장벽 수준을 높여서는 안 된다. (GATS 제5조 제4항)

㉣ 지역무역협정의 "합리적 이행기한(reasonable length of time)"은 불가피한 경우를 제외하고는 10년 이내이어야 한다. (GATT 제24조 해석에 관한 양해 제3항)

CHAPTER 3 실전문제

01 다음 중 무역정책의 3요소에 해당하지 않는 것은?

① 무역정책의 목표
② 무역정책의 수단
③ 무역정책의 기간
④ 무역정책의 정책방안

답 ③

무역정책은 무역정책의 목표, 무역정책의 수단, 무역정책의 정책방안으로 구성되며, 이를 무역정책의 3요소라 한다.

02 무역정책에 대한 설명으로 옳지 않은 것은?

① 무역정책은 국내정책이므로 상대국의 경제에는 영향을 미치지 않는다.
② 무역정책은 정부가 무역거래에 의도적으로 개입하는 정책이다.
③ 무역정책은 국제수지와 직접적인 관련성을 가진다.
④ 무역정책은 국내산업 보호, 물가, 고용 등을 위한 다른 경제정책들이 반영된 종합적인 성격을 가진다.

답 ①

특정국가의 대외 무역정책은 그 국가뿐만이 아니라 거래 상대국의 경제에도 영향을 미친다. 그러므로 상대국에 대한 영향을 고려하여 상호간 호혜적 관점에서 무역정책을 실시하여야 한다.

03 다음 중 무역정책의 궁극적인 목표는?

① 국제수지의 개선
② 물가안정
③ 완전고용
④ 사회적 후생증대

답 ④

모두 무역정책의 목표이다. 이 중 무역정책의 궁극적 목표는 국민의 사회적 후생 증대이다. 무역정책을 수립할 때에는 경제정책과 국민후생 증대라는 양면을 동시에 고려해야 한다.

04 □□□ **다음 중 자유무역사상의 시초가 되는 것은?**

① 중금주의 　　　　　　　　　　　② 중상주의
③ 중농주의 　　　　　　　　　　　④ 보호무역주의

답 ③

최초의 자유무역사상은 프랑스의 케네에 의해 체계화된 중농주의에서 찾을 수 있다. 케네는 중상주의의 극단적인 국가 간섭을 반박하고 농업을 중심으로 한 자유무역주의를 주장하였다.

05 □□□ **자유무역주의가 가장 강조하는 것은 무엇인가?**

① 국제분업의 이익 　　　　　　　　② 원자재의 수출촉진
③ 공업화의 이익 　　　　　　　　　④ 국내시장의 확대

답 ①

자유무역 이론 가운데 가장 강조되는 것은 국제분업의 이익이다. 외국무역을 국내산업처럼 자유원칙 아래에 둔다면 국제분업이 완전하게 이루어지고, 이에 따라 모든 나라가 유리하게 된다. 자유무역을 통하여 자국에서 생산하는 것보다 비용이 적게 드는 상품을 수입하고, 외국에 비하여 자국이 우위에 있는 상품은 국내에서 특화 생산하여 수출하면 양국에 모두 이익이 된다.

06 □□□ **해밀턴이 보호무역주의를 주장한 근거는 무엇인가?**

① 선진국의 공업을 후진국의 저임금 노동경쟁으로부터 보호하기 위해
② 미국의 유치산업을 선진국의 위협으로부터 보호하기 위해
③ 선진국의 정체산업 및 사양산업을 보호하기 위해
④ 값싼 농산물을 수입하고 값비싼 공산품을 수출하기 위해

답 ②

해밀턴(A. Hamilton)은 워싱턴 대통령 때(18세기) 미국의 재무장관을 역임했던 인물이다. 해밀턴은 미국의 공업이 유럽 제국에 비해 아직 유치한 단계에 있으므로 선진국의 위협으로부터 보호하기 위해 관세 등 보호 정책을 실시해야 한다고 주장하였다.

07 리스트의 유치산업보호론(infant industry argument)에 대한 설명으로 옳지 않은 것은?

① 외부경제가 있는 경우에는 시장실패가 발생하여 과소생산이 나타나기 때문에 생산량 확대를 위한 보호무역정책이 정당화될 수 있으므로, 외부경제가 있는 산업에만 해당된다.

② 일시적인 보호 후 국제경쟁력을 확보할 수 있고, 개방 후의 이득이 보호기간 동안의 손실을 보상하고 남음이 있어야 한다.

③ 개발도상국도 일정기간 공업부문을 보호하면, 공업부문에 비교우위를 가질 수 있고, 공업부문에서 발생한 경험에 의한 학습효과가 다른 산업에 파급되어 경제 전체의 생산량이 증가할 수 있다.

④ 유치산업이란 산업발전단계의 초기에 발생하는 미숙한 산업으로서, 미래의 전망이 밝거나 그렇지 않은 모든 보호 필요성이 있는 산업을 말한다.

답 ④

리스트가 보호 대상으로 삼고 있는 유치산업이란 산업발전 단계의 초기에는 미숙하지만, 미래의 전망이 밝아서 보호의 필요성이 있는 산업을 말한다. 사양산업을 보호무역의 대상으로 삼으면 손실이 발생할 수 있다.

⊘ 선지분석

① 외부경제란 한 경제 주체의 경제적 행위가 이에 관련된 다른 경제 주체의 이익에 영향을 주는 것을 말한다. 외부경제에 의한 잘못된 특화의 손실을 방지하기 위해서는 자유무역을 제한하여 국내생산을 보호할 필요가 있는데, 이것이 외부경제에 의한 보호론이다. 외부경제가 있는 경우, 시장 실패(market failure)로 과소생산이 발생할 가능성이 높으므로 보호무역정책이 정당화될 수 있다.

② 보호기간이 끝난 후 그 산업에서 얻게 되는 이익이 보호기간 중의 손실을 보상하고도 남아야 한다는 주장을 밀 – 바이스테블 검정(Mill – Bastable test)이라 한다. 일시적인 보호 후 국제경쟁력을 확보할 수 있을 때 보호무역의 의의가 있다.

③ 개발도상국도 공업부문을 보호하여 비교우위를 가지게 되면, 이것이 다른 산업에도 파급되어 경제 전체의 생산량이 증가할 수 있다.

08 신보호무역정책의 특징으로 옳지 않은 것은?

① 선진국 주도의 무역정책이다.
② 비관세장벽을 주요 수단으로 사용한다.
③ 선진국의 정체산업 및 사양산업의 보호를 목적으로 한다.
④ 후진국의 유치산업 보호가 주된 내용이다.

답 ④

보호무역 정책은 후진국이 주도하였지만, 신보호무역정책은 선진국이 주도한다. 신보호무역정책은 선진국이 자국의 정체산업과 사양산업을 보호하기 위해 시행하는 정책이다.

09 □□□ WTO 협정 중 식품첨가물, 오염물질, 병원성 미생물, 독소 등에 관한 기준치와 규격을 국제적으로 정한 협정으로서, 수산물 등 식품 안전 규제와 관련이 깊은 협정은 무엇인가?

① PSI 협정
② TBT 협정
③ MFA 협정
④ SPS 협정

답 ④

SPS 협정은 '위생 및 식물위생조치의 적용에 관한 협정(Agreement on the Application of Sanitary and Phytosanitary Measures)'을 말한다.

☑ 선지분석

① PSI 협정: 선적전 검사에 관한 협정(Agreement on Preshipment Inspection)
② TBT 협정: 무역에 대한 기술장벽에 관한 협정(Agreement on Technical Barriers to Trade)
③ MFA 협정: 다자간 섬유 협정(Multi Fiber Arrangement)

10 □□□ WTO 협정 중 무역 관련 지식재산권에 관한 협정을 무엇이라 하는가?

① GATS
② TRIPs
③ TRIMs
④ TPRM

답 ②

TRIPs 협정(무역 관련 지식재산권에 관한 협정, Agreement on Trade-Related Aspects of Intellectual Property Rights)은 저작권, 상표권, 특허권, 지리적 표시 등 무역 관련 지식재산권을 규율하는 협정이다.

☑ 선지분석

① GATS: 서비스 무역에 관한 일반협정(General Agreement on Trade in Services)
③ TRIMs: 무역 관련 투자 조치에 관한 협정(Agreement on Trade-Related Investment Measures)
④ TPRM: 무역정책 검토 제도(Trade Policy Review Mechanism)

11 WTO 협정의 부속서에 있는 분쟁해결 규칙 및 절차에 관한 양해에 따라 설치한 WTO 분쟁 해결 기구를 무엇이라 하는가?

① DSB
② TPRB
③ Ministerial Conference
④ Safeguard

답 ①

WTO의 분쟁해결 규칙 및 절차에 관한 양해(DSU; Understanding on Rules and Procedures Governing the Settlement of Disputes)에 따라 설치된 WTO 분쟁해결기구는 DSB(Dispute Settlement Body)라 한다. DSB는 피소당사국이 패널판정을 합리적 기간 내에 이행하지 않을 경우에 제소국이 DSB의 승인을 얻어 패소국에 대한 양허나 그 밖의 의무를 정지하는 교차보복(Cross-Sector Retaliation)을 허용하였다. 또 제소국이 패널(panel) 설치를 요청하는 경우에는 DSB는 패널을 설치하여야 하나, 분쟁해결기구에서 만장일치로 패널을 설치하지 않기로 하는 경우에는 패널을 설치하지 않아도 되는 역만장일치 방식(Reverse Consensus System)을 채택하였다.

☑ **선지분석**

② TPRB: 무역정책 검토 기구
③ Ministerial Conference: 각료 회의
④ Safeguard: 긴급수입제한조치(기구가 아님)

12 다음 중 우루과이라운드(UR)와 거리가 먼 것은?

① 보호무역체제의 강화
② 비관세장벽 완화
③ 서비스 및 투자의 확대
④ 농산물 개방

답 ①

우루과이 라운드(Uruguay Round)란 관세 및 무역에 관한 일반 협정(GATT)의 제8차 다자간 무역협상이다. 우루과이라운드 협상은 상품그룹협상과 서비스협상을 양축으로 15개의 의제로 구성됐다. 우루과이 라운드에서는 농산물 및 섬유류 교역, 서비스 무역, 무역관련 투자 조치, 무역관련 지식재산권 등을 협상의제로 채택하였다. 자유무역 확대를 목적으로 하였으므로, 협상 참가국들은 비관세 장벽의 완화에 합의하였다.

13 금본위제도 붕괴 이후 나타난 극심한 국제통화질서의 불안정성을 제거하고, 세계무역질서를 수립하기 위해 1945년 12월 브레튼우즈 협정을 체결함으로써 탄생한 것은?

① MERCOSUR
② UNCTAD
③ IMF
④ WTO

답 ③

IMF(International Monetary Fund, 국제통화기금)은 금본위제도 붕괴 이후 나타난 극심한 국제통화질서의 불안정성을 제거하고, 세계무역질서를 수립하기 위해 1945년 12월 브레튼우즈 협정을 체결함으로써 탄생하였다. 국제통화 협력의 증진, 세계무역 및 투자확대, 환율안정과 국제수지 불균형 조정 등을 목표로 하고 있다.

14 개발도상국의 무역확대 및 경제개발을 위해서 1964년 설립된 국제기구는?

① IMF
② UNCTAD
③ GATT
④ WTO

답 ②

UNCTAD(United Nations Conference on Trade and Development)는 개발도상국의 무역확대 및 경제개발을 위해 설립된 UN 산하 기구이다. 선진국과 개발도상국가의 경제격차 문제를 해결하기 위해 1964년 UN 총회 결의에 따라 설립되었다.

15 미국, 캐나다, 멕시코의 3개국이 교역 및 상호투자의 확대를 위해 관세 및 비관세장벽을 철폐한 지역경제협정을 NAFTA라고 한다. NAFTA가 발효된 지 24년만에 다시 합의한 무역협정을 무엇이라 하는가?

① ANDEAN
② MERCOSUR
③ CACM
④ USMCA

답 ④

북미자유무역협정(NAFTA: North America Free Trade Agreement)은 미국, 캐나다, 멕시코의 3개국이 교역 및 상호 투자의 확대를 위해 관세 및 비관세장벽을 철폐하려는 지역경제협정이다. 그러나 도널드 트럼프 미국 대통령은 이 협정이 미국의 일자리를 뺏는다며 2017년 8월 상대국들과 재협상을 시작했고, 발효된 지 24년 만인 2018년 9월 30일 새롭게 합의한 무역협정을 미국·멕시코·캐나다 협정(USMCA)라고 명명했다.

16 □□□ EFTA(European Free Trade Association ; 유럽자유무역연합)에 관한 설명으로 옳지 않은 것은?

① EFTA는 1960년 5월 Stockholm 조약에 의해 발족하였다.

② EFTA는 가맹국 간에 관세 및 수출입 제한을 철폐(농수산물 제외)하여 자유무역지역을 형성하는 한편 비가맹국에 대해서는 공동관세로 대처한다.

③ 대외적으로 공동관세를 설정하지 않고 역외국에 대해서는 각각 관세자주권을 보유한다.

④ EFTA와 한국이 체결한 FTA(자유무역협정)는 2006년 9월 발효되었다.

답 ②

EFTA는 스위스, 노르웨이, 아이슬란드, 리히텐슈타인 등 유럽연합(EU)에 가입하지 않은 4개 국가가 속해 있다. EFTA는 대내적으로는 관세를 철폐하지만, 대외적으로(비가맹국에 대해서는) 공동관세를 설정하지 않고, 각각 관세자주권을 보유한다. 우리나라와는 FTA를 체결하여 2006년 9월 발효되었다.

17 □□□ 다음의 (가)~(라)에 들어갈 말을 순서대로 나열한 것은?

구분	자유무역지대	관세동맹	공동시장	경제동맹
(가)	○	○	○	○
(나)	×	○	○	○
(다)	×	×	○	○
(라)	×	×	×	○

① 공동 대외관세 – 역내관세 폐지 – 초국가적 기구설립 – 경제정책 조정

② 역내관세 폐지 – 생산요소 이동 – 경제정책 조정 – 공동 대외관세

③ 초국가적 기구설립 – 공동 대외관세 – 생산요소 이동 – 경제정책 조정

④ 역내관세 폐지 – 공동 대외관세 – 생산요소 이동 – 경제정책 조정

답 ④

구분	자유무역지대	관세동맹	공동시장	경제동맹	완전경제통합
역내관세 폐지	○	○	○	○	○
공동 대외관세	×	○	○	○	○
생산요소 이동	×	×	○	○	○
경제정책 조정	×	×	×	○	○
초국가기구 설립	×	×	×	×	○

18 다음 중 경제통합단계 중 공동시장과 거리가 먼 것은?

① 역내관세 폐지   ② 공동대외관세

③ 생산요소 이동   ④ 경제정책 조정

답 ④

공동시장은 역내관세 폐지, 공동대외관세, 생산요소 이동까지 가능한 경제통합 단계이며, 경제정책 조정과 초국가 설립에까지 이르지는 않는다.

19 다음 중 정책 전반에 대한 조정이 이루어지는 경제통합의 단계는?

① 자유무역지역   ② 관세동맹

③ 공동시장   ④ 경제동맹

답 ④

경제동맹은 공동시장에서 한 단계 더 나아가 경제정책 조정까지 하는 경제통합 단계이다.

20 북미자유무역협정(NAFTA)은 경제통합단계 중 무엇에 해당하는가?

① 자유무역지대   ② 관세동맹

③ 공동시장   ④ 경제동맹

답 ①

NAFTA나 EFTA는 자유무역지대(Free Trade Area)에 해당한다.

21 □□□ FTA의 무역창출효과 증대 조건에 관한 설명으로서 옳지 않은 것은?

① 경제통합 결성 이전에 회원국들 간의 무역장벽이 높아야 한다.
② 경제통합 결성 후에 역외국에 대한 무역장벽이 높지 않아야 한다.
③ 경제통합의 지역이 크고, 회원국의 수가 많아야 한다.
④ 회원국들이 지리적으로 근접해 있어야 한다.

답 ②

무역창출효과(Trade Creation Effects)란 경제통합에 의하여 역내 관세가 철폐되면 종래 관세에 의하여 보호되었던 역내국의 생산비가 높은 생산자는 배제되고, 역내 다른 국가의 저생산비 생산자로부터 수입이 창출되는 효과이다. 무역창출효과가 커지기 위해서는 경제통합 이전에 회원국들 간 무역장벽이 높아야 하고, 경제통합의 규모가 커야 하며, 지리적으로 가까워야 한다. 경제통합 후에 역외국에 대한 무역장벽이 높아야 무역장벽이 낮아진 역내국 간 무역창출이 많이 이루어진다.

22 □□□ FTA의 경제적 효과에 대한 설명으로 옳지 않은 것은?

① 경제통합의 규모가 클수록 무역창출의 효과는 증가한다.
② 역내국이 지리적으로 인접한 경우 무역창출의 효과는 증가한다.
③ 무역전환효과는 전 세계적 자원배분의 측면에서 정(+)의 효과를 가져온다.
④ 소비자의 후생이 증대되기 위해서는 무역창출효과가 무역전환효과를 초과하여야 한다.

답 ③

무역전환효과(Trade Diversion Effects)란 경제통합에 의해 역내 국가와의 관세가 철폐되고 역외국에 대해 상대적으로 높은 관세가 부과됨에 따라, 역외 저생산비 공급원에서 역내 고생산비 공급원으로 전환되는 효과이다. 그러므로 효율적인 역외 생산자로부터 비효율적인 역내 생산자로 공급선이 전환되므로 전 세계적 자원 배분의 측면에서 부(−)의 효과가 있게 된다.

PART 2

무역실무

CHAPTER 1 무역계약의 체결

1 무역절차 개요

1. 의의

무역이란 국제적인 물품매매거래로서 한 거래당사자로부터 다른 거래당사자에게로 물품이 이동하고, 그 반대방향으로 대금지급이 이루어지게 된다. 물품의 이동에는 운송, 통관, 보험이 수반되며, 대금지급에는 신용장, 추심 등의 다양한 결제수단이 이용되고 있다.

2. 수출입절차

(1) 수출절차

수출은 통상 ① 거래선 발굴[11], ② 수출계약의 체결, ③ 신용장의 내도(수취), ④ 수출허가 또는 수출승인, ⑤ 수출물품의 확보, ⑥ 수출통관, ⑦ 운송계약 및 해상보험계약의 체결, ⑧ 물품의 선적, ⑨ 수출대금회수, ⑩ 사후관리의 순서로 진행된다.

(2) 수입절차

수입은 통상 ① 거래선 발굴, ② 수입계약의 체결, ③ 수입허가 또는 수입승인, ④ 신용장 개설 및 통지, ⑤ 운송서류 내도, ⑥ 수입대금 결제, ⑦ 수입통관 및 관세 등의 납부, ⑧ 수입화물 반출 및 컨테이너 반환, ⑨ 사후관리의 순서로 진행된다.

---

11) 거래선 발굴 단계에서는 거래처를 선정하고, 거래를 제의하고, 거래상대방의 신용조회를 하는 과정을 거치게 된다. 이 중 거래상대방의 신용조회를 하는 것은 대량 거래를 안정적으로 이행하기 위해서는 매우 중요한 부분이다. 신용조회의 주요 내용은 3C's로 불리는 Character(성격), Capital(자본), Capacity(능력)이다. 여기에 Condition of country(정치경제적 상황), Condition of currency(통화 상태)를 추가하여 5C's라고도 한다. 또는 이 두 가지 Condition을 하나로 묶고, 여기에 Collateral(담보)를 추가하여 5C's라고도 한다.

3. 무역관련 법규

(1) 무역관리의 의의

무역관리(수출입관리)란 국가가 법규, 제도, 기구 등에 의하여 수출입거래를 규제하고 제한하는 절차를 말한다. 우리나라의 무역관리 체계는 대외무역법상 수출입공고, 대외무역법상 통합공고, 대외무역법상 전략물자수출입공고 및 개별법상 수출입 절차 규정 등으로 구성되어 있다.

‖ 수출입품목 관리 체계 ‖

구분	관리기준	특징	
수출입공고	HS Code에 의한 품목별 관리	원칙허용 예외규제 체계 (Negative List System)	• 경제정책의 목적으로 관리 • 외화획득용으로 수입 시에는 제한사항 배제
수출입 별도공고	특정사안별 관리(Case중심)	• 수출입공고에 대한 보완기능 • 방위산업용물품, 중고물품, 항공기 등 수출입절차규정	
수입선 다변화공고	원산지기준으로 품목별 관리	과거 5년간 무역역조가 가장 큰 국가로부터의 수입제한	
통합공고	요건확인을 중심으로 경제외적인 목적에 따른 관리	• 54개 개별법에 의한 제한 내용을 지식경제부장관이 일괄하여 공고 • 공중도덕, 보건, 국가안보, 환경보호, 규격확인 등의 목적	수출입공고 등에 의해 수입이 허용되는 경우라도 개별법상의 제한요건을 충족한 경우에만 수출입 가능

핵심체크 전략물자의 수출입

1. 전략물자

산업통상자원부장관은 관계 행정기관의 장과 협의하여 국제평화 및 안전유지와 국가안보를 위하여 필요하다고 인정하는 경우에는 대통령령으로 정하는 국제수출통제체제 또는 이에 준하는 다자간 수출통제 공조에 따라 수출허가 등 제한이 필요한 물품등(대통령령으로 정하는 기술을 포함한다)을 지정·고시하여야 한다. 이렇게 지정·고시된 물품을 전략물자라고 한다.

2. 수출허가

전략물자를 수출하려는 자 또는 수출신고하려는 자는 대통령령으로 정하는 바에 따라 산업통상자원부장관이나 관계 행정기관의 장의 수출허가를 받아야 한다. 다만, 「방위사업법」 제57조 제2항에 따라 허가를 받은 방위산업물자 및 국방과학기술이 전략물자에 해당하는 경우에는 그러하지 아니하다.

3. 상황허가

전략물자에는 해당되지 아니하나 대량파괴무기와 그 운반수단인 미사일 및 재래식무기의 제조·개발·사용 또는 보관 등의 용도로 이용 또는 전용될 가능성이 높은 물품등을 수출하려는 자 또는 수출신고하려는 자는 수입자나 최종사용자 등이 이를 대량파괴무기등의 제조·개발·사용 또는 보관 등의 용도로 이용 또는 전용할 의도가 있음을 알았거나 수입자가 해당 물품 등의 최종용도에 관하여 필요한 정보제공을 기피하는 경우 등 그러한 의도가 있다고 의심되면 대통령령으로 정하는 바에 따라 산업통상자원부장관이나 관계 행정기관의 장의 상황허가를 받아야 한다.

4. 경유 또는 환적 허가

전략물자 또는 상황허가 대상인 물품등을 국내 항만이나 공항을 경유하거나 국내에서 환적하려는 자는 대통령령으로 정하는 바에 따라 산업통상자원부장관이나 관계 행정기관의 장의 허가(경유 또는 환적허가)를 받아야 한다.

5. 중개허가

전략물자등이 제3국에서 다른 제3국으로 수출되도록 중개하려는 자는 대통령

(2) 무역관리 3대 법규

① 대외무역법

국제수지의 균형과 통상의 확대를 위해 제정한 법률로서, 대외무역을 진흥하고 공정한 거래질서를 확립하여 국제수지의 균형과 통상의 확대를 도모함으로써 국민경제의 발전에 이바지함을 목적으로 한다.

② 외국환거래법

외국환거래의 자유를 보장하고 시장기능을 활성화하여 국제수지의 균형과 통화가치의 안정을 위해 제정한 법률로서, 외국환거래 기타 대외거래의 자유를 보장하고 시장기능을 활성화하여 대외거래의 원활화 및 국제수지의 균형과 통화가치의 안정을 도모함으로써 국민경제의 건전한 발전에 이바지함을 목적으로 한다.

③ 관세법

관세의 부과 및 징수에 관한 사항을 정한 법률로서, 관세의 부과·징수 및 수출입물품의 통관을 적정하게 하고, 관세수입을 확보함으로써 국민경제의 발전에 이바지함을 목적으로 한다.

대외무역법	외국환거래법	관세법
• 수출입 관리를 위한 기본법 • 국제성 및 무역에 관한 규제 최소화 • 무역 및 통상에 관한 진흥법 • 무역에 관한 통합법 • 위임법적 성격	• 원칙 자유, 예외 규제 (Negative system) • 위임입법주의 • 속인주의 • 속지주의 • 국제주의	• 조세법적 특성 • 통관법적 특성 • 형사법적 특성 • 소송법적 특성 • 국제법적 특성

(3) 무역관련 국제규범

국제물품매매계약 및 이에 부수되는 운송계약, 보험계약, 결제계약과 관련된 국제규범에는 매매계약과 관련하여 CISG(비엔나협약), 인코텀즈 2020이 있고, 운송계약과 관련하여 헤이그 규칙, 헤이그 – 비스비 규칙, 함부르크 규칙, 로테르담 규칙 등이 있으며, 보험계약과 관련하여 MIA, ICC 등이 있고, 결제계약과 관련해서는 UCP 600, URC 등이 있다. 이 국제규범들은 국제적인 상관습을 통일 규범화시킨 것이다.

2 무역계약의 성립

1. 무역계약의 의의

(1) 개념

무역계약이란 수출상이 수입상에게 물품의 인도와 함께 물품의 소유권을 양도할 것을 약속하며, 수입상은 이를 수령하고 수출상에게 대금을 지급할 것을 약속하는 국제물품매매계약이다. 무역계약은 매매계약을 주계약으로 하고, 운송, 보험, 외국환거래 등의 이행을 위한 종속계약을 수반하는 특징이 있다.

(2) 법적 성격

낙성계약 (합의계약)	청약(offer)에 대하여 피청약자가 승낙(acceptance)함으로써 합의가 이루어져 성립하는 계약
유상계약	대가의 관계가 있는 급부를 목적으로 하는 계약(수출상의 물품인도, 수입상의 대금지급)
쌍무계약	계약의 성립에 의하여 양 당사자가 상호채무를 부담하는 계약
불요식계약	문서 또는 구두에 의한 명시적 또는 묵시적 의사표시에 의해 성립되는 계약

2. 무역계약의 성립

(1) 의의

무역계약은 사적자치(私的自治)의 원칙에 의거하여 당사자 간의 합의에 의하여 성립하며, 합의는 청약(offer)과 상대방의 승낙(acceptance)에 의하여 이루어진다.

(2) 청약

① **의의**

청약(offer)은 청약자가 피청약자와 일정한 조건으로 계약을 체결하고자 하는 의사표시이다. 청약에 대하여 상대방이 승낙하면 매매계약이 성립되어, 이는 즉시 청약자를 구속하게 될 것이라는 명시적 또는 묵시적 의사표시이다.

② **분류**

청약에는 매도인이 판매의사표시를 나타내는 판매청약(Selling offer)과 매수인이 매입의사표시를 나타내는 구매청약(Buying offer)이 있으며, 청약의 확정력을 기준으로 다음과 같이 구분하기도 한다.

확정 청약	청약자가 승낙의 유효기간을 정하고, 피청약자가 그 기간 내에 승낙하면 계약이 성립되는 청약(유효기간이 없는 경우에도 그 청약이 확정적(firm)이거나 취소불능(irrevocable)이라는 의사표시가 있으면 확정청약임)		
불확정 청약 (자유청약)	청약자가 승낙기간을 지정하지 않았고, 확정적이라는 의사표시를 하지 않은 청약		
조건부 청약	무확약 청약	• 시세변동에 따른 가격변동 조건 • offer subject to our final offer	
	재고잔류 조건부 청약12)	• 재고가 남아있는 경우에만 계약이 성립되는 조건 • offer subject to being unsold • offer subject to prior sale	
	점검매매 조건부 청약	• 피청약자가 물품점검 후 대금지급 또는 반품이 가능한 조건 • offer on approval	
	반품허용 조건부 청약	• 물품을 대량으로 송부한 후 판매되지 않은 물품의 반품이 가능한 조건 • offer on sale or return	
반대청약 (counter offer)	피청약자가 청약에 대하여 조건을 변경하거나 새로운 조항을 추가한 청약 (원청약의 거절 + 새로운 청약)		
교차청약 (cross offer)	동일한 내용의 청약이 교차되는 경우 양 청약이 상대방에게 도달한 때 계약 성립 → 민법에서 인정, 영미법에서는 불인정		

③ **청약의 효력 발생(CISG 제15조~제17조)**

　㉠ 청약이 유효하게 효력을 발생하기 위해서는 청약이 통지되어야 하며, 일반적으로 청약이 상대방에게 도달한 때에 그 효력이 발생하는 도달주의가 적용된다.

　㉡ 청약은 그것이 취소불능한 것이라도 그 철회가 청약의 도달 전 또는 그와 동시에 피청약자에게 도달하는 경우에는 이를 철회할 수 있다.

　㉢ 계약이 체결되기까지는 청약은 취소될 수 있다. 다만 이 경우에 취소의 통지는 피청약자가 승낙을 발송하기 전에 피청약자에게 도달하여야 한다.

　㉣ 청약은 그것이 취소불능한 것이라도 어떠한 거절의 통지가 청약자에게 도달한 때에는 그 효력이 상실된다.

④ **청약과 청약의 유인의 구별**

　청약의 유인(invitation of offer)이란 상대방이 청약을 하도록 유도하는 계약체결을 위한 예비행위나 예비교섭의 의사표시를 말한다. 가격의 견적, 카탈로그, 거래안내장, 입찰모집 공고 등의 형태로 청약의 유인이 이루어진다. 상대방이 청약의 유인에 승낙하더라도 계약은 성립되지 않는다. 청약의 유인에 대한 승낙에 대해 다시 승낙이 있는 경우에만 계약이 성립된다. 즉 '청약의 유인 → 청약 → 승낙'의 순으로 이루어져야 한다.

---

12) 재고잔류조건부청약은 선착순판매조건부청약(offer subject to prior sale)이라고도 한다.

CHAPTER 1 무역계약의 체결　**113**

(3) 승낙

① 의의

승낙(acceptance)이란 청약자의 청약조건과 일치하여 계약의 성립을 목적으로 하는 피청약자의 의사표시이다. 그러므로 피청약자의 승낙이 있는 경우 청약조건 그대로 계약이 성립된다. 승낙은 무조건적[13]이고 절대적이어야 한다.

② 효력발생시기

일반적으로 의사표시에 관한 일반원칙과 대화자 간의 의사표시에 있어서는 도달주의 형식을 채택하고 있고, 격지자 간의 승낙에 대해서도 독일법과 UN협약(CISG, 비엔나협약)에서는 도달주의를 채택하고 있다. 그러나 영국, 미국과 한국의 민법은 격지자 간의 승낙에 대해 발신주의를 채택하였다.

- ㉠ **발신주의(mailbox theory)**: 피청약자가 승낙(acceptance)의 의사표시를 발송한 때를 승낙의 효력시기로 본다.
- ㉡ **도달주의(arrival theory)**: 피청약자의 승낙(acceptance)이 청약자에게 도달한 때를 승낙의 효력시기로 본다.
- ㉢ **요지주의(acknowledgement theory)**: 피청약자의 승낙(acceptance)이 물리적으로 청약자에게 도달할 뿐만이 아니라 청약자가 그 내용을 인지한 때를 승낙의 효력시기로 본다.

준거법규	영국	미국	독일	UN협약 (CISG)	한국민법
의사표시에 관한 일반원칙	도달주의	도달주의	도달주의	도달주의	도달주의
대화자간 승낙의 의사표시 (대화, 전화, 팩스, 이메일)	도달주의	도달주의 (전화: 발신주의)	도달주의	도달주의	도달주의
격지자간 승낙의 의사표시 (우편, 전보)	발신주의	발신주의	도달주의	도달주의	발신주의[14]

③ 지연된 승낙(CISG 제21조)

- ㉠ 지연된 승낙은 그럼에도 불구하고 청약자가 지체 없이 구두로 피청약자에게 유효하다는 취지를 통지하거나 또는 그러한 취지의 통지를 발송한 경우에는, 이는 승낙으로서의 효력을 갖는다.
- ㉡ 지연된 승낙이 포함되어 있는 서신 또는 기타의 서면상으로, 이것이 통상적으로 전달된 경우라면 적시에 청약자에게 도달할 수 있었던 사정에서 발송되었다는 사실을 나타내고 있는 경우에는, 그 지연된 승낙은 승낙으로서의 효력을 갖는다. 다만 청약자가 지체 없이 피청약자에게 청약이 효력을 상실한 것으로 본다는 취지를 구두로 통지하거나 또는 그러한 취지의 통지를 발송하지 아니하여야 한다.

---

13) 승낙은 원칙적으로 모든 조건에 대해서 무조건적으로 동의하는 것이어야 하며, 청약의 내용을 변경하여 승낙하는 것은 반대청약에 해당된다.
14) 「민법」 제531조(격지자 간의 계약성립시기) 격지자 간의 계약은 승낙의 통지를 발송한 때에 성립한다.

3. 매도인·매수인의 계약위반에 대한 매수인·매도인의 구제방법

(1) 의의

계약상 어느 한 당사자의 계약위반으로 상대방이 피해를 입은 경우, 피해당사자의 법적 권리가 어떻게 되며 그에 대한 적절한 구제방법이 무엇인가는 중요한 문제이다. 구제(remedy)란 일정한 권리가 침해당한 경우 그러한 침해를 방지 또는 시정하거나 보상하게 하는 것을 말한다. 여기에는 매도인의 계약위반에 대한 매수인의 구제(buyer's remedy)와 매수인의 계약위반에 대한 매도인의 구제(seller's remedy)가 있다.

매수인의 구제	매도인의 구제
계약 해제권	계약 해제권
특정이행 청구권	특정이행 청구권
대금감액 청구권	물품명세 확정권
손해배상 청구권	손해배상 청구권

(2) 매도인의 계약위반에 따른 매수인의 구제방법

① 계약해제권

매수인은 계약 또는 이 협약에 따른 매도인의 어떠한 의무의 불이행이 계약의 본질적인 위반에 상당하는 경우, 또는 인도불이행의 경우에는, 매도인이 매수인에 의하여 지정된 추가기간 내에 물품을 인도하지 아니하거나, 또는 매도인이 그 지정된 기간 내에 인도하지 아니하겠다는 뜻을 선언한 경우에 계약의 해제를 선언할 수 있다.

② 특정이행청구권

㉠ 매수인은 매도인에게 그 의무의 이행을 청구할 수 있다. 다만 매수인이 이러한 청구와 모순되는 구제를 구한 경우에는 그러하지 아니하다.

㉡ 물품이 계약과 일치하지 아니한 경우에는, 매수인은 대체품의 인도를 청구할 수 있다. 다만 이러한 청구는 불일치가 계약의 본질적인 위반을 구성하고 또 대체품의 청구가 불일치의 통지시기 또는 그 후 상당한 기간 내에 행하여지는 경우에 한한다.

㉢ 물품이 계약과 일치하지 아니한 경우에는, 매수인은 모든 사정으로 보아 불합리하지 아니하는 한 매도인에 대하여 수리에 의한 불일치의 보완을 청구할 수 있다. 수리의 청구는 불일치의 통지시기 또는 그 후 상당한 기간 내에 행하여져야 한다.

③ 대금감액 청구권

물품이 계약과 일치하지 아니하는 경우에는 대금이 이미 지급된 여부에 관계없이, 매수인은 실제로 인도된 물품이 인도 시에 가지고 있던 가액이 계약에 일치하는 물품이 그 당시에 가지고 있었을 가액에 대한 동일한 비율로 대금을 감액할 수 있다.

④ 손해배상 청구권

　　매수인은 손해배상 이외의 구제를 구하는 권리의 행사로 인하여 손해배상을 청구할 수 있는 권리를 박탈당하지 아니한다.

(3) 매수인의 계약위반에 따른 매도인의 구제방법

① 계약해제권

　　매도인은 계약 또는 이 협약에 따른 매수인의 어떠한 의무의 불이행이 계약의 본질적인 위반에 상당하는 경우, 또는 매수인이 매도인에 의하여 지정된 추가기간 내에 대금의 지급 또는 물품의 인도수령의 의무를 이행하지 아니하거나, 또는 매수인이 그 지정된 기간 내에 이를 이행하지 아니하겠다는 뜻을 선언한 경우 계약의 해제를 선언할 수 있다.

② 특정이행청구권

　　매도인은 매수인에 대하여 대금의 지급, 인도의 수령 또는 기타 매수인의 의무를 이행하도록 청구할 수 있다. 다만 매도인이 이러한 청구와 모순되는 구제를 구한 경우에는 그러하지 아니하다.

③ 물품명세 확정권

　　㉠ 계약상 매수인이 물품의 형태, 용적 또는 기타의 특징을 지정하기로 되어 있을 경우에 만약 매수인이 합의된 기일 또는 매도인으로부터의 요구를 수령한 후 상당한 기간 내에 그 물품명세를 작성하지 아니한 때에는, 매도인은 그가 보유하고 있는 다른 모든 권리의 침해 없이 매도인에게 알려진 매수인의 요구조건에 따라 스스로 물품명세를 작성할 수 있다.

　　㉡ 매도인이 스스로 물품명세를 작성하는 경우에는, 매도인은 매수인에게 이에 관한 세부사항을 통지하여야 하고, 또 매수인이 이와 상이한 물품명세를 작성할 수 있도록 상당한 기간을 지정하여야 한다. 매수인이 그러한 통지를 수령한 후 지정된 기간 내에 이와 상이한 물품명세를 작성하지 아니하는 경우에는, 매도인이 작성한 물품명세가 구속력을 갖는다.

④ 손해배상 청구권

　　매도인은 손해배상 이외의 구제를 구하는 권리의 행사로 인하여 손해배상을 청구할 수 있는 권리를 박탈당하지 아니한다.

4. 무역계약의 기본조건

(1) 의의

물품인도와 대금지급에 수반되는 여러 조건을 확정하기 위해서 무역계약시 약정하여야 하는 조건에는 품질, 수량, 가격, 포장, 선적, 보험, 결제조건 등이 있다.

(2) 품질조건

① 거래대상물품의 품질과 관련된 품질결정방법, 품질결정시기, 품질증명방법 등을 약정하는 조건이다.

품질결정방법	견본매매, 상표매매, 명세서매매, 규격매매, 점검매매, 표준품매매
품질결정시기	선적품질조건, 양륙품질조건[15], 특수품질조건
품질증명방법	매도인 또는 매수인에 의한 권위 있는 검사기관의 감정보고서 등

② 명세서매매(specification 매매)

선박, 대형기계류, 의료기기 기타 고가의 물품처럼 견본제공이 불가능할 경우 설계도면과 같은 규격서나 설명서에 의하여 거래목적물의 명세와 품질을 약정하는 방식이다[= 설명매매, 기술매매(sale by description)].

‖ 표준품매매 ‖

GMQ (Good Merchantable Quality, 판매적격품질조건)	• 약정품의 인도 당시에 판매할 수 있는 상태의 품질의 것을 인도하기로 약정하는 조건이다. 상품성 보장 품질조건으로서 주로 도착지품질인도조건으로 약정한다. • GMQ 조건은 판매의 적격성을 중요하게 여기는 조건으로 주로 냉동어류, 목재류, 광석류 등과 같이 목적지에 도착했을 때 '판매가 가능한지'가 중요한 잣대가 될 때에 쓰인다.
FAQ (Fair Average Quality, 평균중등품질조건)	• 일반적으로 정한 등급이나 규격이 없는 상품에 대하여, 선적시 그 계절 출하품의 평균 중등품질 이상의 것을 인도하기로 약정하는 조건이다. • 곡물류, 과실, 차 등에 주로 적용한다.
USQ (Usual Standard Quality, 보통표준품질조건)	• 공인기관의 판정에 의하여 공인된 품질의 것을 인도하기로 약정하는 조건이다. • 원면, 오징어, 인삼 등에 주로 적용한다.

(3) 수량조건

수량의 단위, 총중량 또는 순중량의 표기, 선적지수량조건 또는 양륙지수량조건의 명시, 과부족용인 등에 대하여 약정하는 조건이다. 수량을 표시하는 단위에는 중량, 용적, 개수, 포장, 길이 등이 있다.

---

15) 통상적으로 공산품과 같이 운송도중 변질의 위험이 적은 물품은 선적품질조건에 의하며, 농산물과 같이 운송도중 변질의 위험이 큰 물품은 양륙품질조건에 의한다.

과부족용인조항 (M/L Clause)	• 과부족 용인 조항(More or Less Clause)이란 벌크화물(산적화물) 거래시 일정범위 내에서 수량의 과부족을 인정하는 계약상의 조항이다. • 만일 신용장이 수량을 포장단위 또는 개별단위의 특정 숫자로 기재하지 않고 청구금액의 총액이 신용장의 금액을 초과하지 않는 경우에는, 물품의 수량에서 5%를 초과하지 않는 범위 내의 많거나 적은 편차는 허용된다. 이는 석탄이나 석유 등 자연산화 등으로 정확한 수량측정이 어렵거나 선적시와 하역시 수량에 차이가 날 수 있는 벌크화물의 거래를 원활히 하려는 의도에서 규정된 내용이다. 다만, 이런 경우 과부족이 허용된다고 하더라도 환어음 발행금액 또는 청구금액이 신용장 금액을 초과해서는 안 된다. • 신용장 금액 또는 신용장에서 표시된 수량 또는 단가와 관련하여 사용된 about, circa 또는 approximately라는 단어는 그것이 언급하는 금액, 수량 또는 단가에 관하여 10%를 초과하지 않는 범위 내에서 많거나 적은 편차를 허용하는 것으로 해석된다.

┃ 톤(ton)의 종류 ┃

Long Ton	English Ton, Gross Ton	2,240lbs(1,016Kg)
Short Ton	American Ton, Net Ton	2,000lbs(907Kg)
Metric Ton	French Ton, Kilo Ton	2,204lbs(1,000Kg)

(4) 가격조건

매매가격에 대하여 약정하는 조건으로서, 국제운송에 수반되는 운송료, 보험료, 하역비용 등의 부담자도 결정하여야 한다. 가격조건은 통상 Incoterms 상의 정형거래조건에 따라 결정된다. 거래통화가 상대국의 통화이거나 제3국의 통화인 경우 환위험이 수반되므로, 거래통화는 널리 통용되는 안정적인 통화로 표시하여야 한다.

> **핵심체크** Escalation clause(신축조항, 가격변동조항)
> 장기간의 계약 이행 중 제품 가격이 일정률 이상으로 상승될 경우, 이에 따라 계약 가격도 변동될 수 있음을 약정하는 조항

(5) 결제조건

대금결제방법, 결제시기, 결제통화 등에 대하여 약정하는 조건이다. 결제방식을 신용장방식으로 할 것인지, D/P, D/A, CAD, COD, 국제팩토링 등의 방식으로 할 것인지를 약정하고, 무역 대금을 선지급할 것인지 후지급할 것인지 동시지급을 할 것인지 등에 대해서도 약정한다.

(6) 선적조건

물품의 선적시기와 선적방법에 대하여 약정하는 조건이다. 선적기한(the latest date of shipment)과 분할선적 여부, 환적가능 여부 등에 대하여 약정한다.

선적지연	• 매도인의 고의, 과실, 태만 등에 의한 선적지연에 대해서는 매도인이 책임을 져야 한다. • 천재지변, 전쟁, 파업 기타 불가항력에 의한 선적지연의 경우 면책이 가능하다.
분할선적	거래물량을 여러 번에 나누어 선적하는 방법으로, 신용장상에 분할선적을 금지하는 문언이 없는 경우 분할선적은 허용되는 것으로 간주한다.
환적	화물을 운송 도중에 다른 운송수단으로 옮겨 싣는 것으로서, 신용장상에 환적을 금지하는 문언이 없는 경우 환적을 표시한 운송서류는 수리된다.

(7) 보험조건

적하보험의 금액과 보험조건에 대하여 약정하는 조건이다. CIF, CIP 조건과 같이 매도인이 매수인을 위해서 보험을 부보해야 하는 경우 보험조건에 대한 당사자 간의 합의가 있어야 한다. 해상보험에서 널리 사용되는 협회적하약관에는 ICC(a), ICC(b), ICC(c) Clause의 세 가지 기본약관이 있으며, 보험금액(보험회사의 보상책임한도액)은 통상 송장금액의 110%로 한다.

(8) 포장 및 화인조건

① 상품성을 유지하면서도 운송도중 파손이 되지 않도록 포장을 어떻게 할 것인지에 대하여 약정하며, 화물의 분류를 원활히 하고 취급상 주의사항을 표시하기 위해서 화인을 어떻게 할 것인지에 대하여도 약정한다.

② 화인(shipping mark)은 주화인(Main mark), 화물번호(Case number), 도착항 표시(Port mark), 중량 표시(Weight mark), 원산지 표시(Origin mark), 기타 주의 사항 등으로 구성된다. 이 중 주화인은 일반적으로 마름모, 원형, 사각형 등 특정한 기호(symbol)를 표시하고 그 안에 수입자의 약자를 표시하는 방식을 취한다.

(9) 그 밖의 이면 기재 조건

① 품질보증 조항(Warranty Clause)

매도인이 물품의 품질에 대하여 무거운 책임을 지는 것을 회피하기 위한 면책조항이다.

② 불가항력 조항(Force Majeure Clause)

불가항력적 사유로 인한 계약의 이행불능(frustration of contract)이 발생하는 경우, 이에 대한 면책조항이다. 불가항력적 사유에는 천재지변, 동맹파업(strike), 전쟁(war), 내란(insurrection), 소요(civil commotion), 수출금지, 생산설비의 고장, 운송수단의 부족, 원재료의 부족 등이 포함된다.

③ 권리침해 조항(Infringement Clause)

특허, 실용신안, 디자인, 상표, 저작권, 공업소유권의 침해에 관한 것으로, 매수인의 지시대로 물품을 선적한 결과 발생하는 특허권, 의장권, 상표권 등의 침해에 대한 매도인의 면책조항이다.

④ 완전합의 조항(Entire Agreement Clause)

계약서가 유일한 합의서이므로, 계약서 이외의 문서나 구두의 표시 등은 인정하지 않는다는 조항이다.

⑤ 클레임 조항(Claim Clause), 중재 조항(Arbitration Clause)

거래당사자가 해당 거래로 인하여 피해를 입은 경우 클레임을 제기할 수 있는 사유와 제기기한, 해결방법에 대하여 약정하는 조항이다. 중재에 의하여 해결하겠다는 의사표시, 해결을 위한 준거법, 중재지 등에 대한 내용이 포함된다.

⑥ 하드쉽 조항(Hardship Clause)

불가항력적인 사태가 발생하였을 때, 계약이행을 강요하면 불공평이 초래된다고 인정되는 경우 상호간에 성실하게 다시 교섭할 것을 약속하는 조항이다.

⑦ 생산물 배상 책임 조항(Product Liability Clause)

제조자의 생산물이 소비자에게 손해나 상해를 입힌 경우 그 손해 배상의 책임을 제조자가 부담한다는 조항이다.

⑧ 재판관할 조항(Jurisdiction Clause)

계약서에 중재 조항이 없거나, 뉴욕협약에 가입되어 있지 않을 때, 최종적인 분쟁 해결은 소송에 의해 이루어지게 된다. 이 때 소송을 제기할 법원을 당사자 간에 미리 약정하는 조항이다.

⑨ 권리 불포기 조항(Non - waiver Clause)

어느 일방이 계약을 위반한 경우에 상대방이 이에 대해 이의를 제기하지 않았다는 것이 권리 포기로 해석되어서는 안 된다는 조항이다.

⑩ 준거법 조항(Governing Law Clause)

무역계약의 성립, 이행 및 해석이 어느 국가의 법률에 따라 행하여지는지에 대하여 당사자 간에 합의한 조항이다.

5. 무역관련 주요서류

(1) 상업송장(Commercial Invoice)

① 의의

수출자가 수입자에게 계약에 일치하는 물품을 공급하였다는 증거로 제시하는 서류로서, 수출상에게는 대금청구서의 기능을 하고, 수입상에게는 수입구매서의 기능을 하는 서류이다.

② 송장의 종류

　　㉠ 상업송장(commercial invoice)

선적송장 (shipping invoice)	실제로 선적된 물품을 기준으로 작성된 상업송장을 말한다.
견적송장 (proforma invoice)	가격산정의 기초자료로 선적 전에 제공되거나 수입업자의 수입승인을 위해 사전에 제공되는 송장을 말한다. 이는 무역거래에서 사용되는 송장 형태의 견적서로서, 이 송장에 의해 거래를 시작한 뒤 선적이 늦게 이루어지는 경우에는 선적송장상의 가격과 차이가 날 수도 있다.

　　㉡ 공용송장(official invoice)

세관송장 (customs invoice)	수입물품에 대한 과세가격의 결정이나 덤핑방지 등을 위한 송장으로서, 수입국의 세관이 확인하는 송장을 말한다.
영사송장 (consular invoice)	수입물품의 가격을 높게 책정하여 외화를 도피시키거나, 가격을 낮게 책정하여 관세를 포탈하는 것을 방지하기 위해서 수출국 주재 수입국 영사가 확인하는 송장을 말한다.

(2) 기타의 무역관련 서류

포장명세서 (packing list, P/L)	수출자가 수입자 앞으로 작성하는 서류로서, 선적화물의 포장과 운송, 통관상의 편의를 위해서 포장단위, 순중량, 총중량, 부피, 포장 식별번호 등을 기재한 서류이다.
원산지증명서 (certificate of origin, C/O)	수출물품의 원산지를 증명하는 서류로서, 수입국 세관에 제출되는 경우 특혜관세를 적용받기 위해 주로 사용된다. 이 서류는 상공회의소 등의 기관이 발급하는 것이 일반적이었으나, FTA 시대에 들어 수출자 등이 자율발급하는 방식이 늘고 있다.
검사증명서 (inspection certificate, I/C)	수출물품에 대하여 매매계약 시 약정된 품질조건 등을 이행하였는지의 여부를 증명하기 위해 수입자에게 제공되는 서류로서, 독립된 검사기관에 의한 공적 검사증명서와 수출자가 자체적으로 작성하는 검사증명서로 구분할 수 있다.

3 INCOTERMS

1. 인코텀즈(Incoterms)

(1) 정형거래 조건과 인코텀즈

① 정형거래 조건

국제무역거래는 격지자간에, 법률과 언어가 다른 이들과 거래를 하면서도 물품 매매계약
서에는 그 거래 규모에 비하여 간결한 규정이 명시된다. 계약서상의 명시적 규정을 국제적
인 상관습이 묵시적 규정으로서 보완하고 있기 때문이다. 이러한 국제적인 상관습을 사용
하기 위해서는 당사자 간의 합의가 필요하다. 수출자와 수입자는 이 중 널리 알려져 '정형
화된' 매매 관습 중의 하나를 선택하여 그것을 채택하기로 약정할 수 있다. 정리하자면, 정
형거래조건(trade terms)이란 물품이 매도인으로부터 매수인에 이르기까지 운송·통관을
비롯한 모든 비용과 위험부담의 당사자를 구분해주는 정형화된 국제매매계약 조건을 말
한다.

② 인코텀즈

Incoterms(International Commercial Terms)는 정형거래조건에 관한 국제규칙이다. 인코
텀즈 규칙은 가장 일반적으로 사용되는 물품 매매 계약상 기업 간 거래관행(business – to
– business)을 반영하는 11개의 거래조건(trade term)을 설명한다. 이 거래조건은 CIF,
DAP 등과 같이 영어 약자 3글자로 표현된다. Incoterms는 1936년에 제정된 이래, 1953년,
1967년, 1976년, 1980년, 1990년, 2000년, 2010년, 2020년에 개정되었다. 가장 최근의 버전
은 Incoterms 2020이다.

> **핵심체크** **정형거래 조건에 관한 국제규칙**
>
> 국가나 지역별로 상관습과 법체계가 다르므로 정형거래조건에 대한 해석도 다를 수 있고 이로 인하
> 여 분쟁이 발생할 수 있으므로, 이에 대한 국제적인 통일규정을 만들 필요가 있었다. 이러한 필요에
> 의해서 국제상업회의소(ICC, International Chamber of Commerce)가 1936년에 제정한 것이 '정형
> 거래조건의 해석에 관한 국제규칙(International Rules for the Interpretation of Trade Terms)', 즉
> Incoterms이다. 정형거래조건에 관한 국제규칙에는 Incoterms 이외에도 개정미국무역정의
> (Revised American Foreign Trade Definitions, 1941)와 와르소 – 옥스포드규칙(Warsaw – Oxford
> Rules, 1932)이 있다.

(2) 인코텀즈의 역할

① 인코텀즈가 다루는 사항

㉠ 인코텀즈 규칙은 어떤 특정한 종류의 물품에 적용되는 것이 아니라, 모든 종류의 물품
에 관한 거래 관행을 반영되도록 고안되었다. 심지어 산적화물(bulk cargo)뿐만이 아
니라 전자장비 컨테이너, 항공운송되는 생화(fresh flowers) 팔레트의 거래에도 적용
될 수 있다.

ⓒ 인코텀즈 규칙은 A1/B1 등의 번호가 붙은 일련의 10개의 조항에서 의무(obligations), 위험(risk), 비용(costs)의 문제를 다루는데, 여기서 A 조항은 매도인의 의무이고, B 조항은 매수인의 의무이다.

의무	매도인과 매수인 사이에 누가 무엇을 하는지를 다룬다. 예를 들면 누가 물품의 운송이나 보험을 마련하는지, 누가 선적서류와 수출·수입 허가를 취득하는지를 다룬다.
위험	매도인은 언제, 어디에서 물품을 인도(deliver)하는지, 즉 위험은 어디에서 매도인으로부터 매수인에게 이전하는지를 다룬다.
비용	운송비용, 포장비용, 적재 또는 양하비용, 점검·보안 관련 비용을 누가 부담하는지를 다룬다.

매도인(A)과 매수인(B)의 의무		
A1	B1	일반의무(General obligations)
A2	B2	인도/인도의 수령(Delivery/Taking delivery)
A3	B3	위험 이전(Transfer of risks)
A4	B4	운송(Carriage)
A5	B5	보험(Insurance)
A6	B6	인도/운송서류(Delivery/transport document)
A7	B7	수출/수입통관(Export/import clearance)
A8	B8	점검/포장/하인표시(Checking/packaging/marking)
A9	B9	비용분담(Allocations of costs)
A10	B10	통지(Notices)

② 인코텀즈가 다루지 않는 사항

인코텀즈 규칙은 매매물품의 소유권·물권의 이전을 다루지 않는다. 또한 다음과 같은 사항도 다루지 않으므로, 당사자들이 이런 내용을 약정하기를 원한다면 매매계약에서 구체적으로 규정할 필요가 있다.

> ㉠ 매매계약의 존부
> ㉡ 매매물품의 성상(specifications)
> ㉢ 대금지급의 시기, 장소, 방법 또는 통화
> ㉣ 매매계약 위반에 대하여 구할 수 있는 구제수단
> ㉤ 계약상 의무이행의 지체 및 그 밖의 위반의 효과
> ㉥ 제재의 효력
> ㉦ 관세 부과
> ㉧ 수출 또는 수입의 금지
> ㉨ 불가항력(force majeure) 또는 이행가혹(hardship)

PART 2

무역실무 해커스공무원 이명호 무역학 이론+기출문제

CHAPTER 1 무역계약의 체결 **123**

    ⓧ 지식재산권

    ⓣ 의무위반의 경우 분쟁해결의 방법, 장소 또는 준거법

(3) 인코텀즈의 적용

① 인코텀즈와 매매계약의 관계

ⓐ 인코텀즈 규칙 그 자체는 매매계약이 아니며, 매매계약을 대체하지도 않는다.

ⓑ 인코텀즈 규칙은 이미 존재하는 매매계약에 편입되는(incorporated) 때 그 매매계약의 일부가 된다.

ⓒ 인코텀즈 규칙은 매매계약의 준거법(the law applicable to the contract)을 정하지도 않는다.

② 인코텀즈 규칙을 계약에 편입시키는 가장 좋은 방법

ⓐ 당사자들이 인코텀즈 2020을 계약에 적용하려는 경우 가장 안전한 방법은 다음과 같은 문구를 통해 그러한 의사를 명백하게 표시하는 것이다.

> ❍ "[선택된 인코텀즈 규칙] [지정 항구, 장소 또는 지점] Incoterms® 2020"
> ex) CIF Shanghai Incoterms® 2020
> DAP No 123, ABC Street, Importland Incoterms® 2020

ⓑ 연도를 빠트리면 해결하기 어려운 문제가 발생할 수 있다. 당사자, 판사 또는 중재인이 어떤 버전의 인코텀즈 규칙이 계약에 적용되는지 결정할 수 있어야 한다.

ⓒ 인코텀즈 규칙 다음에 기명되는 장소(the named place or port)는 중요한 의미를 갖는다. 어떤 인코텀즈 규칙이 선택되는지에 따라 그 장소는 '인도된 것으로 간주되는 장소' 또는 '인도 장소'가 되거나, 물품운송의 '목적지나 목적항'이 된다.

> ⓐ 모든 인코텀즈 규칙에서 A2는 인도(delivery)의 장소나 항구를 정한다.
>
> ⓑ C 규칙을 제외한 모든 인코텀즈 규칙에서 그 '장소'는 물품이 어디에서 인도되는지 (delivered), 즉 위험이 어디에서 매도인으로부터 매수인에게 이전하는지를 표시한다.
>
> ⓒ C 규칙에서 지정장소는 매도인이 그 운송을 마련하고 그 비용도 부담하여야 하는 물품운송의 목적지이다. 그러나 그 장소가 인도장소나 인도항구는 아니다.
>
> ⓓ 모든 C 규칙에서는 매도인이 인도 이후의 물품운송계약을 체결하거나 운송을 마련하도록 하므로 당사자들은 그 운송의 목적지가 어디인지를 알아야 할 필요가 있다. 예를 들면 "CIF the port of Dalian"으로 표시하였다면 CIF 뒤에 부가된 지명이 바로 목적지이다. 그러나 그 지정 목적지가 어디든지 간에 그 장소는 인도장소가 아니다. 매도인이 운송계약을 체결하였을 뿐, 위험은 인도장소에서 이미 이전하였기 때문이다. C 규칙에서는 인도지와 목적지가 반드시 동일한 곳이 아니다.
>
> ⓔ D 규칙에서 지정장소는 인도장소인 동시에 목적지이다. 매도인은 그 장소까지 운송을 마련(organize)하여야 한다.

(4) 인코텀즈 규칙의 구조

① 의의

인코텀즈 2020의 11가지 규칙은 다음과 같다.

	EXW	Ex Works	공장인도
모든 운송방식에 적용되는 규칙 (복합운송 인코텀즈 규칙)	FCA	Free Carrier	운송인인도
	CPT	Carriage Paid to	운송비지급인도
	CIP	Carriage and Insurance Paid to	운송비·보험료지급인도
	DAP	Delivered at Place	도착지인도
	DPU	Delivered at Place Unloaded	도착지양하인도
	DDP	Delivered Duty Paid	관세지급인도
해상운송과 내수로 운송에 적용되는 규칙 (해상 인코텀즈 규칙)	FAS	Free Alongside Ship	선측인도
	FOB	Free On Board	본선인도
	CFR	Cost and Freight	운임포함인도
	CIF	Cost, Insurance and Freight	운임·보험료포함인도

② 인코텀즈 2020의 11가지 규칙

㉠ 운송방식에 따른 두 가지 분류

인코텀즈 2020은 인코텀즈 2010에서 도입한 기본 분류법을 그대로 유지하였다. 즉 11가지 규칙은 크게 '모든 운송 방식에 적용되는 규칙(Rules for any Mode or Modes of Transport, 복합운송 인코텀즈 규칙)'과 '해상운송과 내수로운송에 적용되는 규칙(Rules for Sea and Inland Waterway Transport, 해상 인코텀즈 규칙)'으로 구분된다.

해상(maritime) 인코텀즈 규칙	매도인이 물품을 바다나 강의 항구에서 선박에 적재하는 (FAS에서는 선측에 두는) 경우에 사용하도록 고안되었다. 이러한 지점에서 매도인은 매수인에게 물품을 인도한다. 이러한 규칙이 사용되는 경우에 물품의 멸실·훼손의 책임은 그러한 항구로부터 매수인이 부담한다.
복합운송(multi-modal) 인코텀즈 규칙	모든 운송방식에 적용되는 7개의 인코텀즈 규칙은 다음과 같은 지점이 선상(on board)이 아닌 경우(FAS에서는 alongside가 아닌 경우)에 사용되도록 고안되었다. ⓐ 매도인이 물품을 운송인에게 교부하거나 운송인의 처분하에 두는 지점 또는 ⓑ 운송인이 물품을 매수인에게 교부하는 지점 또는 물품이 매수인의 처분하에 놓이는 지점 또는 ⓒ 위의 ⓐ 지점과 ⓑ 지점 모두

ⓛ 양 극단의 규칙

인코텀즈 규칙들 중 양극단에 있는 두 규칙, 즉 EXW와 DDP 규칙은 11개 규칙에 포함되기는 하지만, 국제계약에서는 이 두 가지를 대체하는 다른 규칙들을 고려할 필요가 있다. EXW의 경우 매도인은 물품을 매수인의 처분하에 두기만 하면 되므로, 적재와 수출통관에 있어 문제를 야기할 수 있다. 그래서 이런 경우 매도인은 FCA 규칙으로 매매하는 것이 더 좋다. 마찬가지로 DDP의 경우도 매도인이 수입통관의 의무를 수입국에서 이행하는 것이 물리적으로나 법적으로 어려울 수 있으므로 이런 경우 DAP나 DPU 규칙으로 매매하는 것을 고려하는 것이 더 좋다.

ⓒ F 규칙과 C 규칙

ⓐ 양 극단의 E 규칙과 D 규칙 사이에 3개의 F 규칙(FCA, FAS, FOB)과 4개의 C 규칙(CPT, CIP, CFR, CIF)이 있다. 이러한 7개의 F 규칙, C 규칙에서 인도장소는 매도인 쪽에(on the seller's side) 있다. 그래서 이런 매매를 선적 매매(shipment sales)라한다. 인도(delivery)는 다음과 같이 일어나며, 위험은 주된 운송을 위한 매도인의 끝단에서 이전하며 그에 따라 매도인은 물품이 실제로 목적지에 도착하는지 여부와 무관하게 물품인도의무를 이행한 것으로 된다.

규칙	인도 시점(방식)
CFR, CIF, FOB	선적항에서 선박에 적재된 때 (when the goods are placed on board the vessel at the port of loading)
CPT, CIP	물품을 운송인에게 교부함으로써 (by handling the goods over to the carrier)
FCA	물품을 매수인이 제공하는 운송수단에 적재하거나 매수인의 운송인의 처분하에 둠으로써 (by loading the goods on the means of transport provided by the buyer or placing them at the disposal of the buyer's carrier)

ⓑ F 규칙과 C 규칙에서는 물품을 선박에 적재하거나 운송인에게 교부하거나 운송인의 처분하에 둠으로써 물품이 매도인에 의하여 매수인에게 인도된(delivered) 지점이 확정된다. 이 지점에서 위험이 매도인으로부터 매수인에게 이전한다. 그러므로 도로, 철도, 항공, 해상운송 구간을 각각 담당하는 복수의 운송인이 있는 경우에는 누가 운송인인지를 확정하는 것이 중요하다. 이것은 단순히 운송(carriage)의 문제뿐만이 아니라, 매매(sale)의 문제이기 때문이다. 단일운송인이 모든 운송구간을 책임지는 통운송계약(through carriage contract)을 체결한 경우에는 문제가 발생하지 않는다. 그러나 통운송계약이 없는 경우, 다음의 기준에 따라 인도 시점을 판단한다.

⊙ FCA의 경우

관련운송인(relevant carrier)은 매수인이 지정한 운송인이며 매도인은 매매계약상 합의된 장소 또는 지점에서 그 운송인에게 물품을 교부한다. 따라서 매도인이 도로운송인을 사용하여 물품을 합의된 인도지점까지 운송하더라도 위험은 매도인이 사용한 도로운송인에게 물품을 교부한 장소와 시점이 아니라 물품이 매수인이 사용한 운송인의 처분하에 놓인 장소와 시점에 이전한다.

⊙ FOB의 경우

매도인이 피더선이나 바지선을 사용하여 물품을 매수인이 사용한 선박에 넘기도록 한 경우에는 동일한 상황이 발생할 수 있다. 이런 경우 인도는 물품이 매수인의 운송인에게 적재된 때 일어난다.

⊙ CPT와 CIP의 경우

당사자들이 인도지점에 관하여 합의하지 않았다면 매도인이 A2 하에서 물품을 교부한 최초운송인(first carrier)이 관련운송인으로 간주될 가능성이 있다. 그러나 매수인은 그 물품이 단지 '운송 중'에 있다는 사실과 매도인이 최초운송인의 수중에 물품을 넘겼을 때 운송이 시작되었다는 사실 말고는 운송계약에 대해 아는 바가 없다. 그 결과 위험은 그러한 인도(delivery)의 초기단계 즉 최초운송인에게 인도된 때 매도인으로부터 매수인에게 이전한다.

⊙ CFR과 CIF의 경우

매도인이 합의된 선적항으로 물품을 가져가기 위하여 피더선이나 바지선을 사용한 경우에는 동일한 상황이 발생할 수 있다. 이런 경우 합의된 선적항이 있다면 인도는 그러한 선적항에서 선박에 적재된 때 일어난다.

(5) 인코텀즈 2010에서 2020으로의 개정

① 인코텀즈 2010

Incoterms 2010에서부터 11가지 조건을 복합운송조건과 해상운송조건의 2개 그룹으로 구분하였다. 복합운송조건(rules for any mode or modes of transport)이란 운송수단의 종류와 수에 관계없이 사용할 수 있는 조건이며, 해상운송조건(rules for sea and inland waterway transport)이란 해상운송이나 내수로운송에만 사용할 수 있는 조건이다.

	EXW	Ex Works	공장인도
	FCA	Free Carrier	운송인인도
	CPT	Carriage Paid to	운송비지급인도
복합운송 조건	CIP	Carriage and Insurance Paid to	운송비 · 보험료지급인도
	DAT	Delivered At Terminal	터미널 인도
	DAP	Delivered At Place	목적지 인도
	DDP	Delivered Duty Paid	관세지급인도

	FAS	Free Alongside Ship	선측인도
해상운송 조건	FOB	Free On Board	본선인도
	CFR	Cost and Freight	운송비포함인도
	CIF	Cost, Insurance and Freight	운송비 · 보험료포함인도

② 인코텀즈 2010에서 인코텀즈 2020으로의 개정

㉠ 본선적재표기가 있는 선하증권과 인코텀즈 FCA 규칙

물품이 FCA 규칙으로 매매되고 해상운송 되는 경우에 매도인, 매수인 또는 신용장이 개설된 경우에는 은행이 본선적재표기가 있는 선하증권(a bill of lading with an on - board notation)을 원할 수 있다. 그러나 FCA 규칙에서 인도는 물품의 본선적재 전에 완료되므로, 매도인이 운송인으로부터 선적선하증권(on - board bill of lading)을 취득할 수 있는지 확실하지 않다. 그래서 인코텀즈 2020에서는 FCA 규칙에 추가적인 옵션을 규정하였다. 매수인과 매도인은 매수인이 선적 후에 선적선하증권을 매도인에게 발행하도록 그의 운송인에게 지시할 것을 합의할 수 있고, 그렇다면 매도인은 은행들을 통하여 매수인에게 선적선하증권을 제공할 의무가 있다.

㉡ 비용(costs)을 어디에 규정할 것인가

인코텀즈 2010에서는 비용분담(allocation of costs)이 A6/B6에 규정되었으나 인코텀즈 2020에서는 A9/B9으로 위치가 변경되었다. 뒤쪽으로 자리를 옮긴 이유는 그 앞에서 언급된 각각의 비용을 모두 A9/B9에 모아서 규정하기 위해서이다. 그래서 인코텀즈 2020의 A9/B9은 인코텀즈 2010의 A6/B6보다 더 길다.

이렇게 하는 목적은 사용자들에게 비용에 관한 일람표(one - stop list)를 제공하여 자신이 부담하는 모든 비용을 한 곳에서 찾아볼 수 있게 하는 데 있다. 그럼에도 불구하고 각 비용항목은 그 항목의 본래 조항(home article)에도 여전히 언급되어, 각 항목에서도 그 비용을 확인할 수 있다.

㉢ CIF와 CIP 간 부보 수준의 차별화

인코텀즈 2010에서는 CIF 및 CIP에서 매도인에게 '자신의 비용으로 협회적하약관이나 그와 유사한 약관의 C - 약관에서 제공하는 최소담보조건에 따른 적하보험을 취득'할 의무를 부과하였다. 그런데 매도인이 취득하는 부보의 범위를 확대하여 매수인에게 이익이 되도록 하자는 의견이 제기됨에 따라, CIF 규칙은 종전과 같이 C - 약관의 원칙을 유지하되, CIP 규칙의 경우 협회적하약관의 A - 약관에 따른 부보를 취득하여야 한다.

㉣ FCA, DAP, DPU 및 DDP에서 매도인 또는 매수인 자신의 운송수단에 의한 운송 허용

인코텀즈 2010에서는 물품이 매도인으로부터 매수인에게 운송되어야 하는 경우에 제3자 운송인(third - party carrier)이 운송하는 것으로 가정되었다. 그러나 인코텀즈 2020에서는 운송계약을 체결하도록 허용하는 것 외에도 단순히 필요한 운송을 마련하는 것(arranging for the necessary carriage)을 허용하였다. 즉, 매도인이나 매수인이 자신의 운송수단을 사용하여 운송하는 것을 허용하였다.

ⓜ DAT에서 DPU로의 명칭 변경

인코텀즈 2020에서 DAT와 DAP의 등장 순서를 서로 바꾸어, 양하 전에 인도가 일어나는 DAP가 DAT 앞에 온다. 그리고 DAT 규칙의 명칭이 DPU(Delivered at Place Unloaded)로 변경되었다. 이는 '터미널' 뿐만이 아니라 어떤 장소든지 목적지가 될 수 있는 현실을 강조하기 위해서이다.

ⓗ 운송의무 및 비용 조항에 보안관련요건 삽입

운송요건과 관련된 보안관련 의무의 명시적 할당이 개별 인코텀즈 규칙의 A4와 A7에 추가되었다. 그러한 요건 때문에 발생하는 비용도 비용조항인 A9/B9에 규정되었다.

ⓢ 사용자를 위한 설명문

인코텀즈 2010에서 개별 인코텀즈 규칙의 첫머리에 있던 사용지침(Guidance Note)은 이제 '사용자를 위한 설명문'(Explanatory Notes for Users)이 되었다.

2. 인코텀즈 2020의 11개 규칙 상세

C 규칙은 비용분기점과 위험분기점이 다르므로, 11개 규칙의 비용분기점과 위험분기점을 한 화면에 표현하는 것은 복잡한 일이다. 우선 각 규칙의 '비용분기점'을 기준으로 전체적인 구조를 파악해 보면 다음과 같다.

<복합운송 규칙의 비용분기점>

<해상운송 규칙의 비용분기점>

(1) EXW(공장인도)

① EXW [지정인도장소 기입] Incoterms® 2020

② 인도와 위험

> ㉠ EXW는 매도인이 다음과 같이 한 때 매수인에게 물품을 인도(deliver)하는 것을 의미한다. 매도인이 물품을 (공장이나 창고와 같은) 지정장소에서 매수인의 처분하에 두는 때, 그리고 그 지정장소는 매도인의 영업구내일 수도 있고 아닐 수도 있다.
>
> ㉡ 인도가 일어나기 위하여 매도인은 물품을 수취용 차량에 적재하지 않아도 되고, 물품의 수출통관이 요구되더라도 이를 수행할 필요가 없다.

③ 인도장소 또는 정확한 인도지점

> ㉠ 당사자들은 단지 인도장소만 지정하면 된다. 그러나 당사자들은 또한 지정인도장소 내에 정확한 지점을 가급적 명확하게 명시하는 것이 좋다.
>
> ㉡ 당사자들이 인도지점을 지정하지 않는 경우에는 매도인이 "그의 목적에 가장 적합한"(that best suits its purpose) 지점을 선택하기로 한 것으로 된다. 이는 매수인으로서는 매도인이 물품의 멸실 또는 훼손이 발생한 지점이 아닌 그 직전의 지점을 선택할 수도 있는 위험이 있음을 의미한다. 따라서 매수인으로서는 인도가 이루어질 장소 내에 정확한 지점을 선택하는 것이 가장 좋다.

④ 적재위험

> ㉠ 인도는 물품이 적재된 때가 아니라 매수인의 처분하에 놓인 때에 일어난다. 그리고 그 때 위험이 이전한다.
>
> ㉡ 다만 영업 구내에서 적재장비를 가지고 있을 가능성이 더 많은 매도인이 적재를 하는 경우에는 적재 중 물품의 멸실 또는 훼손의 위험을 누가 부담하는지를 미리 합의하여 두는 것이 바람직하다.
>
> ㉢ 매도인의 영업구내에서 일어나는 적재작업 중의 위험을 피하고자 하는 경우에 매수인은 FCA 규칙을 선택하는 것을 고려하여야 한다. FCA 규칙에서는 물품이 매도인의 영업구내에서 인도되는 경우에 매도인이 매수인에 대하여 적재의무를 부담하고 적재작업 중에 발생하는 물품의 멸실 또는 훼손의 위험은 매도인이 부담하기 때문이다.

⑤ 수출통관

(2) FCA(운송인인도)

① FCA [지정인도장소 기입] Incoterms® 2020

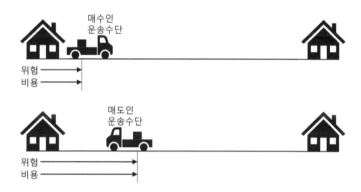

② 인도와 위험

㉠ FCA는 매도인이 물품을 매수인에게 다음과 같은 두 가지 방법 중 어느 하나로 인도하는 것을 의미한다.

ⓐ 지정장소가 매도인의 영업구내인 경우, 물품이 매수인이 마련한 운송수단에 적재된 때 인도된다.

ⓑ 지정장소가 그 밖의 장소인 경우, 물품은 다음과 같이 된 때 인도된다.

- 매도인의 운송수단에 적재되어서
- 지정장소에 도착하고
- 매도인의 운송수단에 실린 채 양하준비된 상태로
- 매수인이 지정한 운송인이나 제3자의 처분하에 놓인 때

㉡ 두 장소 중에서 인도장소로 선택되는 장소는 위험이 매수인에게 이전하는 곳이자 또한 매수인이 비용을 부담하기 시작하는 시점이 된다.

③ 조달

> ㉠ 매도인은 물품을 지정장소에서, 그 지정장소에 지정된 지점이 있는 경우에는 그 지점에서 매수인이 지정한 운송인 또는 제3자에게 인도하거나(deliver) 그렇게 인도된 물품을 조달하여야(procure) 한다.
>
> ㉡ 조달한다(procure)고 규정한 것은 특히 일차산품거래(commodity trades)에서 일반적인 수차에 걸쳐 연속적으로 이루어지는 매매(연속매매, string sales)에 대응하기 위함이다 (이것은 조달을 규정하고 있는 다른 인코텀즈 규칙에도 동일하게 적용된다).

④ 본선적재표기가 있는 선하증권

> ㉠ 항구가 아닌 곳에서 물품의 인도가 이루어졌을 때, 본선적재표기가 있는 선하증권을 발급받기를 기대하는 것은 일반적이지 않다. 그러므로 본선적재표기가 있는 선하증권을 필요로 하는 FCA 매도인의 이런 가능성에 대응하기 위하여, 당사자들이 계약에서 합의한 경우에 매수인은 그의 운송인에게 본선적재표기가 있는 선하증권을 매도인에게 발행하도록 지시하여야 한다.
>
> ㉡ 본선적재표기가 있는 선하증권을 발행하도록 지시하는 경우에도 매도인은 매수인에 대하여 운송계약조건에 관한 어떠한 의무도 없다.
>
> ㉢ 이런 선택적 기제가 적용되는 경우에 내륙의 인도일자와 본선적재일자는 부득이 다를 수 있을 것이고, 이로 인하여 매도인에게 신용장상 어려움이 발생할 수 있다.

(3) CPT(운송비지급인도)

① CPT [지정목적지 기입] Incoterms® 2020

② 인도와 위험

> ㉠ CPT는 매도인이 다음과 같이 매수인에게 물품을 인도하는 것을(그리고 위험을 이전하는 것을) 의미한다.
>
> > ⓐ 매도인과 계약을 체결한 운송인에게
> >
> > ⓑ 물품을 교부함으로써
> >
> > ⓒ 또는 그렇게 인도된 물품을 조달함으로써
> >
> > ⓓ 매도인은 사용되는 운송수단에 적합한 방법으로 그에 적합한 장소에서 운송인에게 물품의 물리적 점유를 이전함으로써 물품을 인도할 수 있다.
>
> ㉡ 물품이 이러한 방법으로 매수인에게 인도되면 매도인은 그 물품이 목적지에 양호한 상태로 그리고 명시된 수량 또는 그 전량이 도착할 것을 보장하지 않는다. 왜냐하면 물품이 운송인에게 교부됨으로써(by handling them over to the carrier) 매수인에게 인도된 때 위험은 매도인으로부터 매수인에게 이전하기 때문이다. 그러나 매도인은 물품을 인도지로부터 합의된 목적지까지 운송하는 계약을 체결하여야 한다.

③ 인도장소와 목적지

㉠ CPT에서는 두 곳이 중요하다. 물품이 위험이전을 위하여 인도되는 장소 또는 지점이 하나이고, 물품의 목적지로서 합의된 장소 또는 지점이 다른 하나이다. 매도인은 이 목적지까지 운송계약을 체결하기로 약속하기 때문이다.

㉡ 당사자들은 매매계약에서 가급적 정확하게 '인도장소 및 목적지'를 지정하는 것이 좋다. 이것은 복수의 운송인이 참여하여 각자 상이한 운송구간을 담당하는 상황에 대응하기 위하여 중요하다. 만약 특정한 인도장소나 인도지점을 합의하지 않은 경우에 인코텀즈 2020이 규정하는 보충적 입장은, 위험은 '매도인이 전적으로 선택하고 그에 대하여 매수인이 전혀 통제할 수 없는 지점'에서 물품이 제1운송인에게 인도된 때 이전한다는 것이다.

(4) CIP(운송비·보험료지급인도)

① CIP [지정목적지 기입] Incoterms® 2020

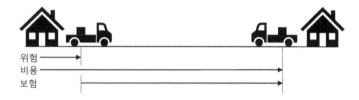

② 인도와 위험

※ CIP의 인도 지점과 위험 이전은 CPT와 동일하다.

③ 보험

㉠ 매도인은 인도지점부터 적어도 목적지점까지 매수인의 물품의 멸실 또는 훼손 위험에 대하여 보험계약을 체결하여야 한다.

㉡ 목적지 국가가 자국의 보험자에게 부보하도록 요구하는 경우에는 어려움이 생길 수 있다. 이러한 경우 당사자들은 CPT로 매매하는 것을 고려하여야 한다.

㉢ 매도인은 (로이즈시장협회/국제보험업협회) 협회적하약관의 C - 약관에 의한 제한적인 담보조건이 아니라 '협회적하약관의 A - 약관이나 그와 유사한 약관에 따른 광범위한 담보조건'(extensive insurance cover complying with Institute Cargo Clauses (A) or similar clause)으로 부보하여야 한다.

㉣ 당사자들은 더 낮은 수준의 담보조건으로 부보하기로 합의할 수 있다.

㉤ 보험계약은 평판이 양호한 보험인수업자(underwriters)나 보험회사(insurance company)와 체결하여야 하고, 보험은 매수인이나 물품에 피보험 이익을 가지는 제3자가 보험자에 대하여 직접 청구할 수 있도록 하는 것이어야 한다.

㉥ 매수인의 요청이 있는 경우에 매도인은 그가 요청하는 필요한 정보를 매수인이 제공하는 것을 조건으로 매수인의 비용으로, 가능하다면 (로이즈시장협회/국제보험업협회) 협회전쟁약관 및/또는 협회동맹파업약관 그 밖에 그와 유사한 약관에 의한 담보조건과 같은 추가보험을 제공하여야 한다.

(5) DAP(도착지인도)

① DAP [지정목적지 기입] Incoterms® 2020

② 인도와 위험

㉠ DAP는 다음과 같이 된 때 매도인이 매수인에게 물품을 인도하는 것을(그리고 위험을 이전하는 것을) 의미한다.

    ⓐ 물품이 지정목적지에서 또는

    ⓑ 지정목적지 내에 어떠한 지점이 합의된 경우에는 그 지점에서

    ⓒ 도착운송수단에 실어둔 채 양하준비된 상태로

    ⓓ 매수인의 처분하에 놓인 때

㉡ 매도인은 물품을 지정목적지까지 또는 지정목적지 내의 합의된 지점까지 가져가는 데 수반되는 모든 위험을 부담한다. 따라서 DAP 규칙에서 인도와 목적지 도착은 같은 것이다.

③ 양하비용

㉠ 매도인은 도착운송수단으로부터 물품을 양하(unloading)할 필요가 없다.

㉡ 매도인이 자신의 운송계약상 인도장소·목적지에서 양하에 관하여 비용이 발생한 경우에 매도인은 당사자 간에 달리 합의되지 않은 한 그러한 비용을 매수인으로부터 별도로 상환받을 권리가 없다.

(6) DPU(도착지양하인도)

① DPU [지정목적지 기입] Incoterms® 2020

② 인도와 위험

　　㉠ DPU는 다음과 같이 된 때 매도인이 매수인에게 물품을 인도하는 것을(그리고 위험을 이전하는 것을) 의미한다.

　　　ⓐ 물품이 지정목적지에서 또는

　　　ⓑ 지정목적지 내에 어떠한 지점이 합의된 경우에는 그 지점에서

　　　ⓒ 도착운송수단으로부터 양하된 상태로

　　　ⓓ 매수인의 처분하에 놓인 때

　　㉡ 매도인은 물품을 지정목적지까지 가져가서 그곳에서 물품을 양하하는 데 수반되는 모든 위험을 부담한다. 따라서 DPU 규칙에서 인도와 목적지 도착은 같은 것이다.

③ 양하

　　㉠ DPU는 매도인이 목적지에서 물품을 양하하도록 하는 유일한 인코텀즈 규칙이다. 따라서 매도인은 자신이 그러한 지정장소에서 양하를 할 수 있는 입장에 있는지를 확실히 하여야 한다.

　　㉡ 당사자들은 매도인이 양하의 위험과 비용을 부담하기를 원하지 않는 경우에는 DPU를 피하고 그 대신 DAP를 사용하여야 한다.

(7) DDP(관세지급인도)

① DDP [지정목적지 기입] Incoterms® 2020

② 인도와 위험

　　㉠ DDP는 다음과 같이 된 때 매도인이 매수인에게 물품을 인도하는 것을 의미한다.

　　　ⓐ 물품이 지정목적지에서 또는

　　　ⓑ 지정목적지 내에 어떠한 지점이 합의된 경우에는 그 지점에서

　　　ⓒ 도착운송수단에 실어둔 채 양하준비된 상태로

　　　ⓓ 매수인의 처분하에 놓인 때

　　㉡ 매도인은 물품을 지정목적지까지 또는 지정목적지 내의 합의된 지점까지 가져가는 데 수반되는 모든 위험을 부담한다. 따라서 DPU 규칙에서 인도와 목적지 도착은 같은 것이다.

③ 수출/수입통관, 매도인의 최대 책임

    ⊙ DDP에서는 매도인이 물품의 수출통관 및 수입통관을 하여야 하고, 수입관세를 납부하는 등의 모든 통관절차를 수행하여야 한다.

    ⓛ 매도인은 수입통관을 완료할 수 없어서 차라리 이러한 부분을 수입국에 있는 매수인의 손에 맡기고자 하는 경우에 인도는 여전히 목적지에서 일어나지만 수입통관은 매수인이 하도록 되어 있는 DAP나 DPU를 선택하는 것을 고려하여야 한다.

    ⓒ DDP에서는 인도가 도착지에서 일어나고 매도인이 수입관세와 해당되는 세금의 납부 책임을 지므로 모든 인코텀즈 규칙 중에서 매도인에게 최고수준의 의무를 부과하는 규칙이다. 따라서 매도인의 관점에서 조심스럽게 사용하여야 한다.

(8) FAS(선측인도)

  ① FAS [지정선적항 기입] Incoterms® 2020

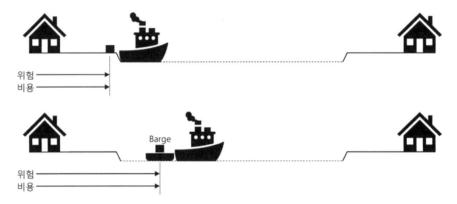

  ② 인도와 위험

    ⊙ FAS는 다음과 같이 된 때 매도인이 물품을 매수인에게 인도하는 것을 의미한다.

       ⓐ 지정선적항에서

       ⓑ 매수인이 지정한 선박의

       ⓒ 선측에(alongside the ship) 물품이 놓인 때(예를 들면 부두 또는 바지[barge]에 놓일 때)

       ⓓ 또는 이미 그렇게 인도된 물품을 조달한 때

    ⓛ 물품의 멸실 또는 훼손의 위험은 물품이 선측에 놓인 때 이전하고, 매수인은 그 순간부터 향후의 모든 비용을 부담한다.

  ③ 운송방식

    ⊙ FAS는 당사자들이 물품을 선측에 둠으로써 인도하기로 하는 해상운송이나 내수로운송에만 사용되어야 한다.

    ⓛ FAS 규칙은 물품이 선측에 놓이기 전에 운송인에게 교부되는 경우, 예컨대 물품이 컨테이너 터미널에서 운송인에게 교부되는 경우에는 적절하지 않다. 이런 경우 당사자들은 FAS 규칙 대신에 FCA 규칙을 사용하는 것을 고려하여야 한다.

④ 정확한 적재 지점

㉠ 당사자들은 지정선적항에서 물품이 부두나 바지(barge)로부터 선박으로 이동하는 적재지점을 가급적 명확하게 명시하는 것이 좋다.

㉡ 적재지점까지의 비용과 위험은 매도인이 부담하고, 이러한 비용과 그와 관련된 처리비용(handling charges)은 항구의 관행에 따라 다르기 때문이다.

⑼ FOB(본선인도)

① FOB [지정선적항 기입] Incoterms® 2020

② 인도와 위험

㉠ FOB는 매도인이 다음과 같이 물품을 매수인에게 인도하는 것을 의미한다.
　ⓐ 지정선적항에서
　ⓑ 매수인이 지정한 선박에 적재함
　ⓒ 또는 이미 그렇게 인도된 물품을 조달함
㉡ 물품의 멸실 또는 훼손의 위험은 물품이 선박에 적재된 때 이전하고, 매수인은 그 순간부터 향후의 모든 비용을 부담한다.

③ 운송방식

㉠ FOB는 당사자들이 물품을 선박에 적재함으로써 인도하기로 하는 해상운송이나 내수로운송에만 사용되어야 한다.
㉡ FOB 규칙은 물품이 선박에 적재되기 전에 운송인에게 교부되는 경우, 예컨대 물품이 컨테이너터미널에서 운송인에게 교부되는 경우에는 적절하지 않다. 이런 경우 당사자들은 FOB 규칙 대신에 FCA 규칙을 사용하는 것을 고려하여야 한다.

⑽ CFR(운임포함인도)

① CFR [지정목적항 기입] Incoterms® 2020

② 인도와 위험

> ㉠ CFR은 매도인이 물품을 매수인에게 다음과 같이 인도하는 것을 의미한다.
>   ⓐ 선박에 적재함
>   ⓑ 또는 이미 그렇게 인도된 물품을 조달함
> ㉡ 물품의 멸실 또는 훼손의 위험은 물품이 선박에 적재된 때 이전하고, 그에 따라 매도인은 명시된 수량의 물품이 실제로 목적지에 양호한 상태로 도착하는지를 불문하고 또는 사실 물품이 전혀 도착하지 않더라도 그의 물품인도의무를 이행한 것으로 된다.
> ㉢ CFR에서 매도인은 매수인에 대하여 부보의무가 없다. 따라서 매수인은 스스로 부보하는 것이 좋다.

③ 운송방식

> ㉠ CFR은 해상운송이나 내수로운송에만 사용되어야 한다.
> ㉡ 물품이 컨테이너미널에서 운송인에게 교부되는 경우에 일반적으로 그러하듯이 둘 이상의 운송방식이 사용되는 경우에 사용하기 적절한 규칙은 CFR이 아니라 CPT이다.

④ 인도항(port of delivery)·목적항(port of destination), 운송인, 양하비용

> ㉠ CFR에서는 물품이 적재되어 인도되는 항구와 물품의 목적항으로 합의된 항구가 중요하다.
> ㉡ 위험은 물품이 선적항에서 선박에 적재됨으로써 또는 이미 그렇게 인도된 물품을 조달함으로써 매수인에게 인도된 때 매도인으로부터 매수인에게 이전한다. 그러나 매도인은 물품을 인도지부터 합의된 목적지까지 운송하는 계약(단일 또는 복수의 계약)을 체결하여야 한다.
> ㉢ 계약에서 목적항은 항상 명시되어야 하지만, 매수인에게 위험이 이전되는 장소인 선적항은 명시하지 않을 수 있다.
> ㉣ 당사자들은 지정목적항 내의 지점을 가급적 정확하게 지정하는 것이 좋다. 매도인이 그 지점까지 비용을 부담하기 때문이다.
> ㉤ 복수의 운송인이 운송을 수행하는 경우, 위험은 어느 단계에서 이전하는지의 문제가 생길 수 있다. 이 경우 매매계약 자체에서 합의를 잘 하였다면 괜찮겠지만, 해당 합의가 없는 경우에 인코텀즈 2020이 규정하는 보충적인 입장은, 위험은 물품이 제1운송인에게 인도된 때 이전한다는 것이다. 다른 단계에서 위험이 이전되기를 원한다면 이를 매매계약에 명시하여야 한다.
> ㉥ 매도인은 자신의 운송계약상 목적항 내의 명시된 지점에서 양하에 관하여 비용이 발생한 경우에 당사자간에 달리 합의되지 않은 한 그러한 비용을 매수인으로부터 별도로 상환받을 권리가 없다.

⑾ CIF(운임·보험료포함인도)

① CIF [지정목적항 기입] Incoterms® 2020

② 인도와 위험

> ㉠ CIF는 매도인이 물품을 매수인에게 다음과 같이 인도하는 것을 의미한다.
>   ⓐ 선박에 적재함
>   ⓑ 또는 이미 그렇게 인도된 물품을 조달함
> ㉡ 물품의 멸실 또는 훼손의 위험은 물품이 선박에 적재된 때 이전하고, 그에 따라 매도인은 명시된 수량의 물품이 실제로 목적지에 양호한 상태로 도착하는지를 불문하고 또는 사실 물품이 전혀 도착하지 않더라도 그의 물품인도의무를 이행한 것으로 된다.

③ 운송방식

> ㉠ CIF는 해상운송이나 내수로운송에만 사용되어야 한다.
> ㉡ 물품이 컨테이너터미널에서 운송인에게 교부되는 경우에 일반적으로 그러하듯이 둘 이상의 운송방식이 사용되는 경우에 사용하기 적절한 규칙은 CIF가 아니라 CIP이다.

④ 인도항(port of delivery)·목적항(port of destination), 운송인, 양하비용

> ※ CIF의 인도항·목적항, 운송인, 양하비용 규정은 CFR과 같다.

⑤ 보험

> ㉠ 매도인은 선적항부터 적어도 목적항까지 매수인의 물품의 멸실 또는 훼손 위험에 대하여 보험계약을 체결하여야 한다.
> ㉡ 목적지 국가가 자국의 보험자에게 부보하도록 요구하는 경우에는 어려움이 생길 수 있다. 이러한 경우 당사자들은 CFR로 매매하는 것을 고려하여야 한다.
> ㉢ 매수인은 매도인이 협회적하약관의 A - 약관에 의한 보다 광범위한 담보조건이 아니라 협회적하약관의 C - 약관이나 그와 유사한 약관에 따른 제한적인 담보조건으로 부보하여야 한다는 것을 유의하여야 한다.
> ㉣ 당사자들은 더 높은 수준의 담보조건으로 부보하기로 합의할 수 있다.
> ㉤ 보험계약은 평판이 양호한 보험인수업자(underwriters)나 보험회사(insurance company)와 체결하여야 하고, 보험은 매수인이나 물품에 피보험 이익을 가지는 제3자가 보험자에 대하여 직접 청구할 수 있도록 하는 것이어야 한다.

ⓗ 매수인의 요청이 있는 경우에 매도인은 그가 요청하는 필요한 정보를 매수인이 제공하는 것을 조건으로 매수인의 비용으로, 가능하다면 (로이즈시장협회/국제보험업협회) 협회전쟁약관 및/또는 협회동맹파업약관 그 밖에 그와 유사한 약관에 의한 담보조건과 같은 추가보험을 제공하여야 한다.

ⓢ 보험금액은 최소한 매매계약에 규정된 대금에 10%를 더한 금액(즉 매매대금의 110%)이어야 하고, 보험의 통화는 매매계약의 통화와 같아야 한다.

ⓞ 매도인은 매수인에게 보험증권(insurance policy)이나 보험증명서(certificate) 그 밖의 부보의 증거를 제공하여야 한다.

ⓩ 매도인은 매수인에게, 매수인의 요청에 따라 매수인의 위험과 비용으로 매수인이 추가보험을 조달하는 데 필요한 정보를 제공하여야 한다.

CHAPTER 1 실전문제

01
☐☐☐

수출절차로서 그 순서가 옳게 나열된 것은?

① 수출계약의 체결 - 신용장의 내도 - 수출허가 - 수출통관 - 물품의 선적 - 신용장 매입 - 사후
관리
② 수출계약의 체결 - 수출허가 - 신용장의 내도 - 수출통관 - 물품의 선적 - 신용장 매입 - 사후
관리
③ 수출계약의 체결 - 신용장의 내도 - 수출허가 - 수출통관 - 신용장 매입 - 물품의 선적 - 사후
관리
④ 수출계약의 체결 - 신용장의 내도 - 수출통관 - 수출허가 - 물품의 선적 - 신용장 매입 - 사후
관리

답 ①

매입신용장으로 대금결제를 하는 계약인 경우, 수출자는 신용장을 내도(수취)한 이후에 수출 행정(수출허가, 수출통관)을 처리한다. 그 이후 물품을 선적하고, 선적서류 등으로 신용장을 매입한다.

02
☐☐☐

거래처 신용조사의 내용으로서 상대방의 신뢰도(reliability)를 조사·측정하는 3C's에 해당하지
않는 것은?

① Character   ② Capital
③ Capacity   ④ Clarity

답 ④

거래상대방의 신용을 조회할 때에는 3C's를 고려해야 한다. 3C's란 Character(거래 상대방의 성격),
Capital(거래 상대방의 자본), Capacity(거래 상대방의 능력)를 말한다.

03 다음 중 무역계약의 법적 성격으로 볼 수 없는 것은?

① 요식계약   ② 낙성계약
③ 유상계약   ④ 쌍무계약

 답 ①

무역계약은 불요식(不要式) 계약이다. 특별한 형식이 있는 것이 아니라, 문서 또는 구두에 의한 명시적 또는 묵시적 의사표시에 성립되는 계약이다.

04 청약과 승낙에 대한 설명으로서 옳지 않은 것은?

① 승낙의 유효기간이 없는 청약이라 할지라도, 청약이 확정적(firm)이라는 의사표시가 있으면 확정청약이다.
② 물품을 대량으로 송부한 후 판매되지 않은 물품의 반품이 가능한 조건의 청약을 반품허용조건부 청약이라 한다.
③ 청약은 판매청약과 구매청약으로 구분할 수 있다.
④ 피청약자가 청약에 대하여 조건을 변경한 경우, 변경된 조건에 의하여 계약이 성립된다.

답 ④

청약(offer)은 청약자가 피청약자와 일정한 조건으로 계약을 체결하고자 하는 의사표시이다. 만약 피청약자가 청약에 대하여 조건을 변경한다면 이것은 원청약을 거절하는 것이며 새로운 청약을 하는 것이 된다. 이것을 반대청약(counter offer)이라 한다. 반대청약이 있는 경우, 원청약자가 승낙을 해야 계약이 성립된다. 변경된 조건으로 계약이 성립되는 것이 아니다.

05 계약의 성립에 대한 설명으로 옳은 것은?

① 청약에 대한 승낙에서 대금지급방법, 물품의 품질과 수량, 인도 장소와 시기와 관련된 내용을 변경한 경우에는 계약이 성립될 수 없다.
② 청약서에 "유효기간 중 귀사의 회신이 없는 때에는 승낙된 것으로 취급할 것임"과 같은 조건이 특별히 부가되어 있는 경우에 침묵은 승낙으로 취급되는 것이 원칙이다.
③ 연착된 승낙은 원칙적으로 계약을 성립시킬 수 없는 것이므로 청약자가 이를 유효한 것으로 인정하는 통지를 한 경우에도 계약의 성립은 부정된다.
④ 청약에 유효기간을 설정하고 있는 경우, 해당 유효기간 중의 공휴일은 기간 계산에서 제외시킨다.

승낙(acceptance)은 무조건적이고 절대적이어야 한다. 그러므로 '대금지급방법, 물품의 품질과 수량, 인도 장소와 시기와 관련된 내용을 변경'하였다면 계약이 성립될 수 없다. CISG에서도 이런 변경은 '청약의 조건을 실질적으로 변경'하는 것으로 본다(CISG 제19조).

06

☐☐☐

국제물품매매계약에 있어 계약체결의 제안에 대한 설명으로 옳지 않은 것은?

① 계약체결의 제안으로서의 효력발생시점은 상대방에게 도달한 때가 되는 것이 원칙이나, 국제물품매매계약에 관한 유엔협약(Vienna convention, 1980)에서는 예외적으로 발신주의를 택하고 있다.

② 유효기간을 설정하고 있는 경우, 유효기간을 경과하면 효력을 상실하는 것이지만 지연된 승낙에 대해 청약자가 피청약자에게 계약의 성립을 인정하는 통지를 행하면 계약이 성립될 수 있다.

③ 구매주문서(purchase order) 또는 견적송장(proforma invoice) 등의 문서를 통해 행해지고 있으나, 문서가 아닌 구두에 의할 수도 있다.

④ 국제물품매매계약에 관한 유엔협약(Vienna convention, 1980)에 따르면 물품이 특정되고 수량과 가격이 구체적으로 기재되어 있거나 또는 수량과 가격을 확정할 수 있도록 하는 내용으로 되어 있어야 계약체결의 제안이 될 수 있다.

답 ①

CISG(국제물품 매매계약에 관한 유엔협약)에서는 대화자간(대화, 전화, 팩스, 이메일) 승낙의 의사표시와 격지자간(우편, 전보) 승낙의 의사표시에 모두 '도달주의'를 채택하였다.

구분	CISG, 독일	한국, 영국	미국
의사표시에 관한 일반원칙	도달주의	도달주의	도달주의
대화자간 승낙의 의사표시	도달주의	도달주의	도달주의 (전화: 발신주의)
격지자간 승낙의 의사표시	도달주의	발신주의	발신주의

07 무역계약의 체결 및 이행과 관련한 설명으로 옳지 않은 것은?

① 비엔나협약(Vienna Convention, 1980)은 계약의 자동해제를 인정하고 있어 당사자들이 손쉽게 계약으로부터 벗어날 수 있다.

② 인코텀즈 2020에서는 위험의 이전에 대해 다루고 있으므로 보험계약을 체결할 자를 결정지을 수 있다.

③ CFR, CPT조건의 경우, 위험분기점 이후의 구간에 대하여 수입상이 보험계약을 체결하는 것이 바람직하다.

④ 주문자상표부착방식(OEM)에 의한 수출의 경우, 상표권 침해 등의 클레임 발생에 대비하여 포함시키는 조항이 권리침해조항(Infringement clause)이다.

답 ①

계약해제의 선언은 상대방에 대한 통지로써 이를 행한 경우에 한하여 효력을 갖는다(CISG 제26조). 매수인은 계약 또는 이 협약에 따른 매도인의 어떠한 의무의 불이행이 계약의 본질적인 위반에 상당하는 경우, 또는 인도불이행의 경우에는 매도인이 매수인에 의하여 지정된 추가기간 내에 물품을 인도하지 아니하거나 또는 매도인이 그 지정된 기간 내에 인도하지 아니하겠다는 뜻을 선언한 경우 계약의 해제를 선언할 수 있다(CISG 제49조). 한편 매도인은 계약 또는 이 협약에 따른 매수인의 어떠한 의무의 불이행이 계약의 본질적인 위반에 상당하는 경우, 또는 매수인이 매도인에 의하여 지정된 추가기간 내에 대금의 지급 또는 물품의 인도수령의 의무를 이행하지 아니하거나 또는 매수인이 그 지정된 기간 내에 이를 이행하지 아니하겠다는 뜻을 선언한 경우 계약의 해제를 선언할 수 있다(CISG 제64조).

08 물품을 대량으로 송부한 후 판매되지 않은 물품에 대해서는 반품을 허용하는 조건의 청약을 무엇이라 하는가?

① 재고잔류 조건부 청약   ② 반품허용 조건부 청약
③ 점검매매 조건부 청약   ④ 반대청약

답 ②

반품허용 조건부 청약(offer on sale or return)이란 물품을 대량으로 송부한 후 판매되지 않은 물품의 반품이 가능한 조건의 청약으로, 조건부 청약에 해당한다.

09 다음 중 'Offer subject to prior sale'과 가장 유사한 의미의 조건부청약은?

① Offer on approval   ② Offer on sale or return
③ Offer subject to being unsold ④ Offer subject to our final offer

Offer subject to prior sale이란 재고잔류 조건부 청약으로, 재고가 남아있는 경우에만 계약이 성립되는 조건의 청약이다. 이와 가장 유사한 의미의 청약은 'Offer subject to being unsold'라고 표현한다.

✅ **선지분석**

① Offer on approval(점검매매 조건부 청약)
② Offer on sale or return(반품허용 조건부 청약)
④ Offer subject to our final offer(무확약 청약)

---

10 다음 화인에서 얻을 수 있는 정보로 잘못된 것은?

① ◇VNT◇ – – – – – Main Mark
② Hochi Minh – – – – – Shipping Port
③ Made in VIETNAM – – – – – Origin
④ #57/120 – – – – – Running number

답 ②

화인(Shipping mark)은 주화인(Main mark), 화물번호(Case number), 도착항 표시(Port mark), 중량 표시(Weight mark), 원산지 표시(Origin mark), 기타 주의사항 등으로 구성된다. 화인에 'Hochi Minh'이 표시되어 있다면 이것은 도착항 표시(Port mark)이다.

---

11 품질조건에 관한 설명으로 옳지 않은 것은?

① 대부분의 일반 공산품은 상품 전체를 대표할 수 있는 견본에 의해 해당 상품의 품질을 약정한다.
② 선박이나 대형 기계류처럼 견본을 제공할 수 없는 상품은 주로 사진이나 동영상으로 품질을 결정한다.
③ 세계적으로 알려진 상품의 경우에는 브랜드로 규격이나 품질을 약정한다.
④ 농산물, 수산물, 광산물과 같은 1차 상품의 경우에는 표준품매매방식을 사용한다.

답 ②

선박, 대형 기계류, 의료기기 기타 고가의 물품처럼 견본 제공이 불가능할 경우 설계도면과 같은 규격서나 설명서에 의하여 거래목적물의 명세와 품질을 약정한다. 이를 명세서 매매(Specification 매매) 또는 설명 매매(Sale by description)라고 한다.

12 표준품매매(sales by standard)에 관한 설명으로 옳지 않은 것은?

① 농산물처럼 수확이 예상되거나, 생선이나 목재 등과 같이 정확한 견품을 제공하기가 곤란한 경우 그와 유사한 수준에 해당하는 품질의 물품을 인도하는 품질 결정방법을 말한다.
② FAQ 조건은 곡물류나 과일류 매매에 이용되며, 특히 선물거래(future transaction)에 많이 사용된다.
③ GMQ 조건은 원목이나 목재류 그리고 냉동어류 등의 거래에 이용되며, 주로 선적지 품질 인도조건으로 사용된다.
④ USQ는 해당 생산물을 관장하는 공인기관의 판정에 의해 품질이 결정되며, 인삼이나 원면, 오징어 등의 거래에 주로 사용된다.

답 ③

GMQ(Good Merchantable Quality) 조건은 약정품의 인도 당시에 판매할 수 있는 상태의 품질의 것을 인도하기로 약정하는 조건이다. 원목, 목재류, 냉동어류 등의 거래에 이용되는 것은 맞지만, GMQ 조건은 도착지 품질 인도조건이다.

13 과부족용인조항에 대한 설명으로 옳지 않은 것은?

① 무역계약조건 중 수량조건에 해당하는 조항이다.
② 과부족을 표현하는 경우 about과 같은 단어를 사용하여 충실하게 표현하여야 한다.
③ 신용장방식 거래에서는 과부족을 인정하지 않는다는 금지조항이 없는 한 5%의 과부족이 허용되는 것으로 본다.
④ 주로 벌크화물의 거래에 사용된다.

답 ②

과부족 용인 조항(M/L clause, More or Less clause)이란 벌크화물 거래시 일정범위 내에서 수량의 과부족을 인정하는 계약상의 조항이다. 신용장 방식 거래에서는 과부족을 인정하지 않는다는 금지조항이 없는 한 5%의 과부족이 허용되는 것으로 본다. 그러나 만약 about, circa, approximately 등의 표현이 금액, 수량, 단가와 함께 쓰였다면 10%의 과부족이 허용되는 것으로 본다. about 등은 과부족 용인 관행의 예외이며, about 등의 표현은 '충실한 표현'도 아니다.

14 선적지연이 발생한 경우 매도인이 책임을 져야 하는 사유는?

① 천재지변　　　　　　　　　　　② 전쟁, 파업
③ 불가항력　　　　　　　　　　　④ 과실, 태만

답 ④

매도인의 고의, 과실, 태만 등에 의한 선적 지연에 대해서는 매도인이 책임을 져야 한다. 그러나 천재지변, 전쟁, 파업 기타 불가항력에 의한 선적 지연에 경우 매도인은 면책된다.

15 수출상이 상대국의 관세를 지급하는 조건의 정형거래조건은?

① EXW　　　　　　　　　　　　② FOB
③ DDP　　　　　　　　　　　　④ CIP

답 ③

수출상이 수입국의 통관을 진행하고 관세까지 지급하는 유일한 규칙은 DDP이다. 한편 수입상이 수출국의 수출통관을 진행하는 유일한 규칙은 EXW이다. 그런 면에서 EXW와 DDP에는 '양 극단의 규칙'이라는 별명을 붙이기도 한다.

16 Incoterms 2020상의 EXW 조건과 DDP 조건에 대한 설명으로 옳지 않은 것은?

① EXW 조건하에서 수출허가와 수출통관은 매수인의 의무이다.
② DDP 조건하에서 수출통관뿐만 아니라 수입통관도 매도인의 의무로 귀속된다.
③ EXW 조건하에서 매도인의 화물인도시점은 매도인의 작업장 구내에서 매수인의 집화용 차량에 적재하지 아니한 상태로 인도한 때이다.
④ DDP 조건하에서 매도인의 화물인도시점은 수입통관된 물품을 약정된 목적지에 도착된 운송수단으로부터 양하된 상태로 수입상에게 인도하는 때이다.

답 ④

DDP는 물품이 (1) 지정목적지에서(또는 지정목적지 내에 어떠한 지점이 합의된 경우에는 그 지점에서), (2) 도착운송수단에 실어둔 채 양하준비된 상태로, (3) 매수인의 처분 하에 놓인 때, 매도인이 매수인에게 물품을 인도하는 것을 의미한다. '수입통관된 물품'을 인도하는 것은 맞지만, '운송수단으로부터 양하된 상태로' 인도하는 것은 아니다.

17 FAS(Free Alongside Ship; 선측인도조건)의 설명으로서 옳지 않은 것은?

□□□

① 물품이 지정선적항에서 부두에 있는 선측(alongside)에 놓여졌을 때 매도인의 인도의무는 완수된다. 또는 그렇게 이미 인도된 물품을 조달(procure)함으로써 인도의무가 완수된다.
② FAS 조건에서 매수인은 화물이 선측에 놓여질 때까지의 모든 비용 및 그 물품에 대한 멸실 또는 손상의 위험을 부담한다.
③ FAS 조건에서는 매수인이 정확한 선적지점을 알리지 않으면, 매도인은 지정 선적항에서 자신의 목적에 맞는 지점을 선택할 수 있다.
④ FAS 조건은 해상운송 또는 내수로 운송에서만 사용해야 한다.

답 ②

FAS에서 화물이 선측에 놓여질 때까지의 모든 비용과 위험을 부담하는 사람은 '매도인'이다.

18 CIF 조건에서 매도인의 의무에 해당되지 않는 것은?

□□□

① 선적항에서 본선에 물품이 선적된 이후의 모든 비용과 위험을 부담한다.
② 수출에 필요한 제반서류 및 비용은 매도인의 위험과 부담으로 한다.
③ 자기비용으로 계약물품에 대하여 최소한 CIF 가격의 110%까지 부보하여야 하며, 계약상의 통화로 하여야 한다.
④ 자기비용으로 선적지의 지정항구에서 물품을 약정기일 내에 본선에 선적하고 이 사실을 매수인에게 지체 없이 통고하여야 한다.

답 ①

CIF 조건에서 매도인은 물품을 선박에 적재함으로써(또는 이미 그렇게 인도된 물품을 조달함으로써) 매수인에게 인도하며, 이 때 위험도 이전된다. 그러나 매도인은 목적항(도착항)까지의 비용을 부담하며, 보험계약도 체결해야 한다. C-규칙들은 위험분기점과 비용분기점이 일치하지 않는다.

19 □□□ **FOB 조건에서 매도인의 의무에 해당되지 않는 것은?**

① 자신의 비용부담으로 수출허가를 받고, 수출통관을 하여야 한다.
② 매수인에게 상업송장 등 제반서류를 제공하여야 한다.
③ 매도인은 약정물품을 지정 선적항에서 매수인이 지정한 본선상에 인도하거나 선적을 위해 인도된 물품을 조달하여야 한다.
④ 약정물품의 운송을 위한 해상운송계약을 체결하여야 한다.

답 ④

FOB에서 약정물품의 운송을 위한 해상운송계약을 체결해야 하는 의무는 '매수인'에게 있다. 매도인은 (1) 지정선적항에서, (2) 매수인이 지정한 선박에 적재함으로써(또는 이미 그렇게 인도된 물품을 조달함으로써) 물품을 매수인에게 인도한다. 물품의 멸실 또는 훼손의 위험은 물품이 선박에 적재된 때 이전하고, 매수인은 그 순간부터 향후의 모든 위험과 비용을 부담한다.

20 □□□ **Incoterms 2020상의 정형거래조건에 대한 설명으로 옳지 않은 것은?**

① CIP: 특정한 거래에서 다른 합의나 관행이 없는 경우에 매도인은 자신의 비용으로, 사용되는 당해 운송수단에 적절한 (로이즈시장협회/국제보험업협회) 협회적하약관이나 그와 유사한 약관의 A - 약관에서 제공하는 담보조건에 따른 적하보험을 취득하여야 한다.
② DPU: 매도인은 지정목적지에서 물품을 양하하지 않은 상태로 인도하여야 하며, 그때까지의 모든 위험과 비용을 부담한다.
③ CPT: 수출국에서 물품이 최초의 운송인에게 인도된 때에 인도가 이루어지는 것으로 보며, 이 시점에 위험이 매도인에게서 매수인에게로 이전된다.
④ EXW: 매도인이 매도인의 구내에서 운송수단에 물품을 적재하는 것을 원한다면 EXW 조건이 아닌 FCA 조건을 채택하는 것이 바람직하다.

답 ②

DPU(Delivered at Place Unloaded, 도착지 양하 인도)는 매도인이 (1) 지정목적지에서(또는 지정목적지 내에 어떠한 지점이 합의된 경우에는 그 지점에서), (2) 도착운송수단으로부터 양하된 상태로, (3) 매수인의 처분하에 놓인 때, 매수인에게 물품을 인도하는 것을(그리고 위험을 이전하는 것을) 의미한다.

21 ☐☐☐ Incoterms 2020 규칙상의 매도인의 의무에 관한 항목이 아닌 것은?

① A9. 비용 분담(Allocation of costs)

② A3. 위험 이전(Transfer of risks)

③ A5. 계약내용과 일치하는 물품의 공급(Provision of goods in conformity with the contract)

④ A10. 통지(Notices)

답 ③

A5에 해당하는 매도인의 의무는 '보험(Insurance)'이다. 매도인이 보험계약을 체결해야 하는 규칙은 CIF와 CIP이다.

22 ☐☐☐ 인코텀즈 2020에서 CIF 규칙은 다음과 같이 A5를 규정하고 있다. 괄호 안에 들어갈 말로 옳지 않은 것은?

> **A5 Insurance**
>
> Unless otherwise agreed or customary in the particular trade, the seller must obtain, at its won cost, cargo insurance complying with the cover provided by (가) of the Institute Cargo Clauses (LMA/IUA) or any similar clauses. The insurance shall be contracted with (나) or an insurance company of good repute and entitle the buyer, or any other person having an insurable interest in the goods, to claim directly from the insurer.
>
> When required by the buyer, the seller must, subject to the buyer providing any necessary information requested by the seller, provide (다) any additional cover, if procurable, such as cover complying with the Institute War Clauses and/or Institute Strikes Clauses (LMA/IUA) or any similar clauses.
>
> The insurance shall cover, at a minimum, the price provided (라) and shall be in the currency of the contract.

① (가) Clauses (C)

② (나) underwriters

③ (다) at the seller's cost

④ (라) in the contract plus 10% (i.e. 110%)

답 ③

매수인의 요청이 있는 경우에 매도인은 그가 요청하는 필요한 정보를 매수인이 제공하는 것을 조건으로 '매수인의 비용으로(at the buyer's cost)', 가능하다면 (로이즈시장협회/국제보험업협회) 협회 전쟁약관 및/또는 협회동맹파업약관 그 밖에 이와 유사한 약관에 의한 담보조건과 같은 추가보험을 제공하여야 한다.

23 ☐☐☐ Incoterms 2020상의 각 조건에 있어 매도인의 의무에 대한 설명으로 옳지 않은 것은?

① DDP: 매도인은 자신의 비용부담으로 선적지에서 물품의 수출허가와 수출통관은 물론 수입지에서의 수입허가와 수입통관의 절차를 이행하고 이에 따른 관세, 조세 등 비용을 지급하여야 한다.

② CPT: 매도인이 수입국의 지정목적지에서 물품을 운송수단으로부터 양하하지 않은 상태로 매수인의 임의 처분하에 놓아두는 조건으로서, 매도인은 그때까지의 모든 위험과 비용을 부담한다.

③ CIF: 매도인은 자신의 비용으로 협회적하약관이나 그와 유사한 약관의 C-약관에서 제공하는 담보조건에 따른 적하보험을 취득하여야 한다.

④ EXW: 매도인은 약정물품을 자신의 영업장 구내에서 매수인에게 인도하여야 한다.

답 ②

CPT는 매도인이 (1) 매도인과 계약을 체결한 운송인에게, (2) 물품을 교부함으로써(또는 그렇게 인도된 물품을 조달함으로써) 매수인에게 물품을 인도하는 것을(그리고 위험을 이전하는 것을) 의미한다. C-규칙은 위험분기점과 비용분기점이 일치하지 않는다. 위험은 수출국에서 매도인과 계약을 체결한 운송인에게 물품을 인도할 때 매도인에게서 매수인에게로 넘어가지만, 비용은 수입국의 목적지까지 소요되는 비용을 매도인이 부담하게 된다.

24 ☐☐☐ Incoterms 2020상의 위험분기점과 비용분기점에 대한 설명으로 옳지 않은 것은?

	거래조건	위험분기점	비용분기점
①	FCA	수출국의 지정장소에서 매수인이 지명한 운송인 또는 제3자에게 인도된 때	수출국의 지정장소에서 매수인이 지명한 운송인 또는 제3자에게 인도된 때
②	CPT	본선상에 인도하거나 인도된 물품이 조달된 때	지정 목적항
③	FOB	지정선적항에서 매수인이 지정한 본선상에 인도하거나 인도된 물품이 조달된 때	지정선적항에서 매수인이 지정한 본선상에 인도하거나 인도된 물품이 조달된 때
④	DPU	목적지에서 양하한 상태로 매수인의 임의 처분에 맡겨진 때	목적지에서 양하한 상태로 매수인의 임의 처분에 맡겨진 때

답 ②

CPT는 물품을 운송인에게 교부함으로써(by handling the goods over to the carrier) 인도되며, 이때가 위험분기점이다. 비용분기점은 '물품의 목적지로서 합의된 장소 또는 지점'이다.

25 DAP 규칙과 DPU 규칙에 대한 설명으로 옳지 않은 것은?
□□□

① DAP 규칙에서 매도인은 물품을 지정목적지에서 도착운송수단에 실어둔 채 양하준비된 상태로 매수인의 처분하에 두거나 그렇게 인도된 물품을 조달함으로써 인도하여야 한다.

② DPU 규칙에서 매도인은 물품을 도착운송수단으로부터 양하하여야 하고 또한 물품을 지정목적지에서 매수인의 처분하에 두거나 그렇게 인도된 물품을 조달함으로써 인도하여야 한다.

③ DAP 규칙과 DPU 규칙에서 매도인은 A2에 따라 물품이 인도된 때까지 물품의 멸실 또는 훼손의 모든 위험을 부담하되, B3에 규정된 상황에서 발생하는 멸실 또는 훼손은 예외로 한다.

④ DAP에서 매도인이 양하의 위험과 비용을 부담하기를 원하지 않는 경우에는 DAP를 피하고 그 대신 DPU를 사용하여야 한다.

답 ④

DAP(Delivered at Place)에서 매도인은 물품을 '도착운송수단에 실어둔 채 양하준비된 상태로' 매수인에게 인도한다. 즉 매도인은 양하의 의무가 없다. 그러나 DPU에서 매도인은 물품을 '도착운송수단으로부터 양하된 상태로' 인도하여야 한다. ④에서 DAP와 DPU를 바꿔야 한다.

CHAPTER 2 대금결제

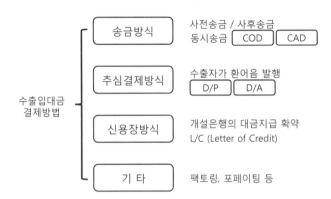

1 신용장에 의한 무역대금결제

1. 의의

(1) 신용위험과 상업위험

무역거래에서 수출자는 신용위험(Credit risk)에, 수입자는 상업위험(Mercantile risk)에 노출될 가능성이 크다.

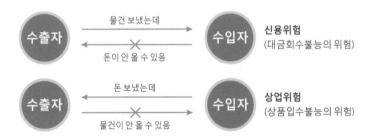

(2) 은행의 개입

무역거래 대금결제를 하는 경우, 은행이 무역거래 당사자 간에 개입하게 되면 대금결제의 안정성을 확보할 수 있다.

2. 신용장(L/C)의 의의

(1) 의의

① 신용장(Letter of Credit: L/C)이란 수입상의 거래은행인 신용장 개설은행(issuing bank)이 신용장의 모든 조건에 일치하고 약정 기간 내에 신용장상에 요구하는 서류가 제시되었을 때 수익자(beneficiary)인 수출상에게 대금을 지급할 것을 확약한 증서(documents)를 말한다.

② 신용장은 신용장 개설은행의 조건부 지급확약으로서 상업신용(commercial credit)을 은행신용(bank credit)으로 전환시켜주는 일종의 금융수단이다. 신용장은 은행이 매매당사자 간에 개입하여 신용위험과 상업위험을 해소하여 무역거래를 원활하게 수행하도록 하는 대금결제 수단이다.

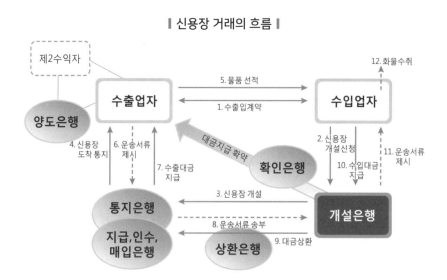

| 신용장 거래의 흐름 |

(2) 신용장통일규칙

① 의의

신용장 방식의 거래관습도 국가마다 상이하여 신용장 조건에 대한 해석이 당사자마다 다를 수 있으므로 이에 대한 국제적인 통일규칙을 마련할 필요성이 있었다. 국제상업회의소(ICC)는 신용장조건 해석기준의 국제적인 통일을 위해서 1933년 '상업화환신용장에 관한 통일규칙 및 판례(Uniform Customs and Practice for Commercial Documentary Credits)'를 제정하였고, 이후 6차에 걸쳐 개정되었다. 6차 개정된 신용장 통일규칙은 'UCP 600'이라 한다. UCP 500은 49개 조항으로 구성되어 있었으나, UCP 600은 39개 조항으로 정리되었다.

② 신용장통일규칙의 법적 효력

신용장통일규칙에는 '이 규칙은 신용장상에서 명시적으로 수정되거나 배제되지 아니하는 한 신용장 거래의 모든 관계 당사자를 구속한다'고 명시되어 있으나, 임의법규이므로 당사자 간 특약이 있다면 그 특약이 우선된다. 그러므로 국제상업회의소는 신용장통일규칙에 의하여 신용장 거래를 하려는 경우 신용장통일규칙 준거문언을 신용장에 삽입하도록 권고하고 있다.[16]

3. 신용장의 특성(신용장 거래의 기본 원칙)

(1) 의의

신용장 거래의 기본 원칙에는 독립성의 원칙, 추상성의 원칙, 엄밀일치의 원칙, 상당일치의 원칙, 사기거래의 원칙, 서류거래의 원칙이 있다.

(2) 신용장의 독립성

① 신용장의 독립성(independence)이란 신용장은 매매당사자 간의 매매계약에 근거하여 발생하는 원인계약(underlying contract)이나 기타 거래와는 별개의 독립된 거래(separate transaction)로 간주한다는 것을 말한다.

② 신용장은 매매계약에 기초하여 발행되는 것이지만, 신용장거래 그 자체는 이들 계약과는 별개의 독립된 거래로서 독립성을 가진다. 따라서 신용장의 당사자인 신용장 개설은행과 매도인, 매수인은 매매계약상의 하자를 이유로 신용장 거래를 취소시키거나 무효화할 수 없다.

---

16) 신용장상에 "This credit is subject to Uniform Customs and Practice for Documentary Credits, 2007 Revision, ICC Publication No. 600."과 같은 준거문언을 삽입하면 신용장통일규칙은 신용장 거래에 참여하는 당사자를 구속하는 법률적 효력을 갖게 된다. 우리나라에도 이와 유사한 취지를 인정한 대법원 판례가 있다.

(3) 신용장의 추상성

① 신용장의 추상성(abstraction)이란 매매계약서에 언급된 물품이나 실제로 매수인에게 도착된 물품에 관계없이 은행은 오직 신용장에서 요구하는 서류를 근거로 대금지급 여부를 판단하는 원칙을 말한다. 즉, 신용장거래에 있어서의 모든 당사자는 서류에 의한 거래를 하는 것이지 그 서류와 관계되는 특정 물품, 서비스 또는 기타의 계약에 의해 거래하는 것은 아니라는 것이다(Banks deal with documents and not with goods, services or performance).

② 따라서 개설은행은 이들 계약에 의해서 어떠한 점에 있어서도 구속되는 것이 없으며, 매매계약에 관계되는 이유 또는 항변에 의해서 권리가 침해당하거나 의무나 책임을 추궁당하는 일은 없다.

▮ 신용장의 독립성, 추상성이 신용장거래 당사자에게 미치는 영향 ▮

당사자	장점	단점
개설은행	신용장 조건과 일치하는 서류가 제시되면 개설의뢰인에게 상환청구권을 행사할 수 있음	개설의뢰인의 재정상태 악화 시 상환지연 또는 손해발생 가능
개설의뢰인	-	신용장조건과 일치하는 서류가 제시되면 물품의 상태 등을 이유로 지급을 거절할 수 없음
지정은행	지급, 인수 또는 매입을 수권 받은 지정은행은 신용장 조건과 일치하는 서류를 제시하면 개설은행으로부터 신용장 대금을 상환 받을 수 있음	-
수익자	신용장 조건과 문면상 일치하는 서류를 제시하면 대금을 지급받을 수 있음	제시한 서류가 신용장 조건과 일치하지 않으면 대금의 수취가 불확실함

핵심체크 사기거래의 원칙(Fraud Rule, 사기거래배제의 원칙)

- 신용장 거래 시 사기의 명백한 증거가 있는 경우에는 은행이 대금지급을 거절할 수 있는 사기거래의 원칙이 적용되는데, 이는 신용장의 독립추상성의 예외가 되는 원칙으로서 구분하여야 한다.
- 명백한 사기의 증거가 있는 경우 법원은 개설은행에 지급정지명령(Injunction, 지급금지명령)을 내려 대금지급을 정지시킬 수 있다.
- 신용장거래를 빙자한 사기거래의 경우, 은행은 더 이상 신용장의 독립·추상성의 원칙에 의한 보호를 받을 수 없다(대법원 1993.12.24. 선고 93다15632 판결, 1997.8.29. 선고 96다37879 판결, 1997.8.29. 선고 96다43713 판결 등)고 우리나라 대법원 판례에서도 사기거래의 원칙을 인정하고 있다.

---

(4) 엄밀일치의 원칙

① 엄밀일치의 원칙(doctrine of strict compliance)이란 신용장거래에서 은행은 신용장의 조건에 엄밀히 일치하지 않는 서류를 거절할 수 있다는 것을 말한다. 즉 은행은 제출된 운송서류가 신용장조건의 문언에 합치된 것으로 판명된 서류에 한하여 지급을 행한다는 원칙이다.

② 무역거래에서 은행이 매매계약으로부터 독립적으로, 물품이 아닌 추상적인 서류만을 가지고 큰 위험 없이 개입할 수 있는 것은 신용장의 이러한 독립추상성과 엄밀일치의 거래관행이 보장되기 때문이다.

4. 신용장 거래 당사자

(1) 기본 당사자

① 개설의뢰인

개설의뢰인(applicant)은 매매계약에 따라 자신의 거래은행에 수출상 앞으로 신용장을 개설할 것을 의뢰하는 수입상을 말하며, 그 기능과 보는 각도에 따라 수입상(importer), 개설인(opener), 매수인(buyer), 수하인(consignee) 등으로 명칭되고 있다.

② 수익자

㉠ 수익자(beneficiary)는 개설은행으로부터 신용장을 수취하여 신용장에서 요구하는 모든 조건에 일치하는 서류를 매입은행에 제시함으로써 대금결제를 받는 신용장 발행의 수혜를 받는 수출업자이다.

㉡ 수익자 또한 그 기능에 따라 수출상(exporter), 매도인(seller), 수취인(payee), 환어음발행인(drawer), 송하인(shipper) 등으로 명칭되고 있다. 양도가능신용장(transferable L/C)의 경우에는 원신용장의 수익자를 제1수익자(first beneficiary)라고 한다.

③ 개설은행

㉠ 개설은행(opening bank)은 신용장 개설의뢰인의 신청과 지시에 따라 매매계약의 당사자인 수출상 앞으로 신용장을 발행하는 은행으로서 발행은행(issuing bank)이라고도 한다.

㉡ 신용장 개설은행은 수입상의 거래은행으로서 수입상의 요청과 지시에 의하여 수출상이 물품 선적 후 발행하는 환어음을 지급, 인수 또는 매입할 것을 확약하는 은행이다.

핵심체크 환어음(Bill of Exchange)

1. 의의

환어음(Draft, Bill of Exchange)이란 채권자인 환어음발행인(drawer)이 채무자인 지급인(drawee)에 대하여 그 채권금액을 지명인 또는 소지자에게 일정한 일자 및 장소에서 지불할 것을 무조건 위탁하는 유가증권이다. 환어음은 외국환을 결제하기 위한 지급위탁의 수단으로서, 채무자가 채권자 앞으로 발행하는 약속어음과는 달리 채권자가 채무자에게 채권금액을 지명인 등에게 지불할 것을 위탁하게 된다.

2. 환어음의 주요 당사자

발행인(drawer)	수출자, 채권자
지급인(drawee)	신용장 개설은행, 수입상
수취인(payee)	환어음의 지급을 받는 자

3. 환어음 예시

① NO.123456 BILL OF EXCHANGE
② Date: FEB.01, 2011, Seoul, Korea
③ FOR USD30,928.54
④ AT 180DAYS AFTER SIGHT OF THIS FIRST BILL OF EXCHANGE
(⑤ SECOND OF THE SAME TENOR DATE BEING UNPAID)
⑥ PAY TO
⑦ SINHAN BANK OR ORDER THE SUM OF
⑧ SAY U.S DOLLARS THIRTY THOUSAND NINE HUNDRED TWENTY EIGHT AND CENTS FIFTY FOUR ONLY
⑨ VALUE RECEIVED AND CHARGE THE SAME TO ACCOUNT OF QING – A EXPRESS CORPORATION
⑩ DRAWN UNDER QING – A EXPRESS CORPORATION
⑪ LETTER OF CREDIT NO.D/A201101
⑫ DATED JULY.11.2011
⑬ TO QING – A EXPRESS CORPORATION
   333 SPRING AVE. 2ST FL. WINNERS Co., LTD.
   ATLANTA GA 10011, U.S.A
⑭ GIL DONG HONG
   PRESIDENT

4. 환어음의 필수기재사항

(1) 환어음의 문구: Bill of Exchange라는 문구
(2) 발행일과 발행지 → 예시 ②
(3) 무조건 지급위탁문언: '일정금액'을 무조건 '지급'하라는 위탁문구 → 예시 ③, ⑥
(4) 만기의 표시 → 예시 ④
(5) 수취인의 명칭 → 지급받을 자 또는 지급받을 자를 지시할 자의 명칭 → 예시 ⑦
(6) 지급인의 명칭 → 예시 ⑬
(7) 지급지 → 예시 ⑬
(8) 발행인의 기명날인 또는 서명 → 예시 ⑭

5. 어음법

환어음은 각국의 어음관련법의 적용을 받는다. 우리나라의 「어음법」에도 환어음에 대한 요건, 배서요건 등이 규정되어 있다.

「어음법」 주요 내용 (제1편 환어음 편)
제1장 환어음의 발행과 방식
제1조(어음요건) 환어음에는 다음 각 호의 사항을 적어야 한다.
　1. 증권의 본문 중에 그 증권을 작성할 때 사용하는 국어로 환어음임을 표시하는 글자
　2. 조건 없이 일정한 금액을 지급할 것을 위탁하는 뜻

3. 지급인의 명칭

4. 만기(滿期)

5. 지급지(支給地)

6. 지급받을 자 또는 지급받을 자를 지시할 자의 명칭

7. 발행일과 발행지(發行地)

8. 발행인의 기명날인(記名捺印) 또는 서명

제2조(어음요건의 흠) 제1조 각 호의 사항을 적지 아니한 증권은 환어음의 효력이 없다. 그러나 다음 각 호의 경우에는 그러하지 아니하다.

1. 만기가 적혀 있지 아니한 경우: 일람출급(一覽出給)의 환어음으로 본다.

2. 지급지가 적혀 있지 아니한 경우: 지급인의 명칭에 부기(附記)한 지(地)를 지급지 및 지급인의 주소지로 본다.

3. 발행지가 적혀 있지 아니한 경우: 발행인의 명칭에 부기한 지(地)를 발행지로 본다.

제3조(자기지시어음, 자기앞어음, 위탁어음) ① 환어음은 발행인 자신을 지급받을 자로 하여 발행할 수 있다.

② 환어음은 발행인 자신을 지급인으로 하여 발행할 수 있다.

③ 환어음은 제3자의 계산으로 발행할 수 있다.

제2장 배서

제11조(당연한 지시증권성) ① 환어음은 지시식(指示式)으로 발행하지 아니한 경우에도 배서(背書)에 의하여 양도할 수 있다.

② 발행인이 환어음에 "지시 금지"라는 글자 또는 이와 같은 뜻이 있는 문구를 적은 경우에는 그 어음은 지명채권의 양도 방식으로만, 그리고 그 효력으로써만 양도할 수 있다.

③ 배서는 다음 각 호의 자에 대하여 할 수 있으며, 다음 각 호의 자는 다시 어음에 배서할 수 있다.

1. 어음을 인수한 지급인

2. 어음을 인수하지 아니한 지급인

3. 어음의 발행인

4. 그 밖의 어음채무자

제12조(배서의 요건) ① 배서에는 조건을 붙여서는 아니 된다. 배서에 붙인 조건은 적지 아니한 것으로 본다.

② 일부의 배서는 무효로 한다.

③ 소지인에게 지급하라는 소지인출급의 배서는 백지식(白地式) 배서와 같은 효력이 있다.

제13조(배서의 방식) ① 배서는 환어음이나 이에 결합한 보충지[보전]에 적고 배서인이 기명날인하거나 서명하여야 한다.

② 배서는 피배서인(被背書人)을 지명하지 아니하고 할 수 있으며 배서인의 기명날인 또는 서명만으로도 할 수 있다(백지식 배서). 배서인의 기명날인 또는 서명만으로 하는 백지식 배서는 환어음의 뒷면이나 보충지에 하지 아니하면 효력이 없다.

제5장 만기

제33조(만기의 종류) ① 환어음은 다음 각 호의 어느 하나로 발행할 수 있다.

　1. 일람출급　　　　　　　　2. 일람 후 정기출급

　3. 발행일자 후 정기출급　　 4. 확정일출급

② 제1항 외의 만기 또는 분할 출급의 환어음은 무효로 한다.

제7장 인수거절 또는 지급거절로 인한 상환청구

제43조(상환청구의 실질적 요건) 만기에 지급이 되지 아니한 경우 소지인은 배서인, 발행인, 그 밖의 어음채무자에 대하여 상환청구권(償還請求權)을 행사할 수 있다. 다음 각 호의 어느 하나에 해당하는 경우에는 만기 전에도 상환청구권을 행사할 수 있다.

　1. 인수의 전부 또는 일부의 거절이 있는 경우

　2. 지급인의 인수 여부와 관계없이 지급인이 파산한 경우, 그 지급이 정지된 경우 또는 그 재산에 대한 강제집행이 주효(奏效)하지 아니한 경우

　3. 인수를 위한 어음의 제시를 금지한 어음의 발행인이 파산한 경우

④ 확인은행

확인은행(confirming bank)은 신용장 개설은행의 공신력이 약한 경우 추가하여 신용장의 확인을 해주는 제3의 은행을 말한다. 즉, 신용장 개설은행의 지급확약에 추가하여 개설은행의 요청을 받은 제3의 은행이 수출상이 제시하는 환어음에 대한 지급, 인수 또는 매입을 틀림없이 이행하겠다는 추가적인 확약을 하는 은행을 말한다.

○ 신용장 확인(confirmation)의 성격

확인은행의 2차적인 지급확약은 개설은행의 지급확약에 따른 부차적인 지급확약이 아니라, 별도의 독립된 직접적인 지급확약이다. 확인은행은 개설은행에 공여하고 있는 신용한도(credit line) 범위 내에서 확인을 행하게 된다.

○ UCP 제8조 확인은행의 약정

A confirming bank is irrevocably bound to honour or negotiate as of the time it adds its confirmation to the credit.

확인은행은 그 은행이 신용장에 확인을 추가한 때에 취소불능으로 지급·인수하거나 매입하여야 한다.

(2) 기타 당사자

① 통지은행

통지은행(advising bank, notifying bank)은 수출국에 있는 수입지 개설은행의 본·지점이나 환거래 약정을 체결한 은행(correspondent bank)으로서 개설은행으로부터 송부된 신용장을 단순히 수익자에게 통지해주는 은행을 말한다. 통지은행은 거래당사자의 거래에 관해서는 하등의 책임을 지거나 약정을 하는 것은 없다. 통지은행은 국제금융계 관례상 매입은행이 되는 경우가 많다.

② 지급은행

지급은행(paying bank)은 개설은행과 예치환거래계약(Depositary Correspondent Agreement)을 체결하여 자행에 개설은행 명의의 예금계정을 설치하여 두고 신용장의 조건과 일치되는 서류가 제시될 때 또는 그러한 서류가 첨부된 환어음이 자행을 지급인으로 하여 제시될 때 개설은행의 예금계정에서 차감하면서 지급을 이행하는 은행을 말한다. 즉, 지급신용장(straight credit)에 의거 신용장 개설은행으로부터 지급행위를 위탁받은 은행을 말한다.

③ 인수은행

㉠ 인수은행(accepting bank)은 수익자에 의하여 발행되는 어음이 기한부어음(usance draft)일 것을 조건으로 하는 기한부 신용장(usance credit)에 의거하여 발행된 기한부어음을 인수하는 은행을 말한다.

㉡ 즉, 신용장 조건에 일치하는 서류에 첨부된 기한부환어음이 제시될 때 그 어음의 인수를 하였다가 만기일에 가서 지급을 이행할 의무를 지게 되는 은행을 말한다. 연지급신용장의 인수은행은 항상 개설은행이 된다.

④ 매입은행

매입은행(negotiating bank)은 수출상이 물품선적 후 신용장조건에 따라 발행한 화환어음을 신용장의 조건과 일치하는 서류와 함께 제시할 때 개설은행에 의한 최종지급일까지의 이자 및 수수료를 공제하고 할인하여 수출대금을 미리 융통해 주는 은행을 말한다.

⑤ 상환은행

개설은행은 자행의 해외 본·지점 또는 타은행에 예금계좌를 설치해 두고 매입은행으로부터 자행이 개설한 신용장에 의거 발행된 환어음의 매입대전에 대한 상환요청이 오면 자행의 예금계정에서 차기(debit)하여 상환을 이행하도록 신용장 개설 시점에서 자행의 해외 본·지점 또는 타은행에 수권 또는 위임을 한다. 이때 이러한 수권 또는 위임을 받아 상환업무를 대행해 주는 은행을 상환은행(reimbursing bank) 또는 결제은행(settling bank)이라고 한다. 일반적으로 신용장의 결제통화가 수입국이나 수출국의 통화가 아닌 제3국의 통화일 때 제3국에 있는 개설은행의 예치환거래은행이 그 신용장의 상환은행이 된다.

⑥ 양도은행

신용장의 양도란 지급, 인수 또는 매입은행으로부터 대금지급을 받을 수 있는 권리의 양도를 의미한다. 신용장의 양도절차를 통하여 새로운 수익자가 생긴다. 양도은행(transferring bank)은 양도가능신용장(Transferable L/C)에서 신용장을 받은 최초의 수익자(first beneficiary)의 요청에 따라 제3자에게 신용장 금액의 일부 또는 전부를 양도할 경우 신용장 양도의 내용을 확인하고, 제3자인 제2수익자(second beneficiary)에게 신용장의 양도절차를 이행하는 은행을 말한다.

5. 신용장의 종류

분류기준	신용장의 종류
선적서류 요구여부	• 화환신용장(Documentary Credit) • 무담보신용장(Clean Credit, 무화환신용장)
취소가능여부	• 취소불능신용장(Irrevocable Credit) • 취소가능신용장(Revocable Credit) - UCP 600에서 인정하지 않음
확인은행 유무	• 확인신용장(Confirmed Credit) • 무확인신용장(Unconfirmed Credit)
양도가능여부	• 양도불능신용장(Non - Transferable Credit) • 양도가능신용장(Transferable Credit)
상환청구가능여부	• 상환청구가능신용장(With Recourse Credit) • 상환청구불능신용장(Without Recourse Credit)
매입은행특정여부	• 매입제한신용장(Restricted Credit) • 자유매입신용장(Freely Negotiable Credit)

대금지급시기	• 일람출급신용장(Sight Credit)
	• 기한부신용장(Usance Credit)
	  - 기한부매입신용장(Usance Negotiation Credit)
	  - 인수신용장(Acceptance Credit)
	  - 연지급신용장(Deferred Payment L/C)

매입, 지급 허용여부	• 지급신용장(Payment Credit)
	• 매입신용장(Negotiation Credit)
	  - 매입상환신용장(Negotiation Reimbursement Credit)
	  - 매입송금신용장(Negotiation Remittance Credit)

특수목적	• 회전신용장(Revolving Credit) • 전대신용장(Red - Clause Credit, Packing Credit) • 보증신용장(Standby Credit) • 내국신용장(Local Credit)
연계무역방식	• 기탁신용장(Escrow Credit) • 동시개설신용장(Back - to - Back Credit) • 토마스신용장(Tomas Credit)
국내외 사용범위	• 원신용장(Master Credit, Original Credit) • 내국신용장(Local Credit, Domestic Credit)

(1) 상업화환신용장과 무담보신용장

① 상업화환신용장(commercial documentary L/C)

㉠ 수출상이 상품대금 회수를 위해서 발행한 환어음의 매입·인수·지급시 물권증서(document of title)로서의 선하증권(B/L), 상업송장 등 신용장에서 요구하는 선적서류(shipping documents)를 첨부하여 은행에 제시할 것을 요구하는 신용장을 말한다.

㉡ 개설은행은 매입은행을 통해 도착한 환어음 및 선적서류를 심사하여 매입은행에 대금을 상환하며, 개설의뢰인인 수입상에 대해서는 신용장 개설약정에 따라 선적서류를 담보로 하여 환어음을 인수할 것과 대금을 지급할 것을 요구한다. 무역거래의 결제에 일반적으로 사용되는 신용장은 상업화환신용장이다.

② 무담보신용장(clean L/C)

은행이 환어음의 매입, 인수, 지급시 선적서류를 요구하지 않을 것을 조건으로 하는 신용장으로서, 무화환신용장이라고도 한다. 무담보신용장은 무역거래의 결제에 사용되는 경우는 적으며 운임, 보험료나 수수료 등의 무역외거래의 결제에 이용되는 경우가 많다.

(2) 취소불능신용장과 취소가능신용장

UCP 500에서는 신용장상에 "irrevocable"의 명시가 있거나 또는 취소여부에 대한 아무런 명시가 없는 신용장은 모두 취소불능신용장(Irrevocable Credit)에 속하는 것으로 규정하고 있었고, 신용장상에 "revocable"의 명시가 있으면 취소가능신용장(Revocable Credit)이 될 수 있었으나, UCP 600에서는 취소가능신용장 관련 규정을 삭제하였다. 즉, 모든 신용장은 취소불능신용장으로 간주된다.

(3) 확인신용장과 무확인신용장

① 확인신용장(Confirmed Credit)

신용장에 개설은행 이외의 제3은행의 확인, 즉 수익자가 발행하는 어음의 인수, 지급 또는 매입에 대한 제3은행의 추가적 대금지급확약이 있는 신용장을 말한다. 수익자의 입장에서는 이중의 지급확약을 받게 되는 것이며, 만약의 경우 개설은행이 지급불능상태가 되면 확인은행이 개설은행을 대신하여 대금을 지급하여야 한다.

② 무확인신용장(Unconfirmed Credit)

수익자가 발행하는 어음의 인수, 지급 또는 매입에 대한 제3은행에 의한 추가확인이 없는 신용장을 말한다.

(4) 양도가능신용장과 양도불능신용장

① 양도가능신용장(Transferable Credit)

신용장의 원수익자(first beneficiary)가 신용장금액의 전부 또는 일부를 제3자(제2의 수익자)에게 양도할 수 있는 권한을 부여한 신용장을 말한다. 양도가능신용장은 수출창구가 일원화되어 있거나 일정한 요건을 갖춘 자만이 수출을 할 수 있어 최초의 수익자 명의로는 수출을 할 수 없는 경우 또는 수익자가 계약상품을 보유하고 있지 않는 경우, 수출입자격을 유지하기 위해 수수료를 지급하고 명의를 빌리는 경우 등에 사용된다.

  ⊙ "transferable"이라고 명시된 경우에만 양도할 수 있다.

  ⓒ 양도가능신용장은 1회에 한하여 양도가 허용되며, 분할선적이 금지되어 있지 않는 한 최초의 수익자는 다수의 2차 수익자에게 분할양도(partial transfer) 할 수 있다.

  ⓒ 제2차 수익자인 양수인은 제3자에게 재양도를 금지하고 있어 양도권은 최초의 수익자만이 갖는다.

  ⓔ 원칙적으로 신용장의 양도는 원신용장에 명시된 조건에 의해서만 가능하다.

  ⓜ 양도시에 달리 명시하지 않았다면, 양도에 관련된 모든 수수료는 제1수익자가 부담한다.

  ⓑ 양도은행은 개설은행에 의해서 양도가 특별히 수권된 은행이다. 다만, 개설은행 스스로도 양도은행이 될 수 있다.

핵심체크 신용장 양도시 변경이 가능한 조건

양도된 신용장은 다음 사항을 제외하고는 정확하게 신용장 조건을 반영하여야 한다. 아래의 항목 중 일부 또는 전부는 감액 또는 단축될 수 있다. 한편, 보험 커버 비율은 신용장에 명시된 부보금액을 제공하기 위해서 증가될 수 있으며, 신용장 개설의뢰인의 이름은 제1수익자의 이름으로 대체될 수 있다.

1. 신용장 금액
2. 신용장상의 단가
3. 신용장 유효기일
4. 서류 제시기간
5. 최종 선적일 또는 선적기간

---

 ② 양도불능신용장(Non – transferable Credit)

  신용장상에 "Transferable"이란 문언이 없는 모든 신용장으로 수익자가 신용장을 제3자에게 양도할 수 없으며 지정된 수익자만이 그 신용장을 사용할 권리를 가진다.

(5) 상환청구가능신용장과 상환청구불능신용장

 ① 상환청구가능신용장(With Recourse Credit)

  신용장에 의하여 발행된 어음이 개설은행의 도산 등에 의하여 인수 또는 지급불능이 되었을 경우, 또는 지급인의 지급불능은 아니더라도 그 어음이 신용장조건과 일치하지 않을 경우에 지급인은 지급을 거절할 수 있는데, 이 경우에 어음의 소지인인 매입은행이 어음발행인에게 매입대금의 상환청구, 즉 소구할 수 있는 신용장을 말한다.

 ② 상환청구불능신용장(Without Recourse Credit)

  개설은행의 도산, 지급불능 또는 어음의 신용장조건과의 불일치로 인해 지급인이 지급을 거절할 경우라 할지라도 매입은행이 어음발행인에게 이미 지급한 매입대금 상환을 청구할 수 없는 신용장을 말한다.

(6) 매입제한신용장과 매입개방신용장

① 매입제한신용장(Restricted Credit)

신용장상의 수익자가 선적을 완료한 후 수출대금의 회수를 위해서 발행하는 환어음의 매입은행을 신용장에서 금융관계, 자금의 수배 또는 업무상의 연락 등으로 특정 은행에 한정하고 있는 것을 말하며, 이를 특정신용장(Special Credit) 이라고도 한다.

② 자유매입신용장(Freely Negotiable Credit)

환어음의 매입은행을 특정한 은행으로 제한하지 않고 아무 은행에서나 매입할 수 있도록 한 신용장을 말하며, 이를 매입개방신용장(Open Credit) 또는 보통 신용장(General Credit)이라고도 한다. 신용장 문언에서는 보통 '41D available with by name: ANY BANK BY NEGOTIATION'와 같이 기재된다. 매입개방 신용장은 수익자의 입장에서 보면 자신의 거래은행에 매입시킬 수 있고, 또한 서비스나 기타의 조건이 유리한 은행에 매입시킬 수 있기 때문에 매입제한신용장보다 더 편리하다.

핵심체크 업무담당 은행의 지정여부

1. 지급, 인수, 연지급: 업무담당 은행이 지정됨
2. 매입: 업무담당 은행이 지정되거나, 어느 은행에서도 매입할 수 있도록 개방됨

---

(7) 일람출급신용장과 기한부신용장

① 일람출급신용장(Sight Credit)

신용장에 의거해서 발행한 환어음이 지급인에게 제시되면 즉시 대금이 지급되는 일람출급환어음(sight draft) 발행 조건의 신용장을 말한다.[17]

② 기한부신용장(Usance L/C)

신용장에 근거해 발행된 환어음의 기간(tenor)이 기한부인 신용장으로서 개설은행이 기한부환어음과 선적서류의 제시를 받았을 때 수입상이 그 환어음을 인수하면 선적서류를 수입상에게 인도하고 신용장조건에 따라 일정기간 후에 만기일(maturity date)이 내도하면 환어음을 결제하는 신용장을 말한다. Usance어음의 기일에는 일람후 정기출급(at ~days after sight), 일부후 정기출급(at ~days after date), 확정일후 정기출급(at ~days after B/L date) 등이 있다.

---

17) 일람출급환어음일지라도 수익자의 환어음 매입요청에 대해 당일 즉시 지급되는 경우는 드물다. 이는 매입은행이 수익자가 제시한 선적서류와 환어음이 신용장의 조건과 일치하는지의 여부 확인과 서류의 하자발생시 개설은행에 대금지급여부에 대해 확인이 필요하므로 현실적으로 3일에서 5일 정도의 실무처리기간이 필요하기 때문이다.

Shipper's Usance	수출상이 은행의 신용공여를 향유 받지 않고 수입상에 대하여 기한부 어음의 만기일까지 지급을 유예하여 주는 것으로서 Seller's Usance Credit이라고도 한다.
Banker's Usance	기한부 환어음의 지급을 유예시켜주는 주체가 은행이 되는 것으로 수출상이 발행한 기한부 어음을 만기일 이전에 인수은행이 인수 및 할인하여 매입하고, 어음금액 전액은 매입은행을 통하여 수출상에게 지급하며 수수료와 할인료는 수입상이 부담(개설은행에 청구)하게 되므로 수출상은 일람출급 신용장과 동일하게 매입대전을 수취하게 된다. Banker's Usance는 Buyer's Usance라고도 한다. 이러한 인수금융을 해외에 소재하는 은행이 제공하는 경우를 Overseas Banker's Usance라고 하며, 국내의 개설은행이 제공하는 경우를 Domestic Import Usance라고도 한다.

(8) 인수·지급·매입신용장

① 인수신용장

ⓐ 인수신용장(Acceptance L/C)은 일반적으로 개설은행이 수출국 현지의 예치환거래은행으로부터 인수편의를 제공받을 때 사용된다.

ⓑ 인수편의(acceptance facility)란 수입상이 기한부환어음에 의한 수입을 하려는 경우 해외에 있는 예치환거래은행이 개설은행을 위해서 신용장대금을 대신 지급하여 주고 환어음의 만기일에 대금을 개설은행으로부터 받는 신용장 공여형태를 말한다.

ⓒ 인수신용장은 환어음을 인수할 은행이 미리 정해져 있으며, 이렇게 지정된 은행은 이후 인수은행에 대하여 개설은행이 대금지급을 할 수 없는 상태가 되더라도 수익자(수출자)에 대한 상환청구권(소구권)을 행사할 수 없다.

② 지급신용장

ⓐ 지급신용장(Straight Credit)은 신용장에 의한 환어음의 매입여부에 대하여는 아무런 명시가 없이 신용장개설은행 또는 그가 지정하는 지급은행(paying bank)에 환어음을 제시하면 지급하겠다고 확약하고 있는 신용장을 말한다.

ⓑ 지급신용장은 지급은행이 지정되어 있으므로 신용장에서 특별히 요구하지 않는 한 환어음을 발행하지 않고 서류를 지급은행에 제시하여 대금을 지급받을 수 있으며, 지급은행은 지급한 대금에 대해 상환청구권이 없다.

ⓒ 지급신용장은 일람불지급(at sight) 방식으로 수입할 경우 신용장개설은행이 수출지 소재 본·지점이나 예치환거래은행이 있을 경우 개설할 수 있는 신용장으로 수출상이 신용장조건에 부합되는 서류를 지급은행에 제시하면 지급은행이 개설은행의 예금계정에서 직접 출금하여 신용장대금을 지급하도록 위임된 신용장이다.

③ 매입신용장

ⓐ 매입신용장(Negotiation credit)은 신용장에 의해서 발행되는 어음이 매입될 것을 전제로 하여 어음발행인(drawer)은 물론 어음의 배서인(endorser)과 어음의 선의의 소지자(bona fide holder)에게도 지급을 확약하고 있는 신용장을 말한다.

ⓛ 매입신용장에는 매입은행이 특정은행으로 제한된 매입제한신용장(restricted credit)과 어느 은행에서든 자유롭게 매입할 수 있는 자유매입신용장(freely negotiable credit)이 있다.

ⓒ 매입신용장 개설시 개설은행이 결제은행을 신용장상에 지정하는 경우를 매입상환신용장(Negotiation Reimbursement Credit)이라 하고, 매입은행이 추후에 지정하는 것을 매입송금신용장(Negotiation Remittance Credit)이라 한다.

ⓔ 매입신용장은 수출상이 소재하는 지역의 은행과 개설은행이 무예치환거래은행 관계일 경우에 개설할 수 있는 신용장으로서 일람불방식(sight)이든 기한부방식(usance)이든 관계가 없다. 개설은행과 매입은행은 무예치환거래은행 관계이므로 양자간의 자금결제를 위해서 제3자가 개입된다.

ⓜ 매입신용장은 개설은행이 지급약속을 하는 신용장이므로 반드시 환어음을 발행해야 하며, 매입은행은 상환청구권을 갖는다.

매입신용장(Negotiation L/C)은 신용장에서 개설은행 이외의 은행이 추심전 매입할 수 있다고 규정한 신용장이다.
- 선적서류 매입 의뢰시 환어음을 제시하여야 한다 = 어음부 신용장이다 = 환어음상의 배서인(Endorser)에 대한 지급확약이 있다. (○)
- 수출지의 매입은행이 개설은행의 무예치 환거래은행인 경우에도 사용된다. (○)
- 매입은행은 지정(제한)될 수도 있고, 그렇지 않을 수도 있다. (○)
- 신용장의 뒷면에 매입 사실의 배서를 요구하는 배서신용장(notation credit)이다. (○)
- 매입한 서류가 부도반환되면 매입은행은 수익자에게 소구권(상환청구권)을 행사할 수 있다. (○)

‖ 신용장 사용방식의 비교 ‖

종 류	지급기한	지정은행	배서여부	환어음	수출국 상대은행
매입신용장	일람출급/기한부	자유/지정	배서	○	무예치환거래은행
지급신용장	일람출급	지정	비배서	× (제시 가능)	예치환거래은행
연지급신용장	기한부	지정	비배서	×	예치환거래은행
인수신용장	기한부	지정	비배서	○	예치환거래은행

(9) 특수목적 신용장

① 회전신용장

ⓐ 회전신용장(Revolving Credit, Self - Continuing Credit)이란 일정한 기간 동안 일정한 금액의 범위 내에서 신용장금액이 자동적으로 갱신되도록 되어 있는 신용장을 말한다. 즉, 회전신용장은 하나의 신용장으로 신용장의 유효기간 동안 반복적으로 사용할 수 있다.

ⓛ 동일한 거래처에 동일한 물품을 계속적으로 거래할 경우 거래할 때마다 매번 신용장을 개설하려면 개설의뢰인의 많은 시간과 노력 및 발행수수료가 들게 되는데 이러한 불편과 경비 등을 제거하기 위해서 회전신용장을 사용한다.

② 전대(前貸, 先貸)신용장

　　　㉠ 전대신용장(Red Clause Credit)이란 개설은행이 일정한 조건하에 매입은행으로 하여금 신용장금액의 일부를 수익자 앞으로 전대하여 줄 것을 수권하고 그 전대금 상환을 보증하는 신용장을 말한다.

　　　ⓛ 수출에 따른 수출물품의 생산·가공·집화·선적 등에 필요한 자금을 수입상이 미리 융통해주기 위해서 사용된다. 이 신용장은 수출전대를 허용하는 문언이 일반적으로 적색으로 인쇄되어 있기 때문에 적기조항 신용장(Red Clause Credit)이라고 하며, 수출상은 전대받은 대금으로 수출상품을 제조 또는 구매하여 포장한다는 뜻에서 Packing Credit 또는 Advance Payment Credit(선수금 신용장)이라 한다.

③ 보증신용장

　　보증신용장(Standby L/C)이란 금융 또는 채권보증 등을 목적으로 발행되는 신용장으로 일반적으로 국내상사의 해외지사 운영자금 또는 국제입찰의 참가에 수반되는 입찰보증(bid bond), 계약이행보증(performance bond), 선수금상환보증(advance payment bond)에 필요한 자금 등을 현지은행에서 공급받는 경우 동채권을 보증할 목적으로 국내 외국환은행이 해외은행 앞으로 발행하는 신용장이다. 만약 어떤 회사의 해외지점이 채무를 불이행하는 경우에는 현지 금융기관은 이 신용장에 의하여 개설은행 앞으로 일람불어음(sight bill)을 발행하여 대금지불을 청구하게 된다.

④ 내국신용장

　　외국의 수입상으로부터 수출신용장을 받은 국내의 수출상이 수출품 또는 원자재 등을 국내에서 조달할 경우 동 수출품 또는 원자재 등의 공급자에 대한 대금지급을 확약하기 위해서 수출신용장에 의한 청구권을 담보로 해서 원수출신용장(Original Credit, Master Credit)의 통지은행 또는 자기의 거래은행에 의뢰하여 수출품 또는 원자재 등의 공급자를 수익자로 하는 제2의 신용장을 개설하는데, 이를 내국신용장(Local Credit, Domestic Credit, Secondary Credit, Subsidiary Credit)이라고 한다.

⑤ 연계무역신용장

　　연계무역이란 수출계약과 수입계약이 상호 연계된 무역거래형태를 말하며, 수출입대금을 그에 상응하는 수입 또는 수출로 상계처리하므로 구상무역(compensation trade)이라고도 한다. 한편, 연계무역신용장은 거래당사국간의 수출입의 균형을 유지하기 위한 목적으로 개설된 신용장으로서 구상무역신용장이라고도 한다.

○ 기탁신용장

기탁신용장(Escrow Credit)이란 수출입의 균형을 유지하기 위한 연계무역에 사용되는 신용장으로, 그 신용장에 의하여 발행되는 어음의 매입대금은 수익자에게 지급되지 않고 수익자 명의로 상호간의 약정에 따라 매입은행, 발행은행 또는 제3국의 환거래은행 등의 기탁계정(escrow account)에 기탁하여 두었다가 그 수익자가 원신용장 개설국으로부터 수입하는 상품의 대금결제에만 사용하는 조건의 신용장을 말한다.

○ 동시개설신용장

동시개설신용장(Back-to-Back Credit)은 수출입 당사자의 일방이 수입신용장을 개설할 경우 그 신용장은 이에 대하여 상대방 또한 일정액의 수입신용장을 개설하여 오는 경우에만 유효하게 되는 조건의 신용장을 말한다. 주로 무역협정이나 지급협정이 체결되지 않은 국가 간에 수출입의 균형을 유지하기 위한 연계무역의 경우 사용한다.

○ 토마스신용장

토마스신용장(Tomas Credit)은 수출입 양측이 상호 일정액의 신용장을 서로 개설하기로 하되, 일방이 먼저 신용장을 개설할 경우 상대방은 이에 대응하는 신용장을 일정기간 후에 개설하겠다는 보증서를 발행하여야만 상대방으로부터 내도된 신용장이 유효하다는 조건의 신용장을 말한다. 이 신용장은 일본과 중국 간의 무역거래에서 처음 사용한 것으로 일본 무역상사의 전신약호(cable address)인 TOMAS를 따서 생긴 명칭이다.

6. 신용장의 조건변경

(1) 조건변경의 당사자

① 양도가능신용장을 제외하고 신용장은 개설은행, (있는 경우) 확인은행과 수익자의 동의 없이 조건변경되거나 취소될 수 없다.[18]

② 개설은행은 조건변경서를 발행하였을 때 취소불능으로 조건변경에 구속된다. 확인은행은 조건변경에 확인을 연장시킬 수 있으며 연장하지 않을 수도 있다.

(2) 조건변경의 요건

① 원신용장 조건(또는 이전에 수락된 조건변경이 있는 신용장 조건)은 수익자가 조건변경을 통지한 은행에 조건변경의 수락을 통지할 때까지 수익자에게 유효하다. 수익자는 조건변경의 수락 또는 거절을 통지하여야 한다. 만약 수익자가 그러한 통지를 하지 않고 신용장과 아직 수락되지 않은 조건변경에 일치되게 서류를 제시하는 것은 수익자에 의한 조건변경의 수락으로 볼 수 있다. 그 순간 신용장은 조건변경된다.

② 조건변경의 부분적 수락은 허용되지 않으며 조건변경에 대한 거절 통지로 간주된다.

---

18) UCP 600 Article 10 Amendments a. Except as otherwise provided by article 38, a credit can neither be amended nor cancelled without the agreement of the issuing bank, the confirming bank, if any, and the beneficiary.

③ 만약 수익자가 어떤 시점 내에 조건변경을 거절하지 않았다면 조건변경이 유효하게 성립
   된다는 조건은 무시되어야 한다.

④ 조건변경의 횟수에는 제한이 없다.

7. 신용장의 서류심사

(1) 서류심사 기준

① 개설은행, 지정에 따라 행동하는 지정은행, (있는 경우) 확인은행은 서류가 문면상 일치하
   는 제시인지 여부를 결정하기 위해 오직 서류만을 기초로 제시된 서류를 심사하여야 한다.
   이 은행들은 서류제시일의 다음 영업일을 기산일로 하여 최장 5영업일(a maximum of five
   banking days following the day of presentation) 이내에 서류를 심사하여야 한다.

② 운송서류는 그 원본이 포함되어 제시되는 경우 선적일 후 21일보다 늦지 않게 제시되어야
   하며 어떠한 경우라도 신용장 유효기일보다 늦게 제시되어서는 안 된다.

③ 상업송장 이외의 서류에서 물품의 명세는 신용장상의 명세와 상충되지 않는 일반용어로
   기재될 수 있다.

④ 신용장에서 요구하지 않았으나 제시된 서류는 무시되고 제시인에게 반환될 수 있다.

⑤ 신용장이 조건과의 일치성을 표시하기 위한 서류를 명시하지 아니하고 조건만을 포함하
   고 있는 경우, 은행은 그러한 조건을 명시되지 아니한 것으로 보고 이를 무시한다.

⑥ 서류가 신용장 개설일 이전 일자로 발행될 수 있으나 제시일자보다 늦은 일자로 발행되어
   서는 안 된다.

⑦ 어떤 서류에 표시된 상품 선적인과 송하인은 신용장의 수익자일 필요는 없다.

⑧ 적어도 신용장에서 명시된 서류의 원본 한 통은 제시되어야 한다. 은행은 서류 자체가 원본
   이 아니라는 표시가 없다면 명백하게 서류 발행자의 원서명, 마크, 스탬프 또는 라벨이 표
   시된 서류를 원본으로 취급한다.

(2) 서류심사 시 특정 문구 해석 기준

① 서류에 사용되는 것으로 요구되지 않았다면 "신속하게(prompt)", "즉시(immediate)" 또는
   "가능한 한 빨리(as soon as possible)"라는 단어는 무시된다.

② "on or about" 또는 이와 유사한 표현은 사건이 명시된 일자 이전의 5일부터 그 이후의 5일
   까지의 기간 동안에 발생하는 약정으로서 초일 및 종료일을 포함하는 것으로 해석된다. 예
   를 들어 선적기일이 'on or about 20 september, 2016'로 표시되었다면, 선적기일은 2016년
   9월 15일부터 25일까지로 해석한다.

③ "to", "until", "till", "from"이라는 단어가 선적기간을 결정하기 위하여 사용될 때에는 언급
   된 일자를 포함하고, "before"와 "after"는 언급된 일자를 제외한다.

④ "from"과 "after"라는 단어가 만기일을 결정하기 위하여 사용될 때에는 언급된 일자를 제
   외한다.

⑤ 어느 달의 "전반"과 "후반"이라는 단어는 각각 해당월의 1일부터 15일까지, 16일부터 말일까지로 하고, 양끝의 일자를 포함하는 것으로 해석된다.

⑥ 어느 달의 "초", "중", "말"이라는 단어는 각각 해당월의 1일부터 10일, 11일부터 20일, 21일부터 말일까지로 하고, 양끝의 일자를 포함하는 것으로 해석된다.

⑦ 만약 신용장이 "in duplicate(2통)", "in two folds(2부)" 또는 "in two copies(2통)"와 같은 용어를 사용하여 복수의 서류 제시를 요구하였다고 해도, 이 조건은 서류 자체에 달리 표시하고 있지 않는 한, 적어도 원본 한 통을 제시하면 되고, 나머지는 사본을 제시하면 족하다.

8. 신용장 거래 시 서류의 수리요건

(1) 상업송장

상업송장의 수리요건은 다음과 같다.

① (양도가능신용장을 제외하고는) 수익자가 발행한 것으로 나타나야 한다.

② 개설신청인 앞으로 발행되어야 한다.

③ 신용장과 같은 통화(currency)로 발행되어야 한다.

④ 서명될 필요는 없다(need not be signed).

⑤ 지정은행, 확인은행, 개설은행은 신용장에서 허용된 금액을 초과하여 발행된 상업송장을 수리할 수 있다.

⑥ 상업송장의 상품, 서비스 또는 의무이행 명세는 신용장에 나타나는 것과 일치해야 한다.

(2) 보험서류

① 수리 가능한 보험 서류의 종류

보험증권(insurance policy) 또는 예정보험하(under an open cover)의 보험증명서(insurance certificate) 또는 선언서(declaration)로서 보험회사·인수업자 또는 그들의 대리인이 발행하고 서명한 것은 수리된다. 그러나 보험중개인이 발행하는 보험부보각서(cover notes)는 수리되지 않는다.

② 보험서류의 수리 요건

㉠ 보험서류가 원본 한 통을 초과하여 발행되었을 때 모든 원본이 제시되어야 한다.

㉡ 보험서류 일자는 부보가 선적일보다 늦어도 유효하다는 것이 보험서류에 명시되지 않는 한 선적일보다 늦어서는 안 된다.

㉢ 보험서류는 부보금액을 표시하여야 하고 신용장 통화와 동일한 통화로 표시되어야 한다. 신용장에 아무런 표시가 없다면 보험커버 금액은 적어도 상품의 CIF 또는 CIP 금액의 110%가 되어야 한다.

㉣ 보험서류는 위험이 적어도 신용장에 기재된 수탁지 또는 선적지로부터 양륙지 또는 최종목적지까지 커버되고 있다는 것을 표시하여야 한다.

(3) 선하증권(B/L)

① 선하증권의 수리 요건

  ㉠ 선하증권은 운송인 명칭이 표시되고 운송인·선장 및 이들의 대리인에 의해서 서명되어야 한다.

  ㉡ 상품이 신용장에서 명시된 선적항에서 본선적재되었다는 것이 미리 인쇄되거나 본선적재된 일자가 스탬프 또는 부기로 표시되어야 한다.

  ㉢ 만약 선하증권이 선적일자를 표시하는 본선적재부기를 하지 않았다면 선하증권 발행일자가 선적일로 간주된다. 선하증권에 본선적재부기가 된 경우에는 본선적재 부기일자가 선적일로 간주된다.

  ㉣ 선하증권 원본 한 통 또는 원본이 한 통을 초과하여 발행된다면 선하증권에 표시된 전통이 제시되어야 한다.

  ㉤ 선하증권은 전체 운송이 하나의 동일한 선하증권에 의해서 커버된다면 상품이 환적되거나 될 수 있다는 것이 표시될 수 있다. 비록 신용장이 환적을 금지하더라도 상품이 컨테이너, 트레일러 등에 선적되었다는 것이 선하증권에 표시되었다면 환적이 일어나거나 일어날 수 있다는 표시가 된 선하증권이 수리될 수 있다. 운송인이 환적할 권리를 갖고 있다는 것을 표시한 선하증권 조항은 무시되어야 한다.

② 은행이 수리를 거절하는 선하증권

  ㉠ Charter – party B/L(용선계약 선하증권)

  ㉡ Carrying vessel propelled by sail only B/L(돛단배 적재표시 선하증권)

  ㉢ Intended clause B/L(예정표시 선하증권): 본선에 적재될 "예정"을 표시한 선하증권[19]

  ㉣ Forwarder's B/L(운송중개인 발급 선하증권): 선박회사가 아닌 운송중개인이 발행한 선하증권(다만, 선박회사의 대리인 자격이 명시되어 있으면 수리한다)

  ㉤ Foul B/L, Dirty B/L(사고부 선하증권): B/L의 비고란에 수량부족이나 포장의 불량상태가 표시된 선하증권

  ㉥ Stale B/L(기간 경과 선하증권): 선적일 이후 21일이 지난 매입은행에 제시된 선하증권

---

[19] 선박명과 관련하여 "예정선박" 또는 이와 유사한 표시가 된 경우에는 선적일과 실제 선박명이 기재된 본선적재부기가 요구된다.

핵심체크 신용장 거래에서 수리되는 운송서류의 요건

1. 운송서류에는 상품이 갑판에 적재되거나 적재될 것이라는 표시가 없어야 한다. 상품이 갑판에 적재될 수도 있다는 것을 표시하고 있는 운송서류상의 조항은 수리될 수 있다.
   (1) the goods are loaded on deck (✕)
   (2) the goods will be loaded on deck (✕)
   (3) the goods may be loaded on deck (○)

2. 운송서류에 운임에 추가되는 수수료에 관한 참조사항이 표시되어도 무방하다. 즉 다음과 같이 용선계약에서 선주와 용선자 간의 하역비 부담 조건이 표시되어도 무방하다.

하역비 부담 조건	운송인(선주)의 부담	해석
FI(Free In)	운송인이 선박 안으로[In] 물품을 선적할 때 책임이 없다[Free].	선적비용은 화주가 부담하고, 양하비용은 운송인이 부담한다.
FO(Free Out)	운송인이 선박 밖으로[Out] 물품을 양하할 때 책임이 없다[Free].	선적비용은 운송인이 부담하고, 양하비용은 화주가 부담한다.
FIO(Free In & Out)	운송인이 선적 및 양하에 따른 비용 모두를 부담하지 않는다.	화주가 선적비용과 양하비용을 모두 부담한다.
FIOST(Free In & Out, Stowed, Trimmed)	운송인이 선적, 양륙, 본선 내의 적부비와 선창 내 화물정리비 모두를 부담하지 않는다.	화주가 선적, 양륙, 본선 내의 적부비와 선창 내 화물정리비 모두를 부담한다.
Berth Term(Liner Term)	운송인이 선적 및 양하에 따른 비용을 모두 부담한다.	-

3. 내용물 부지약관이 있는 운송서류는 수리할 수 있다.
   "shipper's load and count(선적인이 적재하고 수량을 계산하였음)"과 "said by shipper to contain(선적인의 내용신고에 따름)"이라는 조항이 있는 운송서류는 수리할 수 있다.

핵심체크 신용장의 유효기일과 선적 최종일

은행이 불가항력적인 사유 이외의 사유로 휴업한 때에는 신용장 유효기일 또는 제시 최종일이 다음 첫 은행영업일(the first following banking day)까지 연장된다. 그러나 이런 경우에도 선적 최종일(the latest date for shipment)은 연장되지 않는다.

2 무신용장 방식의 무역대금결제

1. 추심결제방식 대금결제

(1) 의의

추심결제방식(collection)이란 수출상이 약정물품을 선적한 후, 수출상의 거래은행인 추심의뢰은행이 관련서류를 첨부한 화환어음을 제시하면, 추심은행이 서류가 계약서상에서 요구하고 있는 조건과 일치하는지 여부를 확인한 후 그 어음에 대한 지급 또는 인수를 하는 결제방식이다. 추심결제에 대해서는 추심에 관한 통일규칙(URC: Uniform Rules for Collections)이 적용된다.

(2) 신용장방식 대금결제와의 차이점

신용장방식 대금결제에서의 환어음은 대부분 어음상의 지급인이 개설은행이며, 개설은행의 지급확약이 뒤따르지만, 추심결제방식 대금결제에서의 환어음은 지급인이 수입상으로 되어 있는 개인어음이며, 은행의 어떤 지급보증도 뒤따르지 않는다.

(3) 추심결제방식의 거래당사자

추심의뢰인 (principal)	거래은행에 수출대금의 추심을 의뢰하는 자	수출상, 환어음의 발행인(drawer)
추심의뢰은행 (remitting bank)	수출상으로부터 추심의뢰 요청을 받아[20] 수입지의 추심은행에 추심을 의뢰하는 은행	수출상의 거래은행
추심은행 (collecting bank)	추심지시서를 수입상에게 제시하여 어음인수와 수입대금결제를 청구하는 은행	추심의뢰은행의 환거래 취결은행
지급인 (drawee)	추심지시서에 따라 어음의 제시를 받게 되는 자	수입상

추심의뢰은행과 추심은행은 지급보증이나 어음의 지급에 대하여는 책임을 갖지 않으며, 추심의뢰 또는 추심지시서의 제시와 같은 단순 기능을 수행한다.

(4) 추심결제방식의 종류

① D/P 조건(documents against payment, 지급인도조건)

추심거래 시 발행되는 환어음이 일람출급어음인 조건이다. 추심은행은 환어음의 지급인인 수입상으로부터 수입대금을 결제 받은 후 서류를 인도한다.

---

20) 추심의뢰은행은 추심의뢰인의 대리인으로서의 성격을 가지므로, 수출상이 제시한 추심지시서(collection instruction)의 내용을 준수해야 한다.

② D/A 조건(documents against acceptance, 인수인도조건)

추심거래 시 발행되는 환어음이 기한부어음인 조건이다. 추심은행은 환어음의 지급인인 수입상으로부터 일정 기일 후 수입대금을 지급하겠다는 인수(acceptance) 의사표시를 받은 후 서류를 인도하고, 어음의 만기일에 대금을 지급받게 된다. D/A 방식에서 추심은행은 선적서류를 수입상에게 인도하면서 수입상의 인수를 받으므로 만기일에의 지급여부는 전적으로 수입상의 신용상태에 달려 있다.

> **핵심체크** D/P, D/A의 표시가 없는 경우
>
> 만일 추심이 장래확정일 지급조건의 환어음을 포함하는 경우에 추심지시서에는 상업서류가 인수인도(D/A) 또는 지급인도(D/P) 중 어느 조건으로 지급인에게 인도되어야 하는지를 명시하여야 한다. 그러한 명시가 없는 경우에는 상업서류는 지급과 상환으로만 인도되어야 하며, 서류인도의 지연에 기인하는 어떠한 결과에 대해서도 추심은행은 책임을 지지 아니한다. 즉, 추심의뢰서상에 D/P, D/A의 표시가 없으면 D/P로 간주한다.

> **핵심체크** D/P USANCE
>
> "D/P, at 30days after B/L date"와 같이 기재된 경우 이를 D/P Usance라고 한다. 화물이 도착하지 않았으나 수입대금을 지급하고 서류를 인수하여야 한다면 화물이 도착할 때까지의 기간만큼 자금 부담을 가져야 한다. 이 때 D/P Usance를 이용하면 화물이 도착했을 때 대금을 지급하고 서류를 인수하면 되므로, 수입자의 자금부담이 경감되는 효과가 있다.

(5) 추심결제방식의 거래과정

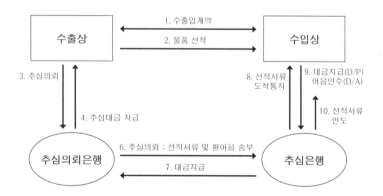

(6) 추심에 관한 통일규칙(URC 522) 주요내용

① 용어의 정의(URC 522, 제2조)

추심(Collection)		은행이 접수된 시기에 따라 지급 및/또는 인수를 취득하거나, 서류를 지급인도 및/또는 인수인도하거나, 기타의 제조건으로 서류를 인도하는 목적으로 서류를 취급하는 것
서류 (Documents)	금융서류 (Financial documents)	환어음, 약속어음, 수표 또는 기타 금전의 지급을 취득하기 위하여 사용되는 이와 유사한 증서
	상업서류 (Commercial documents)	송장, 운송서류, 권리증권 또는 이와 유사한 서류, 또는 그밖에 금융서류가 아닌 모든 서류
무담보추심(Clean collection)		상업서류가 첨부되지 않은 금융서류의 추심
화환추심(Documentary collection)		㉠ 상업서류가 첨부된 금융서류의 추심 ㉡ 금융서류가 첨부되지 않은 상업서류의 추심

② 추심 당사자(URC 522, 제3조)

추심의뢰인(principal)	은행에 추심업무를 의뢰하는 당사자
추심의뢰은행(remitting bank)	추심의뢰인으로부터 추심업무를 의뢰받은 은행인
추심은행(collecting bank)	추심의뢰 이외에 추심의뢰 과정에 참여하는 모든 은행
제시은행(presenting bank)	지급인에게 제시를 행하는 추심은행
지급인(drawee)	추심지시서에 따라 제시를 받아야 할 자

2. 송금방식 대금결제

(1) 의의

송금방식결제(remittance)란 수출입대금 전액을 외화로 지급하고 영수하는 결제방법으로서, 환어음이 수반되지 않으며, 선적서류는 은행을 통하지 않고 수출상으로부터 수입상에게로 직접 송부된다.

(2) 결제시기에 따른 송금방식결제의 종류

① 사전송금방식

수입상이 물품이나 선적서류의 인수 이전에 대금을 송금하는 방식으로, 수입상의 위험이 크다.

② 사후송금방식

수입상이 물품이나 선적서류를 인수한 후 대금을 송금하는 방식으로, 수출상의 위험이 크다.

③ 동시지급방식

   ⊙ CAD(Cash Against Documents, 서류인도결제방식, 서류상환방식)

     CAD란 수입상이 선적서류와 상환으로 대금을 지급하는 방식을 말한다. 수출자가 물품을 선적하고 수입자 또는 수출국에 소재하는 수입자의 대리인이나 지사에게 선적서류를 제시하면 서류와 상환하여 대금을 결제하는 방식의 거래이다. 통상 수입자의 지사나 대리인 등이 수출국 내에서 물품의 제조과정을 점검하고 수출물품에 대한 선적전 검사를 행하며, 대리인 등이 없는 경우 은행을 활용하기도 한다(유럽식 D/P 거래).

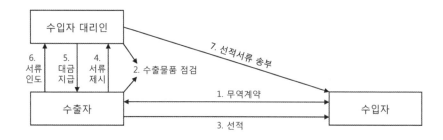

   ⓛ COD(Cash on Delivery, 물품인도결제방식, 현물상환방식)

     COD란 수입상이 물품과 상환으로 대금을 지급하는 방식을 말한다. 수입자가 소재하는 국가에 수출자의 지사나 대리인이 있는 경우, 수출자가 물품을 지사 등에 송부하면(B/L상 Consignee가 수출자 지사 등의 지시식으로 기재됨) 수입자가 물품의 품질 등을 검사한 후 물품과 현금을 상환하여 물품대금을 송금하는 방식의 거래이다. 주로 귀금속 등 고가품으로서 직접 물품을 검사하기 전에는 품질 등을 정확히 파악하기 어려운 경우 많이 활용한다.

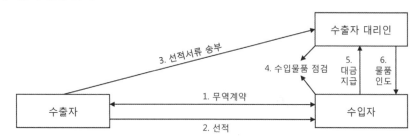

(3) 송금수단에 따른 송금방식결제의 종류

① 송금수표방식(Demand Draft: D/D)

   수입상이 은행에 현금을 지급하고 송금수표를 발행받아 이를 우편으로 지급지의 수취인에게 송달하는 방식이다.

② 우편송금환방식(Mail Transfer: M/T)

   송금의뢰를 받은 은행이 지급은행에 대하여 일정한 금액을 수취인에게 지급하여 줄 것을 지시하는 지급지시서(payment order)를 작성하여 지급은행에 직접 우편으로 지시하는 방식이다.

③ 전신송금환방식(Telegraphic Transfer: T/T)

송금의뢰를 받은 은행이 지급은행에 대하여 일정한 금액을 수취인에게 지급하여 줄 것을 지시하는 지급지시서(payment order)를 전신환의 형식으로 지시하는 방식이다. 송금과정에서 분실이나 도난의 위험이 없고, 신속하게 처리된다는 장점이 있어 송금방식 중 가장 널리 이용된다.

(4) 송금방식 결제의 특징

① 환어음이 사용되지 않으므로, 어음법을 적용받지 않는다.

② 국제규칙(international rule)이 없다.

③ 서류는 은행을 경유하지 않고 수출자로부터 수입자에게 직접 송부된다.

④ 결제방식 중 가장 낮은 은행수수료를 부담한다.

3. 국제팩토링방식 대금결제

(1) 의의

국제팩토링(factoring)이란 전 세계 팩터(factor)의 회원망을 통하여 수입상의 신용을 바탕으로 이루어지는 무신용장방식의 새로운 무역대금결제방식으로서, 수출상이 수입상에게 물품을 외상으로 판매한 후에 발생하는 외상매출채권(account receivable)을 팩터가 상환청구권 없이 일괄 양도받는 조건으로 계약을 체결한 후, 수출상에게 채권 범위 내에서 전도금융, 매출채권관리, 채권회수, 장부기장 등을 제공하는 종합금융서비스이다. 팩토링에서는 수입팩터의 신용승인[21] 통보가 곧 담보 역할을 하게 된다.

(2) 국제팩토링의 거래과정

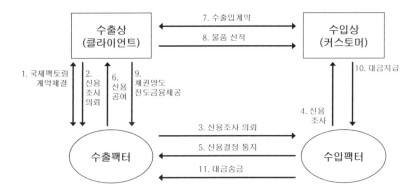

(3) 국제팩토링의 효용

① 운영자금조달이 용이하다.

수출팩터는 수입상의 신용한도 내에서 채권의 만기일 이전에 수출상에게 금융을 제공한다.

---

21) 신용승인(Credit approval)이란 수입상이 자금부족, 파산 등의 재무상 이유로 수입팩토링 채무를 이행하지 못하는 경우에 수입팩터가 그 대금을 대신하여 지급할 것이을 약속하는 일종의 보증을 말한다.

② 부실채권을 방지한다.

　　수입상의 신용이 악화되어 지급불능상태가 되어도 팩터가 대지급을 한다는 조건이므로 수출상은 부실채권의 발생을 방지할 수 있다.

③ 신용구매가 가능하다.

　　수입상은 건별로 신용장을 발행하지 않고도, 수입팩터의 포괄적인 지급보증 한도 내에서 신용구매가 가능하다.

수입상의 이점	수출상의 이점
㉠ 별도담보가 없이 본인의 신용만으로 기한의 이익을 향유하여 외상수입이 가능하다. ㉡ 신용장개설에 따른 개설수수료 등의 부담이 없으므로 비용을 절감할 수 있다. 수입팩터수수료와 수출팩터수수료는 모두 수출상이 부담한다. ㉢ 물품수령 후 일정기간 내에 수입대금을 결제하면 되므로 자금부담이 경감되고 수입결제 자금의 부족시 금융수혜가 가능하다. ㉣ 수입대금의 결제 전에 물품의 품질 등을 확인할 수 있어 신용장 방식의 약점을 제거할 수 있다.	㉠ 수입팩터로부터 수입상에 대한 신용승인이 이루어지면, 수입상의 클레임이 제기되지 않는 한 수출상은 해당 신용승인 한도 내에서 대금지급을 보장받게 된다. ㉡ 수출상은 외상수출로 인한 대금회수 불안을 제거할 수 있으며, 해당 매출채권을 수출팩터에게 양도함으로써 수출대전을 조기에 현금화할 수 있다. ㉢ 수출상은 수입상에게 신용장거래보다 유리한 조건으로 제시할 수 있게 되어 경쟁력을 확보할 수 있으며, 신용장거래를 원하지 않는 수입상과의 거래도 가능하므로 새로운 시장개척이 용이하다. ㉣ 신용장방식과는 달리 서류에 대한 과도한 부담 없이 간편하게 실무를 처리할 수 있으며, 추심방식과는 달리 외상채권을 양도할 때 별도의 담보를 제공할 필요가 없으므로 담보부족으로 인한 곤란을 겪지 않는다.

4. 포페이팅방식 대금결제

(1) 의의

　　포페이팅(forfaiting)이란 연지급조건(usance) 거래에서 발행된 약속어음이나 환어음[22]을 소구권 없이(without recourse) 고정이자율로 할인하는 결제방식이다.[23] 수출상이 연불계약을 체결하기 전에 포페이터와 수출에 따른 어음의 할인가능성을 협의하고 제반 위험도를 고려하여 포페이팅계약을 체결한 후 선적을 이행하며, 수입상은 대금결제를 위해서 지급보증을 획득한 어음을 발행하여 수출상에게 인도한다. 수출상은 어음을 포페이터에게 할인매각함으로써 대금회수불능의 위험을 회피한다.

---

22) 포페이팅 거래에서는 약속어음과 환어음만을 그 대상으로 하며, 기타의 증권 또는 채권은 취급하지 않는다.

23) ① 포페이팅과 신용장의 인수는 양자가 유사하나, 포페이팅의 기간이 보다 장기이고, 어음에 대한 소구권이 없다는 점이 다르다.

　　② 포페이팅과 국제팩토링은 소구권이 없고, 할인 선지급하는 것은 유사하나, 포페이팅은 중장기 금융이고 국제팩토링은 단기금융이라는 점이 다르다.

(2) 포페이팅의 거래과정

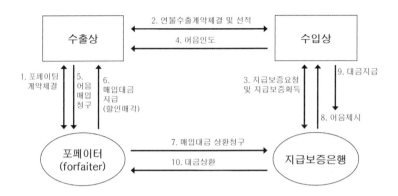

(3) 포페이팅 거래의 특징

① 일반적으로 수출업자의 환어음과 같은 채권을 대상으로 한다.

② 포페이터는 일반적으로 수출업자에게 환어음에 대한 상환을 청구할 수 없다.

③ 포페이터는 일반적으로 고정금리부로 환어음을 매입한다.

④ 수출업자의 담보 제공은 필요하지 않다. 다만 지급보증은행의 지급보증서나 환어음에 추가하는 지급 확약(Aval)이 요구된다.

5. 기타 대금결제

(1) Open Account 방식

① Open Account(O/A)란 수출자가 수출물품 선적을 완료하고 해외의 수입자에게 선적사실을 통지함과 동시에 채권이 발생하지만, 그 결제는 사후에 이루어지는 '선적통지 조건부 사후송금 결제방식'이다.

② 이 방식은 국제간 결제에 있어 외상판매 방식인 것이므로, 수출상은 그 대금결제를 오직 수입상의 신용에만 의존하게 되므로 대금회수 불능의 위험이 높다. 그래서 수입자의 신용도나 재무상태 등에 관한 사전 조사가 필요하다.

③ 수출환어음 매입이나 거래은행에 의한 어음매입 의뢰는 Open Account 방식에서는 통상 사용되지 않는다. 수출자가 어음 없이 수입자의 신용에 기반하여 서류를 직접 보내고 사후에 대금을 회수하는 방식이다.

④ 수출자는 수입자가 송금을 하기 전이라도 수출채권의 매각을 통해 수출대금을 조기에 현금화할 수 있다.

⑤ O/A는 '상호계산 방식'이라고도 하며, 본지사간 또는 고정 거래처간에 지속적으로 수출입 거래를 하는 경우 거래할 때마다 대금을 결제하지 않고 3개월 또는 6개월 단위로 미리 정한 결산시기에 양자간의 채권·채무를 상계한 후 대금의 차액만을 결제하는 경우도 있으므로 '청산결제 방식'이라고도 한다.

(2) CWO

CWO(Cash With Order)란 계약체결시 수입상이 수출상에게 물품대금을 미리 주고 수출상은 수입상에게 받은 선금으로 제조하여 선적하는 거래방식을 말한다. 주문불이라고도 하며, 사전 송금방식(payment in advance)에 해당한다.

6. 전자결제 시스템

(1) 트레이드카드(TradeCard) 시스템

신용장이 없는 전자자금결제방식을 지향하는 시스템이다. 신용장 개설은행의 서류심사에 해당하는 기능을 TradeCard 시스템이 수행하고, 전자해상화물운송장 사용을 실용화하여 선하증권 없이 거래하도록 한다.

(2) 볼레로 프로젝트(Bolero Project)

① 의의

볼레로(Bill of Lading Electronic Registry Organization: Bolero) 프로젝트는 선하증권을 온라인으로 편리하게 이용하는 것을 목표로 만들어졌다. 그러나 단순히 선하증권만의 전자화로는 전자무역에 기여할 수 없다고 판단하여 모든 무역서류의 전자화로 프로젝트의 범위를 확장하였다.

② 운영주체

볼레로는 SWIFT[24]와 TT Club[25]의 합작투자로 운영되고 있다. 볼레로 프로젝트는 신뢰할 수 있는 제3자(Trusted Third Party) 시스템을 이용하여 법적 및 상업적으로 수용 가능한 전자적 서비스를 디자인하고 개발하고 있다.

③ Rule Book

볼레로 서비스 이용자 간의 권리, 의무 관계를 규정하는 규칙을 Rule Book(규약집)이라 한다.

---

24) Society for Worldwide Interbank Financial Telecommunication, 세계은행간 금융데이터 통신협회
25) Through Transport Club

CHAPTER 2 실전문제

01 UCP 600의 규정 중 '(   ) means the bank that issues a credit at the request of an applicant or on its own behalf.'의 괄호 안에 들어갈 말은?

① Advising Bank   ② Negotiating Bank

③ Issuing Bank   ④ Confirming Bank

답 ③

개설은행(Issuing Bank)은 개설의뢰인의 신청에 의해 또는 그 자신을 위하여 신용장을 개설하는 은행을 의미한다(UCP 제2조).

✅ **선지분석**

① Advising Bank(통지은행)
② Negotiating Bank(매입은행)
④ Confirming Bank(확인은행)

02 신용장 거래에서 수익자의 요구에 의하여 환어음을 첨부한 선적서류를 매입해주는 은행을 무엇이라 하는가?

① Confirming bank   ② Issuing bank

③ Negotiating bank   ④ Reimbursing bank

답 ③

매입(Negotiation)이란 지정은행이 대금상환을 받은 날짜 또는 그 전에 일치하는 제시하의 환어음 및/또는 서류에 대하여 수익자에게 대금을 지급하거나 대금지급에 동의함으로써 매수하는 것을 의미한다. 매입 행위를 하는 은행을 매입은행(Negotiating bank)이라 한다.

03

신용장 거래에서 Advising bank에 대한 설명으로 옳지 않은 것은?

① 일반적으로 개설은행과 환거래 약정을 체결한 은행이 된다.
② 거래당사자의 거래에 관해서는 하등의 책임을 지거나 약정을 하는 것이 없다.
③ 관례상 Confirming bank를 겸하는 경우가 많다.
④ 수출국에 있는 개설은행의 지점도 Advising bank가 될 수 있다.

답 ③

통지은행(Advising bank)은 개설은행의 본·지점이나 환거래 약정을 체결한 은행(correspondent bank)으로서 개설은행으로부터 송부된 신용장을 수익자에게 통지해주는 은행을 말한다. 그런데 국제 금융계 관례상 통지은행은 매입은행을 겸하는 경우가 많다.

04

양도가능신용장(transferable credit)의 설명으로서 잘못된 것은?

① 신용장상에 'transferable'이란 문언이 없는 신용장은 양도불능신용장이다.
② 양도가능신용장은 원수익자(first beneficiary)가 신용장 금액의 일부 또는 전부를 1회에 한하여 제2수익자(secondary beneficiary)에게 양도할 수 있다.
③ 양도된 신용장의 조건은 원신용장 조건과 동일하여야 하나 신용장 금액, 단가, 유효기일, 선적기일, 서류제출기한 등은 원신용장보다 적게 하거나 줄일 수 있다.
④ 신용장의 양도는 신용장상에 분할선적(partial shipment)이 금지되어 있어도 분할양도(partial transfer)가 가능하다.

답 ④

양도가능신용장(Transferable Credit)이란 신용장의 원수익자가 신용장 금액의 전부 또는 일부를 제3자(제2수익자)에게 양도할 수 있는 권한을 부여한 신용장을 말한다. 1회에 한하여 양도가 가능하며, 분할선적이 금지되어 있지 않는 한 최초의 수익자는 다수의 2차 수익자에게 분할양도(partial transfer) 할 수 있다.

05 신용장의 양도에 대한 다음의 설명 중 맞지 않는 것은?

① 개설은행은 양도은행이 될 수 없다.

② 양도시에 달리 합의된 경우를 제외하고 양도와 관련한 비용은 제1수익자가 부담하여야 한다.

③ 신용장에서 송장을 제외한 다른 서류에 개설의뢰인의 이름이 보일 것을 요구하는 경우에는 그러한 요건이 양도된 신용장에도 반영되어야 한다.

④ 보험이 부보되어야 하는 백분율은 명시된 부보금액을 커버하기 위해서 높일 수 있다.

답 ①

양도은행은 개설은행에 의해서 양도가 특별히 수권된 은행이다. 다만, 개설은행 스스로도 양도은행이 될 수 있다.

06 신용장을 양도하는 경우, 원신용장의 조건을 변경할 수 없는 것은?

	내용	원신용장 조건	변경될 조건
①	Currency Code, Amount	HKD 20,000.00	HKD 15,000.00
②	Partial Shipments	NOT ALLOWED	ALLOWED
③	Latest Date of Shipment	20 × × – 07 – 30	20 × × – 07 – 20
④	Date and Place of Expiry	100810 IN JAPAN	100730 AT THE COUNTERS OF TRANSFERRING BANK

답 ②

양도된 신용장은 다음 사항을 제외하고는 정확하게 신용장 조건을 반영하여야 한다. 아래의 항목 중 일부 또는 전부는 감액 또는 단축될 수 있다.

> 1. 신용장 금액
> 2. 신용장상의 단가
> 3. 신용장 유효기일
> 4. 서류 제시기간
> 5. 최종 선적일 또는 선적기간

Partial shipments(분할선적) 여부는 변경할 수 없는 항목이다.

✓ 선지분석

① Currency Code, Amount(통화 및 신용장 금액), ③ Latest Date of Shipment(최종 선적일), ④ Date and Place of Expiry(신용장 유효기일)은 감액 또는 단축될 수 있다. 모두가 금액이 줄어들거나 기간이 짧아졌으므로, 변경이 가능하다.

07 신용장의 종류 중에서 신용장에 의한 환어음의 매입여부에 대한 명시내용이 없고 신용장조건에 부합되는 서류가 신용장발행은행 또는 그가 지정하는 은행에 제시되면 지급할 것을 확약하고 있는 신용장은?

① Irrevocable L/C   ② Negotiation Restricted L/C
③ Straight L/C   ④ Usance L/C

답 ③

'신용장에 의한 환어음의 매입여부에 대한 명시내용이 없고 신용장조건에 부합되는 서류가 신용장발행은행 또는 그가 지정하는 은행에 제시되면 지급할 것을 확약하고 있는 신용장'이란 지급신용장(Straight L/C)을 말한다. 지급신용장은 지급은행이 지정되어 있으므로 신용장에서 특별히 요구하지 않는 한 환어음을 발행하지 않고 서류를 지급은행에 제시하여 대금을 지급받을 수 있으며, 지급은행은 지급한 대금에 대해 상환청구권이 없다.

08 매입신용장(Negotiation L/C)에 대한 설명으로 옳지 않은 것은?

① 일람출급 및 기한부신용장으로 사용이 가능하다.
② 어느 은행이나 매입이 가능하도록 지정할 수 있다.
③ 매입이란 매입을 수권 받은 은행이 환어음 또는 서류를 받고 그에 해당하는 대가를 지급하는 것을 의미한다.
④ 매입은행은 수익자가 발행한 환어음 또는 신용장에서 제시한 서류를 어음의 발행인 또는 선의의 소지자에게 상환청구권을 행사하지 않는(Without Recourse) 조건으로 지급하여야 한다.

답 ④

매입신용장(Negotiation L/C)은 신용장에 의해 발행되는 어음이 매입될 것을 전제로 하여 어음발행인(drawer)은 물론 어음의 배서인(endorser)과 어음의 선의의 소지자(bona fide holder)에게도 지급할 것을 확약하는 신용장이다. 매입신용장은 개설은행이 지급약속을 하는 신용장이므로 반드시 환어음을 발행해야 하며, 매입은행은 상환청구권을 갖는다.

09 신용장 특약란에 'Negotiation under this credit is restricted to A BANK'와 같은 문구가
적혀 있는 신용장은 무엇인가?

① Freely Negotiable L/C   ② Negotiation Restricted L/C

③ Open L/C   ④ General L/C

답 ②

매입신용장에는 매입은행이 특정은행으로 제한된 매입제한신용장(restricted credit)과 어느 은행에서든
자유롭게 매입할 수 있는 매입개방신용장(freely negotiable credit)이 있다. A BANK로 매입이 제한
되어 있는 이 신용장은 매입제한신용장이다.

✓ 선지분석
① Freely Negotiable L/C(자유매입신용장), ③ Open L/C(매입개방 신용장), ④ General L/C(보
통 신용장)는 모두 같은 표현이다.

10 신용장 거래에서 확인은행에 대한 설명으로 옳지 않은 것은?

① 확인은행은 수출상에 대하여 개설은행과 동일한 지급책임을 진다.
② 확인은행은 수입상에게 구상권을 행사할 수 있다.
③ 확인은행은 개설은행의 공신력이 약한 경우 추가하여 신용장의 확인을 하는 기능을 한다.
④ 모든 신용장 거래에서 확인은행이 반드시 존재하는 것은 아니다.

답 ②

확인은행(confirming bank)은 신용장 개설은행의 공신력이 약한 경우 추가하여 신용장의 확인을 해주
는 제3의 은행을 말한다. 이 확인은 개설은행의 지급확약에 따른 부차적인 지급이 아니라, 별도의 독립된
직접적인 지급확약이다. 확인은행은 신용장에 확인을 추가한 때에 취소불능으로 지급·인수하거나 매입하
여야 한다. 확인은행은 최종적인 지급 책임을 가지므로, 구상권(상환청구권)을 행사할 수 없다.

11 ☐☐☐ 신용장 거래에서 은행이 수리할 수 있는 보험서류의 요건에 대한 설명으로 옳지 않은 것은?

① 은행은 보험증권(Insurance policy)은 수리하지만, 보험부보각서(Cover notes)는 수리하지 않는다.

② 신용장에 기재된 수탁지 또는 선적지로부터 양륙지 또는 최종목적지까지의 위험을 커버하고 있는 보험서류를 수리한다.

③ 보험서류 일자는 부보가 선적일보다 늦어도 유효하다는 것이 보험서류에 명시되지 않는 한, 선적일보다 늦어서는 안 된다.

④ 보험서류가 원본 한통을 초과하여 발행되었을 때에는 원본을 제외한 나머지 보험서류의 효력은 없는 것으로 한다.

▌ 답 ④

보험서류가 원본 한 통을 초과하여 발행되었을 때에는 모든 원본이 제시되어야 한다.

12 ☐☐☐ 신용장 거래시 선적시기를 표시함에 있어서 특정월이나 기일을 명시하지 않고 'immediate shipment, prompt shipment, shipment as soon as possible, direct shipment, shipment without delay' 등의 용어를 사용하였을 경우에 은행이 취할 조치로서 올바른 것은?

① 1주일 이내의 선적을 인정한다.

② 15일 이내의 선적을 인정한다.

③ 30일 이내의 선적을 인정한다.

④ 은행은 이를 무시해 버린다.

▌ 답 ④

서류에 사용되는 것으로 요구되지 않았다면 "신속하게(prompt)", "즉시(immediately)" 또는 "가능한 한 빨리(as soon as possible)"라는 단어는 무시된다(will be disregarded)(UCP 제3조).

13 □□□ 　신용장의 독립성 및 추상성의 예외에 해당하는 개념은?

① Injunction 　　　　　　　　　② Transferable

③ Irrevocable 　　　　　　　　　④ Negotiation

답 ①

신용장 거래시 사기의 명백한 증거가 있는 경우에는 은행이 대금지급을 거절할 수 있는 사기거래의 원칙(Fraud Rule)이 적용된다. 이것은 신용장의 독립성 및 추상성의 예외이다. 명백한 사기의 증거가 있는 경우 법원은 개설은행에 지급정지명령(Injunction)을 내릴 수 있다.

14 □□□ 　신용장 거래와 관련하여 사기거래의 원칙(Fraud Rule)에 대한 설명으로 옳지 않은 것은?

① 제시된 서류가 위조 또는 사기로 작성되었음이 밝혀져 법원의 판결이 있는 경우 개설은행은 신용장 대금을 지급할 의무가 없다는 원칙이다.

② 신용장의 독립 추상성의 원칙과 상반되는 원칙으로 특별한 경우에만 인정되는 예외 규칙이다.

③ 미국의 통일상법전에서는 서류가 위변조된 경우에 해당 재판권이 있는 법원은 대금지급을 금지할 수 있다고 규정하고 있다.

④ 우리나라의 대법원 판례에서는 인정하지 않고 있다.

답 ④

우리나라의 대법원 판례에서도 사기거래의 원칙은 인정되고 있다. 신용장 거래를 빙자한 사기 거래에서 은행은 더 이상 신용장의 독립성과 추상성에 의하여 보호되지 아니한다.

15 □□□ 　신용장 거래의 당사자로서 수출상(exporter)에 해당하지 않는 자는?

① Beneficiary 　　　　　　　　　② Drawee

③ Payee 　　　　　　　　　　　　④ Shipper

답 ②

신용장 거래에서 수출상(exporter)은 수익자(beneficiary), 매도인(seller), 수취인(payee), 환어음발행인(drawer), 송하인(shipper) 등의 지위를 갖는다.

16 □□□ UCP 600에 근거하여 발행 가능한 L/C가 아닌 것은?

① Revocable L/C
② Confirmed L/C
③ Commercial documentary L/C
④ With Recourse L/C

답 ①

UCP 500에서는 신용장상에 "irrevocable"의 명시가 있거나 또는 취소여부에 대한 아무런 명시가 없는 신용장은 모두 취소불능신용장(Irrevocable Credit)에 속하는 것으로 규정하고 있었고, 신용장상에 "revocable"의 명시가 있으면 취소가능신용장(Revocable Credit)이 될 수 있었으나, UCP 600에서는 취소가능신용장 관련 규정을 삭제하였다. 즉, 모든 신용장은 취소불능신용장으로 간주된다.

☑ 선지분석

② Confirmed L/C(확인 신용장)
③ Commercial documentary L/C(상업화환 신용장)
④ With Recourse L/C(상환청구가능 신용장)

17 □□□ 개설은행의 신용에 의심이 있는 경우, 개설은행의 최종부도에 대비할 수 있는 신용장은?

① Irrevocable L/C
② Confirmed L/C
③ With Recourse L/C
④ Transferable L/C

답 ②

확인신용장(Confirmed Credit)은 신용장에 개설은행 이외의 제3은행의 확인, 즉 수익자가 발행하는 어음의 인수, 지급 또는 매입에 대한 제3은행의 추가적 대금지급확약이 있는 신용장을 말한다. 확인신용장은 개설은행의 신용에 의심이 있는 경우, 이에 대해 추가확약함으로써 개설은행의 최종 부도에 대비할수 있는 신용장이기도 하다.

18 □□□ 일정한 기간 동안 일정한 금액의 범위 내에서 신용장 금액이 자동적으로 갱신되는 신용장을 무엇이라 하는가?

① Revolving Credit
② Negotiation Reimbursement Credit
③ Standby Credit
④ Sight Credit

답 ①

회전신용장(Revolving Credit, Self-Continuing Credit)이란 일정한 기간 동안 일정한 금액의 범위 내에서 신용장금액이 자동적으로 갱신되도록 되어 있는 신용장을 말한다. 즉, 회전신용장은 하나의 신용장으로 신용장의 유효기간 동안 반복적으로 사용할 수 있다.

19 □□□ 일정한 조건하에 매입은행으로 하여금 신용장금액의 일부를 수익자 앞으로 전대하여 줄 것을 허용하고 그 전대금 상환을 보증하는 신용장을 무엇이라 하는가?

① Negotiation credit　　　　　② Restricted Credit
③ Self - Continuing Credit　　　④ Red Clause Credit

▮ 답 ④

전대신용장(Red Clause Credit)이란 개설은행이 일정한 조건하에 매입은행으로 하여금 신용장금액의 일부를 수익자 앞으로 전대하여 줄 것을 수권하고 그 전대금 상환을 보증하는 신용장을 말한다.

20 □□□ 다음 중 Standby L/C와 거리가 먼 것은?

① 현지금융조달　　　　　　② 수출선수금 환급보증
③ 국제입찰 계약이행 보증　④ 플랜트 수출

▮ 답 ④

보증신용장(Standby L/C)이란 금융 또는 채권보증 등을 목적으로 발행되는 신용장으로 일반적으로 국내상사의 해외지사 운영자금 또는 국제입찰의 참가에 수반되는 입찰보증(bid bond), 계약이행보증(performance bond), 선수금상환보증(advance payment bond)에 필요한 자금 등을 현지은행에서 공급받는 경우 동채권을 보증할 목적으로 국내 외국환은행이 해외은행 앞으로 발행하는 신용장이다.

21 □□□ 다음 중 성격이 다른 하나는?

① Escrow Credit　　　② Back - to - Back Credit
③ Master Credit　　　④ Tomas Credit

▮ 답 ③

기탁신용장(Escrow Credit), 동시개설신용장(Back - to - Back Credit), 토마스신용장(Tomas Credit)은 모두 연계무역신용장이다. 연계무역신용장은 거래당사국 간의 수출입의 균형을 유지하기 위한 목적으로 개설된 신용장으로서 구상무역신용장이라고도 한다. 원신용장(Master Credit)은 신용장의 조건변경이나 양도 등에서 조건변경된 신용장 또는 양도된 신용장의 상대적 개념으로 쓰는 최초의 신용장을 말한다.

22 ☐☐☐ 수출입 양측이 상호 일정액의 신용장을 서로 개설하기로 하되, 일방이 먼저 신용장을 개설할 경우 상대방은 이에 대응하는 신용장을 일정기간 후에 개설하겠다는 보증서를 발행하여야만 상대방으로부터 내도된 신용장이 유효하다는 조건의 신용장을 무엇이라 하는가?

① Escrow Credit   ② Back-to-Back Credit

③ Master Credit   ④ Tomas Credit

답 ④

토마스신용장(Tomas Credit)은 수출입 양측이 상호 일정액의 신용장을 서로 개설하기로 하되, 일방이 먼저 신용장을 개설할 경우 상대방은 이에 대응하는 신용장을 일정기간 후에 개설하겠다는 보증서를 발행하여야만 상대방으로부터 내도된 신용장이 유효하다는 조건의 신용장을 말한다.

23 ☐☐☐ 지급 · 인수 · 매입 · 연지급신용장에 관한 설명으로 옳은 것은?

① 지급신용장은 지급은행이 지정되나, 인수신용장과 매입신용장은 매입제한 또는 자유매입이 된다.
② 매입신용장은 일람출급환어음이나 기한부환어음을 전부 발행할 수 있으나, 인수신용장은 기한부 환어음만 발행할 수 있다.
③ 지급신용장이나 인수신용장은 수출국 상대은행이 무예치환거래은행이 되지만, 매입신용장은 예치환거래은행이 된다.
④ 서류가 부도반환되는 경우에 지급신용장과 인수신용장은 수출국 은행의 상환청구(with recourse)가 가능하나 매입신용장의 경우에는 상환청구가 불가능하다.

답 ②

일반적으로 환어음이 발행되는 신용장은 매입신용장과 인수신용장이다. 이 중 매입신용장은 일람출급환어음이나 기한부환어음을 전부 발행할 수 있으나, 인수신용장은 기한부 환어음만 발행할 수 있다.

✅ 선지분석

① 지급신용장과 인수신용장은 지급은행과 인수은행이 지정된다. 그러나 매입신용장은 매입제한이 될 수도 있고, 자유매입이 될 수도 있다.
③ 지급신용장이나 인수신용장은 수출국 상대은행이 예치환거래은행이 되지만, 매입신용장은 무예치환거래은행이 된다.
④ 지급신용장과 인수신용장은 상환청구권이 없으나, 매입신용장의 경우 상환청구가 가능하다.

24 내국신용장(Local L/C) 매입과 관련하여 주의하여야 할 사항이 아닌 것은?

① 어음의 형식불비 또는 지급지시의 상이
② 어음의 위조변조 여부
③ 선적서류의 불일치 여부
④ 내국신용장의 유효기일 경과여부

답 ③

외국의 수입상으로부터 수출신용장을 받은 국내의 수출상이 수출품 또는 원자재 등을 국내에서 조달할 경우 동 수출품 또는 원자재 등의 공급자에 대한 대금지급을 확약하기 위해서 수출신용장에 의한 청구권을 담보로 해서 원수출신용장(Original Credit, Master Credit)의 통지은행 또는 자기의 거래은행에 의뢰하여 수출품 또는 원자재 등의 공급자를 수익자로 하는 제2의 신용장을 개설하는데, 이를 내국신용장(Local Credit)이라고 한다. 내국신용장은 국내거래에서 사용되는 신용장이므로, 선적서류가 요구되지 않으며 선적서류의 불일치 여부도 따지지 않는다.

25 다음 중 은행이 수리를 거절하는 선하증권이 아닌 것은?

① Stale B/L
② Intended Clause B/L
③ Carrying vessel propelled by sail only B/L
④ Through B/L

답 ④

Through B/L(통과 선하증권)은 은행이 수리할 수 있는 선하증권이다.

☑ **선지분석**
....
① Stale B/L(기간 경과 선하증권), ② Intended Clause B/L(예정 표시 선하증권), ③ Carrying vessel propelled by sail only B/L(돛단배 적재 표시 선하증권) 등은 은행이 수리를 거절하는 선하증권이다.

26 신용장상에 명문으로 수리를 허용하고 있지 않는 한 은행에서 수리할 수 없는 선하증권은?

① 제3자 발급 선하증권(Third Party B/L)
② 예정표시 선하증권(Intended Clause B/L)
③ 약식 선하증권(Short form B/L)
④ 기명식 선하증권(Straight B/L)

답 ②

신용장 거래에서 은행이 수리를 거절하는 선하증권은 Charter‒party B/L(용선계약 선하증권), Carrying vessel propelled by sail only B/L(돛단배 적재표시 선하증권), Intended clause B/L(예정표시 선하증권), Forwarder's B/L(운송중개인발급 선하증권), Foul B/L, Dirty B/L(사고부 선하증권), Stale B/L(기간경과 선하증권)이다. 이 중 Intended clause B/L이란 본선에 적재될 '예정'을 표시한 선하증권을 말한다.

27 신용장에서 이를 금지하는 별도의 조건이 없는 경우, 신용장에서 제시된 선하증권(Bill of lading)의 문구 중 하자가 되는 것은?

① The goods are loaded on deck
② Shipper's load and count
③ Said by shipper to contain
④ CIF FO

답 ①

운송서류에는 상품이 갑판에 적재되거나 적재될 것이라는 표시가 없어야 한다. 상품이 갑판에 적재될 수도 있다는 것을 표시하고 있는 운송서류상의 조항은 수리될 수 있다. 확실하게 갑판에 적재된다는 'The goods are loaded on deck'이라는 표현이 붙은 선하증권은 수리될 수 없다.

28 추심결제방식(collection)의 거래당사자로서 다른 하나는?

① 환어음의 지급인
② 환어음의 발행인
③ 수출상
④ 추심의뢰인

답 ①

추심결제방식에서는 수출상이 곧 환어음의 발행인이며, 추심의뢰인이다. 환어음의 지급인이란 추심지시서에 따라 어음의 제시를 받게 되는 자로서, 수입상이 된다.

29 추심결제방식에 대한 설명으로 옳지 않은 것은?

① 추심방식은 은행의 지급확약이 없으며 수출입상간의 신용에 의해서만 이루어지는 거래이다.
② 추심은행은 서류의 내용이 수출입상 간에 체결한 계약내용과 일치하는지를 확인하여야 한다.
③ 지급책임은 오로지 수입상에게 있다.
④ 추심에 관한 통일규칙이 적용된다.

답 ②

추심은행(collecting bank)이란 추심지시서를 수입상에게 제시하여 어음인수와 수입대금 결제를 청하는 은행을 말한다. 추심은행은 서류의 내용이 계약내용과 일치하는지를 확인할 의무가 없다.

30 다음 중 어음지급인(drawee)이 될 수 없는 자는?

① 발행은행   ② 수익자
③ 상환은행   ④ 추심거래 수입자

답 ②

어음지급인(drawee)은 대금을 지급할 의무가 있는 사람을 말한다. 신용장 거래에서는 발행은행(개설은행)이나 상환은행에게 대금 지급 의무가 있으며, 추심결제 방식에서는 수입자에게 대금 지급 의무가 있다. 수익자는 신용장 거래의 수출상을 말한다.

31 환어음(Bill of Exchange)의 필수기재사항이라고 보기 어려운 것은?

① 환어음이라는 문구   ② 무조건 지급 위탁문언
③ 신용장 번호(L/C No.)   ④ 지급인(drawee)의 표시

답 ③

환어음의 필수 기재사항은 다음과 같다(어음법 제1조).

> 1. 증권의 본문 중에 그 증권을 작성할 때 사용하는 국어로 환어음임을 표시하는 글자
> 2. 조건 없이 일정한 금액을 지급할 것을 위탁하는 뜻
> 3. 지급인의 명칭
> 4. 만기(滿期)
> 5. 지급지(支給地)
> 6. 지급받을 자 또는 지급받을 자를 지시할 자의 명칭
> 7. 발행일과 발행지(發行地)
> 8. 발행인의 기명날인(記名捺印) 또는 서명

32 □□□ **D/P와 D/A에 관한 설명으로 옳지 않은 것은?**

① D/P는 수입자가 대금을 지급해야만 선적서류를 인도하는 조건이다.
② D/A는 수입자가 인수(acceptance)의 뜻만 표시하면 서류를 인도하는 외상거래이다.
③ 추심에 관한 통일규칙(Uniform Rules for Collections)의 적용을 받는다.
④ 추심의뢰서상에 D/P나 D/A의 표시가 없으면 D/A로 간주한다.

답 ④

만일 추심이 장래확정일 지급조건의 환어음을 포함하는 경우에 추심지시서에는 상업서류가 인수인도 (D/A) 또는 지급인도(D/P) 중 어느 조건으로 지급인에게 인도되어야 하는지를 명시하여야 한다. 그러한 명시가 없는 경우에는 상업서류는 지급과 상환으로만 인도되어야 하며, 서류인도의 지연에 기인하는 어떠한 결과에 대해서도 추심은행은 책임을 지지 아니한다. 즉, 추심의뢰서상에 D/P, D/A의 표시가 없으면 D/P로 간주한다.

33 □□□ **추심은행이 환어음의 지급인인 수입상으로부터 일정 기일 후 수입대금을 지급하겠다는 인수 (acceptance) 의사표시를 받은 후 서류를 인도하고, 어음의 만기일에 대금을 지급받는 대금결제방식은?**

① D/A
② D/P
③ COD
④ T/T

답 ①

D/A(documents against acceptance)는 추심거래 시 발행되는 환어음이 기한부어음인 조건이다. 추심은행은 환어음의 지급인인 수입상으로부터 일정 기일 후 수입대금을 지급하겠다는 인수 (acceptance) 의사표시를 받은 후 서류를 인도하고, 어음의 만기일에 대금을 지급받게 된다.

34 □□□ **송금결제방식에 대한 설명으로 옳지 않은 것은?**

① 환어음을 사용하지 않으므로 어음법이 적용되지 않는다.
② 신용장통일규칙과 같은 국제적으로 적용되는 국제규칙이 없다.
③ 수출상의 입장에선 사후송금방식이 사전송금방식 수출보다 유리하다.
④ 서류는 은행을 경유하지 않고 수출상이 직접 수입상에게 송부한다.

답 ③

사후송금방식은 수입상이 물품이나 선적서류를 인수한 후 대금을 송금하는 방식으로서, 수출상의 위험이 크다. 수출상에게는 사전송금방식이 유리하다.

35

수입상이 물품과 상환으로 대금을 지급하는 방식으로서, 환어음이 발행되지 않는 대금결제방식은?

① CAD
② COD
③ D/A
④ D/P

답 ②

COD(Cash On Delivery)란 수입상이 물품과 상환으로 대금을 지급하는 방식을 말한다. 수입자가 소재하는 국가에 수출자의 지사나 대리인이 있는 경우, 수출자가 물품을 지사 등에 송부하면 수입자가 물품의 품질 등을 검사한 후 물품과 현금을 상환하여 물품대금을 송금하는 방식의 거래이다.

36

다음의 무역대금결제방식 중에서 동일한 바이어에게 수출한 물품대금의 부도위험이 상대적으로 가장 높은 것은?

① 송금방식 중 CAD(현금인도조건)
② 추심방식 중 D/P(지급인도조건)
③ 추심방식 중 D/A(인수인도조건)
④ 신용장 방식 중 Acceptance L/C(인수신용장조건)

답 ③

'부도위험이 가장 높다'는 것은 '은행의 대금지급 확약 없이', '가장 늦게 대금지급을 받게 된다'는 뜻이다. 일정 기일 이후에 대금지급이 이루어지는 것은 ③ 추심방식 중 D/A(인수인도조건)와 ④ 신용장 방식 중 Acceptance L/C(인수신용장조건)이다. 이 중 대금지급 확약이 없으면 부도위험은 상대적으로 더 높게 된다. 그러므로 수출상의 입장에서 가장 위험한 결제 방식은 ③ 추심방식 중 D/A(인수인도조건)이다.

37

다음 중 후지급(deferred payment)에 해당하지 않는 것은?

① Document Against Acceptance
② Usance Payment
③ Deferred payment on long or medium term basis
④ Telegraphic Transfer payment

답 ④

Telegraphic Transfer payment란 전신송금환방식(T/T)으로서, 송금의뢰를 받은 은행이 지급은행에 대하여 일정한 금액을 수취인에게 지급하여 줄 것을 지시하는 지급지시서(payment order)를 전신환의 형식으로 지시하는 방식이다. 이 방식으로 선지급도 가능하고, 후지급도 가능하다. 즉 이 방식은 대금결제의 시기로 구분한 방식이 아니다.

38 □□□ 국제팩토링(factoring) 방식의 대금결제에 관한 설명으로 옳지 않은 것은?

① 팩터(factor)의 회원망을 통하여 수출상의 신용을 바탕으로 이루어지는 무신용장방식의 대금결제방식이다.

② 수출상이 수입상에게 물품을 외상으로 판매한 후에 발생하는 외상매출채권(account receivable)을 팩터가 상환청구권 없이 일괄 양도받는 조건으로 계약이 체결된다.

③ 수입상의 신용이 악화되어 지급불능상태가 되어도 팩터가 대지급을 한다는 조건이므로 수출상은 부실채권의 발생을 방지할 수 있다.

④ 수출팩터는 수입상의 신용한도 내에서 채권의 만기일 이전에 수출상에게 금융을 제공한다.

답 ①

국제팩토링(factoring)이란 전 세계 팩터(factor)의 회원망을 통하여 '수입상의 신용'을 바탕으로 이루어지는 무신용장방식의 새로운 무역대금 결제방식이다.

39 □□□ 국제팩토링(international factoring) 거래의 특징으로 옳지 않은 것은?

① 수입상은 별도담보 없이 본인 신용만으로 기한의 이익을 향유하여 외상수입이 가능하다.

② 수입상은 물품 수령 후 일정기간 내에 수입대금을 결제하면 되므로 자금부담이 경감되고 수입결제자금의 부족 시 금융수혜가 가능하다.

③ 수입팩터로부터 수입상에 대한 신용승인이 이루어지면, 수입상의 클레임이 제기되지 않는 한 수출상은 해당 신용승인 한도 내에서 그 대금지급을 보장받게 된다.

④ 수입팩터수수료는 수입상이 부담하고, 수출상은 수출팩터수수료만 부담하므로 신용장 대비 서류작성에 대한 과도한 부담이 없다는 점이 장점이다.

답 ④

국제팩토링 거래에서 수입팩터수수료와 수출팩터수수료는 모두 수출상이 부담한다.

40 □□□ 포페이팅(forfaiting) 거래의 특징으로 적절치 않은 것은?

① Forfaiter는 소구권이 없는 조건(without recourse)으로 채권을 매입한다.
② Forfaiter는 수출상에게는 별도의 보증이나 담보제공을 요구하지 않는다.
③ Forfaiting 거래에서는 환어음, 약속어음 및 기타의 증권 또는 채권을 할인대상으로 한다.
④ Forfaiting 거래는 고정금리부로 할인이 이루어지기 때문에 수출상은 계약 전에 미리 그 할인비용을 확정할 수 있다.

답 ③

포페이팅 거래에서는 약속어음과 환어음만을 그 대상으로 하며, 기타의 증권 또는 채권은 취급하지 않는다.

41 □□□ 다음 중 사전결제방식에 해당하는 것은?

① D/P 거래   ② CWO 거래
③ at sight L/C 거래   ④ Open Account 거래

답 ②

CWO(Cash With Order)란 계약체결시 수입상이 수출상에게 물품대금을 미리 주고 수출상은 수입상에게 받은 선금으로 제조하여 선적하는 거래방식을 말한다. 주문불이라고도 하며, 사전송금방식(payment in advance)에 해당한다.

42 □□□ 당사국 간에 금융협정을 맺어 무역거래시마다 현금결제를 하지 않고 그 대차관계를 장부에 기록하였다가 정기적으로 그 차액만을 현금결제하는 방식을 무엇이라 하는가?

① Escrow Payment   ② Open Account
③ CAD   ④ COD

답 ②

O/A(Open Account)는 '상호계산 방식'이라고도 하며, 본지사 간 또는 고정 거래처 간에 지속적으로 수출입거래를 하는 경우 거래할 때마다 대금을 결제하지 않고 3개월 또는 6개월 단위로 미리 정한 결산시기에 양자 간의 채권·채무를 상계한 후 대금의 차액만을 결제하는 경우도 있다.

CHAPTER 3 국제운송과 해상보험

1 국제운송

1. 국제운송의 의의

(1) 의의

국제무역거래는 서로 다른 국가에 소재하는 수출상과 수입상의 거래이므로 국가 간 물품의 이동이 필수적인데, 이러한 국가 간 물품의 이동을 국제운송이라 한다. 국제운송은 국내운송과는 달리 장거리 운송이 이루어지므로 운송료에 대한 부담이 크며, 이에 따라 상대적으로 운임이 저렴한 해상운송에 대한 의존도가 높다. 국제운송은 국내거래에 비하여 도난, 파손 등의 위험이 크므로 수송의 안정성을 높이기 위한 노력이 계속되고 있으며, 그 결과 컨테이너의 활용도가 높아지고 있다.

(2) 형태

① 육상운송

자동차 또는 열차에 의한 운송으로, 해상운송과 함께 내륙에서의 오랜 역사를 가진 운송형태이다. 목재, 석탄 등의 대량화물을 운송하는 경우 운임이 저렴한 철도운송이 유리하다.

② 해상운송

많은 화물을 동시에 운송하는 데 유용한 방식으로, 대양에 접한 무역대국의 거래가 활발해지면서 해상운송도 크게 성장해왔다. 운임이 저렴하지만 수송기간이 길다는 단점이 있다.

③ 항공운송

2차 세계대전 당시 군수품 운반에 주로 사용되었던 항공운송은 최근 화물전용기가 출현할만큼 국제운송의 큰 비중을 차지하고 있다. 위험이 적고 신속한 수송이 이루어진다는 점이 특징이다.

④ 복합운송

육상운송, 해상운송, 항공운송 중 두 가지 이상의 운송방식을 복합하여 수행하는 운송형태를 말한다. 컨테이너의 발달로 인하여 서로 다른 운송수단 사이의 안전한 환적이 가능해지면서 더욱 발전하게 되었다.

2. 해상운송계약

(1) 의의

해상운송계약이란 해상운송인이 선박에 의하여 화물을 목적지까지 운송할 것을 약정하고, 송하인은 해상운송인에게 그 대가를 지급할 것을 약정하는 계약이다.

(2) 종류

① 개품운송계약

운송사가 다수의 수출상으로부터 물품을 인수하여 개별적으로 체결하는 운송계약으로서, 정기선(Liner)을 주로 이용한다. 별도의 운송계약서 없이, 선하증권이 발행된다. 운송인이 제시한 계약 내용을 송하인이 포괄적으로 승인하여야 하는 부합계약(contract of adhesion)의 성격을 지닌다.

② 용선운송계약(charter party)

화주가 선박회사로부터 선복의 전부 또는 일부를 임대차하여 화물을 운송하는 방식의 계약으로서, 곡물·광석 등의 벌크 화물(bulk cargo)을 운송하는 경우 많이 사용되며, 부정기선(Tramper)이 이용된다.

정기용선계약 (time charter)	선박에 필요한 모든 용구와 선원까지 승선시킨 선박을 일정기간 용선하여 그 용선기간을 기준으로 보수를 지불하는 해상운송계약이다.
항해용선계약 (voyage charter)	특정 항구에서 또 다른 항구까지의 일항차 또는 수개항차에 걸쳐 화물의 운송을 의뢰하는 해상운송계약이다.
나용선계약 (bare boat charter)	선박 자체만 용선하고, 선원·장비 등은 용선하는 측에서 부담하는 해상운송계약이다.

(3) 해상운송에 관한 국제조약

① 개요

해상운송은 법체계가 상이한 국가 간의 운송이며, 상이한 국가에 소재하는 운송인 및 화주의 이해관계가 상충될 수 있다. 이에 대하여 특정국가의 법률이 통일적으로 적용되기 어려우므로 해상운송에 관한 국제적인 통일규정이 필요하였고, 이에 따라 헤이그 규칙, 헤이그 – 비스비 규칙, 함부르크 규칙 등이 제정되어 사용되고 있다.

② 헤이그 규칙(The Hague Rules, 1924)

1924년 브뤼셀에서 열린 해상법에 관한 국제회의(International Conference on Maritime Law)에서 국제법협회(ILA)가 헤이그에서 만든 초안에 수정을 가하여 '1924년의 선하증권에 대한 규칙을 통일하기 위한 국제협약(International Convention for the Unification of Certain Rules Relating to Bill of Lading, Brussels on August 25th, 1924)'이 성립하였는데, 이를 헤이그 규칙이라 한다.

③ 헤이그 – 비스비 규칙(The Hague – Visby Rules, 1968)

헤이그 – 비스비 규칙이란 조약의 적용범위의 확장, 선하증권 기재의 증거력 강화 등 헤이그 규칙을 일부 개정한 것이다.

④ 함부르크 규칙(The Hamburg Rules, 1978)

　ㄱ 함부르크 규칙은 유엔에서 작성하여 1978년 독일의 함부르크에서 채택된 '해상물품의 운송에 관한 유엔협약(United Nations Convention on the Carriage of Goods by Sea)'을 말한다.

　ㄴ 함부르크 규칙은 기존의 헤이그 규칙이나 헤이그 – 비스비 규칙과는 달리 운송인의 책임을 확대하는 규정을 많이 두었다.

구분	헤이그 규칙	헤이그 – 비스비 규칙	함부르크 규칙
제정 주체	국제법협회(ILA), 국제해사위원회(CMI)	국제해사위원회 (CMI)	유엔국제무역법위원회 (UNCITRAL)
적용범위	선하증권이 발행된 모든 국제해상물품 운송에 적용		선하증권의 발행유무 불문, 해상운송계약 전체에 적용
책임기간	from tackle to tackle		from receipt to delivery
면책사유	항해과실[26], 무과실 화재, 발항 후의 불감항능력, 기타의 불가항력적 사유		면책카달로그의 폐지로 항해 과실의 면책도 폐지
적용물품 범위	갑판적화물과 산동물 제외		갑판적화물과 산동물도 포함

핵심체크 로테르담 규칙(Rotterdam Rules) – 국제해상물건운송계약에 관한 UNCITRAL 조약

함부르크 규칙은 화주측의 이익은 보다 많이 보장하였으나 국제적으로 널리 사용되지 못하였다. 그래서 2008년 국제무역법위원회(UNCITRAL)와 국제해사위원회(CMI)는 로테르담 규칙을 제정하였다.

1. 수령지와 인도지가 서로 다른 국가에 있고, 해상운송에 적재항과 양하항이 서로 다른 국가에 있는 운송계약에 적용한다.
2. 적재항 또는 양하항이 속한 국가 중 하나의 국가라도 체약국인 경우에 적용한다.
3. 운송인의 화물에 대한 책임은 과실책임주의를 적용한다. 그러나 이전보다 운송인의 부담이 완화되었다.
4. 운송인의 의무위반에 대한 책임을 포장당 875 SDR 또는 화물 총중량 Kg당 3 SDR로 제한하였다.
5. 포장 규정은 함부르크 규칙의 컨테이너 조항에 기초하고 있지만, 그 범위를 팔레트까지 확대하였다.
6. 송하인(화주)의 의무와 책임도 명시하였다.

---

26) 항해상 또는 선박관리상의 과실을 항해과실(해기과실)이라 한다. 헤이그규칙은 해상운송인의 책임에 관하여 항해과실과 상업과실로 나누고, 항해과실로 인한 물품의 손해에 대하여는 운송인에게 면책을 인정하고 있다.

(4) 해상운임의 구조

① 해상운임

구분	운임	내용
지급 시기에 따른 분류	선불운임 Freight prepaid	• CIF 또는 CFR조건에 의한 수출의 경우 • 수출업자가 선적지에서 운임을 선불로 지급
	후불운임 Freight to collect	• FOB조건의 경우 • 수입업자가 화물의 도착지에서 운임 지급
부과방법에 따른 분류	종가운임 Ad Valorem Freight	• 귀금속 등 고가품의 운송 • 화물의 가격을 기초로 일정률의 운임 징수
	최저운임 Minimum Rate	• 화물의 용적이나 중량이 일정기준 이하일 경우 • 이미 설정된 최저운임 부과
	차별운임 Discrimination Rate	• 화물, 장소, 화주에 따라 운임을 차별적으로 부과 • 해상운송에서 주로 이용
	무차별운임 Freight All Kinds Rate	화물, 장소, 화주를 불문하고 운송거리를 기준으로 일률적으로 운임 책정
	이중운임 Dual Rate	운임동맹과 계약 맺은 화주에게 낮은 운임 적용
특수운임	특별운임 Special Rate	해운동맹이 비동맹선사와의 경쟁, 특정화물의 유치, 대량화물에 대한 우대 등을 위해 일정조건을 갖춘 경우 요율을 인하하여 적용하는 운임
	경쟁운임 Open Rate	광산물 등 특정화물의 수송에 있어 동맹선사의 경쟁력을 높이기 위해 동맹선사 스스로가 운임을 결정토록 하는 경우의 운임
	O.C.P. Rate Overland Common Point Rate	북미 태평양 연안항만에서 하역되어 동부내륙지역으로 육상운송되는 화물(OCP Cargo)에 대해 낮은 해상운임율을 적용하여 화물을 유치하기 위한 정책운임

② 부대비용

터미널 화물처리비(THC, Terminal Handling Charge)	화물이 CY에 입고된 순간부터 본선의 선측까지, 반대로 본선의 선측에서 CY의 게이트를 통과하기까지 화물의 이동에 따르는 비용
CFS 작업료 (CFS Charge)	선사가 컨테이너 한 개의 분량이 못 되는 소량화물을 운송하는 경우 선적지 및 도착지의 CFS에서 화물의 혼적 또는 분류작업을 하게 되는데 이때 발생하는 비용
도착지화물인도비용(DDC, Destination Delivery Charge)	북미수출의 경우 도착항에서의 터미널 작업비용과 목적지까지의 내륙운송비용을 포함하여 해상운임과는 별도로 징수하는 것
컨테이너세 (Container Tax)	항만 배후도로를 운송하는 컨테이너차량에 대해서 컨테이너당 부담금을 징수하고 있는 지방세로서 항만 배후도로 건설 등 운송시설의 확충을 목적으로 한 일종의 교통유발부담금
서류발급비 (Documentation Fee)	선사에서 선하증권(B/L)과 화물인도지시서(D/O)를 발급할 때 소요되는 행정비용을 보전하기 위해 부과하는 비용
체항료 (Port Congestion Surcharge)	항만의 하역능력 부족으로 항구에서 선박이 장기간 대기할 경우 발생하는 비용을 화주에게 부담시키는 것
체선료 (Demurrage)	약정 기일까지 하역을 완료하지 못한 경우 화주에게 부담시키는 비용 ↔ 조출료(Despatch Money)
조출료 (Despatch Money)	용선계약상 허용된 정박기간이 종료되기 전에 하역이 완료되었을 때 그 절약된 기간에 대하여 선주가 용선자에게 지급하는 보수
지체료 (Detention Charge)	화주가 컨테이너 또는 트레일러를 대여 받았을 경우 규정된 시간(Free Time) 내에 반환을 못할 경우 벌과금으로 지불해야 하는 비용
통화할증료(CAF, Currency Adjustment Factor)	운임표시 통화의 가치하락에 따른 선사의 손실을 보전하기 위해 도입한 할증료로서 일정 기간 해당 통화의 가치변동률을 감안하여 기본운임에 일정률 또는 일정액을 부과하는 것
유류할증료(BAF, Bunker Adjustment Factor)	선박의 주 연료인 벙커유의 가격변동에 따른 손실을 보전하기 위해 부과하는 할증료로서 기본운임에 대하여 일정비율(%) 또는 일정액을 부과하는 것 * 북미항로 연료할증료: FAF, Fuel Adjustment Factor
부적운임 (공적운임, Dead Freight)	용선자가 용선계약 체결 시 선적하기로 했던 화물의 실적재량을 채우지 못한 경우 그 부족분에 대해서 지급하는 운임(일종의 위약금)
성수기 할증료 (Peak Season Surcharge)	수출화물이 특정기간에 집중되어 화주들의 선복 수요를 충족시키기 위해 선박용 연료, 기기 확보 비용의 성수기 상승분을 보전받기 위해 부과하는 요금(대부분 원양항로에 적용되고 있음)

③ 운임협정

대내적 운영방법	운임협정 (Rate Agreement)	운임경쟁을 지양하기 위해 가맹선주는 공정운임표를 준수해야 하고, 이를 위반할 경우 위약금을 지급해야 한다.	
	공동계산협정 (Pooling Agreement)	각 선사의 일정기간 동안의 총 운임수입에서 항해경비 및 하역비용을 공제한 순 운임수입을 미리 정한 배분율에 따라 배분한다.	
	항해협정 (Sailing Agreement),	동맹선사간 적정한 배선수를 설정 및 유지하여 선복 과잉에 따른 과당경쟁을 방지하려는 것으로서, 배선·지역·수량 협정이 있다.	
	공동경영 (Joint Service)	경쟁배제, 경비절감, 합리적 배선 등을 목적으로 특정 항로의 경영을 일시적으로 통합한다.	
	맹외선 대책	특정 항로에 낮은 운임으로 투입된 맹외선(outsider)의 축출을 위해 일정기간 동안 저운임의 대항선(fighting ship)을 투입한다.	
대외적 운영방법	계약운임제 (Dual or Contract Rate System)	일반 화주에게는 일반운임(비계약 운임)을 적용하고, 동맹선사를 이용하겠다고 계약한 화주에게는 일반운임보다 낮은 계약운임(contract rate)을 적용한다.	
	운임환급제 (Freight Rebate System)	일정기간 동안 동맹선에 선적한 화주에게 그로부터 받은 운임의 일부를 환급해주는 것으로서, 성실환급제와 이연환급제가 있다.	
		성실환급제 (FRS; Fidelity Rebate System)	일정기간(4개월) 동맹선을 이용했다는 선적명세서를 제시하면, 운임의 일정률을 환급하는 제도
		이연환급제 (DRS; Deferred Rebate System)	일정기간(12개월) 동맹선을 이용했다는 선적명세서를 제시하면, 운임의 일정률을 환급하는 제도
	우대운임제 (Special Rate arrangement)	특정품목 할인율, 프로젝트 화물 할인율 등의 별도 조항을 두고 동맹공동으로 운임을 할인해 준다.	
	삼중운임제 (Triple Rate System)	비계약운임, 계약운임, 특별계약운임을 동시에 적용한다.	

항공화물 운송요금은 일반적으로 요율(rate), 부대요금(charge), 기타 수수료에 의해 결정된다. 요율이란 항공운송기업이 화물운송의 대가로서 징수하는 운임을 중량 단위당(kg) 또는 용기 단위당 금액으로 나타내며, 대개 노선별로 요율표(Tariff)에 정해져 있다.

일반화물요율(GCR, General Cargo Rates)	품목분류 요율이나 특정품목 할인요율을 적용받지 않는 모든 화물의 운송에 적용되는 요율 • 최저운임(minimum charge: "M"): 한 건의 화물운송에 적용할 수 있는 가장 적은 운임(화물의 중량운임이나 용적운임이 최저운임보다 낮을 경우 최저운임 적용) • 기본요율(normal rate: "N"): 45kg 미만의 화물에 적용되는 요율(모든 화물요율의 기준) • 정량요율(quantity rate: "Q", 중량단계별 할인요율): 일정 중량단계(Weight Break)에 따라 다른 요율이 설정되는 체계(중량이 높아짐에 따라 kg당 요율은 더 낮게 설정됨)
특정품목 할인요율(SCR, Specific Commodity Rate)	특정구간에 특정품목에 대해 설정되는 요율(특정구간에 동일 품목이 계속적으로 반복하여 운송되는 품목이거나, 육상이나 해상운송과의 경쟁성을 감안하여 항공운송을 이용할 가능성이 높은 품목에 대하여 적용하기 위해 설정되는 요율)
품목분류 요율(Class Rate, Commodity Classification Rate)	몇 가지 특정품목 또는 특정 구간이나 지역 내에서만 적용되는 요율(일반화물요율의 백분율에 의한 할인요금과 할증요금으로 표시됨)
종가 요금 (valuation charges)	사고 발생 시 항공사의 최대배상한도액(maximum liability)을 초과하는 금액을 배상받기 위해 운송장상에 화물의 가격을 신고하고 종가요금을 지불하는 방식(사고 발생 시 실손해액을 배상받을 수 있음)
단위탑재용기 운임(BUC, Bulk Unitization Charge)	항공사가 송하인 또는 대리점에게 컨테이너 또는 팔레트 단위로 판매할 때 적용되는 요금
기타 요금	• 입체지불수수료(disbursement fee): 항공수송 이전에 출발지에서 발생한 착지불 기타 요금으로 도착지에서 수하인이 지불해야 하는 수수료를 모두 합친 금액 • 착지불수수료(charges collect fee): 운임을 수하인이 납부하도록 되어 있는 화물에 대해 동 금액의 일정비율을 항공사가 징수하는 수수료 • 위험품 취급 수수료(dangerous goods handling fee) • 수출항공화물 취급수수료(handling charge) • 수입화물 AWB Fee • Pick up Service Charge

3. 선하증권

(1) 의의

선하증권(Bill of Lading: B/L)이란 해상운송인이 화주(송하인)로부터 위탁받은 화물을 수취하였음을 증명하고, 해당 화물을 목적지까지 운송할 것을 약정하는 운송서류이다. 즉 선하증권은 수취증이며, 운송인과 화주 간의 운송계약서이다.[27]

(2) 선하증권의 법적 성질

요식증권	상법에 규정된 법정 기재사항의 기재를 필요로 한다.
요인증권	증권상의 권리의 발생에 원인(原因)의 존재를 요구하는 증권이다. 선하증권은 운송계약이라는 전제하에 화물이 운송물로서 수령 또는 선적되었다는 원인을 필요로 한다.
유통증권, 처분증권, 유가증권	화물을 상징하는 유가증권이며, 배서 또는 인도에 의해 소유권이 이전된다.[28]
문언증권	운송인과 화주 간의 권리나 의무관계는 증권상에 기재된 문언을 따른다.
지시증권	선하증권발행인이 배서금지의 뜻을 기재하지 않는 한 배서에 의해 양도될 수 있다.

(3) 선하증권의 기재사항

① 필수기재사항

「상법」 제853조에 따라 선하증권에는 다음의 사항을 기재하고 운송인이 기명날인 또는 서명하여야 한다.

ㄱ 선박의 명칭·국적 및 톤수

ㄴ 송하인이 서면으로 통지한 운송물의 종류, 중량 또는 용적, 포장의 종별, 개수와 기호

ㄷ 운송물의 외관상태

ㄹ 용선자 또는 송하인의 성명·상호

ㅁ 수하인 또는 통지수령인의 성명·상호

ㅂ 선적항

ㅅ 양륙항

ㅇ 운임

ㅈ 발행지와 그 발행연월일

ㅊ 수통의 선하증권을 발행한 때에는 그 수

---

27) M/R(Mate's receipt, 본선수취증): 화물이 본선에 반입되어 선박 운항책임자인 일등항해사가 화물을 수취한 증거로서 발행하는 증명서류이다. M/R을 근거로 B/L이 발행되는 것이다.

28) 선하증권의 유통성은 지시식 선하증권(order B/L)의 속성이며, 기명식 선하증권(straight B/L)은 원칙적으로 유통성을 가지지 못한다.

ⓒ 운송인의 성명 또는 상호

ⓔ 운송인의 주된 영업소 소재지

② **임의기재사항**

필수기재사항 이외에도 다음의 것들이 기재될 수 있다. 아래의 사항은 운송인과 수하인 간의 특약에 의하여 법적인 구속력을 가질 수 있다.

ⓝ 항해번호

ⓛ 선하증권의 번호

ⓒ 컨테이너 번호, 봉인번호

ⓔ 사고부 문언 표시

ⓜ 면책조항

(4) 선하증권의 종류

① **선적선하증권과 수취선하증권**

선적선하증권 (shipped B/L)	화물이 실제로 본선에 적입된 이후에 발행되는 선하증권으로서, 증권면에 'shipped', 'shipped on board', 'received on board' 등이 표시된다.
수취선하증권 (received B/L)	화물을 선박회사의 부두창고에 입고할 경우 'received for shipment' 형식으로 발행되는 선하증권으로서, 지정선박이 부두에 정박하지 않았거나 입항하지 않았을 때 사용될 수 있다.

② **무사고선하증권과 사고부선하증권**

무사고선하증권 (clean B/L)	선하증권면의 적요란(remarks)에 사고문언이 없는 선하증권이다.
사고부선하증권 (foul B/L, dirty B/L)	선하증권면의 적요란(remarks)에 사고문언이 기재된 선하증권이다. **➡ 파손화물보상장(L/I, Letter of Indemnity)** 국제운송에 있어 선적된 화물의 상태에 하자가 있는 경우, 무사고 선하증권(Clean B/L)을 발급받기 위해 송하인이 운송인에게 제공하는 서류를 말한다. 선박회사가 화물을 인수할 당시 포장상태가 불완전하거나 수량이 부족하여 적요란에 이런 사실이 기재되면, 즉 사고부선하증권이 되면 신용장 매입은행은 매입을 거절한다. 따라서 수출자(송하인)는 선박회사에 L/I를 제출하고 무사고선하증권을 교부받는 것이 일반적이다.

③ 기명식선하증권과 지시식선하증권

기명식선하증권 (straight B/L)	수하인(consignee)란에 회사명 또는 성명이 명확히 기재된 선하증권이다. 주로 이삿짐과 같은 개인화물 운송에 사용되는 유통불능의 선하증권이다.
지시식선하증권 (order B/L)[29]	특정한 수하인을 기재하지 않고, 'to order', 'to order of Shipper', 'to order of Buyer' 등으로 표시된 선하증권이다. ㉠ to order 또는 to order of shipper: 매수인이 양륙지에서 화물을 인수하기 위해서는 매도인이 배서한 선하증권이 있어야 하며, 이와 같은 표시가 있는 경우 은행으로서는 담보물건이 되므로 매입에 응한다. ㉡ to order of (negotiating bank): 어음의 매입은행이 배서를 하는 선하증권이므로, 은행으로서는 역시 담보물건이 되므로 매입에 응한다. 그러나 매도인은 배서를 할 수 없어 화물의 지배권을 잃게 된다. ㉢ to order of (collecting bank): 어음의 추심은행이 배서를 하는 선하증권으로서, 이것은 수출지 은행의 담보물건으로 볼 수 없으므로 추심은행은 자신의 은행과 본지점 관계가 아니면 매입에 응하지 않는다.

④ Master B/L과 House B/L

Master B/L	선박회사가 발행하는 선하증권
House B/L	복합운송주선업자(포워더)가 발행하는 선하증권

⑤ 통선하증권(통과선하증권, Through B/L)

화물의 운송이 복수의 운송수단에 의하여 이루어지는 경우, 최초의 운송인이 목적지까지의 운송계약을 제2차 또는 제3차의 운송인에 갈음하여 모두 함께 체결할 때 발행되는 선하증권이다. 운송 도중 다른 선박회사의 선박을 이용하거나 해상운송·육상운송 수단을 교대로 이용하더라도, 최초의 운송인이 전 구간의 운송에 대하여 책임을 지게 된다.

---

29) 지시식선하증권은 Shipper, Buyer, Negotiating Bank 등이 배서하면 유통시킬 수 있다.

⑥ 기타 선하증권

용선계약 선하증권 (Charter party B/L)	용선계약에 의해 발행되는 선하증권
약식 선하증권 (Short form B/L)	이면약관이 없는 선하증권(Long form B/L의 반대)
제3자 선하증권 (Third party B/L)	Shipper와 L/C상의 Beneficiary가 다른 선하증권 (물품이 제3자에게 전매되는 과정에서 신용장 개설의뢰인이 수익자의 성명을 제3자에게 비밀로 하고 싶을 때 이용)
기간경과 선하증권 (Stale B/L)	선적후 상당일수가 경과된 선하증권 * 선하증권이 선적일 이후부터 21일이 지나 매입은행에 제시되면 은행은 'stale B/L acceptable'이라는 조항이 없는 한 수리를 거절할 수 있다.
적색 선하증권 (Red B/L)	보험증권이 결합된 선하증권 (문구가 붉은 글씨로 적혀 있는 선하증권)
양륙지선택 선하증권 (Optional B/L)	복수의 양륙항을 기재하고 차후에 양륙항을 선택하는 선하증권
환적 선하증권 (Transshipment B/L)	화물을 목적지까지 운송하는 도중 중간항에서 다른 선박으로 옮겨 실어 최종 목적지까지 운송할 때 발행하는 선하증권 ↔ Direct B/L(환적을 허용하지 않는 선하증권)

4. 기타 운송관련 서류

(1) 선하증권 이외의 운송서류

해상화물운송장 (Sea Waybill)	해상운송 시 운송계약의 증거서류
항공화물운송장 (Air Waybill)	항공운송 시 운송계약의 증거서류
복합운송증권 (Multimodal transport document)	복합운송 시 운송계약의 증거서류

① 해상화물운송장(SWB)

ㄱ 특징

ⓐ 비유통성 증권이다. 즉, 권리증권이 아니다.

ⓑ 비유통성 해상화물 운송장상의 화주가 본인이라는 확인만으로도 화물의 수령이 가능하다.

ⓒ 선하증권에 비하여 화물인도를 신속하게 할 수 있고, 서류 분실의 위험을 회피할 수 있다.

ⓓ 거래상대방의 신용이 불안한 거래에서는 사용하기가 어렵다.

ⓛ **신용장 거래 시 해상화물운송장의 수리요건**

ⓐ 문면상 운송인의 명의를 명시하고 운송인 또는 그의 대리인, 선장 또는 그의 대리인
이 서명하였거나 기타의 방법으로 인증된 것으로 표시된 것(기명식 발행)

ⓑ 물품이 지정선박에 본선적재 또는 선적되었음을 명시한 것

ⓒ 신용장에 규정된 적재항 및 양륙항을 명시한 것

ⓓ 단일의 원본 비유통 해상화물운송장 또는 2통 이상의 원본으로 발행된 경우에는 그
발행된 전통으로 구성된 것

ⓔ 운송서류가 용선계약에 따른다는 명시 또는 운송선박이 돛에 의하여만 추진된다
는 어떠한 명시도 전혀 포함되지 아니한 것

ⓕ 기타 모든 점에서 신용장의 제규정을 충족한 것

ⓒ **해상화물운송장과 선하증권의 비교**

해상화물운송장	선하증권
ⓐ 화물의 수취증 ⓑ 운송계약의 증거서류 ⓒ 일반적으로 해상운송 또는 내수로운송시 발급	
비유통성(유통불능증권)	유통성(유통가능증권)
항해 중 전매 예상시 사용불가	–

② **항공화물운송장(AWB)**

㉠ **특징**

ⓐ 권리증권도 유가증권도 아니므로, 환어음이 첨부되어 있어도 무담보어음이 된다.

ⓑ 화물이 공항 구내에 반입되면 즉시 발급되는 수취식 증권이다.

ⓒ 주로 기명식으로 되어 있어 항공화물운송장에 기재되어 있는 수하인이 아니면 해
당 화물을 인수받을 수 없는 것이 원칙이다.

ⓓ 원본 3부와 부본 6부로 구성되는 것을 원칙으로 한다. 이 중 원본 3부는 운송인용,
수하인용, 송하인용으로 한다.

㉡ **신용장 거래시 항공화물운송장의 수리요건**

ⓐ 문면상 운송인의 명의를 명시하고 운송인 또는 그의 대리인이 서명하였거나 기타
방법으로 인증된 서류일 것

ⓑ 물품이 운송을 위해서 인수되었음을 명시한 것

ⓒ 신용장이 실제의 발송일을 요구하는 경우에는 그 발송일에 관한 특기사항을 명시
한 것(항공운송서류상 명시된 발송일을 선적일로 본다)

ⓓ 신용장에 규정된 출발공항 및 목적공항을 명시한 것

ⓔ 신용장이 전통의 원본 또는 이와 유사한 표현을 규정하고 있다고 하더라도 탁송인,
송하인 앞 원본으로 표시된 것

ⓕ 운송인의 제조건을 전부 포함한 것으로 표시되거나 또는 그러한 제조건의 일부를 항공운송 서류 이외의 자료 또는 서류에 참조하도록 표시한 것

ⓖ 기타 모든 점에서 신용장의 제규정을 충족한 것

© 항공화물운송장과 선하증권의 비교

항공화물운송장	선하증권
단순한 화물운송장이며, 양도성이 없는 비유가증권임	유가증권이며 상환증권임
비유통성(유통불능증권)	유통성(유통가능증권)
기명식	무기명식(지시식)
창고 반입후 발행되는 수취식	선적후 발행되는 선적식
송하인이 작성하여 항공사에 교부함	선박회사가 작성하여 송하인에게 교부함

(2) 수입화물선취보증서

① 의의

수입화물선취보증서(Letter of Guarantee: L/G)란 선하증권이 도착하기 전에 화물을 수취하기 위해, 선하증권의 원본 대신 제출할 수 있도록 수입상과 신용장개설은행이 연대보증한 보증서를 말한다. 고속선의 출현으로 선하증권보다 화물이 먼저 도착하는 경우가 생겼으며, 이때 선하증권을 수취하지 못한 수입상의 화물인도청구가 지연되는 것을 막기 위해서 L/G를 사용하게 되었다.

② 효과

L/G를 이용하면 B/L 원본 없이 화물을 인수할 수 있으나, 신용장 거래에서 개설은행이 L/G를 발급하였다면 L/G 발급 후에 도착하는 서류에 하자가 있더라도 개설은행은 대금지급을 거절할 수 없다.

핵심체크 수입화물의 대도

1. 의의

수입화물의 대도(Trust Receipt, T/R)란 개설은행이 수입화물에 대한 담보권과 소유권을 유지하면서 수입업자가 수입대금을 결제하기 전에 수입화물을 처분할 수 있도록 하는 제도를 말한다. 일람불 신용장 조건이나 D/P 조건으로 수입시, 결제자금이 없는 수입상은 수입화물을 일정한 신탁적 목적에 한해 처분할 것을 명기한 수입담보물 보관증을 수입대금 결제은행에 차입하고, 선적서류를 교부받아 화물을 통관한 후 판매하여 어음대전을 결제하는 것을 대도라 한다.

2. 대도의 성격

⑴ 수입상이 수입대금결제를 하지 않은 상태에서 수입화물을 인도받을 수 있다.

⑵ 개설은행이 수입화물에 대한 담보권을 갖는다.

⑶ 개설은행이 수입화물에 대한 소유권을 갖는다.

⑷ 수입자는 수입화물을 다른 사람에게 담보로 제공할 수 없다.

3. L/G와 T/R의 비교

구분	L/G(수입화물선취보증서)	T/R(수입화물대도)
발행인	신용장 개설은행	수입상
수신인	선장, 운송인, 선박회사	신용장 개설은행
용도	원본선하증권의 제시 없이 화물을 수입상에게 인도함으로써 발생할 수 있는 운송인 등의 손해를 수입상이 배상하기로 하는 약정의 이행을 은행이 보증함	수입상이 대금을 지급하기 전에 은행에게 소유권이 있는 물품을 임대 형식으로 인수받으면서 관련 물품의 소유권이 은행에 있음을 확인함

5. 복합운송

(1) 의의

① 복합운송의 의의

복합운송(combined transport, multimodal transport)이란 육상운송, 해상운송, 항공운송 중 두 가지 이상의 운송방식을 복합하여 수행하는 운송형태를 말한다. 복합운송의 경우 반드시 컨테이너를 이용하여야 하는 것은 아니나, 다른 운송수단간 환적이 필수적인 복합운송의 특성상 수송의 안정성과 효율성을 높이기 위해서 컨테이너를 많이 이용하고 있다. 복합운송에 관하여는 UN의 국제물품복합운송협약, ICC의 복합운송서류통일규칙, UNCTAD/ICC의 복합운송서류규칙 등의 국제규칙이 적용된다.

② 컨테이너 운송의 장·단점

장점	화물수송의 3대 원칙인 경제성, 신속성, 안전성을 최대한으로 충족시키며, 화물의 이적이 없는 일관수송을 가능하게 한다. • 경제성: 안전성이 높은 운송이므로 이에 따라 보험조건이 완화되어 보험료 부담이 감소하고, 화물포장비, 해상운임, 육로운송비, 창고 및 하역비 등도 절약된다. • 신속성: 컨테이너 화물은 컨테이너 전용선에 의하여 운송되므로 육상운송과 해상운송의 연결이 용이하고, 이에 따라 운송기간과 하역시간이 단축된다. • 안전성: 화물이 밀폐된 용기에 의해 운반되므로, 화물의 도난 또는 손상 등의 사고가 발생할 확률이 적다.
단점	• 컨테이너의 규격화로 규격화되지 않은 화물을 적재하는 경우 선복공간(broken ship's space)이 발생하여 화물의 손상이 발생될 수 있다. • 컨테이너와 관련 장비, 시설의 가격이 고가이므로 거대자금이 필요하다. • 컨테이너에 의하여 운송이 불가능한 화물이 있다. • 컨테이너 화물은 선박 갑판에 적재되는 경우가 많으므로 할증보험료율이 적용된다.

③ 컨테이너 화물의 운송형태

CFS/CFS(Pier to Pier)는 LCL 화물의 수송에 이용되는 운송형태로서, 선적항의 CFS로 부터 목적항의 CFS까지만 컨테이너에 의해 화물을 운송하는 형태이며, CY/CY(Door to Door)는 컨테이너 화물 운송의 가장 이상적인 형태로서, 송하인의 공장 또는 창고로부터 수하인의 창고 또는 공장까지 일관수송하는 형태를 말한다.[30]

표시			내용
CFS/CFS	LCL/LCL	Pier to Pier	다수의 송하인과 다수의 수하인
CFS/CY	LCL/FCL	Pier to Door	다수의 송하인과 단일의 수하인
CY/CFS	FCL/LCL	Door to Pier	단일의 송하인과 다수의 수하인
CY/CY	FCL/FCL	Door to Door	단일의 송하인과 단일의 수하인

(2) 복합운송의 경로

시베리아 랜드브리지 (Siberian Land Bridge: SLB)	시베리아 횡단철도(TSR)를 경유하여 극동, 동남아, 호주 등과 유럽대륙, 스칸디나비아반도를 연결
차이나 랜드브리지 (China Land Bridge: CLB)	중국대륙철도와 실크로드를 이용하여 극동지역과 유럽지역을 연결
아메리카 랜드브리지 (American Land Bridge: ALB)	미국 대륙의 횡단철도를 이용하여 극동과 유럽을 연결
캐나다 랜드브리지 (Canadian Land Bridge)	극동의 항만에서 캐나다 서안까지 해상운송, 캐나다 동안까지 철도운송, 다시 유럽의 각 항만까지 해상운송하는 경로
미니 랜드브리지 (Mini Land Bridge)	동아시아에서 북미 서안까지 해상운송된 후, 북미 서안에서 북미 동안 또는 대서양 걸프만까지 육상운송되는 국제복합운송 경로(동아시아와 미국 대서양이나 걸프만 연안 혹은 유럽과의 항로에서 태평양과 대서양 연안을 대륙횡단철도로 연결)
IPI (Interior Point Intermodal)	미국의 철도 및 도로망을 이용하여 내륙지역의 목적지까지만 화물을 운송하는 것(마이크로 랜드브리지라고도 함)
OCP (Overland Common Point)	북미 태평양 연안 항만(미국 서해안)에서 하역되어 동부 내륙지역으로 육상 운송되는 화물에 대하여 해상운임을 할인하는 지역(대서양 쪽에서 들어오는 운송에 비하여 운임 경쟁력이 떨어지지 않도록 할인요금을 적용하는 것이다. 한국에서 이 지역으로 화물을 운송하는 것을 오버랜드 수송이라고 하며, 북아메리카 서해안에서 양하되어 철도로 운송되는 화물의 운임률은 오시피율(OCP rate)이라고 한다)

---

30) CFS: Container Freight Station(컨테이너 화물 집화소), CY: Container Yard(컨테이너 야적장)

(3) 복합운송의 구성요건

① 일괄 운송계약(하나의 운송계약)

전 구간에 대한 운송책임이 복합운송인에게 있는 일괄 운송계약이며, 하나의 운송계약이다. 각 구간운송은 복합운송계약과 무관하므로 이는 화주와도 법적인 관계가 없다.

② 단일의 책임주체(하나의 책임주체)

복합운송인은 전 구간의 운송을 직접 수행할 필요는 없으나, 전 구간 운송에 대한 단일한 책임을 져야 한다. 다만 각 구간별로 책임체계는 다를 수 있는데, 구간별 운송수단이나 적용법규가 상이하여 책임체계가 다른 것을 '이종책임체계'라 하며, 전 운송구간을 통하여 동일한 책임체계를 유지하는 것을 '동일책임체계'라 한다.

책임체계	내용
이종책임체계 (Network Liability System)	각 운송구간에 적용되는 기존의 단일운송에 관한 법제를 존중하여 복합운송인의 책임에 관하여 손해발생구간이 확인된 경우(localized damage)에는 그 구간에 적용되는 운송법(국제조약이나 국내법)을 적용하고, 손해발생구간이 확인되지 않은 경우(concealed damage)에는 일정한 기준에 의하여 특정구간에서 손해가 발생한 것으로 의제하여 그 구간의 운송법을 적용하거나 또는 복합운송의 독자적인 책임규정을 적용하는 책임체계
단일책임체계 (Uniform Liability System)	복합운송인의 책임에 관하여 손해발생구간을 묻지 않고 모든 구간에서 생긴 운송물에 관한 손해에 대하여 동일하게 독자적인 책임규정을 적용하는 책임체계
수정 이종책임체계 (Modified Network Liability System)	기존의 이종책임체계를 기본으로 하면서 상당 부분 단일 책임체계를 가미한 책임체계 ※ 입법례: 1991 UNCTAD/ICC 복합운송증권규칙, 2008 로테르담 규칙
수정 단일책임체계 (Modified Uniform Liability System)	복합운송인의 책임에 관하여 손해발생 구간을 묻지 않고 복합운송에 독자적인 책임규정을 적용하되 손해발생구간이 확인되고 그 구간운송법 상의 책임한도액이 독자적인 책임규정에 따른 책임보다 고액인 경우에는 그 높은 한도액을 적용하는 책임체계 ※ 입법례: 1980 UN 국제복합운송협약 이 협약은 단일책임체계를 원칙으로 하면서도, 각 구간 책임한도액이 협약의 책임한도액보다 높은 경우, 그 높은 한도액을 적용하는 체계를 두었다.

③ 전 구간 단일운임

복합운송은 운송의 대가로 각 구간별로 분할된 운임이 아닌 전체 운송구간에 대한 단일운임의 적용을 받는다.

④ 운송수단의 다양성(서로 다른 운송수단의 결합)

복합운송은 서로 다른 여러 운송수단에 의해 이행되어야 한다.

⑤ 복합운송증권의 발행

복합운송 자체의 필요조건은 아니지만 복합운송계약의 성립요건으로 복합운송증권을 발행하는 것이 일반적이다.

> **⊙ 육상운송 협약 & 육상운송 서류**
> - 철도운송: 1970년 철도에 의한 화물운송에 관한 조약(CIM 협약, International Convention concerning the Carriage of Goods by Rail) → 철도화물탁송장(Rail Consignment Note)
> - 국제도로운송: 1956년 도로에 의한 화물의 국제운송을 위한 계약에 관한 조약(CMR 협약, Convention on the Contract for the International Carriage of Goods by Road) → 도로화물탁송장(Road Consignment Note)

> **⊙ 항공운송 관련 조약**
> - 1929년 바르샤바 조약(Warsaw Convention: Convention for the Unification of Certain Rules Relating to International Carriage by Air)
> - 1955년 헤이그 의정서(Hague Protocol)
> - 1961년 과달라하라 협약(Guadalajara Convention)
> - 1971년 과테말라시티 의정서(Guatemala City Protocol)
> - 1975년 몬트리올 제1의정서~제4의정서(Montreal Additional Protocols No.1~4)
> - 1999년 몬트리올 협약(Montreal Agreement: Convention for the Unification of Certain Rules for International Carriage by Air)

2 해상보험

1. 의의

(1) 해상보험의 의의

해상보험(marine insurance)이란, 해상사업에 관한 사고로 인하여 발생하는 손해에 대하여 보상할 것을 목적으로 하는 손해보험의 일종으로, 영국 해상보험법(MIA, 1906)에서는 '보험자가 피보험자에 대하여 그 계약에 의해 합의된 방법과 범위 내에서 해상손해, 즉 해상사업에 수반하여 발생하는 손해를 보상할 것을 약속하는 계약'으로 정의하고 있다.

> **○ 해상보험계약의 성립**
> 해상보험계약은 보험증권의 발행여부에 관계없이, 피보험자의 청약이 보험자에 의해 승낙된 때 성립된 것으로 간주한다(MIA 제21조).

(2) 주요 용어

① 보험자, 보험계약자, 피보험자

보험자 (insurer)	보험회사, 보험인수업자 등 보험기간 중 보험사고가 발생한 경우 보험금을 지급할 것을 약속한 자로서, 손해액 보상에 대한 보수로서 보험계약자로부터 보험료를 지급받는 자
보험계약자 (policy holder)	보험자와 보험계약을 체결하고 보험료를 지급하기로 한 자
피보험자 (insured)	보험사고가 발생한 경우 보험자로부터 손해의 보상을 받는 자[31]
보험대리점 (insurance agent)	특정 보험회사를 위해 보험계약 체결의 대리를 업으로 하는 자
보험중개인 (insurance broker)	보험자와 보험계약자 간에 보험계약 체결을 중개하는 자(보험계약자의 대리인)

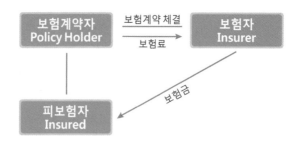

---

31) 보험계약자와 피보험자는 매매계약조건에 따라서 동일인일 수도 있고 그렇지 않을 수도 있다. CIF, CIP 거래조건에서는 매도인이 보험계약자가 되고, 매수인이 피보험자가 된다.

② 피보험이익, 피보험목적물

피보험이익 (insurable interest)	• 보험의 목적물이 멸실 또는 손상된 경우 경제적 손상을 받는 자와 보험목적물 간의 이해관계를 보호함으로써, 특정인이 갖게 되는 이익 • 피보험이익은 적법성(법률상 용인 가능), 경제성(금전으로 평가 가능), 확정성(계약체결 시 확정, 늦어도 보험사고 발생시까지 확정)의 세 가지 요건을 갖추어야 한다. • 피보험이익의 종류 　– 희망이익(expected profit): 화물이 수입국에 도착하여 전매되었을 때 얻을 수 있다고 예상하는 이익[32] 　– 증가(increased value): 화물가액(시가)의 증가[33] 　– 중개수수료: 매매계약에 중개인 개입 시 중개인의 수수료 수익 　– 후불운임(collective freight): 화물이 수입국에 도착한 후 지불하는 운임
(피)보험목적물 (subject–matter insured)	보험에서 담보되는 각종 위험에 의해 멸실 또는 손상(loss or damage)될 우려가 있는 대상물

③ 보험가액, 보험금액, 보험금, 보험료

보험가액 (insurable value)	피보험이익을 금전으로 평가한 가액으로서, 사고가 발생한 경우 피보험자가 입게 될 손해의 최고 한도액[34]
보험금액 (amount insured)	손해발생 시 보험자가 부담하는 보상책임의 최고 한도로서, 계약 당사자 간 약정한 금액 • 전부(전액)보험: 보험가액 = 보험금액 • 일부보험: 보험가액 > 보험금액 • 초과보험[35]: 보험가액 < 보험금액 • 중복보험[36]: 보험가액 < 보험금액
보험금 (claim amount)	손해발생 시 보험금 수령인이 실질적으로 받는 보상금액
보험료 (insurance premium)	보험자가 보험계약자로부터 받는 대금

---

32) CIF계약에서 송품장상 가액의 10%를 희망이익으로 하여 통상의 적하보험과 함께 부보한다. 즉 송품장상 가액의 110%에 대하여 부보한다.

33) 항해 중에 화물의 가액이 상승한 경우, 당초의 가액과의 차액에 대하여 화물에 대한 보험과는 별개로 증가보험(increased value insurance)으로서 부보한다.

34) 보험가액은 피보험이익의 미발생 손해의 가액으로서, 보험목적물의 가치변동에 따라 변동하므로 보험가액은 그 평가가 문제시된다.

35) 초과보험: 초과보험의 경우 전손 발생 시 피보험자는 보험가액 전액을 보상받을 수 있다. 만약 보험금액이 보험가액을 초과하는 분에 대하여는 무효로 한다. 초과보험이 인정된다면 도덕적인 해이와 위태가 발생할 수 있기 때문이다.

36) 중복보험: 동일한 목적물, 동일한 보험사고, 동일한 피보험이익에 대하여 복수의 보험계약이 체결된 경우(보험자가 둘 이상 있는 경우), 피보험자가 보험금을 초과 수령하여 부당이득이 발생할 가능성이 있다. 이 경우 각 보험자는 '비례분담의 원칙'에 따라 보험금액의 비율에 따라 손해를 분담하게 된다.

④ 보험기간, 보험계약기간

보험기간 (duration of risk)	보험자가 위험부담의 책임을 지는 기간
보험계약기간 (duration of policy)	보험계약이 유효하게 존속하는 기간[37]

2. 해상보험의 기본원칙

(1) 담보(warranty)

담보란 피보험자가 반드시 지켜야 할 약속사항이다. 담보에는 보험증권 등 문서에 명시된 명시담보와 문서에 기재되지 않은 묵시담보가 있다. 묵시담보는 크게 선박이 항해 개시를 하는 때에 통상의 해상위험에 충분히 견딜 수 있는 내항성을 지녀야 한다는 내항성담보(warranty of seaworthiness)와 부보된 항해사업은 적법한 것이어야 하며, 피보험자가 사정을 지배할 수 있는 한 적법한 방법으로 진행되어야 한다는 적법담보(warranty of legality)로 나눌 수 있다. 일반적으로 담보위반의 경우에는 보험증권에 명시된 규정이 있는 경우를 제외하고 보험자는 담보위반일부터 책임을 면한다.

(2) 근인주의(principle of the proximate cause)

영국해상보험법(MIA)에서 보험자는 피보험위험에 근인하여 발생한(proximately caused) 일체의 손해에 대하여 책임을 진다고 규정하여 근인주의를 채택하고 있다. 여기에서 근인이란 손해발생에 시간적으로 가장 가까운 원인(cause nearest in time)이 아니라 손해를 발생시키는 효과(cause proximate in efficiency)에 있어서 가장 가까운 원인이라는 의미이다.

(3) 고지(disclosure, 최대선의의 원칙 principle of utmost good faith)

해상보험계약은 최대선의에 의거한 계약이다. 보험계약을 체결할 때 위험사정을 잘 알고 있는 보험계약자는 보험자가 위험을 측정하는 데 영향을 미칠 수 있는 사실에 대해 최대선의로써 고지할 것이 요구되는데, 이를 고지(disclosure)라 한다. 고지 의무를 위반한 경우 보험사고가 발생하여도 보험금을 받을 수 없다.[38]

---

37) 보험기간과 보험계약기간은 일반적으로 일치하지만, 예정보험이나 소급보험에서는 일치하지 않는다.

38) 「상법」 제651조 【고지의무위반으로 인한 계약해지】 보험계약 당시에 보험계약자 또는 피보험자가 고의 또는 중대한 과실로 인하여 중요한 사항을 고지하지 아니하거나 부실의 고지를 한 때에는 보험자는 그 사실을 안 날로부터 1월 내에, 계약을 체결한 날로부터 3년 내에 한하여 계약을 해지할 수 있다. 그러나 보험자가 계약당시에 그 사실을 알았거나 중대한 과실로 인하여 알지 못한 때에는 그러하지 아니하다.

(4) 소급보상의 원칙

CIF, CIP 거래가 아닌 경우 수입자가 수입국의 보험자와 체결하게 된다. 이런 경우 보험목적물을 직접 확인하지 않고 보험계약을 체결하므로 이미 보험사고가 발생한 것을 모를 수 있다. 그럼에도 불구하고 이러한 선의의 피보험자를 보호하기 위해서 적하보험에 한정하여 소급보상의 원칙이 적용되고 있다. 보험목적물에 대한 확인이 어려운 경우 보험목적물의 현재 멸실 여부를 불문하는 것으로 보험계약을 체결하면, 이미 발생한 손해에 대해서도 보험자가 보상을 하게 된다.

3. 해상위험과 해상손해

(1) 해상위험

① 의의

해상위험은 항해에 기인하고 항해에 부수하여 발생하는 사고를 말한다. 해상위험에는 보험자가 담보할 수 있는 위험(담보위험)과 담보할 수 없는 위험(면책위험)이 있다.

② 종류

Lloyd's Policy에서는 다음과 같이 위험조항에서 보험자가 담보하는 위험을 명시하고 있다. '전쟁 등의 위험'은 면책 위험이므로, 결론적으로 담보위험이 되는 것은 해상 고유의 위험, 화재, 강도, 투하, 선장 및 선원의 악행 및 '기타 일체의 위험'이다.

해상위험
(marine risk)
	㉠ 해상 고유의 위험(Perils of the Seas)
	    ⓐ 침몰(sinking), 좌초(stranding), 충돌(collision)
	    ⓑ 악천후(heavy weather)에 의한 해수손
	㉡ 화재(fire)
	㉢ 강도(thieves)
	㉣ 투하(jettison)
	㉤ 선장 및 선원의 악행(barratry of master and mariners)

전쟁 등의 위험 (war risks)	군함(men - of - war), 외적(enemies), 해적(pirates), 표도(rovers), 포획면허장(letter of mart), 보복포획면허장(counter letter of mart), 포획(surprisals), 나포(taking at sea), 국왕·군주·인민에 의한 강류·억지·억류(arrests, restraints and detainments of all kings, princes and people)
기타 일체의 위험	상기한 위험과 같은 종류의 위험

(2) 해상손해

① 의의

피보험자가 해상위험으로 인해 보험의 목적인 선박, 적하 또는 운임에 입는 재산상의 불이익을 말하며, 해상손해에는 물적손해, 비용손해 및 책임손해가 포함된다.

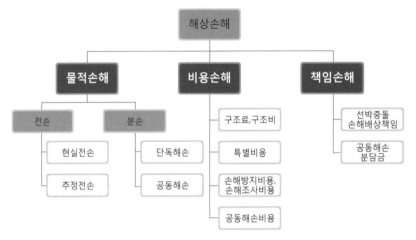

② 물적손해

물적손해란 보험목적물의 멸실 또는 손상으로 인한 실체적인 손해(physical loss)로서, 무역상품이나 선박 등과 같은 실물이 경제적 가치를 상실하는 것을 말한다.

전손 (total loss)	피보험이익이 전부 멸실된 경우를 전손(total loss)이라고 한다. 여기에는 현실전손과 추정전손이 있는데, 추정전손은 보험목적물을 보험자에게 정당하게 위부함으로써 성립되며, 만약 위부(Abandonment)를 하지 않을 경우에는 분손으로 처리될 수 있다.	
	현실전손 actual total loss	㉠ 보험의 목적물이 실체적으로 멸실된 경우 ㉡ 보험의 목적물이 본래의 성질을 상실한 경우 ㉢ 피보험자가 보험의 목적물에 대한 소유권을 박탈당하고 이를 회복할 수 없는 경우 ㉣ 해상사업에 종사하는 보험목적물인 선박이 행방불명이 되고 상당한 기간 경과 후까지 그 소식을 모를 경우
	추정전손 constructive total loss	㉠ 보험목적물인 선박이 담보위험에 의하여 심하게 손상되었을 경우에 그 손상을 수리하는 비용이 수리 후의 선박 가액을 초과하는 경우 ㉡ 보험목적물인 화물이 손상되었을 경우에 수리하는 비용과 그 화물을 목적항까지 수송하는 비용이 도착시의 화물가액을 초과하는 경우 ㉢ 보험목적물에 대한 피보험자의 지배력이 상실되어 회복되는데 상당한 기간이 필요한 경우

	보험목적물의 일부가 멸실이나 손상된 경우를 말하며, 이는 피해자가 단독으로 부담하는 손해인 단독해손과 이해관계자가 공동으로 부담하는 손해인 공동해손으로 구분한다.
분손 (partial loss)	㉠ 단독해손(particular average): 피보험이익의 일부가 멸실되거나 훼손되어 발생된 손해로, 손해를 입은 자가 단독으로 부담하는 손해, 즉 동일 운반선의 다른 화주와 선주 등에게 그 손해의 분담을 청구할 수 없는 손해를 말한다. ㉡ 공동해손(general average): 항해단체(선박, 화물 및 운임 중 둘 이상)에 대해 공동의 위험이 발생한 경우, 그러한 위험을 피하거나 경감하기 위해서 선체나 그 장비 및 화물의 일부를 희생(공동해손희생손해)시키거나 혹은 필요한 경비(공동해손비용손해)를 지출하였을 때 이러한 손해와 경비를 항해단체를 구성하는 이해관계자들이 공동으로 분담(공동해손분담금)[39]하여야 하는데, 이와 같은 손해를 공동해손이라고 한다.[40]

공동해손의 성립 요건	ⓐ 위험이 현실적으로 절박하여야 한다. ⓑ 다수의 공동안전이라는 목적을 가지고 자발적으로 이루어져야 한다. ⓒ 그 손해와 비용은 합리적이어야 한다.

③ 비용손해

비용손해란 해상위험이 발생하여 그 결과 지출되거나 또는 위험을 방지하기 위해서 지출된 비용에 관한 손해(loss by way of expenditure)를 말한다.

구조비 (구조료)	구조료(salvage charges)란 해난에 처한 재산에 발생할 가능성 있는 손해를 방지하기 위해서 구조계약과 관계없이 해법상(海法上) 구조한 자에게 지급하는 보수를 말한다. 이에 반하여 구조계약을 체결하고 이루어진 구조(계약구조)에 대해 지급되는 보수는 구조비라 한다.
특별비용	특별비용(particular charges)은 보험목적물의 안전 또는 보존을 위해서 피보험자에 의하여 또는 피보험자를 위해서 지출된 비용으로서, 공동해손비용 및 구조료 이외의 비용을 말한다. 양륙항에서 손해를 사정하기 위해 발생하는 검사비용(survey fee)이나 화물판매비용 등과 같이 손해방지비용에 포함될 수 없는 비용이 이에 해당한다.
손해방지비용	손해방지비용(sue and labour charge)은 피보험위험이 발생하였을 경우 이로 인한 보험의 목적의 손해를 방지 또는 경감하기 위해서 피보험자 또는 그의 사용인 및 대리인이 지출한 비용이다. ㉠ 손해방지비용은 합리적이고 적절하게 발생된 것이어야 한다. ㉡ 보험목적물의 피보험자 또는 그의 대리인 이외의 제3자에 의한 손해방지행위에 대해서는 보상하지 않는다. ㉢ 보험증권상의 담보위험으로 인하여 발생한 손해를 방지 또는 경감하기 위해 지출된 비용이어야 한다.

---

39) 공동해손 희생손해는 물적 손해, 공동해손 비용손해는 비용손해, 공동해손 분담금은 책임손해에 해당한다.

40) 공동해손에 관한 국제적인 통일규칙은 요크 – 앤트워프 규칙(York – Antwerp Rules)이다.

ㄹ 물적손해보상액과 손해방지비용의 합계가 보험금액을 초과하더라도, 피보험자는 손해방지비용 전액을 보상받을 수 있다.

④ 책임손해

책임손해에는 충돌손해배상책임과 공동해손분담금이 있다. 충돌손해배상책임이란 피보험선박이 다른 선박과 충돌한 결과 피보험자가 상대 선박의 선주 및 화주에 대하여 배상하여야 하는 책임을 말한다. 협회적하약관(ICC)이나 협회선박약관(Institute Time Clause - Hulls)상의 쌍방과실충돌약관과 3/4 충돌손해배상책임약관에 의해 화주와 선주의 제3자에 대한 배상책임을 보험자가 보상하고 있다.

4. 해상보험증권과 협회적하약관

(1) 해상보험증권

해상보험증권은 1779년 로이즈(Lloyd's)[41] 보험자총회에서 그때까지 사용되어 오던 여러 가지 양식의 보험증권을 통일한 Ship and Goods Form의 보험증권이 영국 해상보험법 부록에 표준해상보험으로 채택됨으로써 공식적으로 사용되었으며, 이 보험증권에 포함된 내용은 오늘날까지도 해상보험의 골격을 이루고 있다.

UNCTAD에서는 기존의 해상보험증권은 그 약관의 문장이나 단어가 고어체와 낙후된 부분이 많아 이용자들에게 많은 불편을 주는 관계로 내용이 간단 명료하고 세계 각국에서 공통적으로 사용할 수 있는 해상보험증권의 개정안을 발표하였다.

이러한 현재의 신양식은 기존의 해상보험증권에 있던 본문 약관 중 주요 내용은 협회적하보험약관(institute cargo clause)에 포함시키고, 나머지 본문약관과 이탈릭서체약관(italic clause) 및 난외약관(marginal clause) 등은 모두 삭제됨으로써 매우 간결하게 되어 있다.

(2) (구)협회적하약관

① 구협회적하약관에 의한 담보조건

전위험담보(AR)	전위험담보(All Risks)란 항해에 관한 우연한 사고로 발생한 모든 손해를 포함하는 보험조건으로서, 이 경우 보험료가 가장 고율이며 손해보상의 범위가 넓다. 그러나 전쟁위험, 파업, 폭동위험은 제외되며, 특히 화물고유의 하자 또는 성질에 의한 손해와 수송지연으로 인한 멸실·손상 또는 비용은 제외된다.
분손담보(WA)[42]	분손담보(With Average)란 피보험목적물의 전손과 공동해손은 물론이고, 단독해손에 의한 손해까지도 보상해 주는 조건을 말한다.

---

41) 로이즈는 영국의 개인보험업자들의 집합체를 말한다. 로이즈는 보험회사가 아닌 개인보험업자들의 모임이었으나, 1871년 로이즈법에 의해 외견상으로 법인격을 가지는 로이즈 조합(Corporation of Lloyd's)이 되었다.

42) 보험증권에 기재된 일정비율 미만의 단독해손은 소손해면책약관에 의해 보상되지 않는데, 실무상으로는 WA 3% 조건 또는 WAIOP 조건(면책비율을 적용하지 않고 어떠한 소손해도 전액보상하는 조건)으로 부보된다. (WAIOP: With Average Irrespective of Percentage, 면책률 부적용 분손담보조건 = without franchise)

분손부담보(FPA)	분손부담보(Free from Particular Average)란 피보험목적물의 전손의 경우는 물론이고 분손 중 공동해손의 경우와 손해방지비용·구조비·특별비용·특정분손 등의 손해를 보상하는 조건으로서 단독해손 이외의 모든 손해를 보상하므로 단독해손부담보조건이라고도 한다.

핵심체크 전손담보(TLO)

전손담보(Total Loss Only)란 피보험목적물이 전손되었을 경우에만 손해를 보상하는 조건이며 분손, 즉 공동해손이나 단독해손의 경우에는 보상하지 않는 조건으로서 실제로는 거의 이용되지 않고 있다.

② 소손해면책약관

담보위험으로 인해 손해가 발생하여도 일정률 또는 일정액에 이르지 않는 손해에 대해서는 보험자가 보상책임을 지지 않는 경우가 있다. 이 제도를 소손해면책 또는 면책률이라고 한다. 소손해면책은 Franchise와 Excess(Deductible)로 구분된다.

Franchise	손해가 일정비율 또는 일정액에 이르지 않는 경우 전혀 보상하지 않으나, 그 기준을 초과한 경우에는 손해를 전액 보상하는 방식
Excess	손해가 일정비율 또는 일정액에 이르지 않는 경우 전혀 보상하지 않으나, 그 기준을 초과한 경우에는 면책률(금액)을 공제하고 초과분만을 보상하는 방식

(3) 신협회적하약관

① 의의

종래의 보험조건은 보험자의 담보범위에 대해 각종 면책위험의 불명확성 때문에 분쟁의 소지가 있었으며, 특히 분손부담보조건(FPA)과 분손담보조건(WA) 간의 담보범위에 있어서 그 차이가 불분명했기 때문에 피보험자들이 보험조건을 선택하는 데 어려운 점이 많았다.

새로운 신협회적하약관은 구약관과는 달리 손해의 형태에 차별성이 없어 손해가 발생한 경우 그것이 분손이든 전손이든 불문하고 보험자의 보상책임이 발생한다. 신협회적하약관은 ICC(a), ICC(b), ICC(c) 조건으로 구분된다.

협회적하약관 A ICC (a)	종래의 보험조건 중 전위험담보조건(A/R)과 유사한 조건
협회적하약관 B ICC (b)	종래의 보험조건 중 분손담보조건(WA)의 담보위험이 명확하지 않았던 점을 보완한 조건
협회적하약관 C ICC (c)	보상범위가 가장 제한된 보험조건으로, 종래의 보험조건 중 분손부담보조건(FPA)과 유사한 조건

② 신협회적하약관에 의한 담보조건

ICC(a) 조건은 포괄책임주의를, ICC(b) 조건과 ICC(c) 조건은 열거책임주의를 채택하고 있다.

보상하는 손해	ICC(a)	ICC(b)	ICC(c)
화재, 폭발(fire or explosion)	○	○	○
좌초, 교사, 침몰, 전복	○	○	○
육상운송 용구의 전복 또는 탈선	○	○	○
본선, 부선, 운송용구의 타물과의 충돌, 접촉	○	○	○
피난항에서의 화물의 하역(discharge of cargo at a port of distress)	○	○	○
지진, 화산의 분화, 낙뢰	○	○	×
공동해손 희생(general average sacrifice)	○	○	○
투하로 인한 손해(jettison)	○	○	○
갑판 유실(washing overboard)	○	○	×
본선, 부선, 선창, 운송용구, 컨테이너, 지게차 또는 보관장소에 해수, 호수, 강물의 유입	○	○	×
본선, 부선에 선적 또는 하역작업 중 바다에 떨어지거나 갑판에 추락하여 발생한 포장단위당 전손	○	○	×
상기 이외의 멸실·손상의 일체의 위험	○	×	×
공동해손 구조비	○	○	○
쌍방과실 충돌	○	○	○

③ 면책위험

㉠ 신협회적하약관 제4조: 일반면책약관

제1항 제5항	ⓐ 피보험자의 고의적 불법행위(악행)에 의한 손해 ⓑ 통상의 누손 ⓒ 통상의 중량·용적의 부족이나 자연소모 ⓓ 포장 또는 준비의 불완전이나 부적절에 의한 손해 ⓔ 물품 고유의 하자 또는 성질에 의한 손해 ⓕ 지연에 근인하여 생긴 손해	MIA 제55조의 면책위험과 동일
제6항 제8항	ⓖ 본선의 소유자·관리자·용선자·운항자의 지급불능이나 채무불이행으로 인한 손해 ⓗ 원자력이나 핵, 방사능이나 방사성 무기의 사용으로 인한 손해	
	ⓘ 제3자의 고의적인 훼손이나 파괴(악의손해)	ICC(a)에 서만 담보

      ⓛ 신협회적하약관 제5조: 불감항 및 부적합면책 조항

      ⓒ 신협회적하약관 제6조: 전쟁면책조항

      ⓔ 신협회적하약관 제7조: 동맹파업면책조항

  ④ **부가위험**

    ICC(a)나 ICC(A/R)를 보험조건으로 하는 경우에는 일반적으로 부가위험 담보조건을 부보할 필요가 없지만, ICC(FPA), ICC(WA)나 ICC(b), ICC(c)로 부보하는 경우에는 필요한 경우 아래의 부가조건을 추가하여 부보해야 한다. 기본조건 이외에 다음과 같은 부가위험을 특약으로 부보하는 경우 추가보험료를 지급하여야 한다.

㉠ 도난, 발하, 불착손(T.P.N.D)	Theft, Pilferage and Non - Delivery
㉡ 우담수손(R.F.W.D)	Rain and/or Fresh Water Damage
㉢ 갈고리에 의한 손상(H/H)	Hook & Hole
㉣ 파손위험	Breakage
㉤ 곡손위험	Denting & Benting
㉥ 누손, 중량 부족위험	Leakage/Shortage
㉦ 한습손, 열손 위험(SH)	Sweat & Heating
㉧ 혼합위험, 오염위험	Contamination
㉨ 서식, 충식 위험	Rats and Vermin
㉩ 유류 또는 타화물과의 접촉위험(C.O.O.C)	Contact with Oil and/or Other Cargo
㉪ 녹손위험	Rust
㉫ 곰팡이손 위험	Mould and Mildew
㉬ 투하 및 갑판유실(JWOB)	Jettison and Washing Overboard
㉭ 자연발화	Spontaneous Combustion

5. 대위와 위부

(1) 대위

  ① **의의**

    대위(Subrogation)란 보험자가 보험사고로 인한 손해를 피보험자에게 보상하는 경우 그 피보험자 또는 보험계약자가 보험의 목적이나 제3자에 대하여 가지고 있던 권리를 보험자가 취득하는 것을 말한다. 이러한 권리의 이전은 보험자가 보험금을 지급함으로써 법률상 당연히 발생하며 당사자 사이의 의사표시를 요하지 않으므로 양도행위가 아니다.

② 종류

보험의 목적에 대한 보험자 대위 (잔존물 대위)	보험의 목적의 전부가 멸실한 경우, 보험금의 전부를 지급한 보험자가 그 목적에 대한 피보험자의 권리를 취득하는 것
제3자에 대한 보험자 대위 (구상권 대위)	피보험자의 손해가 제3자의 행위에 의한 경우 보험금을 지급한 보험자가 지급한 금액의 한도 내에서 보험계약자 또는 피보험자의 제3자에 대한 권리를 취득하는 것

(2) 위부

① 의의

위부(Abandonment)란 추정전손이 있는 경우 전손보험금의 청구를 위해서 보험의 목적에 잔존하고 있는 피보험자의 이익을 보험자에게 임의로 양도하는 것을 말한다. 선박 또는 적하의 점유를 상실하여 회복할 가능성이 없거나 회복비용이 과다한 경우, 선박의 수선비용, 적하의 수선비용 등이 과다한 경우 피보험자는 이를 위부할 수 있다.

② 특징

㉠ 위부는 무조건적이어야 한다. 위부가 성립하기 위해서는 피보험자의 위부에 대한 보험자의 승인이 필요한데, 이러한 승인이 이루어진 경우에는 철회가 불가능하다.

㉡ 위부는 보험의 목적 전부에 대하여 위부하여야 한다. 그러나 위부의 원인이 보험의 목적 일부에 대하여 생긴 때에는 그 부분에 대하여만 위부할 수 있다.

㉢ 보험자가 승계한 이익과 권리는 위부의 원인이 된 사고 발생 시점으로 소급해서 보험자에게 이전된다.

③ 위부와 대위의 차이

구분	위부	대위
적용 보험	해상보험	해상보험을 포함한 모든 손해보상
적용 손해	전손	전손, 분손
권리이전 조건	피보험자의 의사표시에 의하여 권리 이전	법률상 당연한 권리 이전
권리취득의 범위	보험자가 피보험자에게 지급한 보험금보다 크더라도 보험자는 그 전부를 소유	보험자가 피보험자에게 지급한 보험금액 한도 내에서 권리 취득

6. CIF 조건의 보험계약 관련 규정

(1) 매도인의 보험관련 의무

자신의 비용부담으로 보험자와 목적항까지의 운송에 수반되는 보험계약을 체결하고 보험료를 지급하여야 한다. 이때 보험계약은 런던보험시장의 협회적하약관(ICC)이나 이와 유사한 약관의 최소담보조건을 택하여 적어도 물품대금의 110% 한도까지 계약상의 통화단위로 부보되어야 한다. 물론 매수인의 요구가 있을 경우에는 매수인의 비용부담으로 가능한 한 전쟁, 동맹파업, 소요 및 폭동위험에도 부보하여야 한다.

(2) CIF 조건에서의 보험부보 조건

① 보험계약은 공신력 있는 보험업자 또는 보험회사와 체결해야 한다.

② 보험약관은 별도의 약정이 없는 한 ICC 약관 가운데 담보범위가 가장 좁은 약관인 ICC(c)나 ICC(FPA) 약관으로 부보하면 된다.

③ 보험기간은 선적항에서 본선에 인도된 때로부터 지정 목적항까지로 한다.

④ 보험금액은 CIF가격의 110%, 즉 CIF가격에 10%를 희망이익보험으로 가산한 금액으로 해야 한다.

⑤ 보험계약체결은 매매계약서에 기재된 통화로 표시해야 한다.

7. 무역보험

(1) 의의

해상보험이 수출입운송 중의 위험을 담보하기 위한 것이라면, 무역보험은 통상의 해상보험으로 담보될 수 없는 위험, 즉 정치적 위험이나 신용위험·상업위험으로 인하여 수출자나 수입자가 입게 되는 손실을 보상함으로써 궁극적으로 무역진흥을 도모하기 위한 비영리 정책보험이다.

(2) 운영방식

민간보험업자가 무역보험을 운영하는 경우 무역지원정책을 견지하기보다는 이윤추구의 입장에서 담보하는 위험의 범위가 제한적일 수밖에 없으므로 무역보험은 민간보험업자가 다룰 수 없는 이러한 분야를 대상으로 한다.

(3) 한국무역보험공사

한국무역보험공사(K - sure)는 1992년도에 설립되어 우리나라 수출·수입보험제도를 전담·운영하는 정부출연기관이다. 한국수출보험공사라는 이름으로 활동하였으나 수입보험제도가 도입되면서 2010년 한국무역보험공사로 개칭, 재출범하였다.

(4) 무역보험제도

① 수출보험제도

수출보험제도는 수출기업이 물품을 수출하고 수출대금을 지급받지 못하거나, 수출금융을 제공한 금융기관이 대출금을 회수하지 못하는 손실을 보상해주는 정책보험제도로 비상위험과 신용위험을 보장한다.

신용위험	수입자의 신용악화, 파산, 대금지급 거절 등으로 인한 수출불능 또는 수출대금 미회수 위험
비상(국가)위험	수입국에서의 전쟁/혁명/내란, 수입국 정부의 수입거래/외환거래 제한, 수입국 모라토리움 선언 등

② 수입보험제도

수입보험제도는 국내 수입업자의 자금조달을 지원하는 것은 물론 해외수출자의 계약불이행으로 적기에 화물을 인도받지 못하거나 선불금을 회수하지 못하는 경우의 손실을 보상하는 제도이다.

수입보험(수입자용)	국내수입기업이 선급금 지급조건 수입거래에서 비상위험 또는 신용위험으로 인해 선급금을 회수할 수 없게 된 경우에 발생하는 손실을 보상
수입보험(금융기관용)	금융기관이 주요자원 등의 수입에 필요한 자금을 수입기업에 대출(지급보증)한 후 대출금을 회수할 수 없게 된 경우에 발생하는 손실을 보상

01 □□□ 정기선 운송에 대한 설명으로 옳지 않은 것은?

① 운임은 화물의 수요와 공급에 의하여 선주와 화주 간에 협의하여 결정한다.

② 특정한 항로를 왕복운항한다.

③ 불특정다수 화주의 화물운송을 그 대상으로 한다.

④ 개품운송계약의 형식을 가진다.

답 ①

정기선 운송은 운송사가 다수의 수출상으로부터 물품을 인수하여 개별적으로 체결하는 운송계약으로서, 개품운송계약의 형식을 가진다. 운임은 선주에 의해 공시된 운임율표에 따른다.

02 □□□ 선박에 필요한 모든 용구와 선원까지 승선시킨 선박을 일정기간 용선하여 그 용선기간을 기준으로 보수를 지불하는 해상운송계약을 무엇이라 하는가?

① Voyage charter

② Time charter

③ Bare boat charter

④ Trip charter

답 ②

용선운송계약(charter party)에는 정기운송계약, 항해운송계약, 나용선계약이 있다. 이 중 용선기간을 기준으로 보수를 지불하는 운송계약은 정기용선계약(Time charter)이다.

03 □□□ 선박 자체만 용선하고, 선원·장비 등은 용선하는 측에서 부담하는 해상운송계약을 무엇이라 하는가?

① 정기용선계약

② 항해용선계약

③ 나용선계약

④ 단일용선계약

답 ③

선박 자체만 용선하고, 선원·장비 등은 용선하는 측에서 부담하는 해상운송계약은 나용선계약(bare boat charter)이다.

04 화물이 본선에 반입되어 선박 운항 책임자인 일등항해사가 화물을 수취한 증거서류로서 발행되는 증명서류는?

① 선적지시서(shipping order: S/O)　　　② 검수표(tally sheet)
③ 선적서류(shipping documents)　　　④ 본선수취증(mate's receipt: M/R)

답 ④

M/R(Mate's receipt, 본선수취증)은 화물이 본선에 반입되어 선박 운항책임자인 일등항해사가 화물을 수취한 증거로서 발행하는 증명서류이다. M/R을 근거로 B/L이 발행된다.

05 다음 중 선하증권의 법적성질에 대한 설명으로 옳지 않은 것은?

① 불요식증권　　　　　　　　② 처분증권
③ 요인증권　　　　　　　　　④ 지시증권

답 ①

선하증권은 상법에 규정된 기재사항의 기재를 필요로 하는 요식증권(要式證券)이다.

06 선하증권상의 수하인(consignee)란에 회사명 또는 성명이 명확히 기재된 선하증권은?

① Straight B/L　　　　　　　② Order B/L
③ Master B/L　　　　　　　　④ Received B/L

답 ①

수하인(consignee)란에 회사명 또는 성명이 명확히 기재된 선하증권을 기명식 선하증권(straight B/L)이라 한다. 주로 이삿짐과 같은 개인화물 운송에 사용되는 유통불능의 선하증권이다.

⊘ **선지분석**
────────────────────────────────
② Order B/L(지시식 선하증권): 특정한 수하인을 기재하지 않고, 'to order', 'to order of Shipper', 'to order of Buyer' 등으로 표시된 선하증권
③ Master B/L: 선박회사가 발행하는 선하증권
④ Received B/L(수취 선하증권): 화물을 선박회사의 부두창고에 입고할 경우 'received for shipment' 형식으로 발행되는 선하증권

07 선하증권면의 적요(remarks)란에 사고문언이 기재된 선하증권은?

① Straight B/L   ② Clean B/L

③ Foul B/L   ④ Stale B/L

답 ③

선하증권면의 적요란(remarks)에 사고문언이 기재된 선하증권을 사고부 선하증권(foul B/L, dirty B/L)이라 한다.

08 Red B/L이란 무엇인가?

① 이면약관이 없는 약식 선하증권
② 보험증권이 결합된 선하증권
③ 용선계약에 의해 발행되는 선하증권
④ 복합운송주선업자가 발행하는 선하증권

답 ②

보험증권이 결합된 선하증권을 Red B/L(적색 선하증권)이라 한다. 문구가 붉은 글씨로 인쇄되어 있기 때문에 붙은 명칭이다.

09 화물의 운송이 해상과 육상 등 두 개 이상의 운송기관에 의하여 이루어지는 경우, 최초의 운송인이 목적지까지의 운송계약을 제2차 또는 제3차의 운송인에 갈음하여 모두 함께 체결하는 선하증권은?

① Clean B/L   ② Shipped B/L

③ Through B/L   ④ Optional B/L

답 ③

Through B/L(통선하증권, 통과선하증권)은 화물의 운송이 복수의 운송수단에 의하여 이루어지는 경우, 최초의 운송인이 목적지까지의 운송계약을 제2차 또는 제3차의 운송인에 갈음하여 모두 함께 체결할 때 발행되는 선하증권이다. 운송 도중 다른 선박회사의 선박을 이용하거나 해상운송·육상운송 수단을 교대로 이용하더라도, 최초의 운송인이 전 구간의 운송에 대하여 책임을 지게 된다.

10 □□□ Shipper와 L/C상의 Beneficiary가 다른 선하증권은?

① Charter party B/L   ② Short form B/L

③ Through B/L   ④ Third party B/L

답 ④

Shipper(송하인)와 L/C상의 Beneficiary(수익자)가 다른 선하증권을 Third party B/L(제3자 선하증권)이라 한다. 물품이 제3자에게 전매되는 과정에서 신용장 개설의뢰인이 수익자의 성명을 제3자에게 비밀로 하고 싶을 때 이용되는 선하증권이다.

11 □□□ 선하증권의 종류에 대한 설명으로 옳지 않은 것은?

① House B/L이란 선박회사가 발행하는 선하증권을 말한다.
② Clean B/L이란 선하증권면의 적요란(remarks)에 사고문언이 없는 선하증권을 말한다.
③ Straight B/L이란 수하인(consignee)란에 회사명 또는 성명이 명확히 기재된 선하증권을 말한다.
④ Received B/L이란 화물을 선박회사의 부두창고에 입고할 경우 'received for shipment' 형식으로 발행되는 선하증권을 말한다.

답 ①

선박회사가 발행하는 선하증권을 Master B/L이라 하고, 복합운송주선업자(포워더)가 발행하는 선하증권을 House B/L이라 한다.

12 □□□ 선하증권이 도착하기 전에 화물을 수취하기 위해, 선하증권의 원본 대신 제출할 수 있도록 수입상과 신용장개설은행이 연대보증한 보증서를 무엇이라 하는가?

① Letter of Guarantee   ② Letter of Credit

③ Sea Waybill   ④ Mate's Receipt

답 ①

수입화물선취보증서(Letter of Guarantee: L/G)란 선하증권이 도착하기 전에 화물을 수취하기 위해, 선하증권의 원본 대신 제출할 수 있도록 수입상과 신용장개설은행이 연대보증한 보증서를 말한다.

13 수입화물은 도착했으나 수입통관에 필요한 선적서류의 원본이 도착하지 않았을 경우 수입화물 인수를 위해 이루어지는 전자무역 업무는?

① e – L/C 통지　　　　　　　② e – B/L 신청
③ e – L/G 발급　　　　　　　④ e – D/O 발급

답 ③

'수입화물은 도착했으나 수입통관에 필요한 선적서류의 원본이 도착하지 않았을 경우' L/G를 이용한다. 이와 관련된 전자업무는 e – L/G 발급이다.

14 신용장의 개설의뢰인인 수입상이 신용장 결제자금이 없을 때 필요한 것은?

① Trust Receipt　　　　　　　② Letter of Guarantee
③ Letter of Indemnity　　　　④ Multimodal transport document

답 ①

수입화물의 대도(Trust Receipt, T/R)란 개설은행이 수입화물에 대한 담보권과 소유권을 유지하면서 수입업자가 수입대금을 결제하기 전에 수입화물을 처분할 수 있도록 하는 제도를 말한다.

☑ 선지분석
② Letter of Guarantee(L/G, 수입화물 선취 보증서)
③ Letter of Indemnity(L/I, 파손화물 보상장)
④ Multimodal transport document(복합운송증권)

15 T/R(Trust receipt)에 대한 설명으로 옳지 않은 것은?

① 일람출급 거래에서 수입대금을 납부하지 않고 개설은행으로부터 선적서류를 인도받아 상품을 처분하고 그 대전으로 수입대금을 결제하도록 하는 은행의 여신제도이다.
② 신탁양도방법에 의하여 대도가 성립되므로 위탁자(entruster)인 은행이 수탁자(trustee)인 수입업자에게 선적서류 또는 화물을 넘겨주어야 한다.
③ 수입담보 화물대도 대상물품의 처분대금이 타용도에 사용되지 않고 처분 즉시 신용장대금 결제에 충당할 것이라는 요건을 갖추어야 한다.
④ 수입자가 담보화물을 제3자에게 매각하고도 수입대금을 결제하지 않는 경우, 은행은 '담보 사실을 모르고 매입한 선의의 제3자(bonafide holder)'에게도 담보권을 행사할 수 있다.

Trust Receipt(T/R) 거래에서 수입자는 은행 소유의 화물을 수령하되, 은행에 대한 수입대금 결제 의무를 지니며, 담보물로서의 효력을 유지한 채 보관 및 판매를 위탁받는다. 그러나 수입자가 담보화물을 제3자에게 매각한 경우, 제3자가 담보 사실을 몰랐고, 거래상 일반적인 주의 의무를 다한 경우 그 제3자는 보호받는다. 즉 수입자가 담보화물을 제3자에게 매각하고도 수입대금을 결제하지 않는 경우, 은행은 담보 사실을 모르고 이를 매입한 선의의 제3자(bonafide holder)에게는 담보권을 행사할 수 없다.

16 함부르크 규칙에 대한 설명으로 옳지 않은 것은?
□□□

① UN국제무역법위원회가 제정하였다.
② 면책카달로그의 폐지로 항해과실의 면책도 폐지되었다.
③ 선하증권이 발행된 모든 국제해상화물에 적용된다.
④ 갑판적화물과 산동물도 적용대상물품에 해당한다.

함부르크 규칙은 유엔에서 작성하여 1978년 독일의 함부르크에서 채택된 '해상물품의 운송에 관한 유엔 협약(United Nations Convention on the Carriage of Goods by Sea)'을 말한다. 함부르크 규칙은 선하증권의 발행 유무를 불문하고, 해상운송계약 전체에 적용된다.

17 컨테이너 운송의 특징으로 옳지 않은 것은?
□□□

① 경제성, 신속성, 안정성을 가지고 있다.
② 컨테이너의 규격화로 비규격화물 적재시 선복공간이 발생하여 화물의 손상이 발생될 수 있다.
③ 컨테이너 화물은 선박 갑판에 적재되므로 보험료율이 할인된다.
④ 컨테이너와 관련 장비, 시설의 가격이 고가이므로 거대자금이 필요하다.

컨테이너로 운송하는 경우 안전성이 높으므로 보험조건이 완화되어 보험료 부담이 감소할 수 있다. 그러나 컨테이너 화물이 선박 갑판에 적재되는 경우 할증보험료율이 적용된다.

18 □□□ 시베리아 횡단철도(TSR)를 경유하여 극동, 동남아, 호주 등과 유럽대륙, 스칸디나비아반도를 연결하는 복합운송경로를 무엇이라 하는가?

① Mini Land Bridge
② American Land Bridge
③ Siberian Land Bridge
④ China Land Bridge

답 ③

시베리아 횡단철도(TSR)를 경유하여 극동, 동남아, 호주 등과 유럽대륙, 스칸디나비아반도를 연결하는 복합운송경로를 시베리아 랜드브리지(Siberian Land Bridge: SLB)라고 한다.

---

19 □□□ 랜드브리지(land bridge)에 대한 설명으로 옳지 않은 것은?

① 랜드브리지란 육상, 해상, 항공을 연결하는 가장 경제적인 복합운송이다.
② CLB는 미국 대륙의 횡단철도를 이용하여 극동과 유럽을 연결하는 복합운송경로이다.
③ 랜드브리지에서 육상, 해상, 항공을 연결하는 것을 3구간(three span) 랜드브리지라 한다.
④ 마이크로랜드브리지는 극동지방에서 시카고, 캔자스시티, 달라스 등 미국의 내륙지점에 이르는 경로로서, 내륙지점 복합운송경로(Interior Point Intermodal: IPI)라고도 부른다.

답 ②

미국 대륙의 횡단철도를 이용하여 극동과 유럽을 연결하는 복합운송경로는 아메리칸 랜드브리지(American Land Bridge: ALB)이다. 중국대륙철도와 실크로드를 이용하여 극동지역과 유럽지역을 연결하는 복합운송경로는 차이나 랜드브리지(China Land Bridge: CLB)이다.

---

20 □□□ 동아시아와 미국 대서양이나 걸프만 연안 혹은 유럽과의 항로에서 태평양과 대서양 연안을 대륙횡단철도로 연결하는 복합운송경로를 무엇이라 하는가?

① 미니 랜드브리지(Mini Land Bridge)
② 아메리카 랜드브리지(American Land Bridge)
③ 시베리아 랜드브리지(Siberian Land Bridge)
④ 차이나 랜드브리지(China Land Bridge)

답 ①

동아시아와 미국 대서양이나 걸프만 연안 혹은 유럽과의 항로에서 태평양과 대서양 연안을 대륙횡단철도로 연결하는 복합운송경로를 미니 랜드브리지(Mini Land Bridge)라 한다. 이 경로는 아시아에서 북미 서안까지 해상운송된 후, 북미 서안에서 북미 동안 또는 대서양 걸프만까지 육상운송되는 국제복합운송경로이다.

21 □□□ 복합운송에 대한 설명으로 옳지 않은 것은?

① 전 구간에 대한 운송의 책임은 복합운송인에게 있으며, 각 구간운송과 화주는 법적인 관계가 없다.

② 복합운송은 운송의 대가로 각 구간별로 분할된 운임이 아닌 전체 운송구간에 대한 단일운임의 적용을 받는다.

③ 복합운송인은 전 운송구간을 통하여 동일한 책임체계를 유지하여야 한다.

④ 복합운송 자체의 필요조건은 아니지만 복합운송계약의 성립요건으로 복합운송증권을 발행하는 것이 일반적이다.

답 ③

복합운송인은 전 구간의 운송을 직접 수행할 필요는 없으나, 전 구간 운송에 대한 단일한 책임을 져야 한다. 다만 각 구간별로 책임체계는 다를 수 있는데, 구간별 운송수단이나 적용법규가 상이하여 책임체계가 다른 것을 '이종책임체계'라 하며, 전 운송구간을 통하여 동일한 책임체계를 유지하는 것을 '동일책임체계'라 한다.

22 □□□ 해상보험에 관해 설명한 것으로 옳지 않은 것은?

① Insurer: 보험회사, 보험인수업자 등 보험기간 중 보험사고가 발생한 경우 보험금을 지급할 것을 약속한 자

② Insured: 보험자와 보험계약을 체결하고 보험료를 지급하기로 한 자

③ Insurable interest: 보험의 목적물이 멸실 또는 손상된 경우 경제적 손상을 받는 자와 보험목적물 간의 이해관계를 보호함으로써, 특정인이 갖게 되는 이익

④ Subject-matter insured: 보험에서 담보되는 각종 위험에 의해 멸실 또는 손상(loss or damage)될 우려가 있는 대상물

답 ②

보험자와 보험계약을 체결하고 보험료를 지급하기로 한 자는 보험계약자(policy holder)라고 한다. 보험사고가 발생한 경우 보험자로부터 손해의 보상을 받는 자는 피보험자(insured)라고 한다.

23 다음 중 해상보험에 있어서의 피보험이익(insurable interest)으로 보기 어려운 것은?

① 화물이 수입국에 도착하여 전매되었을 때 얻을 수 있다고 예상하는 이익
② 화물가액의 감소
③ 매매계약에 중개인 개입시 중개인의 수수료 수익
④ 화물이 수입국에 도착한 후 지불하는 운임

답 ②

피보험이익(insurable interest)이란 보험의 목적물이 멸실 또는 손상된 경우 경제적 손상을 받는 자와 보험목적물 간의 이해관계를 보호함으로써, 특정인이 갖게 되는 이익을 말한다. 피보험이익에는 희망이익, 화물가액의 증가, 중개수수료, 후불운임 등이 포함된다.

24 해상보험의 보험가액(insurable value)과 보험금액(amount insured)의 관계에 있어, 보험가액이 보험금액보다 큰 보험을 무엇이라 하는가?

① 전부보험   ② 일부보험
③ 초과보험   ④ 인상보험

답 ②

보험가액(insurable value)은 피보험이익을 금전으로 평가한 가액으로서, 사고가 발생한 경우 피보험자가 입게 될 손해의 최고 한도액이다. 한편 보험금액(amount insured)은 손해발생 시 보험자가 부담하는 보상책임의 최고 한도로서, 계약 당사자 간 약정한 금액이다. 보험가액이 더 크면 (일부만 보상되므로) 일부보험이라 하고, 보험금액이 더 크면 초과보험이라고 한다. 그런데 보험금액이 보험가액을 초과하는 분에 대하여는 무효로 한다. 초과보험이 인정된다면 도덕적인 해이와 위태가 발생할 수 있기 때문이다.

25 INCOTERMS에 의한 거래조건과 해상보험의 관계에 대한 설명으로 옳은 것은?

① CIF 거래조건에서는 매도인이 보험계약자가 되고, 매수인이 피보험자가 된다.
② CIP 거래조건에서는 매수인이 보험계약자이며, 피보험자가 된다.
③ FOB 거래조건에서는 매도인이 보험계약자인 동시에 피보험자가 된다.
④ FAS 거래조건에서는 보험부보의 의무가 없으므로, 보험을 부보한다면 매도인이 자신의 비용으로 보험계약을 체결하여야 한다.

CIF와 CIP 규칙에서 매도인은 해상보험 계약 체결의 의무를 가지며 보험료를 납부해야 한다. 즉 매도인이 보험계약자가 된다. 그러나 보험금을 받는 사람은 매수인이 된다. 즉 매수인이 피보험자가 된다. 그러나 다른 규칙에서 보험을 부보한다면 매수인이 자신을 위하여 스스로 보험을 부보해야 한다. 즉 매수인이 보험계약자인 동시에 피보험자가 된다.

26 해상보험의 원칙에 대한 설명으로 옳은 것은?

□□□

① 보험계약을 체결할 때 위험사정을 잘 알고 있는 보험자는 보험계약자가 위험을 측정하는 데 영향을 미칠 수 있는 사실에 대해 최대 선의로서 고지할 것이 요구된다.
② 영국해상보험법상의 근인이란 손해발생에 시간적으로 가장 가까운 원인을 말한다.
③ 담보위반의 경우에는 보험증권의 명시의 규정이 있는 경우를 제외하고 보험자는 담보위반 일로부터 책임을 면한다.
④ 명시담보는 내항성담보(warranty of seaworthiness)와 적법담보(warranty of legality)로 구분할 수 있다.

담보란 피보험자가 반드시 지켜야 할 약속사항이다. 담보에는 보험증권 등 문서에 명시된 명시담보와 문서에 기재되지 않은 묵시담보가 있다. 담보위반의 경우에는 보험증권의 명시의 규정이 있는 경우를 제외하고 보험자는 담보위반일부터 책임을 면한다.

✓ 선지분석

① 보험계약을 체결할 때 위험사정을 잘 알고 있는 보험계약자는 보험자가 위험을 측정하는 데 영향을 미칠 수 있는 사실에 대해 최대선의로서 고지할 것이 요구된다. 이것을 고지(disclosure)라 한다. 문제에서 '보험자'와 '보험계약자'가 바뀌어야 한다.
② 영국해상보험법(MIA)에서 보험자는 피보험위험에 근인하여 발생한(proximately caused) 일체의 손해에 대하여 책임을 진다고 규정하여 근인주의를 채택하고 있다. 여기에서 근인이란 손해발생에 시간적으로 가장 가까운 원인(cause nearest in time)이 아니라 손해를 발생시키는 효과(cause proximate in efficiency)에 있어서 가장 가까운 원인이라는 의미이다.
④ 묵시담보는 크게 선박이 항해 개시를 하는 때에 통상의 해상위험에 충분히 견딜 수 있는 내항성을 지녀야 한다는 내항성담보(warranty of seaworthiness)와 부보된 항해사업은 적법한 것이어야 하며, 피보험자가 사정을 지배할 수 있는 한 적법한 방법으로 진행되어야 한다는 적법담보(warranty of legality)로 나눌 수 있다.

27 ☐☐☐ 영국 해상보험법상 보험계약이 체결된 것으로 간주하는 때는?

① 피보험자가 청약한 때   ② 보험자가 승낙한 때

③ 보험증권이 발행된 때   ④ 보험료를 납부한 때

답 ②

해상보험계약은 보험증권의 발행여부에 관계없이, 피보험자의 청약이 보험자에 의해 승낙된 때 성립된 것으로 간주한다(MIA 제21조).

28 ☐☐☐ 다음 중 해상고유의 위험으로 보기 어려운 것은?

① 충돌(collision)   ② 악천후(heavy weather)

③ 침몰(sinking)   ④ 해적(pirates)

답 ④

해상위험(marine risk)에는 (1) 해상 고유의 위험, (2) 화재, (3) 강도, (4) 투하, (5) 선장 및 선원의 악행이 포함된다. 이 중 해상 고유의 위험(Perils of the Seas)이란 침몰(sinking), 좌초(stranding), 충돌(collision), 악천후(heavy weather)에 의한 해수손을 말한다. 해적(pirates)은 전쟁 등의 위험 (war risks)에 포함되는 것으로, 면책 위험이다.

29 ☐☐☐ 해상보험에 있어, 물적 손해에 해당하지 않는 것은?

① 현실전손   ② 추정전손

③ 특별비용   ④ 단독해손

답 ③

해상손해는 물적손해, 비용손해, 책임손해로 구분된다. 이 중 물적손해는 다시 전손(현실전손, 추정전손) 과 분손(단독해손, 공동해손)으로 구분된다. 특별비용(particular charges)은 보험목적물의 안전 또는 보존을 위해서 피보험자에 의하여 또는 피보험자를 위해서 지출된 비용으로서, 공동해손비용 및 구조료 이외의 비용을 말한다. 특별비용은 비용손해에 해당한다.

30 ☐☐☐ **해상손해에 대한 설명으로 옳지 않은 것은?**

① 전손(total loss)이란 보험의 목적에 대한 물적손해가 발생하여 피보험이익이 전부 멸실된 것을 의미하며, 포획 등으로 인해 보험의 목적에 대한 피보험자의 지배력이 상실된 경우는 제외한다.

② 추정전손은 보험목적물을 보험자에게 정당하게 위부함으로써 성립되며, 만약 위부(Abandonment)를 하지 않을 경우에는 분손으로 처리될 수 있다.

③ 피보험이익의 일부가 멸실되거나 훼손되어 발생된 손해로, 손해를 입은 자가 단독으로 부담하는 손해를 단독해손(particular average)이라 한다.

④ 특별비용(particular charges)이란 보험목적물의 안전 또는 보존을 위하여 피보험자에 의하여 또는 피보험자를 위하여 지출된 비용으로서, 공동해손비용 및 구조료 이외의 비용을 말한다.

┃ 답 ①

'보험의 목적에 대한 물적손해가 발생하여 피보험이익이 전부 멸실된 것'은 전손(total loss) 중 특히 현실전손(actual total loss)에 해당한다. '포획 등으로 인해 보험의 목적에 대한 피보험자의 지배력이 상실된 경우'는 추정전손(constructive total loss)에 해당하므로, 역시 전손에 포함된다.

31 ☐☐☐ **공동해손(general average)이 있는 경우 물적손해에 해당하는 것은?**

① 공동해손 희생손해　　　　　② 공동해손 비용손해
③ 공동해손 분담금　　　　　　④ 손해방지비용

┃ 답 ①

공동해손 희생손해는 물적손해이다.

✓ **선지분석**
....
② 공동해손 비용손해는 비용손해이다.
③ 공동해손 분담금은 책임손해이다.
④ 손해방지비용은 비용손해이다.

32

다음 해상손해 중 책임손해에 해당하는 것은?

① 구조비　　　　　　　　　　② 단독해손
③ 특별비용　　　　　　　　　④ 선박충돌 손해배상책임

답 ④

해상손해 중 책임손해에 해당하는 것은 (1) 선박충돌 손해배상 책임, (2) 공동해손 분담금이다.

33

피보험목적물의 전손의 경우는 물론이고 분손 중 공동해손의 경우와 손해방지비용·구조비·특별비용·특정분손 등의 손해를 보상하는 조건으로서 단독해손 이외의 모든 손해를 보상하는 협회적하약관(구약관)에서의 조건은?

① A/R　　　　　　　　　　② WA
③ FPA　　　　　　　　　　④ TLO

답 ③

FPA(분손부담보): 단독해손은 보상하지 않음

☑ 선지분석
① A/R(전위험담보): 모든 손해 보상(면책 위험 제외)
② WA(분손담보): 전손, 공동해손, 단독해손까지 보상
④ TLO(전손담보): 전손만 보상

34

해상보험과 관련된 용어의 설명으로 옳지 않은 것은?

① 구조료란 해난에 처한 재산에 발생할 가능성 있는 손해를 방지하기 위해서 구조계약과 관계 없이 해법상(海法上) 구조한 자에게 지급하는 보수를 말한다.
② 손해방지비용이란 보험목적물의 안전 또는 보존을 위해서 피보험자에 의하여 또는 피보험자를 위해서 지출된 비용으로서, 공동해손비용 및 구조료 이외의 비용을 말한다.
③ 전손이란 피보험이익이 전부 멸실된 경우를 말하며, 추정전손과 현실전손으로 구분된다.
④ 위부란 추정전손이 있는 경우 전손보험금의 청구를 위해서 보험의 목적에 잔존하고 있는 피보험자의 이익을 보험자에게 임의로 양도하는 것을 말한다.

특별비용(particular charges)은 보험목적물의 안전 또는 보존을 위해서 피보험자에 의하여 또는 피보험자를 위해서 지출된 비용으로서, 공동해손비용 및 구조료 이외의 비용을 말한다. 손해방지비용(sue and labour charge)이란 피보험위험이 발생하였을 경우 이로 인한 보험의 목적의 손해를 방지 또는 경감하기 위해서 피보험자 또는 그의 사용인 및 대리인이 지출한 비용이다.

35 신협회적하약관에서의 ICC(a) 조건은 구약관에서의 어떠한 조건과 유사한가?

① FPA
② A/R
③ WA
④ TLO

신협회적하약관의 ICC(a), ICC(b), ICC(c)는 각각 구협회적하약관의 AR(All risks), WA(With Average), FPA(Free from Particular Average)와 유사하다.

36 해상보험에서 ICC(c) 조항의 담보위험에 해당되지 않는 것은?

① 화재
② 좌초
③ 충돌
④ 낙뢰

ICC(c)에서 담보하지 않는 위험은 다음과 같다.

1. 지진, 화산의 분화, 낙뢰
2. 갑판 유실
3. 본선, 부선, 선창, 운송용구, 컨테이너, 지게차 또는 보관장소에 해수, 호수, 강물의 유입
4. 본선, 부선에 선적 또는 하역작업 중 바다에 떨어지거나 갑판에 추락하여 발생한 포장단위당 전손
5. (명시되지 않은) 상기 이외의 멸실·손상의 일체의 위험

37 □□□ 신협회적하약관의 ICC(c) 조건에 의한 담보위험에 해당하는 것은?

① 해수유입
② 하역중 바다에 떨어진 포장단위당 전손
③ 갑판유실
④ 투하로 인한 손해

답 ④

투하로 인한 손해(jettison)는 ICC(a), ICC(b), ICC(c)에서 모두 담보되는 위험이다.

38 □□□ 해상보험에서 대위(Subrogation)에 대한 설명으로 옳지 않은 것은?

① 대위란 보험자가 보험사고로 인한 손해를 피보험자에게 보상하는 경우 그 피보험자 또는 보험계약자가 보험의 목적이나 제3자에 대하여 가지고 있던 권리를 보험자가 취득하는 것을 말한다.
② 대위에 의한 권리의 이전은 보험자가 보험금을 지급함으로써 법률상 당연히 발생하며 당사자 사이의 의사표시를 요하지 않는다.
③ 보험의 목적의 전부가 멸실된 경우 보험자가 보험금의 전부를 지급하였다면 보험의 목적에 대한 보험자 대위가 성립한다.
④ 대위는 전손에만 적용되며, 분손이 있는 경우 적용되지 않는다.

답 ④

대위(Subrogation)란 보험자가 보험사고로 인한 손해를 피보험자에게 보상하는 경우 그 피보험자 또는 보험계약자가 보험의 목적이나 제3자에 대하여 가지고 있던 권리를 보험자가 취득하는 것을 말한다. 보험자는 피보험자에게 지급한 보험금액 한도 내에서 권리를 취득하며, 이것은 전손과 분손에 모두 적용된다.

39 보험계약자이자 피보험자인 A는 보험기간 중 B의 과실로 초래된 보험사고로 인하여 2억원의 화물 전손 피해를 입었다. 그런데 A가 체결한 적하보험의 보험금액이 1억원이므로 보험자인 C는 A에게 1억원의 보험금을 지급하고, B에게 구상을 청구하고자 한다. 이와 관련한 설명으로 옳지 않은 것은?

① C는 화물의 소유자였던 A의 명의가 아닌 자신의 명의로 B에게 구상청구하는 것이 가능하다.
② C는 보험금 지급과 동시에 A의 권리를 대위행사할 수 있다.
③ A는 자신의 명의로 B에게 2억원의 손해배상청구를 할 수는 없다.
④ C가 대위권을 행사하는 경우 이는 잔존물에 대한 권리행사에 해당하는 것이다.

답 ④

대위에는 보험의 목적에 대한 보험자 대위(잔존물 대위)와 제3자에 대한 보험자 대위(구상권 대위)가 있다. 피보험자의 손해가 제3자의 행위에 의한 경우 보험금을 지급한 보험자가 지급한 금액의 한도 내에서 보험계약자 또는 피보험자의 제3자에 대한 권리를 취득하는 것은 구상권 대위이다.

40 해상보험에서 위부(abandonment)에 대한 설명으로 옳은 것은?

① 보험자가 보험금을 지급한 경우 피보험자가 가지고 있던 소유권리와 손해를 발생하게 한 과실이 있는 자에 대한 구상권을 보험자가 대신할 수 있는 권리이다.
② 만일 위부가 보험자에 의해서 수락되지 않으면, 그 손해는 전손(total loss)으로 처리된다.
③ 위부의 원인이 보험의 목적 일부에 대하여 생긴 때에는 그 부분에 대해서만 위부를 할 수 없다.
④ 위부는 무조건적이어야 한다.

답 ④

위부(Abandonment)란 추정전손이 있는 경우 전손보험금의 청구를 위해서 보험의 목적에 잔존하고 있는 피보험자의 이익을 보험자에게 임의로 양도하는 것을 말한다. 위부는 무조건적이어야 한다. 위부가 성립하기 위해서는 피보험자의 위부에 대한 보험자의 승인이 필요한데, 이러한 승인이 이루어진 경우에는 철회가 불가능하다.

⊘ 선지분석
① 구상권 대위에 대한 설명이다.
② 위부가 수락되지 않으면, 그 손해는 분손으로 처리된다.
③ 위부는 보험의 목적 전부에 대하여 위부하여야 한다. 그러나 위부의 원인이 보험의 목적 일부에 대하여 생긴 때에는 그 부분에 대하여만 위부할 수 있다.

41
☐☐☐

도난, 발하 및 다른 항에서의 양하 또는 분실 등이 원인이 되어 포장 전체가 도착하지 않을 위험을 무엇이라 하는가?

① C.O.O.C

② H/H

③ R.F.W.D

④ T.P.N.D

답 ④

ICC(FPA), ICC(WA)나 ICC(b), ICC(c)로 부보하는 경우에는 필요한 경우 부가위험을 추가하여 특약으로 부보하여야 한다. 부가위험 중 T.P.N.D(도난, 발하, 불착손)는 Theft, Pilferage and Non-Delivery의 줄임말이다.

☑ 선지분석

① C.O.O.C(유류 또는 타화물과의 접촉 위험): Contact with Oil and/or Other Cargo
② H/H(갈고리에 의한 손상): Hook & Hole
③ R.F.W.D(우담수손): Rain and/or Fresh Water Damage

42
☐☐☐

Incoterms 2020상의 CIF조건으로 계약을 체결할 경우에 매도인의 보험계약 체결에 대한 의무를 설명한 것으로 옳지 않은 것은?

① 매도인은 매수인에게 보험증권이나 보험증명서 그 밖의 부보의 증거를 제공하여야 한다.
② 매도인은 매수인에게, 매수인의 요청에 따라 매수인의 위험과 비용으로 매수인이 추가보험을 조달하는 데 필요한 정보를 제공하여야 한다.
③ 보험의 통화는 수입상이 지정한 수입국의 통화와 같아야 한다.
④ 보험은 물품에 관하여 A2에 규정된 인도지점부터 적어도 지정목적항까지 부보되어야 한다.

답 ③

CIF 조건에서 보험을 부보할 때, 보험계약체결은 매매계약서에 기재된 통화로 표시해야 한다. 그리고 보험금액은 CIF가격의 110%, 즉 CIF가격에 10%를 희망이익보험으로 가산한 금액으로 해야 한다.

CHAPTER 4 수출입 통관 및 원산지 판정

1 수출입 통관

1. 의의

통관(通關, customs clearance)이란 관세법에 따른 절차를 이행하여 물품을 수출, 수입 또는 반송하는 것을 말한다.

2. 수출, 수입, 반송의 신고

(1) 신고인

수출, 수입, 반송의 신고는 화주 또는 관세사·관세법인·통관취급법인의 명의로 하여야 한다. 다만, 수출신고의 경우에는 화주에게 해당 수출물품을 제조하여 공급한 자의 명의로 할 수 있다.

(2) 신고 사항

물품을 수출, 수입 또는 반송하려면 해당 물품의 품명, 규격, 수량, 가격 등을 세관장에게 신고하여야 한다.

(3) 신고 시기

수입 신고는 해당 물품을 적재한 선박이나 항공기가 입항된 후에만 할 수 있다. 반송 신고는 해당 물품이 관세법에 따른 장치 장소에 있는 경우에만 할 수 있다.

3. 보세 제도

(1) 의의

보세(保稅)란 수입통관 절차가 완료되지 않은 상태, 즉 수입신고수리 미완료의 상태를 말한다. 보세제도에는 보세화물을 세관의 관리하에 장치, 검사, 전시, 가공, 건설 및 판매하는 보세구역 제도와 외국물품을 국내에서 운송하는 보세운송 제도가 있다.

(2) 보세구역

보세구역은 지정보세구역, 특허보세구역 및 종합보세구역으로 구분한다. 지정보세구역은 지정장치장 및 세관검사장으로 구분하고, 특허보세구역은 보세창고, 보세공장, 보세전시장, 보세건설장 및 보세판매장으로 구분한다.

(3) 보세운송

보세운송이란 외국물품을 보세상태로 국내에서 운송하는 제도이다. 부산항, 인천공항 등으로 반입된 외국물품을 입항지 세관에서 통관하지 않고, 내륙지 세관으로 이동하여 통관하려고 할 때 보세운송을 하여야 한다.

4. 관세의 부과

(1) 의의

관세란 일국의 관세 영역을 통과하는 물품에 대하여 국가가 재정수입, 국내산업 보호 등을 목적으로 반대급부 없이 법률이나 조약에 따라 부과·징수하는 조세를 말한다. 관세는 상품의 이동방향에 따라 수입관세, 수출관세, 통과관세로 분류할 수 있다. 대부분의 국가는 수입물품 과세주의를 취하고 있지만, 특정물품의 대외유출로 인한 국내시장 물가의 상승을 막으려는 의도로 수출세를 채택하고 있는 국가도 있다. 그러나 자유로운 국제교역에 방해가 된다는 이유로 통과세는 폐지되었다.

(2) 관세의 과세방법

① 종가세

물품의 가격을 과세표준으로 하는 과세방법이다. 고가의 물품에는 관세가 많이 부과되고, 저가의 물품에는 관세가 적게 부과된다.

② 종량세

물품의 수량을 과세표준으로 하는 과세방법이다. 우리나라의 경우 촬영된 영화용 필름이나 일부 농산물에 종량세 과세방법이 적용되고 있다.

③ 혼합세

한 품목에 대하여 종가세율과 종량세액을 모두 정해 놓고 그 중 높게 산출되는 세액 또는 낮게 산출되는 세액 중 하나를 선택하여 과세하는 선택세가 있고, 두 가지 방법으로 산출된 세액을 합하여 부과하는 복합세가 있다.

(3) 관세장벽과 비관세장벽

① 관세장벽

일반적으로 관세(關稅, tariff, customs duties)란 일국의 관세영역을 통과하는 물품에 대하여 국가가 재정수입, 국내산업보호 등을 목적으로 반대급부 없이 법률이나 조약에 의하여 부과·징수하는 조세를 말한다. 관세의 부과는 수입가격을 상승시켜 수입자와 소비자로 하여금 재정적인 부담을 느끼게 하므로 무역거래의 장벽이 된다.

ⓒ 대표적인 관세장벽

　　ⓐ 반덤핑관세(덤핑방지관세, Anti-dumping Duties)

　　　덤핑행위는 불공정무역행위이므로 덤핑마진(dumping margin)에 해당하는 반덤핑관세를 부과함으로써 덤핑의 효과를 상쇄시킬 수 있다. 반덤핑관세는 대표적인 무역구제조치 중의 하나로써, 정상가격과 덤핑가격의 차액에 상당하는 금액 이하의 관세를 실행관세에 추가하는 형태로 부과된다. 여기에서 정상가격이란 일반적으로 공급국의 통상거래가격을 그 기준으로 한다.

‖ 킨들버거가 분류한 덤핑의 종류 ‖

약탈적 덤핑 (predatory dumping)	시장을 확보하고 경쟁자를 배제하기 위해 단기적인 손해가 발생하더라도 투매 행위를 하는 것을 말한다. 일단 시장을 확보하거나 경쟁력을 갖추게 되면 가격을 인상하여 침투시장을 독점화한다.
산발적 덤핑 (sporadic dumping)	국내시장은 교란하지 않으면서, 과잉 재고를 처분하기 위한 목적으로 해외시장에 산발적으로 투매하는 것을 말한다.
지속적 덤핑 (persistent dumping)	국내시장에서는 높은 독점가격을 유지하면서, 국제시장에서는 염가로 판매하는 것을 말한다. 이러한 이중 가격 구조는 일반적으로 정부의 보상을 받는 경우가 많으며, 정부의 보상이 없다면 오래 지속되기 어렵다.
사회적 덤핑 (social dumping)	임금이 낮은 나라에서 생산된 제품은 가격이 낮아진다. 선진국 입장에서는 이런 저렴한 가격을 덤핑으로 취급하게 된다.
환덤핑 (exchange dumping)	한 나라에서 통화의 평가절하를 하게 되면, 그 나라의 수출 상품 가격이 수입국 입장에서 볼 때 인하된 것으로 간주된다.

　　ⓑ 상계관세(Countervailing Duties)

　　　외국의 정부나 공공기관으로부터 보조금 또는 장려금을 지급받은 물품이 수입되는 경우 저가수입이 이루어져, 해당 수입국의 국내산업에 피해가 발생할 수 있다. 이런 경우 보조금 등의 금액 이하의 관세를 실행관세에 추가하여 부과하는 것을 상계관세라 한다. 상계관세는 상대국 정부의 보조금 지급 정책을 문제 삼는 것이므로, 이를 부과하는 경우 상대국과의 외교마찰이 발생할 가능성이 높다.

핵심체크 WTO 보조금 및 상계조치에 관한 협정(SCM)

1. 의의

WTO 보조금 및 상계조치에 관한 협정(SCM, Agreement on Subsidies and Countervailing Measures)은 보조금에 관한 정의를 포함하고 있으며, 보조금에 있어서의 특정성(specificity)의 개념을 도입하였다. 보조금이란 회원국의 영역 내에서 정부 또는 공공기관의 재정적인 기여가 있거나 GATT 제16조(보조금)에서 정의하고 있는 소득지지 또는 가격지지가 어떤 형태로든 존재하고 또한 이로 인하여 이익이 부여되는 경우를 말한다.

보조금	(1) 정부, 공공기관의 재정적 기여 (2) 정부가 직접 또는 정부가 민간기관에 위임한 　① 자금의 직접 이전(무상지원, 대출, 지분참여) 　② 채무부담 직접 이전(대출보증) 　③ 세입 포기(세액 공제) 　④ 상품·서비스의 제공 및 구매

2. 보조금의 종류

SCM은 보조금을 금지보조금(Prohibited Subsidies), 조치가능보조금(Actionable Subsidies), 허용보조금(Non - actionable Subsidies)으로 나누어 규율하고 있다.

(1) 금지보조금

금지보조금은 수출실적에 따라 지급되거나, 수입품 대신 국내 상품을 사용하는 것을 조건으로 지급되는 보조금을 말한다. 이러한 보조금은 국제무역을 왜곡시켜 다른 국가에 피해를 줄 수 있으므로 금지보조금으로 규정하였다.

(2) 조치가능보조금

조치가능보조금은 제소국이 해당 보조금이 제소국의 이익에 부정적 효과를 미친다는 것을 입증하지 못하면 허용하게 되는 보조금을 말한다.

(3) 허용보조금

허용보조금은 보조금이 지급되더라도 WTO 협정이나 수입국의 제재 조치를 받지 않는 보조금을 말한다. 여기에는 특정성이 없는 보조금과, 특정성이 있더라도 연구활동 지원, 낙후지역 제공, 환경개선 등을 위한 보조금이 해당된다.

특정성이 없는 보조금(non specific)	－
특정성이 있으나 허용되는 보조금(specific)	기업 및 연구기관의 연구 활동 지원에 제공되는 보조금 * 기업 및 연구기관: 기업 또는 기업과 계약을 체결한 고등교육기관이나 연구기관
	지역개발의 일반적인 틀에 따라 낙후지역에 제공되는 보조금 * 일반적인 틀: 지역적 보조금 계획이 내부적으로 일관되고, 일반적으로 적용 가능한 지역발전 정책의 일부임을 의미함 * 낙후지역: 경제적, 행정적 실체를 가진 명백하게 지정된 지리적 지역으로서, 객관적인 기준에 기초하여 낙후된 지역으로 간주되어야 함(관련 영토의 1인당 소득, 가구당 소득 또는 실업률을 고려함)
	새로운 환경을 지원하기 위한, 환경을 개선하기 위한 보조금 * 환경 지원: 일회적인 비반복적인 조치이어야 함 * 환경 개선: 기업의 공해 및 오염의 감축 계획에 직접적으로 연계되어 있어야 함

ⓒ 보복관세

교역상대국이 조약이나 협정에 의하여 보호받아야 하는 자국의 권익을 부인하거나, 자국 상품에 대해서만 부당하거나 차별적인 조치를 하는 경우, 이에 대한 보복 차원에서 부과하는 관세를 보복관세라 한다.

ⓛ 관세의 경제적 효과

킨들버거(C.P. Kindleberger)는 관세의 경제적 효과를 8가지로 분류하였다. 아래 그림에서 P"는 국제무역이 없는 상태, 즉 국내공급과 국내수요만 있는 경우 공급곡선과 수요곡선이 만나는 점에서 형성된 가격이다. 국제무역이 이루어지는 경우 외국의 저가상품이 수입되면서 국내시장의 판매가격은 낮아지게 되며, 이때 형성된 가격은 P_0이다. P_0는 자유무역상태에서의 가격 또는 관세가 부과되지 않은 상태에서의 가격이라고 할 수 있다. 여기에 관세가 부과되면, 국내가격은 높아져서 P'이 된다. 가격이 P_0에서 P'으로 변하였을 때 나타나는 관세의 경제적 효과에 대해 살펴보자. 관세율을 t%라고 할 때, $P' = P_0(1+t)$의 관계에 있다.

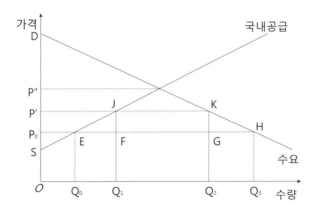

ⓐ 보호효과(protection effect)

수입물품에 관세가 부과되면 그 수입물품의 가격이 상승하므로 수입량이 감소되며, 수입물품과 경쟁관계에 있는 국내산업은 보호를 받게 되는데, 이를 보호효과라 한다. 수입수요의 탄력성 및 국내공급의 탄력성이 크고 관세율이 높으면 보호효과가 커진다.

보호효과의 크기: OQ_1(관세부과 후의 국내생산) − OQ_0(관세부과 전의 국내생산) = Q_0Q_1

ⓑ 소비효과(consumption effect, 소비억제효과)

수입물품에 관세가 부과되면 그 수입물품의 가격이 상승하여 국내소비가 감소하게 되는데, 이를 소비효과라 한다. 자유무역하에서는 P_0가격에서 소비할 수 있었던 물품의 가격이 P'으로 상승하여 소비자의 수요는 Q_3에서 Q_2로 이동하게 된다.

소비효과의 크기: OQ_3(관세부과 전의 총수요) − OQ_2(관세부과 후의 총수요) = Q_2Q_3

ⓒ 재정수입효과(revenue effect, 세입효과)

관세의 부과로 재정수입이 증가하는 효과를 재정수입효과라 한다. 경제개발 초기단계에서는 총 재정수입에서 관세의 비중이 높은 경향이 있다.

재정수입효과의 크기: P_0P'(관세) × Q_1Q_2(수입) = FGKJ

ⓓ 재분배효과(redistribution effect, 소득재분배효과)

관세의 부과로 국내소비자의 실질소득이 감소되고 국내생산자의 소득이 증가되어 소득이 재분배되는 효과를 재분배효과라 한다. 이것은 관세부과로 인한 (국내)소비자잉여는 감소하고, (국내)생산자잉여는 증가하는 효과라고도 할 수 있다.

- 소득재분배로 인한 소비자잉여의 변화: DHP_0(관세부과 전) − DKP' = $P'P_0HK$만큼 감소
- 소득재분배로 인한 생산자잉여의 변화: SEP_0(관세부과 전) − SJP' = $P'P_0EJ$만큼 증가

핵심체크 재분배 효과와 관세의 비용(cost of tariff)

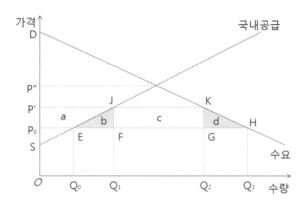

소비자잉여는 a + b + c + d만큼 감소하고, a만큼의 소비자잉여는 생산자잉여로 전환되어 생산자 잉여가 증가한다. 또한 정부는 c의 면적만큼 소비자잉여가 정부의 관세수입으로 귀속되는 부분을 재정수입으로 획득하게 된다. 그런데 관세부과 전의 가격일 때 발생하였던 소비자잉여 중 b와 d만큼의 면적은 관세부과 후에 사라지게 된다. 즉, 경제 전체로 볼 때는 부(−)의 효과가 발생하게 된다. 이를 관세의 비용(cost of tariff, 자중손실)이라 한다.

ⓔ 교역조건효과(terms of trade effect)

관세의 부과로 관세부과국의 교역조건은 개선되고 교역상대국의 교역조건은 악화되는 효과를 교역조건효과라 한다. 관세에 의한 교역조건의 변화는, 교역당사국의 오퍼곡선의 탄력성에 따라 다르게 나타난다. 교역상대국의 오퍼곡선이 비탄력적일수록 관세부과국의 교역조건은 개선되고, 교역상대국은 교역조건이 악화된다. 관세가 부과되면 수입량이 감소하므로, 오퍼곡선도 왼쪽으로 이동하게 되며, 이에 따라 무역균형점도 E_0에서 E_1으로 이동한다.

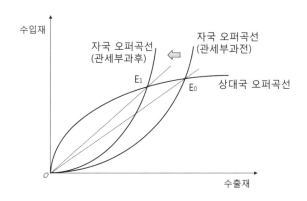

ⓕ 경쟁효과(competition effect)

관세의 부과로 국내산업이 외국산업과의 격심한 경쟁을 피할 수 있는 효과를 경쟁
효과라 한다.

ⓖ 소득효과(income effect)

관세의 부과로 국내상품의 소비가 증가되어, 이에 따라 국내고용의 실질소득이 증
가하는 효과를 소득효과라 한다.

ⓗ 국제수지효과(international balance of payment effect, 국제수지개선효과)

수입물품에 관세를 부과하면 수입은 감소하지만, 자국의 수출에는 아무런 영향을
주지 않으므로 국제수지는 개선되는데, 이를 국제수지효과라 한다.

ⓒ 관세의 실효보호율(effective rate of protection)

관세의 실효보호율이란 완제품과 투입재에 관세를 부과하기 전과 부과한 후에 부가가
치가 변화하는 비율로서, 완제품에 적용되는 명목관세율뿐만이 아니라 투입재(수입원
료)에 적용되는 관세율도 함께 고려하여야 한다는 문제제기에서 생겨난 것이다. 실효
보호율의 산출식은 다음과 같다.

ⓐ $\dfrac{\text{관세부과 후의 부가가치 - 관세부과 전의 부가가치}}{\text{관세부과 전의 부가가치}}$

ⓑ $\dfrac{\text{수입완제품에 부과되는 관세율} \times \text{완제품 가격 - 투입재에 부과되는 관세율} \times \text{투입재가격}}{\text{완제품가격 - 투입재가격}}$

가공도가 낮은 상품에는 저율의 관세율이, 가공도가 높은 상품에는 고율의 관세율이
적용되는 관세구조를 경사관세구조라 한다. 경사관세구조는 실효보호율을 높이는 관
세율 구조이다.

ⓓ 메츨러의 역설

수입물품에 관세를 부과하면 일반적으로 수입물품의 가격이 상승하여 국내 수입대체
산업을 보호하는 효과를 가져온다. 그러나 특별한 경우 관세부과 후 수입재의 국내가
격이 오히려 하락하여 국내산업에 악영향을 끼치는 경우가 있는데, 이런 경우를 메츨
러(Lloyd Metzler)가 처음 언급하였으므로 메츨러 역설이라 부른다.

관세가 부과되면 국제시장가격이 하락할 수 있는데, 하락한 국제가격에 관세가 추가되어도 역시나 국내가격보다 낮게 나타나는 경우가 있다. 관세부과 후 수입재의 공급이 세계시장에서 급증하는 한편 세계수요의 감퇴로 인해 수입재의 국제가격이 크게 하락하는 경우에 나타나는 현상이다.

② 비관세장벽

비관세장벽이란 외국의 수출자와 국내의 수입자에게 추가의 비용과 고도의 위험을 부담시켜 수입가격을 인상하고 수입량을 감소시키려는 목적하에 실시되는 관세 이외의 모든 무역장벽을 의미한다. 이는 세계전체의 후생수준 또는 실질소득을 저하시킨다.

㉠ 비관세장벽의 특징

ⓐ 비관세장벽은 비공개적으로 적용되는 경향이 있고, 그 유형도 다양하여 비관세장벽으로 인한 효과를 계량적으로 측정하기가 어렵다(은밀성, 비정형성, 효과측정의 곤란성).

ⓑ 비관세장벽의 운영은 정부뿐만이 아니라 여러 기관에 의하여 복잡하게 이루어진다.

ⓒ 수출자는 상대국의 비관세장벽으로 교역제한의 정도를 파악하기가 어렵다(불확실성).

ⓓ 비관세장벽의 철폐에 관한 협상이 이루어지는 것이 어렵다.

ⓔ 정부의 재량에 따라 가변적으로 운영된다(재량성).

ⓕ 비관세장벽은 보건, 안전, 환경, 상관습 등 비경제적인 요인을 포함하고 있다(비경제성).

ⓖ 비관세장벽은 특정국가, 특정품목에 개별적으로 적용되는 경우가 많다(차별성).

㉡ 비관세장벽의 종류

ⓐ 수입할당제(import quota system)

수입상품의 수량을 직접 규제하여 수입을 제한하는 수량적 보호무역정책으로서, 수입국이 일방적으로 수입수량을 제한하는 일방적 할당제와, 수출입국 당사자 간에 사전협정을 체결하여 수입수량을 제한하는 협정할당제가 있다.[43]

ⓑ 수출자율규제(VERs; Voluntary Export Restraints)

수입국의 수입제한조치를 미리 방지할 목적으로 수출국 스스로 수출을 규제하는 것으로서, 수출입국가 간에 협정을 체결하여 수출을 자율적으로 규제하는 제도이다. 다른 비관세장벽에 비해 수출국의 반발을 미리 회피할 수 있으면서도 동시에 수입국 입장에서 직접적인 수입억제효과를 볼 수 있는 비관세장벽이다.

ⓒ 시장질서협정(OMAs; Orderly Marketing Arrangement)

수입국의 시장교란을 방지할 목적으로 국가 상호간 협정에 의해 일부 생산물의 수출을 자율적으로 규제하는 무역정책수단이다.

---

[43] 관세를 부과하는 경우 규제당사국 정부가 관세를 조세수입원으로 활용할 수 있으나, 수입할당제에서는 높아진 가격으로 인한 추가이윤이 제품수입을 허가받은 업자의 이윤으로 귀속된다는 점에 차이가 있다.

ⓓ **수입자율확대(VIEs; voluntary import expansions)**

수입국이 수출국의 상품을 많이 사주는 것이다. 이것도 자율(voluntary)이라는 말이 붙어 있지만, 수출국이 압박하여 수입국이 수입량을 확대하는 형태이다.

ⓔ **수입허가제**

특정상품을 수입하기 위해서는 정부의 허가를 받아야 하는 제도이다.

ⓕ **복잡한 통관절차**

통관 시 물품검사를 까다롭게 하거나, 과다한 수수료를 부과하는 등 행정적인 규제로 수입을 억제하는 방법이다. 상표나 원산지표시 등에 대한 엄격한 기준을 적용하는 것도 관세장벽이 될 수 있다.

ⓖ **국내 기업에 대한 보조금 지급**

보조금이란 정부가 국내생산업자에게 주는 일방적인 특혜이다. 보조금은 생산업자의 원가를 낮춤으로써 국내 생산업자가 외국의 수입제품에 대해 경쟁력을 갖추도록 도와주는 역할을 한다.[44]

ⓗ **현지화비율(local content) 규정**

해외생산 시 그 나라에서 생산되는 부품 또는 원자재를 일정비율 이상으로 사용해야 한다는 규정이다. 모든 부품을 수입하여 현지에서 단순조립만 하는 것을 규제하기 위해서 개발도상국에서 광범위하게 사용하였으나, 최근에는 선진국에서도 이 규정을 사용하고 있다.

ⓘ **기술규제**

제품의 표준이나 규격에 대한 인준·허가 등에 제한을 가하여 수입절차를 까다롭게 하고 수출비용을 증가시키는 규제방법이다.

ⓙ **기타**

그 밖에 수입과징금, 수출입링크제, 수입예치금제도도 비관세장벽으로 활용된다.

---

44) 보조금은 일반 국민들이 납부하는 세금이 결국 일부 산업 또는 특정 생산업자에게 특혜로 주어진다는 데에 그 문제점이 있다. 따라서 보조금의 지급으로 인해 국가 전체에서 얻을 수 있는 후생의 증가가 소비자들의 세금에 기인하는 보조금의 총액에 미치지 못한다면 보조금 정책은 실패한 것이라 할 수 있다. 또한 보조금 지급정책은 한 집단의 국민으로부터 다른 집단으로 부(富)가 일방적으로 이전된다는 점에서 그 형평성에도 문제가 있음이 지적된다.

2 원산지 판정

1. 의의

(1) 원산지의 의의

원산지란 물품이 성장하거나 생산·제조·가공된 국가를 말한다. 물품의 원산지가 어느 국가인지를 판단하는 것을 원산지 판정이라고 한다. 원산지 판정 기준은 각국의 국내법, FTA 협정 등 국가 간 협정에서 따로 정하고 있다.

(2) 대외무역법상 원산지 판정 기준

① 산업통상자원부장관은 필요하다고 인정하면 수출 또는 수입 물품 등의 원산지 판정을 할 수 있다.

② 원산지 판정의 기준은 대통령령으로 정하는 바에 따라 산업통상자원부장관이 정하여 공고한다.

③ 무역거래자 또는 물품 등의 판매업자 등은 수출 또는 수입 물품 등의 원산지 판정을 산업통상자원부장관에게 요청할 수 있다.

④ 산업통상자원부장관은 원산지 판정 요청을 받은 경우에는 해당 물품 등의 원산지 판정을 하여서 요청한 사람에게 알려야 한다. 해당 통보를 받은 자가 원산지 판정에 불복하는 경우에는 통보를 받은 날부터 30일 이내에 산업통상자원부장관에게 이의를 제기할 수 있으며, 산업통상자원부장관은 이의를 제기받은 경우에는 이의 제기를 받은 날부터 150일 이내에 이의 제기에 대한 결정을 알려야 한다.

⑤ 원산지 판정의 요청, 이의 제기 등 원산지 판정의 절차에 필요한 사항은 대통령령으로 정한다.

2. 원산지 판정 기준

(1) 개요

원산지 판정 기준은 크게 완전생산 기준과 실질적 변형기준으로 구분할 수 있다. 한 국가에서 전부 생산된 물품은 그 전부를 생산한 국가를 원산지로 판정한다. 그러나 둘 이상의 국가에서 생산된 물품은 실질적 변형 기준에 따라 원산지를 판단한다. 다만 수입 물품의 생산·제조·가공 과정에 둘 이상의 국가가 관련된 경우 단순한 가공활동을 한 국가는 원산지로 인정하지 않는다.

(2) 완전생산 기준

수입물품의 전부가 하나의 국가에서 채취되거나 생산된 물품(완전생산물품)인 경우에는 그 국가를 그 물품의 원산지로 한다. 다음에 해당하는 물품을 완전생산물품으로 본다.

① 해당국 영역에서 생산한 광산물, 농산물 및 식물성 생산물

② 해당국 영역에서 번식, 사육한 산동물과 이들로부터 채취한 물품

③ 해당국 영역에서 수렵, 어로로 채포한 물품

④ 해당국 선박에 의하여 해당국 이외 국가의 영해나 배타적 경제수역이 아닌 곳에서 채포(採捕)한 어획물, 그 밖의 물품

⑤ 해당국에서 제조, 가공공정 중에 발생한 잔여물

⑥ 해당국 또는 해당국의 선박에서 제1호부터 제5호까지의 물품을 원재료로 하여 제조·가공한 물품

(3) 실질적 변형기준

① 수입 물품의 생산·제조·가공 과정에 둘 이상의 국가가 관련된 경우에는 최종적으로 실질적 변형을 가하여 그 물품에 본질적 특성을 부여하는 활동(실질적 변형)을 한 국가를 그 물품의 원산지로 한다. 실질적 변형이란 해당국에서의 제조·가공과정을 통하여 원재료의 세번과 상이한 세번(HS 6단위 기준)의 제품을 생산하는 것을 말한다.

② 이에도 불구하고 산업통상자원부장관이 별도로 정하는 물품에 대하여는 부가가치, 주요 부품 또는 주요 공정 등이 해당 물품의 원산지 판정기준이 된다. 이때의 부가가치의 비율은 해당 물품의 제조·생산에 사용된 원료 및 구성품의 원산지별 가격누계가 해당 물품의 수입가격(FOB가격 기준)에서 점하는 비율로 한다.

(4) 원산지 판정 기준의 특례

① 기계·기구·장치 또는 차량에 사용되는 부속품·예비부분품 및 공구로서 기계 등과 함께 수입되어 동시에 판매되고 그 종류 및 수량으로 보아 정상적인 부속품, 예비부분품 및 공구라고 인정되는 물품의 원산지는 해당 기계·기구·장치 또는 차량의 원산지와 동일한 것으로 본다.

② 포장용품의 원산지는 해당 포장된 내용품의 원산지와 동일한 것으로 본다. 다만, 법령에 따라 포장용품과 내용품을 각각 별개로 구분하여 수입신고하도록 규정된 경우에는 포장용품의 원산지는 내용품의 원산지와 구분하여 결정한다.

③ 촬영된 영화용 필름은 그 영화제작자가 속하는 나라를 원산지로 한다.

(5) 원산지 확인에 있어서의 직접운송원칙

수입 물품의 원산지는 그 물품이 원산지 국가 이외의 국가(비원산국)를 경유하지 아니하고 원산지 국가로부터 직접 우리나라로 운송반입된 물품에만 해당 물품의 원산지를 인정한다. 다만, 다음 각 호의 어느 하나에 해당하는 경우에는 해당 물품이 비원산국의 보세구역 등에서 세관 감시하에 환적 또는 일시장치 등이 이루어지고, 이들 이외의 다른 행위가 없었음이 인정되는 경우에만 이를 우리나라로 직접 운송된 물품으로 본다.

① 지리적 또는 운송상의 이유로 비원산국에서 환적 또는 일시장치가 이루어진 물품의 경우

② 박람회, 전시회 그 밖에 이에 준하는 행사에 전시하기 위하여 비원산국으로 수출하였던 물품으로서 해당 물품의 전시목적에 사용 후 우리나라로 수출한 물품의 경우

01
□□□
관세의 부과로 국내상품의 소비가 증가되어, 이에 따라 국내고용의 실질소득이 증가하는 효과를
무엇이라 하는가?

① 소득효과   ② 소비효과

③ 경쟁효과   ④ 재분배효과

답 ①

관세의 부과로 국내상품의 소비가 증가되어, 이에 따라 국내고용의 실질소득이 증가하는 효과를 소득효과(income effect)라 한다.

✓ **선지분석**

② 소비효과(consumption effect, 소비억제효과): 수입물품에 관세가 부과되면 그 수입물품의 가격이 상승하여 국내소비가 감소하게 되는 효과

③ 경쟁효과(competition effect): 관세의 부과로 국내산업이 외국산업과의 격심한 경쟁을 피할 수 있는 효과

④ 재분배효과(redistribution effect, 소득재분배효과): 관세의 부과로 국내소비자의 실질소득이 감소되고 국내생산자의 소득이 증가되어 소득이 재분배되는 효과

02
□□□
다음 중 오퍼곡선의 탄력성의 크기에 직접적인 영향을 받는 관세의 경제적 효과는?

① 교역조건효과   ② 소득효과

③ 재분배효과   ④ 고용효과

답 ①

관세의 부과로 관세부과국의 교역조건은 개선되고 교역상대국의 교역조건은 악화되는 효과를 교역조건효과(terms of trade effect)라 한다. 관세에 의한 교역조건의 변화는, 교역당사국의 오퍼곡선의 탄력성에 따라 다르게 나타난다. 교역상대국의 오퍼곡선이 비탄력적일수록 관세부과국의 교역조건은 개선되고, 교역상대국은 교역조건이 악화된다.

03 다음 중 관세의 실효보호율의 산출식으로 옳은 것은?

① $\dfrac{\text{관세부과 후의 부가가치} - \text{관세부과 전의 부가가치}}{\text{관세부과 후의 부가가치}}$

② $\dfrac{\text{관세부과 후의 부가가치} - \text{관세부과 전의 부가가치}}{\text{관세부과 전의 부가가치}}$

③ $\dfrac{\text{관세부과 후의 부가가치} + \text{관세부과 전의 부가가치}}{\text{관세부과 후의 부가가치}}$

④ $\dfrac{\text{관세부과 후의 부가가치} + \text{관세부과 전의 부가가치}}{\text{관세부과 전의 부가가치}}$

답 ②

관세의 실효보호율이란 완제품과 투입재에 관세를 부과하기 전과 부과한 후에 부가가치가 변화하는 비율로서, 완제품에 적용되는 명목관세율뿐만이 아니라 투입재(수입원료)에 적용되는 관세율도 함께 고려하여야 한다는 문제제기에서 생겨난 것이다. 실효보호율의 산출식은 다음과 같다.

$$\frac{\text{관세부과 후의 부가가치} - \text{관세부과 전의 부가가치}}{\text{관세부과 전의 부가가치}}$$

$$\frac{\text{수입완제품에 부과되는 관세율} \times \text{완제품 가격} - \text{투입재에 부과되는 관세율} \times \text{투입재가격}}{\text{완제품가격} - \text{투입재가격}}$$

04 특정 재화의 생산에 있어서 수입원자재가 전혀 사용되지 않았을 경우에 그 재화에 대한 관세의 실효보호율은 명목관세율과 비교하여 어떻게 나타나는가?

① 동일 재화의 명목수입관세율과 보호효과가 동일하다.
② 동일 재화의 명목수입관세율보다 보호효과가 크다.
③ 동일 재화의 명목수입관세율보다 보호효과가 적다.
④ 동일 재화에 대한 명목수입관세율과 비교할 수 없다.

답 ①

$$\frac{\text{수입완제품에 부과되는 관세율} \times \text{완제품 가격} - \text{투입재에 부과되는 관세율} \times \text{투입재가격}}{\text{완제품가격} - \text{투입재가격}}$$

위 산식에서 수입원자재(투입재) 가격이 0이므로, 수입완제품에 부과되는 관세율과 실효보호관세율은 같아지게 된다.

05 □□□ 메츨러 역설이 발생하는 주된 이유는 무엇인가?

① 세계수요의 감퇴로 수입재의 국제가격이 하락하기 때문에
② 관세의 부과가 국내 고용을 증가시키기 때문에
③ 환율의 변동에 의하여 수출입량이 변동되고, 이것이 다시 환율을 변동시키기 때문에
④ 금리가 상승하면 외국인투자가 집중되어 통화량이 증가하기 때문에

답 ①

수입물품에 관세를 부과하면 일반적으로 수입물품의 가격이 상승하여 국내 수입대체산업을 보호하는 효과를 가져온다. 그러나 관세가 부과되면 국제시장가격이 하락할 수 있는데, 하락한 국제가격에 관세가 추가되어도 역시나 국내가격보다 낮게 나타나는 경우가 있다. 관세부과 후 수입재의 공급이 세계시장에서 급증하는 한편 세계수요의 감퇴로 인해 수입재의 국제가격이 크게 하락하는 경우에 나타나는 현상이다. 이것을 메츨러(Lloyd Metzler) 역설이라 한다.

06 □□□ 킨들버거가 분류한 관세의 효과 중 재분배효과에 있어, 관세부과로 인한 생산자 잉여의 증가분을 나타내는 부분은?

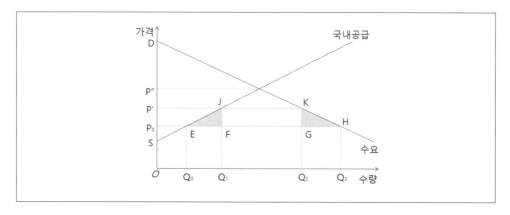

① $P'P_0HK$
③ FGKJ
② $P'P_0EJ$
④ Q_0Q_3HE

답 ②

관세의 부과로 국내소비자의 실질소득이 감소되고 국내생산자의 소득은 증가되어 소득이 재분배된다. 관세부과 전의 소비자 잉여는 DHP_0였으나, 관세부과 후에는 DKP'가 되므로, $P'P_0HK$만큼 감소했다고 볼 수 있다. 반면에 관세부과 전의 생산자 잉여는 SEP_0였으나, 관세부과 후에 SJP'가 되므로, $P'P_0EJ$만큼 증가했다고 볼 수 있다.

07 관세의 경제적 효과를 나타내는 다음의 그림에서 재정수입효과를 의미하는 것은?

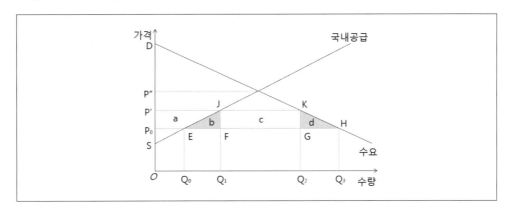

① a + b + c + d

② b + d

③ c

④ b + c + d

답 ③

그림에서 소비자잉여는 a + b + c + d만큼 감소하고, a만큼의 소비자잉여는 생산자잉여로 전환되어 생산자잉여가 증가한다. 또한 정부는 c의 면적만큼 소비자잉여가 정부의 관세수입으로 귀속되는 부분을 재정수입으로 획득하게 된다.

08 비관세장벽 중 수출자율규제에 대한 설명으로 옳지 않은 것은?

① 수출자율규제는 수입국이 수출국에 대하여 전반적인 무역제한조치를 취하겠다는 위협을 가하여 수출국 스스로 그 상품의 수출을 자제하도록 유도하는 정책이다.

② 수출자율규제는 수출국이 어떤 상품의 수출의 양을 제한하는 것을 말한다.

③ 수출자율규제는 수입국의 요구에 의해서가 아니라 수출업자가 수출국의 국내 수요를 먼저 충당하려는 의도에서 시행되는 것이 일반적이다.

④ 규제의 동기나 효과 등 여러 부분에서 수입할당제와 유사하다.

답 ③

수출자율규제(VERs; Voluntary Export Restraints)는 수입국의 수입제한조치를 미리 방지할 목적으로 수출국 스스로 수출을 규제하는 것으로서, 수출입국가 간에 협정을 체결하여 수출을 자율적으로 규제하는 제도이다. 그러나 '수출업자가 수출국의 국내 수요를 먼저 충당하려는 의도'에서 시행하는 것은 아니다.

✔ 선지분석

②, ④ 수출자율규제는 양적 규제를 하는 것이므로, 그 효과면에서 수입할당제와 유사한 면이 있다.

09 수입상품의 수량을 직접 규제하여 수입을 제한하는 수량적 보호무역정책을 무엇이라 하는가?

① Orderly Marketing Arrangement   ② Voluntary Export Restraints

③ Export – import Link System   ④ Import Quota System

답 ④

Import Quota System(수입할당제)이란 수입상품의 수량을 직접 규제하여 수입을 제한하는 수량적 보호무역정책으로서, 수입국이 일방적으로 수입수량을 제한하는 일방적 할당제와, 수출입국 당사자 간에 사전협정을 체결하여 수입수량을 제한하는 협정할당제가 있다.

☑ 선지분석

① Orderly Marketing Arrangement(시장질서협정)
② Voluntary Export Restraints(수출자율규제)
③ Export – import Link System(수출입링크제)

10 대외무역법상 원산지 판정 기준에 대한 설명으로 옳지 않은 것은?

① 산업통상자원부장관은 필요하다고 인정하면 수출 또는 수입 물품 등의 원산지 판정을 할 수 있다.

② 무역거래자 또는 물품 등의 판매업자 등은 수출 또는 수입 물품 등의 원산지 판정을 산업통상자원부장관에게 요청할 수 있다.

③ 수입 물품의 생산·제조·가공 과정에 둘 이상의 국가가 관련된 경우에는 최종적으로 실질적 변형을 가하여 그 물품에 본질적 특성을 부여하는 활동을 한 국가를 그 물품의 원산지로 한다.

④ 포장용품의 원산지는 해당 포장된 내용품의 원산지와 별도로 판정하여야 한다.

답 ④

포장용품의 원산지는 해당 포장된 내용품의 원산지와 동일한 것으로 본다. 다만, 법령에 따라 포장용품과 내용품을 각각 별개로 구분하여 수입신고하도록 규정된 경우에는 포장용품의 원산지는 내용품의 원산지와 구분하여 결정한다.

CHAPTER 5 무역분쟁 해결

1 무역클레임

1. 의의

클레임(claim)이란 사법적인 법률관계에 있는 어느 일방의 피해 당사자인 청구자(claimant)가 피해를 입힌 상대방인 피청구자(claimee)에게 자신이 입은 손실을 알리고 이의 해결을 요구하는 것을 말한다. 클레임의 본래적인 의미로는 매매계약 내지 무역화물에 대하여 발생하는 클레임으로서, 무역거래 관련 당사자 또는 이해관계인에 의하여 제기되는 모든 이의제기나 불만사항을 비롯하여 손해배상청구나 기타 의무이행의 청구 등을 말한다.

2. 클레임의 원인

(1) 간접적 원인

계약당사자가 사용하는 언어의 상이, 각국의 법과 상관습의 상이, 신용조사의 불비, 운송 중의 위험, 가격 덤핑, 나라에 따라 서로 다르게 사용되고 있는 도량형, 상대국의 식품위생법이나 독과점법, 공업소유권 등 많은 요인들이 무역클레임의 간접적 요인으로 작용한다.

(2) 직접적 원인

매매계약의 이행과정에서 발생하는 품질불량, 수량의 부족, 고장·불량, 선적불이행, 불완전보험계약체결, 대금의 지급지연이나 지급거절, 신용장의 미개설 혹은 지연, 거래알선에 따른 수수료 미지급 등이 클레임의 직접적인 원인이다.

3. 해결방법

(1) 당사자 간의 해결

① 청구권의 포기(waiver of claim)

피해자가 상대방에게 청구권을 행사하지 않는 경우로서, 이는 대체적으로 상대방이 사전 또는 즉각적으로 손해배상 제의를 통해 해결 양 당사자 간에 지속적이고 안정적인 거래를 보장받을 수 있다.

② 화해(amicable settlement)

당사자 간의 자주적인 교섭과 양보로 분쟁을 해결하는 방법으로서, 당사자가 직접적인 협의를 통하여 상호 평등의 원칙하에 납득할 수 있는 타협점을 찾는 것이다. 이 경우 대체적으로 화해계약을 체결한다. 화해는 ㉠ 당사자가 서로 양보할 것, ㉡ 분쟁을 종결할 것, ㉢ 그 뜻을 약정할 것 등 3가지 요건을 필요로 한다.

(2) 제3자의 개입에 의한 해결

당사자 간에 원만하게 해결할 수 없을 때, 즉 쌍방의 주장이 대립될 때, 쌍방 혹은 일방의 감정이 악화되어 제3자의 냉정한 판단이 필요할 때 제3자를 개입하여 분쟁을 해결하는 방법인데 이러한 방법의 해결로서는 알선, 조정, 중재, 소송 등이 있다.

① 알선(intermediation, intercession)

알선은 상사중재원 등 공정한 제3자가 당사자의 일방 또는 쌍방의 요청에 의하여 사건에 개입, 원만한 타협이 이루어지도록 협조하는 방법으로, 당사자 간에 비밀이 보장되고 거래 관계의 지속을 유지할 수 있는 장점이 있다.

② 조정(conciliation)

조정은 양 당사자가 공정한 제3자를 조정인으로 선임하고 조정인이 제시하는 조정안에 합의함으로써 분쟁을 해결하는 방법이다. 조정은 우리나라 중재규칙상 중재신청 후 당사자 쌍방의 요청이 있을 때 중재원 사무국이 조정인을 선정, 조정을 시도할 수 있고 조정이 성립되면 화해에 의한 판정방식으로 처리, 중재판정과 동일한 효력이 있다.

③ 중재(arbitration)

중재는 당사자 간의 합의(중재합의)로 사법상의 법률관계를 법원의 소송절차에 의하지 않고 제3자인 중재인(arbitrator)을 선임하여 그 분쟁을 중재인에게 맡겨 중재인의 판단에 양 당사자가 절대 복종함으로써 최종적으로 해결하는 방법이다.

④ 소송(litigation)

소송은 국가공권력(사법재판)에 의한 분쟁해결 방법이며, 외국과의 사법협정이 체결되어 있지 않기 때문에 그 판결은 외국에서 승인 및 집행이 보장되지 않는다. 따라서 소송에 의하여 클레임을 해결하려는 경우에는 피제기자가 거주하는 국가에서 현지 변호사를 법정대리인으로 선임하여 소송절차를 진행하여야 한다.

핵심체크 ADR(대체적 분쟁해결제도, Alternative Dispute Resolution)

소송절차에 의한 판결에 의하지 아니하고 분쟁을 해결하는 제도를 말한다. 무역거래를 비롯한 사적 거래에서 발생하는 분쟁을 재판이 아닌 조정이나 중재 등의 방법으로 해결하는 것을 ADR이라 하며, 다음과 같은 특징이 있다.

1. 당사자의 의사(당사자 간의 합의)가 중요시되며, 당사자 자치의 원칙이 분쟁해결에 반영된다.

2. 법률 이외에도 상관습, 사회규범, 개인의 이해관계 등을 판단기준으로 하므로, 엄격한 법치주의가 완화된다.

3. 해당 분야의 전문가들이 판정을 함으로써 전문성이 보장된다.

4. 현대사회의 분쟁은 더욱 복잡해져서, 하나의 사건에 다수의 당사자가 관련된 분쟁이 많은데 이런 분쟁해결에 ADR이 효과적으로 작용할 수 있다.

5. 시간과 비용을 절약할 수 있다.

2 │ 상사중재제도

1. 의의

(1) 중재의 의의

중재(arbitration)란, 분쟁 당사자 간의 합의 곧 중재계약에 따라 사법상의 법률관계에 관한 현존 또는 장래에 발생할 분쟁의 전부 또는 일부를 법원의 판결에 의하지 아니하고 사인인 제3자를 중재인으로 선정하여 중재인의 판정에 맡기는 동시에 그 판정에 복종함으로써 분쟁을 해결하는 자주법정제도이다. 아울러 국가공권력을 발동하여 강제집행할 수 있는 권리가 법적으로 보장된다.

(2) 중재의 본질

① 분쟁당사자 간의 합의 - 중재합의

당사자 간에 사법상의 법률관계에 관한 현존하는 분쟁 또는 장래에 발생할 분쟁의 전부 또는 일부에 대한 분쟁해결권한을 제3자인 중재인에게 부여하는 합의, 즉 중재계약을 하여야 한다.

사전중재합의	• 장래에 발생할 분쟁을 중재에 의하여 해결할 것을 합의함 • 분쟁 발생 후 당사자 간 합의가 어려우므로 사전중재합의 방식이 바람직함
사후중재합의	• 이미 발생한 분쟁을 중재에 의하여 해결할 것을 합의함 • '중재부탁합의'라고도 함

② 중재인의 사인성(私人性)

중재인은 국가기관이 아닌 사인이어야 하고, 그 중재권한이 국가권력이 아닌 당사자 간 협의로부터 기인하여야 한다. 따라서 법률 기타 규정에 의하여 국가기관이 하는 중재는 그 명칭에도 불구하고 중재라고 할 수 없다.

③ 중재판정의 구속력

당사자 간에 원만한 해결이 이루어지지 않을 경우 중재인은 중재판정부를 구성하고 회부된 분쟁을 증거와 쟁의에 의거하여 반드시 중재판정을 하여야 한다. 물론 당사자들은 사전에 중재인의 결정인 판정에 최종적으로 구속받기로 하는 합의가 있어야 한다.

2. 중재의 대상 및 요건

(1) 중재의 적용대상

중재는 당사자가 자유로이 처분할 수 있는 사법상의 분쟁으로서, 현재 또는 장래에 발생할 분쟁 모두가 중재의 대상이다. 따라서 당사자가 자유로이 처분할 수 없는 법률관계(형사사건, 가사심판사건, 강제집행사건, 행정소송사건)는 중재의 대상이 아니다.

(2) 중재의 요건

① 상사분쟁의 주체인 당사자가 있어야 한다. 당사자는 권리·의무의 주체로서 자연인 또는 법인이어야 한다. 즉, 자연인과 상법상 법인이 대부분의 분쟁당사자가 된다. 그런데 국가기관도 상행위의 주체로서 상거래를 하는 경우가 있다. 예를 들면, 조달청이 물품을 구입하는 경우로서, 이 때 분쟁이 생기면 중재의 당사자가 될 수 있다.

② 중재당사자는 당사자 적격에 결격사유가 없어야 한다. 당사자 적격은 신청인 또는 피신청인으로서 중재절차를 수행하고 본안(本案)판정을 유효하게 받을 수 있는 자격을 말한다. 일반적으로 분쟁 내용인 권리관계의 주체인 자나 중재판정에 법률상 이해관계를 가진 자는 모두 당사자 적격을 가진다. 당사자 적격에 결함이 있는 자에 대한 중재판정은 재판에 의해 취소될 수 있다.

③ 분쟁이 반드시 현실적으로 존재하여야 하며, 중재 대상을 특정하여야 한다. 사법상의 권리관계 대하여 작위(作爲) 또는 부작위(不作爲)에 의한 결과가 있고, 그 결과에 의한 분쟁이 있어야 한다. 가령, 분쟁발생가능성이 예견되는 상황을 사전에 차단하기 위한 중재신청은 불가능하다.

④ 분쟁은 서면에 의한 중재합의 범위 내에 속하여야 한다. 중재합의 범위 내에 포함되지 않은 분쟁은 중재판정권이 존재하지 않으므로 당연히 중재를 할 수 없다. 또한, 중재합의사실을 입증할 수 없을 경우에도 마찬가지이다.

⑤ 중재는 사법상의 법률관계에 관한 분쟁이어야 한다. 사법상의 법률관계란 사람과 물건(또는 재화)과의 권리·의무관계를 법의 힘에 의하여 보장하고 실현시키려는 것이라고 말할 수 있다.

⑥ 양 당사자에 의해 신청된 분쟁의 해결을 위임할 중재기관인 판정자로서 제3자인 중재인이 있어야 한다.

⑦ 법원에의 직소(直訴)가 금지되어야 한다. 당사자 간에 중재에 대한 합의가 있는 경우에는 직접 소송을 제기할 수 없으나 중재판정 취소소송 등으로 중재판정의 효력이 소멸된 경우에는 소송을 제기할 수 있다.

⑧ 중재인의 판정은 최종적이고 구속력이 있기 때문에 당사자는 이에 무조건 복종해야 한다.

⑨ 중재판정의 승인 또는 집행은 법원의 승인 또는 집행판결에 의한다(「중재법」 제37조).

3. 상사중재의 장단점 및 소송과의 비교

(1) 장점

① 중재계약의 자율성	• 중재합의로 선임한 중재인에 의해 자주적으로 분쟁을 해결하는 방식 • 공정성 보장을 위해 (제3자가 정해주는 것이 아니라) 당사자가 스스로 중재인을 선임할 권리를 가짐

② 단심제	• 신속하게 분쟁 해결이 되므로(약 6개월), 소송에 비하여 그 비용이 적게 듦 • 충분한 변론과 증거물 등을 제출할 수 있는 기회를 부여 • 중재판정은 당사자 간에 법원의 확정판결과 동일한 효력을 지님(중재법 제35조)
③ 국제적인 인정	뉴욕협약에 의해 외국중재판정의 강제집행 보장
④ 전문가에 의한 판단	상거래·관습에 정통한 기업인, 교수, 변호사 등으로 중재인 구성
⑤ 심리의 비공개	심문절차 및 판정문 비공개, 대외신용 유지 가능
⑥ 민주적인 절차 진행	중재인과 당사자가 평등한 위치에서 절차진행

(2) 단점

① 공정한 중재인 선정 곤란	중재인의 경험 및 사고방식 차이, 일방이 선호하는 중재인 선임 등으로 불공정성 문제 발생
② 상소제도 결여	판정을 취소할 만한 중대한 결함이 없는 한 판정에 대한 불복신청이 인정되지 않음
③ 중재인의 대리인 의식	일방에 의하여 선정된 중재인이 그의 대리인처럼 행동하려는 경향이 있음
④ 법적 안정성과 예측 가능성의 결여	중재인은 법률에 기속되지 않음, 자의와 주관이 개입될 가능성 상존
⑤ 법률문제의 판단문제	전문적인 법적 논쟁이 있는 경우 중재인의 판단능력 부족

(3) 상사중재와 소송의 비교

구분	중재	소송
분쟁해결 방법	당사자 간 합의로 선정한 중재인에게 분쟁해결을 의뢰하여 해결함	일방에 의하여 제소되어 국가가 임명한 재판관이 분쟁을 해결함
공개여부	절차 비공개	절차 공개
판단의 기준	상관습, 조리	법률
강제집행 보장여부	뉴욕협약의 가입으로 외국의 중재판정이 효력이 있으므로 강제집행의 보장이 가능함[45]	외국의 민사판정에 대하여는 강제집행의 보장이 없음
비용	소송에 비하여 저렴함	중재에 비하여 비쌈
항소여부	단심	3심
해결기간	소송에 비하여 짧다.	중재에 비하여 길다.

---

45) 뉴욕협약에 가입하지 않았거나, 집행이 집행국의 공공질서에 반하는 경우에는 강제집행이 보장되지 않는다.

4. 중재법 주요 내용

(1) 중재합의

① 중재와 중재합의의 정의(법 제3조)

㉠ "중재"란 당사자 간의 합의로 재산권상의 분쟁 및 당사자가 화해에 의하여 해결할 수 있는 비재산권의 분쟁을 법원의 재판에 의하지 아니하고 중재인(仲裁人)의 판정에 의하여 해결하는 절차를 말한다.

㉡ "중재합의"란 계약상의 분쟁인지 여부에 관계없이 일정한 법률관계에 관하여 당사자 간에 이미 발생하였거나 앞으로 발생할 수 있는 분쟁의 전부 또는 일부를 중재에 의하여 해결하도록 하는 당사자 간의 합의를 말한다.

② 중재합의의 방식(법 제8조)

㉠ 중재합의는 독립된 합의 또는 계약에 중재조항을 포함하는 형식으로 할 수 있다.[46]

㉡ 중재합의는 서면으로 하여야 한다.

㉢ 다음 각 호의 어느 하나에 해당하는 경우는 서면에 의한 중재합의로 본다.

ⓐ 구두나 행위, 그 밖의 어떠한 수단에 의하여 이루어진 것인지 여부와 관계없이 중재합의의 내용이 기록된 경우

ⓑ 전보(電報), 전신(電信), 팩스, 전자우편 또는 그 밖의 통신수단에 의하여 교환된 전자적 의사표시에 중재합의가 포함된 경우. 다만, 그 중재합의의 내용을 확인할 수 없는 경우는 제외한다.

ⓒ 어느 한쪽 당사자가 당사자 간에 교환된 신청서 또는 답변서의 내용에 중재합의가 있는 것을 주장하고 상대방 당사자가 이에 대하여 다투지 아니하는 경우

㉣ 계약이 중재조항을 포함한 문서를 인용하고 있는 경우에는 중재합의가 있는 것으로 본다. 다만, 그 계약이 서면으로 작성되고 중재조항을 그 계약의 일부로 하고 있는 경우로 한정한다.

③ 중재합의와 법원에의 제소(법 제9조)

㉠ 중재합의의 대상인 분쟁에 관하여 소가 제기된 경우에 피고가 중재합의가 있다는 항변(抗辯)을 하였을 때에는 법원은 그 소를 각하(却下)하여야 한다. 다만, 중재합의가 없거나 무효이거나 효력을 상실하였거나 그 이행이 불가능한 경우에는 그러하지 아니하다.

㉡ 피고는 상기 항변을 본안(本案)에 관한 최초의 변론을 할 때까지 하여야 한다.

---

46) 대한상사중재원에서 권고하는 표준중재조항(Standard Arbitration Clause)

"Any dispute arising out of or in connection with this contract shall be finally settled by arbitration in Seoul in accordance with the Arbitration Rules of the Korean Commercial Arbitration Board."
"이 계약으로부터 또는 이 계약과 관련하여 발생하는 모든 분쟁은 서울에서 대한상사중재원의 중재규칙에 따라 중재에 의해 최종 해결한다."

ⓒ 상기한 소가 법원에 계속(繫屬) 중인 경우에도 중재판정부는 중재절차를 개시 또는 진행하거나 중재판정을 내릴 수 있다.

④ **중재합의와 법원의 보전처분(법 제10조)**

중재합의의 당사자는 중재절차의 개시 전 또는 진행 중에 법원에 보전처분(保全處分)을 신청할 수 있다.

(2) 중재절차[47]

① **당사자에 대한 동등한 대우(법 제19조)**

양쪽 당사자는 중재절차에서 동등한 대우를 받아야 하고, 자신의 사안(事案)에 대하여 변론할 수 있는 충분한 기회를 가져야 한다.

② **중재절차(법 제20조)**

ⓐ 중재법의 강행규정(强行規定)에 반하는 경우를 제외하고는 당사자들은 중재절차에 관하여 합의할 수 있다.

ⓑ 상기 합의가 없는 경우에는 중재판정부가 중재법의 규정에 따라 적절한 방식으로 중재절차를 진행할 수 있다. 이 경우 중재판정부는 증거능력, 증거의 관련성 및 증명력에 관하여 판단할 권한을 가진다.

③ **중재지(법 제21조)**

ⓐ 중재지는 당사자 간의 합의로 정한다.

ⓑ 상기의 합의가 없는 경우에 중재판정부는 당사자의 편의와 해당 사건에 관한 모든 사정을 고려하여 중재지를 정한다.

④ **중재절차의 개시(법 제22조)**

ⓐ 당사자 간에 다른 합의가 없는 경우 중재절차는 피신청인이 중재요청서를 받은 날부터 시작된다.

ⓑ 상기 중재요청서에는 당사자, 분쟁의 대상 및 중재합의의 내용을 적어야 한다.

⑤ **언어(법 제23조)**

ⓐ 중재절차에서 사용될 언어는 당사자 간의 합의로 정하고, 합의가 없는 경우에는 중재판정부가 지정하며, 중재판정부의 지정이 없는 경우에는 한국어로 한다.

ⓑ 상기의 언어는 달리 정한 것이 없으면 당사자의 준비서면, 구술심리(口述審理), 중재판정부의 중재판정 및 결정, 그 밖의 의사표현에 사용된다.

ⓒ 중재판정부는 필요하다고 인정하면 서증(書證)과 함께 제1항의 언어로 작성된 번역문을 제출할 것을 당사자에게 명할 수 있다.

---

47) 일반적인 중재절차: 중재계약 → 중재신청 → 접수통지 → 조정 → 중재인 선정 → 답변서 제출 및 반대신청 → 심문 → 중재판정

(3) 준거법 - 분쟁의 실체에 적용될 법(법 제29조)

① 중재판정부는 당사자들이 지정한 법에 따라 판정을 내려야 한다. 특정 국가의 법 또는 법체계가 지정된 경우에 달리 명시된 것이 없으면 그 국가의 국제사법이 아닌 분쟁의 실체(實體)에 적용될 법을 지정한 것으로 본다.

② 상기 지정이 없는 경우 중재판정부는 분쟁의 대상과 가장 밀접한 관련이 있는 국가의 법을 적용하여야 한다.

③ 중재판정부는 당사자들이 명시적으로 권한을 부여하는 경우에만 형평과 선(善)에 따라 판정을 내릴 수 있다.

④ 중재판정부는 계약에서 정한 바에 따라 판단하고 해당 거래에 적용될 수 있는 상관습(商慣習)을 고려하여야 한다.

(4) 중재판정의 효력 및 불복

① 중재판정의 효력(법 제35조)

중재판정은 양쪽 당사자 간에 법원의 확정판결과 동일한 효력을 가진다. 다만, 국내 중재판정이 승인 또는 집행이 거절되는 경우에는 그러하지 아니하다.

② 중재판정취소의 소(법 제36조)

㉠ 중재판정에 대한 불복은 법원에 중재판정 취소의 소를 제기하는 방법으로만 할 수 있다.

㉡ 법원은 다음 각 호의 어느 하나에 해당하는 경우에만 중재판정을 취소할 수 있다.

ⓐ 중재판정의 취소를 구하는 당사자가 다음 각 목의 어느 하나에 해당하는 사실을 증명하는 경우

가. 중재합의의 당사자가 해당 준거법(準據法)에 따라 중재합의 당시 무능력자였던 사실 또는 중재합의가 당사자들이 지정한 법에 따라 무효이거나 그러한 지정이 없는 경우에는 대한민국의 법에 따라 무효인 사실

나. 중재판정의 취소를 구하는 당사자가 중재인의 선정 또는 중재절차에 관하여 적절한 통지를 받지 못하였거나 그 밖의 사유로 변론을 할 수 없었던 사실

다. 중재판정이 중재합의의 대상이 아닌 분쟁을 다룬 사실 또는 중재판정이 중재합의의 범위를 벗어난 사항을 다룬 사실. 다만, 중재판정이 중재합의의 대상에 관한 부분과 대상이 아닌 부분으로 분리될 수 있는 경우에는 대상이 아닌 중재판정 부분만을 취소할 수 있다.

라. 중재판정부의 구성 또는 중재절차가 이 법의 강행규정에 반하지 아니하는 당사자 간의 합의에 따르지 아니하였거나 그러한 합의가 없는 경우에는 중재법에 따르지 아니하였다는 사실

ⓑ 법원이 직권으로 다음 각 목의 어느 하나에 해당하는 사유가 있다고 인정하는 경우

가. 중재판정의 대상이 된 분쟁이 대한민국의 법에 따라 중재로 해결될 수 없는 경우

나. 중재판정의 승인 또는 집행이 대한민국의 선량한 풍속이나 그 밖의 사회질서에 위배되는 경우

ⓒ 해당 중재판정에 관하여 대한민국의 법원에서 내려진 승인 또는 집행결정이 확정된 후에는 중재판정취소의 소를 제기할 수 없다.

5. 뉴욕협약

(1) 의의

무역거래의 분쟁은 대부분 서로 다른 국가에 소재하는 당사자 간의 분쟁이므로 외국에서 내려진 중재판정의 승인 및 집행이 국제조약에 의해 보장되어야 한다. 이에 따라 중재판정의 범위를 외국까지 확대시키고 중재판정의 승인 및 집행에 관한 요건을 간단하게 하기 위해서 '외국 중재판정의 승인 및 집행에 관한 유엔협약'[The United Nations Convention on the Recognitions and Enforcement of Foreign Arbitral Awards: New York Convention(1958)]이 1958년 뉴욕에서 채택되었다. 이를 뉴욕협약이라고 짧게 부르기도 한다.

(2) 특징

① **상호주의 원칙 적용**

국가 간 상호주의 원칙에 따라 외국에서 내려진 중재판정의 효력을 인정하고 그 집행을 보장하는 뉴욕협약의 주요 내용이다.

② **승인 및 집행 요건의 간소화**

뉴욕협약은 외국중재판정의 승인 및 집행을 받기 위한 신청요건도 간소화하여 신청인이 중재합의서 및 중재판정문의 원본을 집행국의 해당 법원에 제출하기만 하면 집행이 가능하도록 규정하였다.

(3) 우리나라의 경우

① 우리나라도 1973년 2월에 뉴욕협약에 가입하였으며, 이로써 대한상사중재원에서 내려진 중재판정도 회원국 간에 그 승인 및 집행을 보장받게 되었다.

② 우리나라의 중재법 제39조에서도 '「외국 중재판정의 승인 및 집행에 관한 협약」을 적용받는 외국 중재판정의 승인 또는 집행은 같은 협약에 따라 한다'고 규정하여 협약의 내용을 수용하였다.

핵심체크 **뉴욕협약(New York Convention) 주요내용**

제1조

1. 이 협약은 중재판정의 승인 및 집행의 요구를 받은 국가 이외의 국가의 영토 내에서 내려진 판정으로서, 자연인 또는 법인간의 분쟁으로부터 발생하는 중재판정의 승인 및 집행에 적용한다. 이 협약은 또한 그 승인 및 집행의 요구를 받은 국가에서 내국판정이라고 인정되지 아니하는 중재판정에도 적용한다.

2. "중재판정"이라 함은 개개의 사건을 위해서 선정된 중재인이 내린 판정뿐만 아니라 당사자들이 부탁한 상설 중재기관이 내린 판정도 포함한다.

---

3. 어떠한 국가든지 이 협약에 서명, 비준 또는 가입할 때, 또는 제10조에 의하여 확대적용을 통고할 때에 상호주의의 기초에서 다른 체약국의 영토 내에서 내려진 판정의 승인 및 집행에 한하여 이 협약을 적용한다고 선언할 수 있다. 또한 어떠한 국가든지 계약적 성질의 것이거나 아니거나를 불문하고 이러한 선언을 행하는 국가의 국내법상 상사상의 것이라고 인정되는 법률관계로부터 발생하는 분쟁에 한하여 이 협약을 적용할 것이라고 선언할 수 있다.

제2조

1. 각 체약국은 계약적 성질의 것이거나 아니거나를 불문하고 중재에 의하여 해결이 가능한 사항에 관한 일정한 법률관계에 관련하여 당사자 간에 발생하였거나 또는 발생할 수 있는 전부 또는 일부의 분쟁을 중재에 부탁하기로 약정한 당사자 간의 서면에 의한 합의를 승인하여야 한다.

2. "서면에 의한 합의"라 함은 계약문 중의 중재조항 또는 당사자 간에 서명되었거나, 교환된 서신이나 전보에 포함되어 있는 중재의 합의를 포함한다.

3. 당사자들이 본조에서 의미하는 합의를 한 사항에 관한 소송이 제기되었을 때에는, 체약국의 법원은, 전기 합의를 무효, 실효 또는 이행불능이라고 인정하는 경우를 제외하고, 일방 당사자의 청구에 따라서 중재에 부탁할 것을 당사자에게 명하여야 한다.

제5조

1. 중재판정의 승인 및 집행은, 해당 판정이 주장되는 상대방 당사자의 요청에 따라, 그 당사자가 승인 및 집행이 요구되는 국가의 관할 당국에 다음 사항을 증명한 경우에만 거부될 수 있다.

    (a) 제2조에서 언급된 중재합의의 당사자들이 적용 법률상 무능력 상태에 있었거나, 해당 합의가 당사자들이 정한 법률 또는 그와 관련한 표시가 없을 경우에는 판정이 내려진 국가의 법률에 따라 무효인 경우

    (b) 해당 판정이 주장되는 당사자가 중재인의 지정 또는 중재 절차에 대해 적절한 통지를 받지 못했거나, 그 사건에서 자신의 입장을 제시할 기회를 갖지 못한 경우

    (c) 판정이 중재합의의 조건에 포함되지 않은 분쟁에 대한 것이거나 그 범위를 벗어난 사항을 포함한 경우(다만, 중재에 회부된 사항과 그렇지 않은 사항을 분리할 수 있는 경우, 중재에 회부된 부분에 대한 판정은 승인 및 집행될 수 있다)

    (d) 중재기관의 구성 또는 중재 절차가 당사자의 합의에 따르지 않았거나, 그러한 합의가 없는 경우 중재가 이루어진 국가의 법률에 따르지 않은 경우

    (e) 판정이 당사자들에게 아직 구속력을 가지지 않거나, 해당 판정이 내려진 국가 또는 그 법률이 적용된 국가의 관할 당국에 의해 무효화되었거나 집행이 정지된 경우

2. 또한 다음의 경우에는, 중재판정의 승인 및 집행이 요구되는 국가의 관할 당국이 이를 거부할 수 있다.

    (a) 분쟁의 대상이 해당 국가의 법률상 중재로 해결될 수 없는 경우

    (b) 판정의 승인 또는 집행이 해당 국가의 공서양속(공공질서)에 위반되는 경우

01 다음 중 무역클레임의 종류로 보기 어려운 것은?

① Quality claim ② Quantity claim
③ Price claim ④ Packing claim

답 ③

클레임의 직접적 원인은 매매계약의 이행과정에서 발생하는 품질불량, 수량의 부족, 고장불량, 선적불이행, 불완전보험계약체결, 대금의 지급지연이나 지급거절, 신용장의 미개설 혹은 지연, 거래알선에 따른 수수료 미지급 등이다. 그러나 가격 자체에 대해서 계약 체결 후 클레임을 제기할 수는 없다.

02 다음 중 무역클레임의 해결방법으로 적당하지 않은 것은?

① Report ② Arbitration
③ Conciliation ④ Litigation

답 ①

Arbitration(중재), 조정(Conciliation), 소송(Litigation) 등은 무역클레임의 해결방법을 적당하지만, Report(보고)는 그 해결방법으로 적당하지 않다.

03 다음 중 무역클레임의 해결방법으로써 그 해결의 주체가 다른 하나는?

① 알선(intercession) ② 중재(arbitration)
③ 조정(conciliation) ④ 화해(amicable settlement)

답 ④

무역클레임을 해결하는 방법은 혼자 해결하는 방법, 함께 해결하는 방법, 제3자가 개입하여 해결하는 방법이 있다. 알선(intermediation, intercession), 조정(conciliation), 중재(arbitration), 소송(litigation)은 제3자가 개입하여 해결하는 방법이지만, 화해(amicable settlement)는 제3자의 개입 없이 당사자들이 함께 해결하는 것을 말한다.

04 □□□ 상사중재원 등 공정한 제3자가 당사자의 일방 또는 쌍방의 요청에 의하여 사건에 개입하여 원만한 타협이 이루어지도록 협조하는 방법으로, 당사자 간에 비밀이 보장되고 거래관계의 지속을 유지할 수 있는 장점이 있는 것은?

① 알선(intercession)　　　　　　　② 중재(arbitration)
③ 조정(conciliation)　　　　　　　④ 소송(litigation)

답 ①

알선(intercession, intermediation)은 상사중재원 등 공정한 제3자가 당사자의 일방 또는 쌍방의 요청에 의하여 사건에 개입, 원만한 타협이 이루어지도록 협조하는 방법으로, 당사자 간에 비밀이 보장되고 거래관계의 지속을 유지할 수 있는 장점이 있다. 제3자가 조정안을 제시하지 않는다는 점이 조정(conciliation)과 다르다.

05 □□□ 상사중재제도에 대한 설명으로 옳지 않은 것은?

① 중재판정은 분쟁당사자 간에 있어서는 법원의 확정판결과 동일한 효력을 지니며, 판정에 불만이 있어도 재판처럼 2심 또는 3심 등 항소절차가 없다.
② 뉴욕협약에 가입한 체약국 간에는 외국중재판정을 상호간 승인하고 강제집행도 보장한다.
③ 중재에 있어서의 심문절차 및 판정문은 비공개를 원칙으로 한다.
④ 중재인은 법률에 기속(羈束)되어 객관적인 판단을 하여야 하며, 조리(條理)에 의하여서는 안 된다.

답 ④

상사중재는 중재인이 법률이 아닌 상관습과 조리에 따라 중재판정을 하게 된다. 법률에 기속되지 않으므로 자의와 주관이 개입될 가능성이 있다.

06 □□□ 우리나라 현행 중재법상 중재합의에 대한 설명으로 옳지 않은 것은?

① 중재합의는 분쟁당사자 간에 이미 발생한 분쟁의 전부 또는 일부를 중재로 해결한다는 것을 의미한다.
② 중재합의는 독립된 별개의 중재합의 또는 본계약의 내용에 포함된 중재조항의 형식으로 할 수 있다.
③ 중재합의는 서면으로 하여야 한다.
④ 중재합의의 대상인 분쟁에 관하여 법원에 소가 제기된 경우에 피고가 중재합의 존재의 항변을 하는 때에는 법원은 원칙적으로 그 소를 각하하여야 한다.

중재법상 중재합의란 계약상의 분쟁인지 여부에 관계없이 일정한 법률관계에 관하여 당사자 간에 이미 발생하였거나 앞으로 발생할 수 있는 분쟁의 전부 또는 일부를 중재에 의하여 해결하도록 하는 당사자 간의 합의를 말한다. 즉 중재합의는 '이미 발생한 사건'과 '앞으로 발생할 수 있는 사건'을 그 대상으로 한다.

07 다음 중 상사중재의 요건으로서 옳지 않은 것은?

① 중재에서 패한 당사자에게는 원칙적으로 상소권이 부여된다.
② 당사자 간에 중재계약이 성립되어야 한다.
③ 분쟁의 대상은 사법상의 법률관계이어야 한다.
④ 당사자는 중재인의 판정에 복종하여야 한다.

상사중재의 특징은 '단심제'이다. 항소나 상고를 할 수 없다.

08 우리나라 현행 중재법상으로 중재판정이 취소될 수 있는 사유에 해당되지 않는 것은?

① 중재합의의 당사자가 그 준거법에 의하여 중재합의 당시 무능력자이었던 사실
② 중재판정이 중재합의의 대상이 아닌 분쟁을 다룬 사실 또는 중재판정이 중재합의의 범위를 벗어난 사항을 다룬 사실
③ 중재판정 취소를 구하는 당사자가 중재인 자격상 결격사유가 없는 자를 중재인으로 합의에 의해 직접 선정한 사실
④ 중재합의가 당사자들이 지정한 법에 의하여 무효이거나 그러한 지정이 없는 경우에는 대한민국의 법에 의하여 무효인 사실

중재판정의 취소를 구하는 당사자가 중재인의 선정 또는 중재절차에 관하여 적절한 통지를 받지 못하였거나 그 밖의 사유로 변론을 할 수 없었던 사실을 증명하면 중재판정 취소의 소를 제기할 수 있다(중재법 제36조). 그러나 결격사유가 없는 자를 중재인으로 직접 선정하여 중재합의를 하였다는 것은 중재판정 취소의 소를 제기할 수 있는 사유에 해당하지 않는다.

09 우리나라 현행 중재법상 분쟁의 실체에 적용되는 법에 대한 설명으로 옳지 않은 것은?

① 특정 국가의 법 또는 법체계가 지정된 경우에 달리 명시되지 아니하는 한 그 국가의 국제사법을 분쟁의 실체에 적용될 법으로 지정한 것으로 본다.

② 중재판정부는 당사자들이 지정한 법에 따라 판정을 내려야 하며, 이러한 법이 지정되지 않은 경우 중재판정부는 분쟁의 대상과 가장 밀접한 관련이 있는 국가의 법을 적용하여야 한다.

③ 중재판정부는 당사자들이 명시적으로 권한을 부여하는 경우에 한하여 형평과 선에 따라 판정을 내릴 수 있다.

④ 중재판정부는 계약에서 정한 바에 따라 판단하고 해당 거래에 적용될 수 있는 상관습을 고려하여야 한다.

답 ①

중재판정부는 당사자들이 지정한 법에 따라 판정을 내려야 한다. 특정 국가의 법 또는 법 체계가 지정된 경우에 달리 명시된 것이 없으면 그 국가의 국제사법이 아닌 분쟁의 실체(實體)에 적용될 법을 지정한 것으로 본다(중재법 제29조).

10 현행 중재법상 중재절차에 대한 설명으로 옳지 않은 것은?

① 당사자 간 중재절차에 관한 합의가 없는 경우에는 중재판정부가 중재법의 규정에 따라 적절한 방식으로 중재절차를 진행할 수 있다.

② 중재절차에서 사용될 언어는 당사자 간의 합의에 의하고, 합의가 없는 경우에는 중재판정부가 지정하며, 중재판정부의 지정이 없는 경우에는 한국어로 한다.

③ 당사자 간에 다른 합의가 없는 경우에 중재절차는 피신청인이 중재요청서를 수령한 날부터 개시된다.

④ 중재지는 사건이 발생한 지역의 관할 중재판정부로 한다.

답 ④

중재지는 당사자 간의 합의로 정한다. 합의가 없는 경우에는 중재판정부가 당사자의 편의와 해당 사건에 관한 모든 사정을 고려하여 중재지를 정한다(중재법 제21조).

11 □□□ 우리나라의 중재체제에 의한 중재합의(arbitration agreement)에 관련된 설명으로 옳지 않은 것은?

① 사전중재합의는 무역계약상에 중재조항(arbitration clause)을 설정함으로써 이루어지는 것이 일반적이다.

② 중재합의는 반드시 서면에 의하여야 하며, 구두합의는 무효이다.

③ 중재합의가 성립된 경우에는 직소금지(prohibition of direct suit)의 효력이 발생된다.

④ 중재합의는 중재신청의 필수적 요건이 아니므로 그것이 없어도 중재신청(제기)을 할 수 있다.

답 ④

"중재합의"란 계약상의 분쟁인지 여부에 관계없이 일정한 법률관계에 관하여 당사자 간에 이미 발생하였거나 앞으로 발생할 수 있는 분쟁의 전부 또는 일부를 중재에 의하여 해결하도록 하는 당사자 간의 합의를 말한다. 중재합의는 독립된 합의 또는 계약에 중재조항을 포함하는 형식으로 할 수 있다. 중재합의는 반드시 있어야 한다.

12 □□□ 뉴욕협약(New York Convention)에 대한 설명으로 옳지 않은 것은?

① 우리나라는 뉴욕협약에 가입되어 있어서, 대한상사중재원에서 내려진 중재판정이 회원국 간에 그 승인 및 집행을 보장받는다.

② 뉴욕협약에서 중재판정이란, 개개의 사건을 위해서 선정된 중재인이 내린 판정뿐만 아니라 당사자들이 부탁한 상설 중재기관이 내린 판정도 포함한다.

③ 각 체약국은 계약적 성질의 것이거나 아니거나를 불문하고 중재에 의하여 해결이 가능한 사항에 관한 일정한 법률관계에 관련하여 당사자 간에 발생하였거나 또는 발생할 수 있는 전부 또는 일부의 분쟁을 중재에 부탁하기로 약정한 당사자 간의 구두 또는 서면에 의한 합의를 승인하여야 한다.

④ 당사자들이 중재합의한 사항에 관해 소송이 제기되었을 때에는, 체약국의 법원은, 전기 합의를 무효, 실효 또는 이행불능이라고 인정하는 경우를 제외하고, 일방 당사자의 청구에 따라서 중재에 부탁할 것을 당사자에게 명하여야 한다.

답 ③

각 체약국은 계약적 성질의 것이거나 아니거나를 불문하고 중재에 의하여 해결이 가능한 사항에 관한 일정한 법률관계에 관련하여 당사자 간에 발생하였거나 또는 발생할 수 있는 전부 또는 일부의 분쟁을 중재에 부탁하기로 약정한 당사자 간의 서면에 의한 합의를 승인하여야 한다. 여기에서 "서면에 의한 합의"라 함은 계약문 중의 중재조항 또는 당사자 간에 서명되었거나, 교환된 서신이나 전보에 포함되어 있는 중재의 합의를 포함한다.

CHAPTER 6 전자무역

1 전자무역 개요

1. 의의

(1) 전자무역의 일반적 정의

전자무역(Electronic Trade)이란 인터넷을 포함한 정보기술을 활용하여 재화 또는 서비스를 매매하는 무역활동을 말한다. 전자무역에 있어서는 컴퓨터 통신망이 구성하는 가상공간이 시장(market)이고, 인터넷 접속 이용자가 거래 당사자가 된다.

> **핵심체크** 전자무역의 주요 절차
> 1. View Trade Leads: 게재된 오퍼정보를 열람하는 것
> 2. Search Trade Leads: 조건을 설정하여 오퍼정보를 검색하는 것
> 3. Post Trade Leads: 자신의 오퍼정보를 마켓플레이스에 올려 해외거래선이 검색할 수 있도록 하는 것
> 4. Trade Alerts: 새로운 오퍼정보를 회원의 이메일로 송신하는 것

(2) 「전자무역 촉진에 관한 법률」상 정의

① 전자무역

「대외무역법」 제2조 제1호에 따른 무역의 일부 또는 전부가 전자무역 문서로 처리되는 거래를 말한다.

> **● 대외무역법 제2조 제1호**
> "무역"이란 다음 각 목의 어느 하나에 해당하는 것의 수출과 수입을 말한다.
> 가. 물품
> 나. 대통령령으로 정하는 용역
> 다. 대통령령으로 정하는 전자적 형태의 무체물(無體物)

② 전자무역문서

전자무역에 사용되는 「전자문서 및 전자거래 기본법」 제2조 제1호에 따른 전자문서를 말한다.

> **● 전자문서 및 전자거래 기본법 제2조 제1호**
> "전자문서"란 정보처리시스템에 의하여 전자적 형태로 작성·변환되거나 송신·수신 또는 저장된 정보를 말한다.

③ 전자무역기반시설

정보통신망을 통하여 무역업자와 무역관계기관을 체계적으로 연계하여 전자무역문서의 중계·보관 및 증명 등의 업무를 수행하는 정보시스템을 말한다.

(3) 무역자동화

무역자동화(trade automation)란 수출입업무와 관련된 문서를 당사자 간의 합의에 의하여 전자문서로 작성하고, 이를 전자적 수단인 EDI 방식으로 당사자 간에 전달하는 무역업무처리방식을 말한다.

2. 전자무역의 특징

(1) 거대한 단일시장

전 세계의 무역업자가 가상의 공간에서 지리적·시간적 제약 없이 만날 수 있으므로 거대한 단일시장이 형성되며, 다음과 같은 파급효과가 생겨나게 된다.

① 기업의 세계화 전략을 달성하는 데 도움이 된다.

② 통합된 시장은 가격의 단일화를 유도한다.

③ 완전경쟁에 가까운 형태의 시장구조를 형성하여 가격의 하락을 유도한다.

④ 인터넷을 통한 소액물품의 거래가 활성화되며, 탁송부문과 창고부문이 결합하는 새로운 국제물류 시스템의 도입을 유도한다.

(2) 효율적인 마케팅

인터넷이라는 새로운 매체를 통해 정보가 교환되므로, 거래제의 단계부터 글로벌 마케팅까지 효율성을 확보하게 되며, 다음과 같은 거래자의 행위를 유도한다.

① 전 세계를 대상으로 하는 광고 및 마케팅이 증가한다.

② 인터넷 상거래에 적합한 제품의 개발에 집중하게 된다.

③ e – Marketplace, 정보검색엔진을 통한 거래당사자 간 만남이 활발해진다.

④ EDI, 이메일 등을 통해 거래당사자 간 정보교환이 이루어지므로 비용이 절감된다.

⑤ 전자문서를 활용하여 무역업무 처리방식이 변화한다.

⑥ 과거에는 비용문제로 글로벌 마케팅이 어려웠던 중소기업에게 성장의 기회가 된다.

❘ 전통적 무역과 전자무역의 비교 ❘

구분	전통적 무역	전자무역
거래범위	일부지역	전 세계
시간적 제한	영업시간의 제약이 있음	영업시간의 제약이 없음
정보수집 방법	직접방문, 거래알선기관, 전시회 등	인터넷 정보검색, 거래 알선사이트 등
의사소통방법	전화, 팩스, 우편 등	이메일(전자우편), 인터넷전화 등
대금결제	신용장, 추심, 송금 등	TradeCard, Bolero 등
유통경로	생산자 - 수입자 - 수출자 - 소비자	생산자 - 소비자

3. 전자무역 관련 국제 규칙

GUIDEC	① General Usage for International Ensured Commerce(디지털로 보장되는 국제상거래의 일반관례) ② 안전하게 전자상거래를 할 수 있는 국제적인 거래여건 조성 ③ 신뢰할 수 있는 전자보장 및 증명방법에 대한 원칙 확립
CMI 통일규칙	① CMI Uniform Rules for Electronic Bill of Lading(전자선하증권에 관한 CMI 통일규칙) ② 전자선하증권의 정보를 전자데이터통신수단으로 전송하는 경우의 당사자의 권리와 의무를 규정함
Bolero 서비스	① Bill of Lading Electronic Registry Organization(선하증권 전자등록기구) ② 전자선하증권 관련 당사자에게 종이 선하증권 사용자와 같은 권리와 의무를 부여하기 위함 ③ 현재는 모든 선적서류의 전자화를 추진하고 있음
UNCITRAL 모델법	① UNCITRAL Model Law on Electronic Commerce(전자상거래에 관한 UNCITRAL 모델법) ② 전자문서가 일정한 조건을 충족하는 경우 종이문서와 동일한 법률적 효력을 가짐을 규정함 ③ 전자상거래에 따른 법적 장애와 불명확성을 제거하기 위함
eUCP	Supplement to the Uniform Customs and Practice for Documentary Credits for Electronic Presentation(전자제시를 위한 화환신용장에 관한 통일규칙 및 관례의 보충판)
INCOTERMS 2020	
신용장 통일규칙 (UCP 600)	당사자 간 합의에 따라 전자적 메시지에도 적용할 수 있음

핵심체크 eUCP와 UCP의 관계

1. eUCP는 Supplement to the Uniform Customs and Practice for Documentary Credits for Electronic Presentation(전자제시를 위한 화환신용장에 관한 통일규칙 및 관례의 보충판)으로서, UCP를 전자문서에 적용하기 위해 제정한 보완 규칙이다.

2. eUCP는 신용장에 eUCP가 적용된다고 명시하여야만 적용되며, eUCP가 적용되는 신용장은 UCP가 적용된다는 명시적인 준거문언이 없더라도 당연히 UCP가 적용된다.

3. eUCP가 적용되는 신용장의 경우, eUCP와 UCP가 적용되어 상충될 때에는 eUCP가 우선 적용된다.

4. eUCP가 적용되는 신용장이라 하더라도, 수익자가 종이서류만 제시하거나 신용장 자체가 종이서류만 허용하는 경우에는 eUCP가 우선 적용되지는 않는다. eUCP는 전자문서의 제시가 있을 때만 적용된다.

조건	적용 규칙
eUCP 명시 + 전자문서 제시	UCP + eUCP 함께 적용
eUCP 명시 + 종이서류만 제시	UCP만 적용, eUCP는 적용되지 않음

2 | EDI와 전자문서

1. EDI

(1) 의의

EDI(Electronic Data Interchange)란 메시지 표준에 의하여 정형화된 문서를 컴퓨터간 재입력 없이 전자적 방법으로 교환하는 시스템으로서, 전자문서교환이라고도 한다. EDI를 이용하여 전자적으로 문서를 교환하게 되면, 업무 비용이 절감되고 시간이 단축될 수 있다. 또한 ERP(Enterprise Resource Planning)와 같은 정보시스템과 통합될 경우 기업내부의 업무처리 능력을 향상시킬 수 있으며, POS(Point of Sale) 시스템과 통합될 경우 고객서비스가 향상되어 판매증가의 효과도 가져올 수 있다.

(2) EDI의 구성요소

EDI 표준	EDI 사용자간에 교환되는 전자문서의 내용 및 구조, 통신방법 등에 관한 지침으로서, 용도에 따라 전자문서표준과 통신표준으로 구분된다.
	EDIFACT(Electronic Data Interchange for Administration, Commerce and Transport): 전 세계적으로 공유할 수 있는 국제표준이 요구되어 개발된 표준 EDI 통신규약으로서 행정, 상업, 수송을 위한 전자자료교환을 말한다.
EDI 서비스 제공자	전자문서 전송을 위한 송신시간의 통제 및 문서보안을 위해 필요한 제3자 네트워크로서, 이용자들 사이에서 업무를 대행하는 EDI 서비스와 중계기능을 보유한 부가가치통신망(VAN) 사업자를 말한다.
	VAN(Value Added Network): 거래당사자들이 전자문서를 주고받는 통신방법, 통신시간, 통신속도 등이 상이하므로 이를 통합관리하여 중계전송해주고 분쟁이 발생할 경우 이를 해결하는 역할을 하는 제3자 서비스를 말한다.
EDI 사용자 시스템	EDI 사용자가 갖추고 있어야 하는 컴퓨터 하드웨어와 소프트웨어를 말한다.

2. 전자문서

(1) 의의

「전자문서 및 전자거래 기본법」에 따른 전자문서란 정보처리시스템에 의하여 전자적 형태로 작성·변환되거나 송신·수신 또는 저장된 정보를 말한다. 전자문서는 전자적 형태로 되어 있다는 이유만으로 법적 효력이 부인되지 아니한다.

(2) 송신·수신의 시기 및 장소

① **송신하는 경우**: 전자문서는 작성자 또는 그 대리인이 해당 전자문서를 송신할 수 있는 정보처리시스템에 입력한 후 해당 전자문서를 수신할 수 있는 정보처리시스템으로 전송한 때 송신된 것으로 본다.

② 수신하는 경우

전자문서는 다음의 어느 하나에 해당하는 때에 수신된 것으로 추정한다.

　㉠ **수신자가 전자문서를 수신할 정보처리시스템을 지정한 경우**: 지정된 정보처리시스템에 입력된 때. 다만, 전자문서가 지정된 정보처리시스템이 아닌 정보처리시스템에 입력된 경우에는 수신자가 이를 검색 또는 출력한 때를 말한다.

　㉡ **수신자가 전자문서를 수신할 정보처리시스템을 지정하지 아니한 경우**: 수신자가 관리하는 정보처리시스템에 입력된 때

핵심체크 전자적 의사표시의 도달

1. 직접적으로 네트워크에 연결된 컴퓨터 정보처리장치의 경우에는 상대방의 수신장치에 투입된 때 전자적 의사표시가 도달된 것으로 본다.

2. 메일서버의 전자우편함을 통하여 간접적으로 메시지를 전송할 때에는 상대방이 전자우편함 등에 접속하여 메일수신을 명령하여 수신자의 컴퓨터 등으로 전송되어질 때 도달된 것으로 본다.

3. 수신자의 컴퓨터 등의 정보처리장치의 하자로 인한 위험은 의사표시를 발신한 측에서 부담하게 된다. 법적인 측면에서의 도달이란 수령자의 지배가능 영역으로 들어오고 객관적으로 인식할 수 있는 상태가 되어야 하기 때문이다.

---

(3) 전자적 의사표시의 하자

① 의사표시자의 과실이 있는 경우

전자적 의사표시를 함에 있어 표시자가 컴퓨터를 잘못 작동하였거나 진의가 아닌 의사표시를 한 경우, 제3자의 협박 등에 의해 자료를 입력한 경우 등에는 자연적 의사표시의 협박과 마찬가지로 취소가 가능하다. 다만 표시자의 중대한 과실로 입력된 자료상의 가격이나 단위표시 등에 하자가 생긴 경우에는 동기의 착오로 간주되어 취소가 불가능하다.

② 컴퓨터 프로그램의 오작동에 의한 경우

컴퓨터 프로그램의 오작동으로 인해 잘못된 가격이나 수치가 상대방에게 전달된 경우 표시상의 착오로 보아 의사표시를 취소할 수 있다.

③ 정보통신망에 문제가 발생한 경우

정보통신망의 문제로 전자적 의사표시의 전달에 오류가 생긴 경우, 전자적 의사표시의 하자로 볼 것이 아니라 전자적 의사표시 자체가 도달하지 않은 것으로 보아야 한다.

CHAPTER 6 실전문제

01 「전자무역 촉진에 관한 법률」상의 전자무역의 정의로 가장 옳은 것은?

① 무역의 일부 또는 전부가 전자무역 문서로 처리되는 거래
② 거래알선 사이트를 통하여 오퍼를 교환하고 계약을 체결하는 거래
③ 다른 국가에 소재하는 당사자 간에 디지털화 상품이 온라인으로 전송되는 거래
④ 시장조사에서부터 대금결제에 이르는 모든 무역절차가 정보기술을 통하여 이루어지는 거래

답 ①

「전자무역 촉진에 관한 법률」상 "전자무역"이란 「대외무역법」 제2조 제1호에 따른 무역의 일부 또는 전부가 전자무역문서로 처리되는 거래를 말한다.

02 다음 중 EDI의 구성요소로 볼 수 없는 것은?

① EDI 표준
② EDI 사용자시스템
③ 인터넷 EDI
④ EDI 서비스제공자

답 ③

EDI의 구성요소는 EDI 표준, EDI 서비스 제공자, EDI 사용자 시스템을 말한다.

03 거래당사자들이 전자문서를 주고받는 통신방법, 통신시간, 통신속도 등이 상이하므로 이를 통합관리하여 중계전송해주고 분쟁이 발생할 경우 이를 해결하는 역할을 하는 제3자 서비스를 무엇이라 하는가?

① EDI
② VAN
③ Bolero
④ e - Market place

답 ②

거래당사자들이 전자문서를 주고받는 통신방법, 통신시간, 통신속도 등이 상이하므로 이를 통합관리하여 중계전송해주고 분쟁이 발생할 경우 이를 해결하는 역할을 하는 제3자 서비스를 VAN(Value Added Network)이라고 한다.

04 전자무역계약의 효력 발생시기에 대한 설명으로 옳지 않은 것은?

① 전자문서는 작성자 또는 그 대리인이 해당 전자문서를 송신할 수 있는 정보처리시스템에 입력한 후 해당 전자문서를 수신할 수 있는 정보처리시스템으로 전송한 때 송신된 것으로 본다.

② 전자문서가 지정된 정보처리시스템이 아닌 정보처리시스템에 입력된 경우에는 수신자가 이를 검색 또는 출력한 때 수신된 것으로 추정한다.

③ 전자문서는 전자적 형태로 되어 있다는 이유만으로 법적 효력이 부인되지 아니한다.

④ 수신자가 전자문서를 수신할 정보처리시스템을 지정하지 아니한 경우에는 송신자가 관리하는 정보처리시스템에 입력된 때 수신된 것으로 본다.

답 ④

수신자가 전자문서를 수신할 정보처리시스템을 지정하지 아니한 경우에는 '수신자'가 관리하는 정보처리시스템에 입력된 때 수신된 것으로 본다(전자문서 및 전자거래 기본법 제6조).

해커스공무원 학원·인강
gosi.Hackers.com

PART 3
국제금융

CHAPTER 1 외환과 환율

1 외환

1. 외환의 의의

(1) 의의 및 특성

① 의의

외환(外換, Foreign Exchange)이란 국가 간의 재화, 용역 및 자본의 거래로 발생되는 대차관계를 결제하는 데 사용되는 일체의 대외거래수단으로, 외화증권·외화채권 및 외국통화 등을 말하며, 국제거래 당사자 사이에 발생하는 외환의 교환행위를 의미하기도 한다.

② 특성

㉠ 거래 당사자가 서로 다른 나라에 떨어져 있으므로 적용법률의 문제가 발생한다.

㉡ 서로 다른 화폐단위를 사용하므로 환율문제가 발생한다.

㉢ 거래금액이 크고 결제에 장기간이 소요되어 금리문제가 발생한다.

㉣ 환시세의 변동으로 인한 환위험이 따른다.

㉤ 각국의 외환통제로 거래에 제한이 있을 수 있다.

(2) 외환의 종류

① 순환과 역환

순환(順換)	채무자가 은행을 통해 채권자에게 채무를 상환하는 방식
역환(逆換)	채권자가 은행을 통해 채무자로부터 채권을 회수하는 방식

② 매도환과 매입환

매도환	환매매의 중개기관인 외국환은행이 환을 매각하는 경우
매입환	환매매의 중개기관인 외국환은행이 환을 매입하는 경우

③ 보통환과 전신환

보통환	㉠ 송금수표(D/D)는 은행으로부터 수표를 발행받아 우편으로 송부 ㉡ 우편환(M/T)은 송금은행이 지급은행 앞으로 수취인에게 일정금액을 지급할 것을 위임하는 지급지시서를 발행하여 우편으로 송부
전신환	전신송금(T/T)은 송금은행이 지급은행 앞으로 수취인에게 일정금액을 지급할 것을 위임하는 지급지시서 발행하여 전신으로 송부

2. 외환시장

(1) 의의

외환시장이란 외국통화의 매매(賣買)가 이루어지는 구체적인 또는 추상적인 장소를 의미한다.

(2) 기능

① 청산 및 결제 기능

각국의 통화거래로 외환시장에서 외환의 수요와 공급이 일치하지 않는 경우, 이를 일치시켜 외환시장의 안정을 기하게 된다. 특정통화의 수요·공급이 불일치하는 경우 환율이 변동하게 되고, 이에 따라 외환의 수요·공급이 변화되어 결과적으로 수급의 불균형이 해결된다. 이러한 기능을 외환시장의 청산(clearing) 및 결제(settlement) 기능이라 한다.

② 헤징 기능

계약체결 시점과 대금지급 시점의 차이로 인하여 환율변동의 위험이 발생할 때, 외환시장은 옵션(option)[48]이나 선물환거래 등을 통하여 이러한 위험을 감소시키는 헤징(Hedging)의 기능을 한다.

③ 재정거래 기능

외환시장은 재정거래(arbitrage) 기능을 수행한다. 재정거래란 장소적, 시간적 불균형을 이용하여 매매함으로써 그 차익을 얻으려고 하는 외환거래를 말한다. 여기에는 환재정(exchange arbitrage)과 금리재정(interest arbitrage)이 있다.

환재정	환율의 장소적 불균형을 이용하여 그 차익을 얻기 위한 외환거래
금리재정	환율의 시간적 불균형, 즉 현물환시세와 선물환시세의 차이를 국제단기금리와 비교하여 그 차익을 얻기 위한 외환거래

④ 외환투기 기능

미래의 환율변동에 대한 자기계산과 예측하에 외환을 선택적으로 매매하는 외환투기자들은 특정외환이 장래의 어느 시점에 가치가 상승된다고 예측되면 외환시장을 통하여 당해 외환을 매입하며, 그 반대의 경우에는 매각하게 된다.

---

48) 옵션(option)이란 리스크 관리를 위한 외부적 기법 중의 하나로 기초자산(underlying asset)을 장래의 특정 일자 또는 일정 기간 이내에 정해진 행사 가격(strike price)으로 매입 또는 매도할 수 있는 권리를 말한다. 통화옵션, 금리옵션 등이 있다.

(3) 외환시장의 당사자

외국환은행	① 고객의 요구에 따라 외환을 매매하는 중개자 ② 자본이득이나 환차이를 이용하기 위한 적극적인 시장참가자
고객	외환의 수요자 또는 공급자로 수출입을 행하는 무역회사, 관광객, 해외투자자, 정부
외환중개인 (외환브로커)	외국환은행과 고객 간, 외국환은행 간 또는 외국환은행과 중앙은행 간에 이루어지는 외환거래를 중개하고 중개수수료를 받는 자
통화당국 (중앙은행)	외환은행과 수동적인 매매를 할 뿐만이 아니라, 외환시장의 불안을 막고 환율의 안정을 위해 능동적으로 외환시장에 개입하는 각국 정부 또는 중앙은행

> **핵심체크** 유로금융시장
>
> 유로금융시장은 자금의 대차거래가 금융기관 소재국 이외의 통화로 이루어지는 역외금융시장을 의미한다. 유로란 말은 유로달러(미국 밖에 있는 각국 은행의 달러로 표시된 예금채무)가 초기에 런던을 중심으로 한 유럽에 주로 예치된 것에서 기인한다. 그러나 오늘날에는 유로시장이 유럽뿐만이 아니라 전 세계적으로 확산되어 있고, 거래표시 통화도 달러뿐만 아니라 유로엔, 유로파운드, 유로마르크 등이 거래되고 있어 넓은 의미로 사용된다. 유로금융시장은 각국의 금융규제를 벗어나 다양한 금융거래가 중개되는 초국가적인 금융시장이다.

3. 외환거래

(1) 의의

외환거래에는 외환매매거래와 외환파생상품거래가 있다.

외환매매거래	① 현물환거래(spot transaction) ② 선물환거래(outright forward transaction) ③ 외환스왑거래(FX swaps)
외환파생상품거래	① 통화관련: 통화스왑, 통화옵션, 통화선물 ② 금리관련: 금리스왑, 금리옵션, 금리선물 ③ 기타: 주식파생, 신용파생 등

(2) 외환매매거래

① 현물환거래와 선물환거래

ㄱ 의의

외환거래 계약을 체결하고, 실제로 외환의 인수도가 이루어지기까지의 기간에 따라 외환거래는 현물환(spot exchange)거래와 선물환(forward exchange)거래로 나눌 수 있다.

ⓒ 거래일과 결제일

거래일 (deal date)	외환거래가 이루어지는 날을 말한다. 거래 당사자가 매수·매도의 방향, 환율, 거래규모, 결제일 등에 합의하는 날이다.
결제일 (value date)	실제 외국통화의 교환이 이루어지는 날을 말한다. 대부분 은행계좌를 통해 계좌이체(account transfer) 방식에 의해 이루어지므로, 해당일이 한 당사국의 은행 비영업일인 경우에는 결제일이 될 수 없다.

ⓒ 현물환거래와 선물환거래

현물환 거래 (spot exchange)	거래일부터 결제일이 2영업일 이내인 거래를 말한다. 즉, 외환의 매매계약 성립과 동시에 또는 성립 후 2영업일 이내에 외환의 인수도가 이루어진다.[49]
선물환 거래 (forward exchange)	현물환거래가 아닌 모든 외환거래를 말한다. 즉, 외환계약 체결 후 그 이행은 당사자 간의 합의에 따라 일정시점이 지나 이루어지는데, 결제일이 계약일로부터 3영업일 후가 되면 선물환거래라 한다. 즉, 장래의 일정한 시기에 일정한 조건(환율, 인수도장소, 통화종류, 금액, 인도기일 등)으로 외환의 매매를 실행하겠다는 약정으로서, 이 선물환거래의 계약을 체결하는 것을 선물예약(forward exchange contract), 약정된 외환을 선물환이라 한다.

> **예시**
>
> 수출입 계약당시 원 – 달러 환율이 1$ = 1,200원이었으나, 2개월 후 결제 시점의 환율이 1$ = 1,000원으로 하락한다면, 수출기업은 수출입계약 당시 기대하였던 금액보다 적은 금액을 수취하게 되는 셈이다. 이런 경우, 수출기업은 은행과 수출대금 수취일에 맞추어 미리 정한 환율에 의해 외환을 매각하는 계약, 즉 선물예약을 하게 된다. 만약 1$ = 1,150원으로 일정금액을 매각하는 계약을 해둔다면, 결제시점의 현물환율이 1$ = 1,000원으로 하락한다고 하여도, 약정환율 1$ = 1,150원에 의하여 수출대금(외환)을 매각하고 원화를 수취할 수 있다.

ⓔ 스왑거래

ⓐ 스왑거래(swap transaction)란 현물환거래 대 현물환거래, 현물환거래 대 선물환거래 또는 선물환거래 대 선물환거래와 같이 결제일과 거래방향을 달리하는 두 개의 외환거래가 동시에 행해지는 거래를 말한다. 이 중 현물환거래와 선물환거래가 결합된 형태로 이루어지는 스왑거래가 일반적이다.

ⓑ 스왑은 매입과 동시에 매도하거나 매도와 동시에 매입하므로 두 개의 결제일을 갖는데, 먼저 도래하는 결제일을 근일(near end), 나중에 도래하는 결제일을 원일(far end)이라고 한다.

---

49) 현물환거래는 당일물거래(거래일과 결제일이 동일한 거래), 익일물거래(결제일이 거래일부터 1영업일 후인 거래), 익익일물거래(결제일이 거래일부터 2영업일 후인 거래)로 구분된다.

| 스왑인(swap in) | 근일에 외환을 매입하고 원일에 매도하는 거래 |
| 스왑아웃(swap out) | 근일에 외환을 매도하고 원일에 매입하는 거래 |

(3) 주요 외환파생상품 거래

① 통화관련

㉠ 통화스왑

통화스왑(currency swap)은 두 차입자가 상이한 통화로 차입한 자금의 원리금 상환을 상호 교환하여 이를 이행하기로 하는 거래이다. 이때 거래당사자가 서로 다른 통화로 표시된 명목원금에 기초하여 만기까지 상이한 통화로 표시된 이자를 지급하고, 만기일에는 거래일에 미리 약정한 환율에 의해 명목원금을 교환한다. 상호 교환하는 이자의 현금흐름은 둘 다 모두 고정금리, 모두 변동금리, 또는 고정금리와 변동금리의 교환 등 세 종류로 분류할 수 있다.

㉡ 통화옵션

통화옵션(currency options)이란 일정액의 이종통화에 대해 이미 정해진 가격(환율)으로 미래에 매입 또는 매도할 수 있는 권리가 부여된 계약을 말한다. 통화옵션은 불확실한 미래상황에 대한 헤징 목적 또는 상황이 유리한 방향으로 전개되는 경우 이익가능성을 확보하기 위한 목적으로 거래가 이루어진다.

㉢ 통화선물

통화선물(currency futures)은 장래에 인수·인도될 외환의 가격을 결정한다는 점에서 외환시장을 통한 선물환거래와 유사하다. 그러나 통화선물은 거래액과 결제일이 표준화되어 있고 조직화된 거래소에서 공개경쟁 입찰방식(open competition)으로 행해진다는 차이점이 있다. 또한 대부분의 경우 만기 이전에 반대거래로 상쇄되어 차액만 결제되고, 통화선물에 대한 청산소의 중개와 일정액의 증거금 요구로 개별 거래상대방의 신용위험을 염려할 필요가 없으며, 매일 형성되는 가격에 일정 수준의 상한과 하한을 정해 가격 변동폭을 제한하는 등의 특징을 가지고 있어 일반적인 선물환거래와는 다르다.

② 금리관련

㉠ 금리스왑

금리스왑(interest rate swap)이란 금리지불조건이 서로 다른 동일 통화표시 채무를 서로 교환하는 거래를 의미한다. 금리스왑은 금융시장에서의 차입자의 기존부채 또는 신규부채에 대한 금리위험의 헤징이나 차입비용의 절감을 위해서 거래되는데, 오늘날 스왑거래 중에서 가장 많은 거래가 이루어지고 있는 대표적 상품이다.

ⓛ 금리옵션

금리옵션(interest rate options)이란 예상하지 못한 금리변동으로 초래되는 금융자산의 가치변동위험을 회피하거나 또는 추가이익을 실현하기 위해서 이용되는 옵션을 말한다. 금리옵션도 통화옵션과 마찬가지로 옵션매입자가 장래의 일정 시점 이전에 옵션매도자로부터 일정한 계약가격이나 행사가격으로 매입 또는 매도할 수 있는 권리를 보유하게 되는 계약을 말한다. 반면에 금리옵션매도자는 옵션매입자로부터 프리미엄을 수취하게 된다.

ⓒ 금리선물

금리선물(interest rate futures)이란 금리변동을 회피하거나 투기적인 목적으로 미래 일정 기간에서의 예상금리를 매매하는 거래이지만, 실제로는 금리 그 자체를 거래하기보다 이자를 발생시키는 채권 등의 금융상품을 대상으로 선물거래가 발생한다. 두 차례의 오일파동으로 인해 엄청난 인플레이션이 발생하면서 금리가 급격히 변동하게 되자 금리변동에 관련된 위험을 관리할 필요성이 대두되면서 도입된 거래이다.

4. 환리스크 관리

(1) 환노출과 환위험

① 환노출(exposure)

환노출이란 환율로 인한 위험에 노출되어 있는 상태(a state open to risk)로서, 환율변동에 의하여 기업이 손실을 볼 수도 있고, 수익을 볼 수도 있는 불확실한 상태를 말한다.

② 환위험(risk)

환위험이란 환율변동에 의하여 불확실한 금액의 손실을 입을 수 있는 가능성 (possibilities of uncertain amount of loss)으로서, 환율변동에 의하여 손실을 볼 가능성만을 말한다.

③ 헤지(hedge)

헤지란 드러난 것을 덮는다는 의미로서, 환노출이나 그에 따른 제반효과를 없애는 것을 말한다. 미래의 시장변화로 인하여 환노출이나 혹은 그에 따른 위험으로부터 유발되는 손실이 발생하지 않도록 하는 것이 헤지이다. 예를 들면 환율이 변동하는 경우, 수출을 한 후 수취하게 될 달러가 자산의 가치에 영향을 미칠 수 있으므로, 선물환을 이용하여 미래의 환율을 고정시켜 환위험을 헤지하게 된다.

(2) 환율변동에 따른 환위험의 유형

① 환산환위험

환율이 변동함에 따라 외국통화를 자국의 통화로 환산하는 과정에서 손실을 입을 위험을 말한다.

② 거래환위험

상품의 수출이나 수입 또는 외국통화표시 자금의 차입이나 대출 시 계약시점과 결제시점과의 환율변동으로 인해 자국통화로 환산한 결제금액이 변동할 수 있는 불확실성을 말한다.

③ 영업환위험

예상하지 못한 급격한 환율변동이 기업의 현금흐름, 판매량, 판매가격, 원가 등 영업에 실질적으로 영향을 주어 현금흐름 및 영업이익이 변동하게 될 가능성을 말한다.

‖ 환위험 노출의 구분 ‖

회계적 노출	환산 환위험	환율 변동으로 인한 환차손
	거래 환위험	거래 대금 지급과 관련한 환차손
경제적 노출		거래 대금 지급과 관련한 현금 흐름의 변동
	영업 환위험	환율 변동으로 인한 현금 흐름의 변동

‖ 환노출의 또 다른 구분 ‖

거래환노출 (transaction exposure)	외화표시 상품거래 및 금융거래의 계약시점과 현금흐름 발생시점 간의 환율변동으로 인한 환노출
환산환노출 (translation exposure)	해외법인의 외화표시 대차대조표 및 영업손익을 모회사의 통화표시로 환산하는 데 따른 연결재무제표상의 환노출
경제적 환노출 (economic exposure)	예기치 않은 환율변동에 따른 기업 미래 현금 흐름의 순 현재가치(net present value)가 변화하는 환노출

(3) 대내적(내부적) 환리스크 관리기법

환리스크 관리기법은 크게 대외적 관리기법과 대내적(내부적) 관리기법으로 구분할 수 있다. 대외적 관리기법이란 외국환은행이나 금융선물거래소 등과 같은 외부기관과의 거래를 통하여 환위험을 관리하는 기법을 말하며, 대내적 관리기법은 외부와의 거래가 아니라 기업 자체적인 노력으로 스스로 환위험을 관리하는 기법을 말한다. 대내적 환리스크 관리기법은 서로 다른 국가에 소재하는 다국적 기업의 본지사 간 또는 모기업·자기업 간의 외환거래에 있어 환위험을 회피하는 방법으로 활용된다.

리딩&래깅 (leading & lagging)	외화 자금의 결제 시기를 의도적으로 앞당기거나 또는 지연시키는 방법(이는 매매 쌍방의 이해가 상충되어 어느 한쪽이 이익을 내면 상대방은 손해를 보게 됨)
매칭 (matching)	외화자금의 수취와 지급을 통화별·기간별로 정확히 일치시켜 외화자금 흐름의 불일치에서 발생할 수 있는 환차손 위험을 원천적으로 제거하는 환리스크 기법(동일 그룹 기업 간 뿐만이 아니라, 제3의 기업과의 거래에도 적용할 수 있음)
네팅 (netting)	일정기간 동안의 채권·채무를 그때마다 결제하지 않고 누적시켰다가, 일정기간이 경과한 이후 서로 상계하고 그 차액만을 결제하는 방법
패러렐론 (parallel loans)	두 국가에 소재한 서로 다른 모기업이 상대국에 설립·운영하고 있는 자회사에 대하여 각각 서로 교환하여 자국통화표시의 자금을 동일 만기조건으로 융자해 주는 환관리방법

ALM (asset liability management)	환율전망에 따라 기업이 보유하고 있는 자산과 부채의 포지션을 조정함으로써 환위험을 관리하는 방법(스퀘어 포지션을 유지함으로써 순노출액을 0으로 만드는 대차대조표 헤징전략)
포트폴리오 전략 (portfolio management)	하나의 통화에 대한 환율변동 위험에 노출되어 있는 것보다 동시에 여러 통화의 환위험에 노출되어 있는 것이 오히려 위험이 낮아진다는 원리에 의한 것으로, 거래 통화를 다변화하여 위험의 총합을 감소시키는 방법

5. 환포지션

(1) 의의

외국환의 매도액과 매입액의 차이를 환포지션이라 한다. 이는 특정기업이나 금융기관의 일정 시점의 외화자산과 외화부채의 차액을 말하는 것으로서, 예를 들어 외화자산이 100만 달러이고 외화부채가 30만 달러라면, 외환포지션은 70만 달러가 된다. 환포지션에는 스퀘어포지션, 매도초과포지션 및 매입초과포지션이 있다.[50]

(2) 환포지션의 종류와 환리스크

스퀘어포지션 (square position)	매도초과포지션 (over sold position)	매입초과포지션 (over bought position)
flat position	bear position, short position	bull position, long position
외국환의 매매차익 = 0	외국환의 매도액 > 외국환의 매입액	외국환의 매도액 < 외국환의 매입액
환차손 및 환차익이 발생하지 않음	외환가치 하락예측시 유리, 외환가치 상승시 평가손 발생	외환가치 상승예측시 유리, 외환가치 하락시 평가손 발생

---

50) 외화자산과 외화부채는 장부상에 나타난 것뿐만이 아니라, 미래에 수취 또는 지급할 자산 또는 부채도 포함한다. 즉, 장부상에 나타난 현금포지션과 현재 현금으로 보유하지 않았지만 미래의 현금포지션에 변화를 일으킬 수 있는 약정된 포지션이 모두 포함된다. 현금포지션과 약정된 포지션을 합한 개념을 종합포지션이라 한다.

2 환율

1. 환율의 의의

(1) 의의

환율(換率, exchange rate)이란 외환시장에서의 서로 다른 통화 간의 교환비율을 말한다. 각국이 달러, 엔, 위안, 원 등 서로 다른 통화를 사용하고 있으므로 국제적인 거래가 원활하게 이루어지기 위해서는 이러한 통화들의 교환이 필요하고, 그 교환을 적정하게 하기 위해서 교환비율이 필요해진다. 환율은 환시세(換時勢)라고도 하며, 외환수단의 매매가격 또는 1국 통화의 대외가치 또는 구매력으로 표현되기도 한다.

(2) 환율의 표시방법

환율을 표시하는 방법에는 자국통화 표시환율과 외국통화 표시환율이 있다.

환율표시방법	내용	예시
자국통화표시환율 (직접표시법, 지불계산법, 자화표시시세)	• 외국통화를 기준으로, 1단위의 외국통화를 획득하기 위하여 지불하여야 하는 자국통화의 단위수 • 한국을 포함한 대부분의 국가 채택	$1: 1,000원 (1달러 = 1,000원)
외국통화표시환율 (간접표시법, 수취계산법, 외환표시시세)	• 자국통화를 기준으로, 1단위의 자국통화로 수취할 수 있는 외국통화의 단위수(수취환율) • 영국, 뉴질랜드 등 일부 국가 채택	1원: $1/1,000 (1원 = 1/1,000달러)

(3) 환율의 종류

① 매매환율과 매매기준율

매일 원 – 달러 시장에서 원 – 달러가 주로 은행을 중심으로 거래될 때 형성되는 환율이 매매환율이다. 매매기준율이란 매매환율을 근거로 다음날 아침 정해지는데 이를 원 – 달러 매매기준율이라 한다.

② 재정환율

재정환율(arbitrated rate of exchange)이란 미국의 달러화 환율을 기초로 자동 결정되는 달러화 이외의 기타 통화 환율이다. 우리나라에서 외국환이 거래되는 시장으로 활성화되어 있는 시장은 원 – 달러 시장이다. 시장이 개설되지 않거나 활성화되어 있지 않은 기타 통화와의 환율의 결정은 원 – 달러 환율과, 국제금융시장에서 형성된 달러 – 엔, 달러 – 유로, 달러 – 파운드 등의 환율을 참조(상대비교 또는 교차비교)하여 결정하는데 이를 재정환율이라 한다.

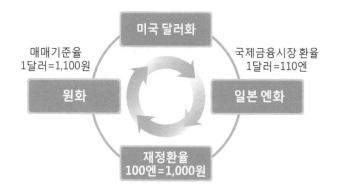

만약, 원 – 달러 환율 이외의 원 – 엔, 원 – 유로 등의 환율을 중앙은행이 정하여 고시한다면, 원 – 달러 시장과 원 – 엔 등의 거래에 매매차익이 생기며, 이러한 거래를 재정거래(arbitrage) 또는 가격차취득거래라 한다.

> **핵심체크** 재정환율(arbitrated rate)과 크로스환율(교차환율, cross rate)
>
> 재정환율은 미화 이외의 통화 대 원화의 환율을 말하며, 크로스환율은 미화와 미화 이외의 통화와의 환율을 말한다. 재정환율은 크로스환율을 기준환율로 재정하여 산출한다. 위 그림에서 국제금융시장에서 형성된 환율인 '1달러 = 110엔'이 크로스환율이며, 이를 기준환율로 재정하여 산출한 '100엔 = 1,000원'이 재정환율이 된다.

③ 대고객환율

고객환율이란 외국환은행에서 고객에게 외국통화를 교환해 줄 때 적용하는 환율이다. 매입 또는 매도시 적용하는 환율은 매매기준율을 중심으로 소폭 올리거나 낮추어 정한다.

대고객환율에서 고객이 외화를 살 때의 환율을 매도율이라 하고, 팔 때의 환율을 매입률이라 하는데, 이처럼 매도, 매입이라는 표현은 은행을 기준으로 한 것이다. 또한 현금, 전신환, 여행자수표, 외화수표에 따라 적용하는 환율이 다르다.

> **○ 스프레드(spread)**
> 외환시장거래에서 매입률과 매도율의 차이

2. 환율의 결정

(1) 환율의 결정원리

① 균형환율의 결정

㉠ 외환에 대한 수요와 공급

원 – 달러 환율이란 달러라는 금융상품의 가격으로서, 시장에서의 상품과 마찬가지로 달러도 외환시장에서의 수요와 공급의 증감이 존재한다. 해외로부터 공급받은 상품이나 서비스에 대한 대금지급을 하기 위해서는 달러가 필요하게 되는데 이것이 달러에 대한 수요이다. 반대로 수출 등을 통해 해외로부터 지급받은 달러를 원화로 교환하려는 경우 달러에 대한 공급이 발생한다.

외환의 수요 원인	ⓐ 기업의 수입대금 지급 ⓑ 내국인의 해외투자자금 유출 ⓒ 특허권등의 사용료(로열티) 지급 ⓓ 배당금 등 외국인의 투자수익 송금 ⓔ 해외여행, 유학비용의 환전 등
외환의 공급 원인	ⓐ 기업의 수출대금 영수 후 원화 교환 ⓑ 외국인의 국내 투자자금 유입 ⓒ 특허권 등의 사용료(로열티) 영수 ⓓ 배당금 등 내국인의 해외 투자수익 유입 ⓔ 외국 관광객의 환전 등

ⓛ 균형환율의 결정

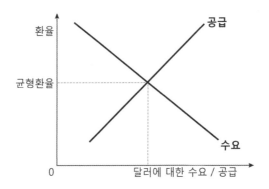

> ⓐ 달러의 수요는 환율에 의하여 영향을 받는다. 환율이 올라가면 달러로 표시된 상품과 서비스의 원화표시 가격이 올라가 수입이 줄어들고, 이에 따라 달러의 수요도 줄어들며, 반대로 환율이 내려가면 달러수요가 늘어난다.
> ⓑ 달러의 공급도 환율에 의하여 영향을 받는다. 환율이 올라가면 달러로 표시된 상품과 서비스의 원화표시 가격이 올라가 수출이 늘어나고, 이에 따라 달러의 공급도 늘어나며, 반대로 환율이 내려가면 달러공급이 줄어든다.

달러의 수요와 공급은 환율에 순응하여 결정된다. 즉, 환율은 외환시장에서 외환에 대한 수요와 공급에 의해서 결정되는데, 이때의 환율은 외환시장에서 수급을 균형시키는 가격이란 뜻으로 균형환율이라 한다. 그러나 환율은 국민경제에 미치는 영향이 매우 크므로, 정부가 가격결정에 개입하여 인위적으로 그 변동의 폭을 제한하는 경우가 많다.

② 평가절상과 평가절하

원 – 달러 환율이 올라갔다는 것은 달러의 가격, 즉 가치가 올라갔다는 의미이며 반면에 원화의 가치는 내려갔다는 의미이다. 이를 달러의 가치상승(appreciation), 원화의 가치하락(depreciation)이라 한다. 원 – 달러 환율의 상승은 원화의 평가절하라고 표현할 수도 있다.

(2) 환율의 평가이론

① 의의

평가이론이란 국제금융시장의 균형은 환율, 금리, 물가 간의 평가관계(parity relation)로서 형성된다는 이론이다. 카셀(G. Cassel)에 의해 주장되었으며, 장기적 관점에서 환율과 인플레이션의 관계를 설명하는 이론이다.

② 구매력평가설(Theory of Purchasing Power Parity, PPP이론)

㉠ 의의

구매력평가설이란 균형환율의 결정과 환율의 변화를 양국 간 화폐의 구매력 차이로 설명하려는 이론이다. 결국 구매력평가설에 의한 환율이란 두 국가의 화폐가 지닌 구매력의 비율을 뜻한다. 구매력평가설에 의하면, 균형환율 수준 혹은 변화율은 각국의 물가수준 혹은 물가 변화율을 반영하여야 한다. 환율이 물가수준을 반영하는지, 환율의 변화율이 물가상승률의 차이를 반영하는지에 따라 절대적 구매력평가설과 상대적 구매력평가설로 나누어진다.

$$\text{균형환율} \; = \; \frac{\text{타국화폐의 구매력}}{\text{자국화폐의 구매력}} \; = \; \frac{\text{자국의 물가수준}}{\text{타국의 물가수준}}$$

㉡ 일물일가의 법칙(law of one price)

동일한 시점에서 자산 또는 상품의 시장가격은 전 세계적으로 하나만 존재한다는 것으로, 국가에 관계없이 동일 재화의 가격은 동일하다는 법칙이다.[51]

- 특정재화의 국내가격 = 환율 × 특정재화의 외국가격
- $\text{환율} \; = \; \dfrac{\text{특정재화의 국내가격}}{\text{특정재화의 외국가격}}$

㉢ 절대적 구매력평가설

ⓐ 절대적 구매력평가설에 따르면, 국제거래에 아무런 제약이 없는 경우 모든 국가에서 통화의 구매력이 동일해져 구매력평가가 성립하게 된다. 무역장벽이 존재하고 수송비의 차이가 있는 경우, 절대적 PPP는 성립하지 않을 수 있다.

ⓑ 통화의 구매력이란 주어진 통화를 가지고 재화 및 서비스를 얼마나 구입할 수 있는가를 나타내는 지표인 물가와 역(逆)의 관계를 가지고 있으므로 구매력평가가 성립한다는 것은 모든 국가에서의 물가수준은 동일통화로 표시하는 경우 같아지게 된다는 것을 말한다.

---

51) 이 이론을 적용하여, 영국 Economist 경제지는 매년 세계 각지의 맥도날드의 빅맥(Big Mac) 가격을 조사하여 소위 빅맥지수(Big Mac Index)를 발표하고 있다.

ⓒ 개별 재화의 가격을 가중치한 합계를 전체 물가지수로 본다면 국제 간 물가지수들이 환율을 통해 같아진다는 이론이다. 이는 국가 간 공통된 소비재의 가격비율이 바로 균형환율이라는 의미이다. 다음을 통하여 특정시점의 환율(S_0)은 관련된 양국의 물가수준의 비율($\dfrac{P_0}{P_0^*}$)과 같을 때 균형을 이룬다는 것을 알 수 있다.

$$P_0 = P_0^* \times S_0 \ \ \text{or} \ \ S_0 = \frac{P_0}{P_0^*}$$

S = 자국통화로 표시한 외국통화의 가격

P = 자국의 가격수준

P^* = 외국의 가격수준

0 = 어떤 주어진 (기준)시점

ⓔ **상대적 구매력평가설**

양국 간 예상 물가상승률의 차이만큼 미래의 기대현물환율이 변화된다는 이론이다.

$$\frac{\text{미래 특정시점 자국 물가수준}}{\text{기준시점 자국 물가수준}} = \frac{\text{미래환율} \times \text{미래 특정시점 타국 물가수준}}{\text{현물환율} \times \text{기준시점 타국 물가수준}}$$

이것은 현물환율의 변화가 양국의 물가상승률의 차이를 반영한다는 의미로서, 특정 기간 동안 한 나라의 물가상승률이 외국보다 높으면, 그 나라의 통화가치는 이를 반영하여 하락하게 된다. 이를 수식으로 나타내면 어떤 균형시점 0으로부터 t시점 간에 양국의 물가는 다음과 같이 변한다.

$$P_t = P_0 \times (1+\pi)$$
$$P_t^* = P_0^* \times (1+\pi^*)$$

$$S_t = \frac{P_t}{P_t^*} = \frac{P_0 \times (1+\pi)}{P_0^* \times (1+\pi^*)}$$

$$\frac{S_t}{S_0} = \frac{(1+\pi)}{(1+\pi^*)}$$

$$\frac{S_t - S_0}{S_0} = \frac{[(1+\pi) - (1+\pi^*)]}{(1+\pi^*)} = \frac{(\pi - \pi^*)}{(1+\pi^*)} \doteqdot \pi - \pi^*$$

즉, 0시점으로부터 t시점까지의 현물환율의 변화율은 양국의 물가상승률의 차이와 같음을 알 수 있다.

만약 기준시점의 환율(₩/$)이 1$ = 1,000이었고, 일정시일이 지난 비교시점의 환율은 1$ = 1,040 원이 되었다. 한국과 미국의 물가지수는 기준시점에 각각 200, 190이었으나 비교시점에는 220.0 및 203.3으로 변화하였다. 구매력평가설에 의한다면 균형환율은 얼마가 되는가?

$$\frac{S_t - S_0}{S_0} = \frac{(\pi - \pi^*)}{(1 + \pi^*)} \text{에서,}$$

$S_t = 1,040$, $S_0 = 1,000$ $\pi = 0.1$, $\pi^* = 0.07$이다.

S_t는 t시점에서의 현물환율이며, 여기에서 구하고자 하는 것은 t시점에서의 균형환율이므로 S_t 는 일단 여기에서의 고려사항은 아니다. S_t를 S(균형환율)로 놓고, 주어진 값들을 대입해보면,

$$\frac{S - S_0}{S_0} = \frac{(\pi - \pi^*)}{(1 + \pi^*)} \text{ 이므로 } \frac{S - 1,000}{1,000} = \frac{(0.1 - 0.07)}{(1 + 0.07)}$$

$S = 1,028$

즉, 균형환율은 1$ = 1,028이다.

그러나 위와 같이 계산하면 정확한 균형환율을 찾아낼 수는 있지만, 너무 복잡하므로 다음과 같이 생각해볼 수도 있다.

한국물가지수의 변화율은 0.10이고 미국물가지수의 변화율은 0.07이므로 한국의 물가가 3% 더 오른 것이다. 이런 경우 기준시점의 환율에 물가지수 변화율만큼의 환율을 더하면 된다. 즉, 1,000 + (1,000 × 3%) = 1,030으로 구하여도 균형환율이 산출된다. 정확한 균형환율은 1,028이지만 1,030과 같은 근사값으로 대강의 균형환율을 파악할 수 있다.

그런데 t시점의 현물환율이 1$ = 1,040이므로 균형환율과 비교해볼 때, 달러화가 고평가되어 있음을 알 수 있다. (1,040 - 1,028)/1,028 = 0.0117이므로 달러화가 1.17% 고평가되어 있다고 말할 수 있다.

③ 피셔효과(Fisher Effect)

ㄱ 의의

피셔효과란 한 국가의 물가상승률이 다른 국가보다 상대적으로 높다면, 이자율도 상대적으로 높게 된다는 이론이다. 이 이론에 의하면, 양국 간 명목이자율의 차이는 양국 간 기대 물가상승률의 차이와 같아지게 된다. 명목이자율은 실질이자율과 기대(예상) 물가상승률을 반영하며, 투자자는 명목이자율이 예상 물가상승을 보상할 수 있을 만큼 충분히 높을 때 금융자산에 투자하게 된다.

ㄴ 내용

명목이자율은 기대 물가상승률과 실질이자율의 합으로 이루어진다. 피셔효과를 수식으로 나타내면 다음과 같다.

$$(1 + i_n) = (1 + i_r) \times (1 + \pi^e)$$

$$i_n = i_r + \pi^e + (i_r \times \pi^e)$$

$$\fallingdotseq i_r + \pi^e$$

i_n = 명목이자율, i_r = 예상(기대)실질이자율,

π^e = 예상(기대)물가상승률(e: 기대치)

외국에서도 위 피셔등식은 성립하며, 완전자본시장에서는 양국 간 실질금리에 차이가 있는 경우 재정거래로 인하여 실질금리가 높은 국가로 투자가 집중되고 이로 인해 실질금리의 차이가 소멸되어 결국 실질금리의 수준은 동일하게 된다. 그러므로 자국의 $i_n = i_r + \pi^e$와 외국의 $i_n^* = i_r^* + \pi^{e*}$에서 양국의 실질금리 차이가 소멸되면, i_r과 i_r^*이 동일하므로 두 식의 차이는,

$$i_n - i_n^* \fallingdotseq \pi^e - \pi^{e*}$$

과 같이 되어, 국가 간의 (명목)이자율 차이는 기본적으로 각국의 예상물가상승률의 차이와 같을 때 균형을 이루게 된다.

구분	명목이자율	실질이자율 + 기대 물가상승률
한국	5%	1% + 4%
일본	3%	1% + 2%
해석	명목이자율의 차이 = 5 - 3 = 2%	기대 물가상승률의 차이 = 4 - 2 = 2%

④ 국제피셔효과(International Fisher Effect)

㉠ 의의

국제피셔효과란 미래환율에 대한 예상변화율은 국내외의 명목이자율 차이와 같아져야 한다는 이론이다. 즉, 상대적으로 이자율이 낮은 국가의 통화는 이 낮은 이자율을 충분히 보상할 수 있는 정도로 통화의 평가절상이 이루어져야 시장의 균형이 유지된다는 것이다.

㉡ 내용

미래환율과 이자율차이와의 관계가 균형적으로 이루어진다면, 즉 시장이 효율적으로 움직인다면 보유한 현금을 국내에 투자하여 일정기간 후 얻게 되는 원리금이나, 외국에 투자하여 일정기간 후 얻게 되는 원리금이 동일해진다. 예를 들면, 한국의 이자율이 미국의 이자율보다 연 4% 높다면, 이는 곧 미국 달러화의 저금리를 보상하기 위해 1년 후에 달러화는 원화대비 4%의 가치상승이 일어날 것으로 예상해볼 수 있다. 국제피셔식은 피셔등식에 구매력평가식을 대입시켜 얻을 수 있다.

- 피셔등식: $i_n - i_n^* \fallingdotseq \pi^e - \pi^{e*}$

- 구매력평가식: $\dfrac{S_t^e - S_0}{S_0} = \pi^e - \pi^{e*}$

위의 두 식으로부터 얻은 다음의 식이 국제피셔효과를 나타낸다.

- 국제피셔식: $\dfrac{S_t^e - S_0}{S_0} \fallingdotseq i_n - i_n^*$

즉, 환율의 예상변화율($\dfrac{S_t^e - S_0}{S_0}$)은 관련된 양국 간의 이자율의 차이($i_n - i_n^*$)와 대략 같을 때 균형을 이룬다.

⑤ 이자율평가설(Interest Rate Parity Theory, 금리평가설)

㉠ 의의

외국환거래 시 선물환율이 현물환율을 상회할 때 두 환율간의 차이를 선물환 프리미엄이라 한다. 선물환율이 현물환율을 하회할 때 두 환율간의 차이를 선물환 디스카운트라 한다. 이자율평가설이란 국내외의 금리차가 이러한 선물환 프리미엄 또는 디스카운트와 동일하다는 이론이다.

㉡ 내용

원리는 국제피셔효과와 같다. 다만 국제피셔효과에서의 예상 미래현물환율을 이자율평가설에서는 선물환율로 바꾸어 이해하면 된다. 구매력평가설이 상품시장에서의 일물일가법칙을 전제로 하는 데 반해, 이자율평가설은 금융시장에서의 일물일가의 법칙, 즉 동일한 금융상품은 완전한 금융시장을 가정할 때 국제적으로 동일한 가격, 즉 이자율을 가지게 된다는 것을 전제로 한다.

예시

현재의 환율과 금리가 다음과 같다. 이 때 이자율평가설에 따른 적정 6개월 선물환율을 구해보자.

USD/KRW 현물환율: 1,000.00
달러화 금리: 연 3.0%
원화 금리: 연 2.0%

원화 금리가 달러화 금리보다 낮으므로, 원화의 저금리를 보상하기 위해 자본이 원화에서 달러로 이동하게 된다. 이에 따라 시장 참여자들은 원화 가치가 높아지는 쪽으로 선물환 약정을 맺게 된다.
1,000 - 1,000 × (3% - 2%)/2 = 995.0(USD/KRW)

---

⑥ 국제대차설(International Indebtedness Theory, 국제수지설)

외환은 외환시장에서의 외환의 수요와 공급에 의하여 결정되고, 외환수급의 변화는 국제간의 대차관계를 결제하기 위해 생기는 것이므로, 결국 외환시세의 결정과정은 국제간의 대차관계에 의하여 설명되어야 한다는 이론이다.

한 나라의 채권 > 채무	외환의 공급이 수요를 초과함 → 환율 하락
한 나라의 채권 < 채무	외환의 수요가 공급을 초과함 → 환율 상승
한 나라의 채권 = 채무	외환의 공급과 수요가 동일함 → 환율 변동 없음

⑦ 환심리설

국제대차설과 구매력평가설을 종합하려는 외환이론으로, 외환의 수급에 의해 환율이 결정되지만 외환의 수급은 각 국가의 외화에 대한 심리적 평가에 의해 결정된다는 것이다.

핵심체크 환율평가이론 간의 관계

1. 구매력평가설

국내외 물가변동률 차이가 현물환율의 변동률과 동일하므로 양국 간의 예상물가변동률 차이와 현물환율의 예상변동률은 같다.

$$\frac{S_t^e - S_0}{S_0} = \pi^e - \pi^{e*}$$

2. 피셔효과

명목금리가 실질금리와 예상물가변동률의 합과 동일하므로 양국의 명목금리 차이는 양국의 예상물가변동률 차이와 같다.

$$i_n - i_n^* = \pi^e - \pi^{e*}$$

3. 국제피셔효과

피셔효과와 구매력평가이론을 합성해서 만든 것으로 국내외 금리격차가 현물환율의 예상변동률과 같다.

$$\frac{S_t^e - S_0}{S_0} = i_n - i_n^*$$

4. 이자율평가설

완전한 금융시장에서 양국 간의 금리차이는 선물환 프리미엄(할증) 또는 선물 디스카운트(할인)와 동일하므로 현물환율에 대한 선물환율의 변화는 양국의 금리차이와 같다.

$$\frac{(F_{0,t} - S_0)}{S_0} = i_n - i_n^*$$

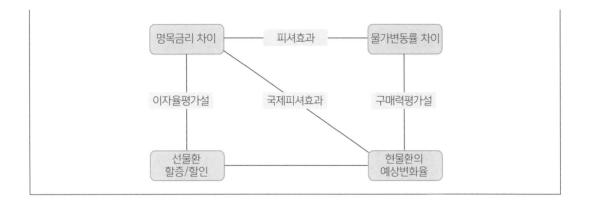

3. 환율과 국제수지

(1) 대외균형과 대내균형

① 의의

대외균형(external equilibrium)이란 일국의 대외경제거래가 균형을 달성하고 있는 상태를 말한다. 즉, 화폐적 집계로 보았을 때 국제수지의 균형이 이루어져 있는 것을 말하는 것으로 대외균형이 이루어지지 않을 때에는 국제수지가 적자 또는 흑자를 기록하게 된다. 이에 반해 안정적 물가기반 위에 완전고용이 이루어져 있는 것을 대내균형(domestic equilibrium)이라고 한다. 경제정책의 근본적인 목표는 이러한 대외균형과 대내균형을 동시에 달성하는 것이라 할 수 있다.

② 국내실질지출과 환율의 관계

물가와 고용의 수준을 판단할 수 있는 대내균형과, 무역과 국제수지의 수준을 판단할 수 있는 대외균형이 복합되어 있는 아래 그림을 보자.

ⓐ 국내실질지출과 환율의 균형점이 IB선 상단에 있는 경우 인플레이션이 발생하고, IB선 하단에 있는 경우 실업이 발생하며, IB선 선상에 있는 경우 물가와 고용(실업)이 안정된 수준을 유지한다.

ⓑ 국내실질지출과 환율의 균형점이 EB선 상단에 있는 경우 경상수지는 흑자를 나타내고, EB선 하단에 있는 경우 경상수지는 적자를 나타내며, EB선 선상에 있는 경우 경상수지는 균형을 유지한다.

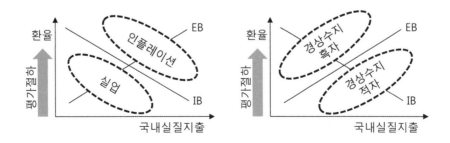

ⓐ IB곡선: 대내균형을 유지시켜 주는 환율과 국내실질지출의 조합

ⓑ EB곡선: 대외균형을 유지시켜 주는 환율과 국내실질지출의 조합

(2) 마셜 – 러너조건(Marshall – Lerner condition)

① **의의**

환율절하가 무역수지를 개선하도록 하기 위해서는 외국과 환율절하국의 수입수요의 탄력성의 합이 1보다 커야 된다는 조건을 말한다.

② **내용**

환율절하국의 수출품에 대한 외국의 수입수요의 탄력성이 클수록 유리하며, 외국의 수출품에 대한 환율절하국의 수입수요의 탄력성이 클수록 유리하다. 환율절하의 경우, 무역수지의 개선 여부를 판정하는 기준이 되며, 이 조건은 양국의 수출공급의 탄력성이 무한하다는 가정에 입각하며, 국제수지가 처음에는 균형되어 있었다는 특별한 가정이 전제되어 있다.

(3) 제이커브 효과(J – curve effect)

① **의의**

환율의 변동, 특히 평가절하 이후 무역수지가 당초 예상과는 반대방향으로 움직이다가 시간이 경과함에 따라 점차 기대했던 방향으로 변동하는 현상을 말한다. 일국 통화의 평가절하가 통화당사국의 무역수지에 미치는 영향은 일정시차를 두고 나타나는데, 동 영향에 따른 무역수지의 변화가 J – 커브와 유사하여 붙은 명칭이다. 평가절하의 초기에는 수출입 물량은 큰 변동이 없는 반면 수입상품의 가격은 상승하고 수출상품의 가격은 하락함으로써 무역수지가 악화되나 일정시간이 경과하면 수출가격의 하락으로 수출물량이 증가하여 교역조건이 점차 개선되고, 이에 따라 경상수지도 호전된다.

② **J – 커브의 원인**

㉠ 수출입의 물량변화는 가변적이지 못한 경우가 많다.

㉡ 실제 수출입이 발생하는 데에는 일정 시간이 소요된다(경직성).

3 환율제도

1. 환율제도의 종류

(1) 고정환율제도

중앙은행이나 정부가 개입하여 일정한 평가를 설정하여 환율의 변동을 전혀 인정하지 않거나 좁은 범위 내에서만 변동을 인정하는 제도이다. 금평가를 중심으로 환율이 한정된 범위 내에서 변동되었던 금본위제도 및 브레튼우즈협정에 의하여 창설된 IMF 체제 아래에서 실시되었다.

장점	단점
① 환율변동에 의한 환위험이 없으므로, 국제무역을 확대시킨다.	① 국제수지 불균형에 대한 자동적인 조정능력이 없다.
② 투기적인 단기자본 이동을 억제시킨다.	② 경제의 성장을 억제시킨다.
③ 일관성 있는 대외외환정책을 유지할 수 있다.	③ 무역의 자유화 및 외환의 자유화를 저해시킨다.
④ 국내인플레이션에 적절히 대처할 수 있다.	

(2) 자유변동환율제도(Clean float)

외환시장에서 외환의 수요와 공급에 의해 환율이 자유롭게 결정될 수 있도록 국가가 환율변동을 방임하는 제도이다.

장점	단점
① 국제수지의 불균형이 환율의 변동에 따라 자동적으로 조정된다.	① 잦은 환율변동에서 오는 환위험으로 인해 국제무역이나 국제투자가 위축될 수 있다.
② 금융정책의 자율성이 확보된다.	② 환율변동을 이용한 환투기가 성행할 수 있다.
	③ 국내인플레이션에 적절히 대처할 수 없다.

(3) 관리변동환율제도(Dirty float)

고정환율제도와 자유변동환율제도의 장점을 혼합한 형태로서, 일정범위 내에서는 외환시장의 수요·공급에 의하여 환율이 자유롭게 결정될 수 있도록 하나, 환율이 그 범위를 벗어나는 경우에는 정부가 개입하여 환율을 관리하는 제도이다.

(4) 시장평균환율제도

기본적으로는 환율이 외환시장에서의 수요·공급에 의하여 결정되도록 하되, 환율변동의 급변에 따른 부작용을 방지하기 위하여 환율의 일일 변동폭의 상한선과 하한선을 법적으로 정해놓은 제도이다.

2. 국제통화제도의 변천 과정

국제통화제도는 국가간 상품, 서비스, 자본의 이동에 따라 국가간 결제를 원활하게 하기 위해 맺은 국제적 협약이다. 역사적으로 세계 경제의 구조 변화와 선진국·후진국 간 이해의 충돌, 각국의 경제력과 정치적 영향력에 따라 다음과 같이 변천하였다.

통화제도	시기	내용
금본위 제도	19~20세기	통화의 표준단위가 일정한 무게의 금으로 정해져 있거나 일정량의 금의 가치에 연계되는 화폐제도
브레튼우즈 체제	2차대전~1970년대	금 1온스를 35달러로 고정하는 금본위제 채택(나머지 통화는 달러에 고정)
스미소니언 체제	1970년대	환율의 변동폭 확대(1% → 2.25%)
킹스천 체제	1970년대 후반	IMF 가맹국들이 스스로 자국의 경제적인 여건에 맞는 환율제도 선택

3. 우리나라의 환율제도

(1) 환율제도의 변천

우리나라는 1997년 12월 IMF의 권고를 받아들여 시장평균환율 제도에서 자유변동환율제도로 전환하였다. 즉, 일일 환율변동의 제한폭을 폐지한 것이다. 1945년 이후 우리나라의 환율제도의 변천내용은 다음과 같다.

고정환율제도	1945. 10 ~ 1964. 5
단일변동환율제도	1964. 5 ~ 1980. 2
복수통화바스켓제도	1980. 2 ~ 1990. 3
시장평균환율제도	1990. 3 ~ 1997. 12
자유변동환율제도	1997. 12 ~ 현재

(2) 현행 환율의 제정

외국환거래법에 따라 기획재정부장관은 원활하고 질서 있는 외국환거래를 위하여 필요하면 외국환거래에 관한 기준환율, 외국환의 매도율·매입률 및 재정환율을 정할 수 있다. 거주자와 비거주자는 기획재정부장관이 기준환율등을 정한 경우에는 그 기준환율등에 따라 거래하여야 한다.

(3) 시장평균환율제도

① 의의

기존 복수통화바스켓 제도에서 결여되었던 시장기능을 강화하고, 외환시장을 활성화시켜 궁극적으로 환율이 시장가격을 충분히 반영하여 자유롭게 결정되는 자유변동환율제도로 이행하기 위한 과도기적인 제도이다.

② 채택배경

　시장평균환율제도는 복수통화바스켓제도(Multiple Currency Basket Peg System)의 결함을 제거하기 위해 채택되었다. 이전의 복수통화바스켓 환율제도는 미 달러화 뿐만이 아니라 주요 교역상대국 통화의 국제시세에 원화환율을 연동(peg)시키는 제도로서, 환율의 안정화를 통한 대외경제활동의 활성화에 긍정적인 영향을 주었다고 할 수 있으나, 달러화나 엔화의 비중이 상대적으로 높아 양국통화에 지나치게 의존하는 불합리성을 지니고 있었다. 1990년 3월 복수통화바스켓제도에서 시장평균환율제도로 전환함으로써 정부가 환율결정에 개입하지 않고 제한적이기는 하나 기본적으로 국내 외환시장에서의 수요와 공급에 따라 환율이 결정되는 틀을 마련하였다.

③ 특성

　㉠ 시장평균환율의 결정방법

　　전일 모든 외환은행이 거래한 미달러 현물환율을 거래량으로 가중평균하여 산출한다. 기타 통화의 환율은 국제외환시장에서 형성된 기타 통화의 대미달러환율로써 재정 산출한다. 즉, 재정환율로 결정된다.

　㉡ 시장평균환율 제도의 특성

　　단기적으로는 외환의 수요·공급에 의해 결정되고, 장기적으로는 중앙은행에 의해 환율이 관리되는 관리변동환율제도이다.

　㉢ 시장평균환율제도의 결정용인

　　ⓐ 단기적 요인: 경상거래와 자본거래에 따른 외환의 수요 및 공급

　　ⓑ 장기적 요인: 대외준비금의 수준을 결정하는 경상수지의 결정요인들

(4) 자유변동환율제도

① 의의

　환율변동폭에 제한을 두지 않고, 시장의 수요와 공급에 따라 달러 환율이 결정되는 제도이다. 원/달러 환율은 외환시장에서 수요와 공급에 따라 자유롭게 결정되고, 기타 통화의 환율은 외환시장에서 결정되는 미달러화에 대한 각국 환율의 교차환율에 의해 결정된다.

② 채택배경

　시장평균환율제도하에서 환율은 어느 정도 시장원리에 따라 결정되기는 하였으나, 실제로 1997년에 외환위기를 겪으면서 외환수급에 있어 심한 불균형을 나타내고, 환율이 제대로 조정되지 못하여 시장기능이 정지되는 등 외환시장의 불안을 초래되었다. 이로 인하여 IMF의 자금지원을 받는 우리나라는 IMF의 권고를 받아들여 1997년 12월 16일을 기해 시장평균환율제도를 폐지하고 자유변동환율제도를 도입하였다.

③ 특성

　　㉠ 국제투자자금의 유출입

　　　국제투자자금(핫머니)의 유출입에 무방비로 노출되어 우리나라의 경제에 부정적으로
　　　작용할 수 있다. 자본자유화의 진전으로 투기적 외국자본의 유출입이 자유로워짐에 따
　　　라 단기간 내에 환율이 급등락하는 경우 외환시장의 안정을 위해 정부가 시장 참여자의
　　　일원으로 참여하여 환율의 변동속도를 조정하는 역할을 하게 된다.

　　㉡ 환율의 불확실성

　　　환율의 불확실성이 커지면서 수출입기업의 부담도 커졌다.

　　㉢ 국제수지 조절

　　　자율적으로 국제수지를 조절하는 보이지 않는 손의 기능을 할 수 있다.

　　㉣ 시장원리의 환율변동

　　　자유변동환율제도가 도입되었지만 대고객매매율이나 기준환율은 시장평균환율 방식
　　　대로 유지된다.

CHAPTER 1 실전문제

01

☐☐☐

외환의 특성으로 옳지 않은 것은?

① 거래금액이 크고 결제에 장기간이 소요되어 금리문제가 발생한다.

② 서로 다른 화폐를 사용하므로 환율문제가 발생한다.

③ 각국의 교역촉진 노력으로 내국환에 비하여 거래가 자유롭다.

④ 거래당사자가 서로 다른 나라에 떨어져 있으므로 적용법률의 문제가 발생한다.

답 ③

외국환은 내국환에 비하여 거래가 자유롭지 못하다. 각국의 외환통제 정책으로 인해 제약이 있기 때문이다. 또 환시세의 변동으로 인한 환위험, 환율 문제, 금리 문제 등도 외환거래가 자유롭지 못한 이유이다.

02

☐☐☐

일정기간 후에 일정률로 환거래를 할 것을 미리 예약하고 실제 거래는 일정기간이 지난 후 이루어지는 외환은?

① 역환   ② 전신환

③ 선물환   ④ 보통환

답 ③

선물환 거래(forward exchange)는 현물환 거래가 아닌 모든 외환거래를 말한다. 즉, 외환계약 체결 후 그 이행은 당사자 간의 합의에 따라 일정시점이 지나 이루어지는데, 결제일이 계약일로부터 3영업일 후가 되면 선물환거래라 한다.

03 환거래에 대한 설명으로 옳지 않은 것은?
□□□

① 수출업자의 경우 자국통화의 가치가 하락될 것으로 예상되면 수출상품의 결제일자를 늦춤으로써 환율변동에 따른 이익을 극대화할 수 있다.

② 외화자금의 유입과 유출을 만기별로 일치시킴으로써 환변동의 위험을 줄일 수 있다.

③ 통화선물거래는 환율변동에 대한 위험을 회피할 목적으로 이루어지므로 적극적인 투기목적으로는 활용되지 않는다.

④ 전통적 외환시장거래에서 스프레드(Spread)란 보통 매입률과 매도율의 차이를 말한다.

답 ③

통화선물(currency futures)은 장래에 인수·인도될 외환의 가격을 결정한다는 점에서 외환시장을 통한 선물환거래와 유사하다. 그러나 통화선물은 거래액과 결제일이 표준화되어 있고 조직화된 거래소에서 공개경쟁 입찰방식(open competition)으로 행해진다는 차이점이 있다. 그런데 통화선물 거래는 환위험 회피라는 소극적인 목적 이외에도 적극적인 투기 목적으로 활용되기도 한다.

04 3개월 후의 달러화 현물환율이 오늘 날짜의 3개월물 달러화 선물환율보다 낮을 것이라고 예상된다.
□□□ 환투기자는 어떻게 행동할 것인가?

① 오늘 달러화를 선물로 매입하고, 3개월 후 현물환시장에서 이를 재매각할 것이다.

② 오늘 달러화를 선물로 매각하고, 3개월 후 현물환시장에서 달러화를 재매입할 것이다.

③ 3개월 후 현물환시장에서 달러화를 매입할 것이다.

④ 3개월 후 현물환시장에서 달러화를 매각할 것이다.

답 ②

선물환 거래란 외환계약 체결 후 그 이행은 일정 시점이 지나 이루어지는 거래인데, 1$ = 1,200원에 사겠다고 약정하고 (환율이 오르든 내리든) 나중에 1$ = 1,200원으로 거래하게 된다. 그런데 이 선물환 거래를 하는 이유는 나중에 현물환율이 오를지 내릴지 모르기 때문에 하는 것이어서, 문제처럼 '예상'이 된다면 환투기자는 그 예상에 맞추어 거래를 하게 된다. 나중에 더 싸게 외환을 살 수 있게 될 것이라는 예상이 된다면, 오늘 당장 (가지고 있던) 달러화를 선물로 매각하고, 3개월 후에 현물환시장에서 달러를 재매입하는 판단을 할 것이다.

05 단기금리수준이 국내외에서 차이가 있을 때 이를 이용하여 이익을 목적으로 행해지는 외환거래
□□□ 를 무엇이라 하는가?

① 금리재정   ② 환재정

③ 헤징   ④ 환커버

답 ①

외환 시장은 재정거래 기능을 한다. 재정거래란 장소적·시간적 불균형을 이용하여 매매함으로써 그 차익을 얻으려고 하는 외환거래를 말한다. 여기에는 환재정(exchange arbitrage)과 금리재정(interest arbitrage)이 있다. 단기금리수준이 국내외에서 차이가 있을 때 이를 이용하여 이익을 목적으로 행해지는 외환거래는 금리재정이라 한다.

06 다음 중 선물환거래가 이용되는 목적으로 볼 수 없는 것은?

□□□

① 대금회수 불능위험의 회피
② 무역거래에 따르는 환위험 회피
③ 환시세의 변동으로 인해 발생하는 이익의 획득
④ 단기자본을 이동시켜 금리차에서 발생하는 차익 획득

답 ①

선물환 거래는 환위험을 회피하기 위한 목적이나, 환시세 변동이나 금리차로 인한 이익을 얻기 위한 목적으로 행해진다. 대금회수 불능위험의 회피는 선물환거래로 해결할 수가 없으며, 신용장 거래 등을 활용한다.

07 대내적 환리스크 기법 중에서 외화자금 흐름을 의도적으로 앞당기거나 혹은 늦추는 방법으로 환율변동에 따른 환차손을 극소화하거나, 환차익을 극대화하려는 기법은 무엇인가?

□□□

① Leading and Lagging
② Matching
③ ALM
④ Netting

답 ①

외화자금 흐름을 의도적으로 앞당기거나 혹은 늦추는 방법으로 환율변동에 따른 환차손을 극소화하거나, 환차익을 극대화하려는 기법은 리딩&래깅(Leading and Lagging)이다. 그러나 이 방법은 매매 쌍방의 이해가 상충되어 어느 한쪽이 이익을 내면 상대방은 손해를 보게 되어 있다.

✓ 선지분석

② Matching(매칭): 외화자금의 수취와 지급을 통화별·기간별로 일치시키는 방법
③ ALM(Asset Liability Management): 환율전망에 따라 기업이 보유하고 있는 자산과 부채의 포지션을 조정함으로써 환위험을 관리하는 방법
④ Netting(네팅): 일정기간 동안의 채권·채무를 그때마다 결제하지 않고 누적시켰다가, 일정기간이 경과한 이후 서로 상계하고 그 차액만을 결제하는 방법

08 어떤 기업의 외화자산이 1천만 달러이고, 외화부채가 400만 달러라면, 이 기업의 (   )은/는 600만 달러이다. 괄호 안에 들어갈 말로 옳은 것은?

① 스프레드(spread)
② 환위험(exchange risk)
③ 환포지션(exchange position)
④ 환평가(par value of exchange)

답 ③

외국환의 매도액과 매입액의 차이를 환포지션이라 한다. 어떤 기업의 외화자산이 1천만 달러이고, 외화부채가 400만 달러라면, 이 기업의 환포지션은 1천만 달러이다.

09 다음 중 환포지션의 형태가 아닌 것은?

① 오버보트포지션(over bought position)
② 오버솔드포지션(over sold position)
③ 오버드로잉포지션(over drawing position)
④ 스퀘어포지션(square position)

답 ③

⊘ **선지분석**
① 오버보트포지션(over bought position): 외국환의 매도액 < 외국환의 매입액
② 오버솔드포지션(over sold position): 외국환의 매도액 > 외국환의 매입액
④ 스퀘어포지션(square position): 외국환의 매매차익 = 0

10 환리스크를 커버하고자 하는 기업이 취해야 할 외환 포지션(position)으로서 가장 바람직한 것은?

① short position
② square position
③ over sold position
④ over bought position

답 ②

매도초과 포지션이나 매입초과 포지션은 외환의 가치가 변동될 때 평가손이 발생할 수 있다. 그러나 스퀘어 포지션(square position)의 경우 환차손 및 환차익이 발생하지 않는다.

11 □□□ 수출입기업과 미국달러(USD)에 대한 외환포지션의 관계를 설명한 것으로 옳은 것은?

① 기업이 매도초과포지션을 취하고 있다면 향후 원달러 환율의 하락 시 환차손이 발생할 것이다.
② 기업이 롱포지션을 취하고 있다면 향후 USD에 대한 원화가치 하락 시 환차손이 발생할 것이다.
③ 기업이 숏포지션을 취하고 있다면 향후 원달러환율이 상승하면 환차손이 발생할 것이다.
④ 기업이 스퀘어포지션을 취하고 있다면 향후 USD에 대한 원화가치 상승 시 환차익이 발생할 것이다.

답 ③

기업이 숏포지션(short position, over sold position)을 취하고 있다면 원달러 환율이 하락하면 유리하고, 상승하면 평가손이 발생한다.

☑ **선지분석**
··
① 기업이 매도초과포지션을 취하고 있다면 향후 원달러 환율의 하락 시 유리할 것이다.
② 기업이 롱포지션을 취하고 있다면 향후 USD에 대한 원화가치 하락 시(외환의 가치가 상승할 때) 유리할 것이다.
④ 기업이 스퀘어포지션을 취하고 있다면 환차익도, 환이익도 발생하지 않는다.

12 □□□ 외환시장에서 환율을 표시하는 방법에 관한 설명으로 옳지 않은 것은?

① 우리나라에서 달러 대 원화의 환율을 '1U$당 950원'으로 표시하는 것은 자국화표시방법이다.
② 우리나라에서 엔화 대 원화의 환율을 '원화 1원당 일본엔화 0.1엔'으로 표시하는 것은 직접표시방법이다.
③ 영국, 호주 및 뉴질랜드는 외화표시방법을 사용하고 있다.
④ 세계 대부분 국가의 통화들은 U$를 기준통화로 환율을 표시하며, 이를 European Term이라고 부른다.

답 ②

환율을 표시하는 방법에는 자국통화 표시환율(예 1달러 = 1,000원)과 외국통화 표시환율(예 1원 = 1/1,000달러)이 있다. 원화 1원당 일본엔화 0.1엔으로 표시하는 것은 외국통화 표시환율이다. 외국통화 표시환율은 수취계산법, 외환표시시세, 간접표시법이라고도 한다. 반면에 자국통화 표시환율은 지불계산법, 자국화표시시세, 직접표시법이라고도 한다.

13 환율이 올라갈 때의 현상으로 옳지 않은 것은?

① 수입이 줄어든다.
② 외환의 수요가 줄어든다.
③ 달러 등으로 표시된 상품의 가격이 올라간다.
④ 수출이 줄어든다.

답 ④

환율이 올라가면 달러로 표시된 상품과 서비스의 원화 표시 가격이 올라가 수입이 줄어든다. 반면에 달러로 표시된 상품과 서비스의 원화표시 가격이 올라가 수출이 늘어난다.

14 다음 중 외환의 수요 원인으로 볼 수 없는 것은?

① 기업의 수입대금 지급　　　　　② 외국으로의 로열티 지급
③ 해외여행비 환전　　　　　　　④ 해외 투자수익 유입

답 ④

외환의 수요 원인이란 국내 외환 시장에서 달러를 필요로 하는 것을 말한다. 수입대금을 지급하거나, 여러 가지 이유로 해외송금을 하는 경우에 달러를 필요로 하게 된다. 외환의 수요 원인은 기업의 수입대금 지급, 내국인의 해외투자자금 유출, 특허권 등의 사용료 지급, 배당금 등 외국인의 투자수익 송금, 해외여행이나 유학을 위한 환전 등이다.

15 구매력평가설에서 주장하는 환율결정의 요인은?

① 단기적인 면에서 볼 때, 통화당국의 정책에 의하여 환율이 결정된다.
② 단기적인 면에서 볼 때, 양국 간 생산비용의 비율에 의하여 환율이 결정된다.
③ 장기적인 면에서 볼 때, 두 통화의 물가수준의 비율에 의하여 환율이 결정된다.
④ 장기적인 면에서 볼 때, 두 국가 간의 노동비용에 의하여 환율이 결정된다.

답 ③

구매력평가설이란 균형환율의 결정과 환율의 변화를 양국 간 화폐의 구매력 차이로 설명하려는 이론이다. 구매력평가설에 의하면, 균형환율 수준 혹은 변화율은 각국의 물가수준 혹은 물가 변화율을 반영하여야 한다.

16 환율결정의 전통적인 이론인 구매력평가이론(Purchasing Power Parity)에서 각 국의 물가상승률은 장기적인 환율 결정요인이 되고 있다. 구매력평가이론에 의할 때, 다른 조건에 큰 변동이 없다면 자국의 물가상승률이 다른 나라에 비하여 상대적으로 높은 오름세를 보이는 국가의 환율은 향후, 장기적으로 어떻게 되리라 예상되는가?

① 평가절하　　　　　　　　　　　　　② 평가절상
③ 변동 없다　　　　　　　　　　　　　④ 구매력과 환율은 무관하다

답 ①

구매력평가설에 의하면 양국 간 예상 물가상승률의 차이만큼 미래의 기대현물환율이 변화한다. '자국의 물가상승률이 다른 나라에 비하여 상대적으로 높은 오름세를 보이는 국가'의 통화는 가치가 하락한다(평가절하된다).

17 구매력평가설에 의할 때 한국의 물가가 20% 오르고, 일본의 물가가 10% 오를 경우 원화와 엔화의 환율은 어떻게 변하게 되는가?

① 원화와 엔화의 평가불변
② 원화는 엔화에 대하여 10% 평가절하
③ 엔화는 원화에 대하여 10% 평가절하
④ 원화는 엔화에 대하여 10% 평가절상

답 ②

한국의 물가 오름세가 일본의 물가 오름세보다 가파르다. 양국의 물가 상승률의 차이인 10%만큼, 엔화 대비 원화의 가치는 하락한다. 즉 원화는 엔화에 대하여 10% 평가절하된다.

18 양국 간 명목이자율의 차이는 양국 간 인플레이션 예상률과 같아지게 된다는 이론은 무엇인가?

① 환심리설　　　　　　　　　　　　　② 피셔효과
③ 국제피셔효과　　　　　　　　　　　④ 금리평가설

답 ②

피셔효과란 한 국가의 물가상승률이 다른 국가보다 상대적으로 높다면, 이자율도 상대적으로 높게 된다는 이론이다.

19 피셔효과(Fisher Effect)에 대한 설명으로 옳지 않은 것은?

① 실질이자율은 명목이자율에서 기대물가상승률을 차감한 것과 같다.
② 시장이 효율적으로 움직인다면 양국 간 실질이자율은 같아지게 된다.
③ 양국 간 명목이자율의 차이는 양국 간 기대물가상승률의 차이와 같아지게 된다.
④ 양국 간 예상물가상승률의 차이만큼 미래의 기대현물환율이 변화하게 된다.

답 ④

'양국 간 예상물가상승률의 차이만큼 미래의 기대현물환율이 변화하게 된다'는 것은 구매력평가설의 입장이다.

20 다음 중 두 나라의 금리 차이는 두 나라의 통화 간에 예측되는 환율변동과 같다는 이론은 무엇인가?

① 구매력평가설　　　　　　　　② 피셔효과
③ 국제피셔효과　　　　　　　　④ 금리평가설

답 ③

국제피셔효과란 미래환율에 대한 예상변화율은 국내외의 명목이자율(금리) 차이와 같아져야 한다는 이론이다.

21 국내외의 금리차가 선물환 프리미엄 또는 디스카운트와 동일하다는 이론은?

① 구매력평가설　　　　　　　　② 국제대차설
③ 국제피셔효과　　　　　　　　④ 금리평가설

답 ④

외국환거래 시 선물환율이 현물환율을 상회할 때 두 환율 간의 차이를 선물환 프리미엄이라 한다. 선물환율이 현물환율을 하회할 때 두 환율 간의 차이를 선물환 디스카운트라 한다. 금리평가설(이자율평가설)이란 국내외의 금리차가 이러한 선물환 프리미엄 또는 디스카운트와 동일하다는 이론이다.

22 고정환율제도에 대한 설명으로 옳지 않은 것은?

① 환율변동에 의한 환위험이 없으므로 국제무역을 확대시킨다.
② 환율변동을 이용한 환투기가 성행할 수 있다.
③ 국내인플레이션에 적절히 대처할 수 있다.
④ 무역의 자유화 및 외환의 자유화를 저해한다.

답 ②

고정환율 제도는 중앙은행이나 정부가 개입하여 일정한 평가를 설정하여 환율의 변동을 전혀 인정하지 않거나 좁은 범위 내에서만 변동을 인정하는 제도이다. 환율변동에 의한 환위험이 없으므로 국제무역은 확대되는 반면에 환투기는 억제된다.

23 우리나라의 현행 환율제도는?

① 복수통화바스켓 제도
② SDR 본위제
③ 자유변동환율제도
④ 고정환율제도

답 ③

우리나라의 현행 환율 제도는 환율변동폭에 제한을 두지 않고, 시장의 수요와 공급에 따라 달러 환율이 결정되는 자유변동환율제도이다.

24 금본위제도(gold standard system)에 대한 설명으로 옳지 않은 것은?

① 국제수지 적자국에서는 화폐공급 감소에 따라 이자율이 상승한다.
② 한 나라의 국제수지가 적자에 직면하면 금이 유출되어 화폐공급이 감소한다.
③ 금이 유입되는 나라의 물가는 하락한다.
④ 정부는 금의 자유로운 수출입을 허용해야 한다.

답 ③

금본위제도란 통화의 표준 단위가 일정한 무게의 금으로 정해져 있거나 일정량의 금의 가치에 연계되는 화폐제도이다. 금이 유입되면 화폐의 공급도 늘어나고, 통화량이 증가하면서 물가도 상승하게 된다(금 유입 → 화폐 공급 증가 → 수요 증가 → 물가 상승).

25 복수통화바스켓 제도에서 결여되었던 시장기능을 강화하고, 자유변동환율제도로 이행하기 위한 과도기적인 환율제도는?

① 고정환율제도
② 단일변동환율제도
③ 금본위제도
④ 시장평균환율제도

답 ④

우리나라는 '고정환율제도 → 단일변동환율제도 → 복수통화바스켓제도 → 시장평균환율제도 → 자유변동환율제도'의 순서대로 환율제도가 변천하였다.

26 환율은 기본적으로 외환시장의 수요와 공급에 의해 결정되도록 하지만 때때로 외환시장에 개입하여 환율에 영향을 미치는 환율제도를 무엇이라 하는가?

① 고정환율제도
② 관리변동환율제도
③ 금본위제도
④ 시장평균환율제도

답 ②

관리변동환율제도(Dirty float)란 고정환율제도와 자유변동환율제도의 장점을 혼합한 형태로서, 일정범위 내에서는 외환시장의 수요·공급에 의하여 환율이 자유롭게 결정될 수 있도록 하나, 환율이 그 범위를 벗어나는 경우에는 정부가 개입하여 환율을 관리하는 제도이다.

27 기축통화(key currency)란 무엇을 의미하는가?

① SDR과 교환될 수 있는 통화
② IMF에 의해 계산단위로 사용되는 통화
③ 국제거래에서 일반적으로 수용되는 통화
④ 변동환율제도를 채택하고 있는 나라의 통화

답 ③

기축통화(基軸通貨, key currency)란 국제거래에서 기준이 되는 통화이다. 현재 가장 대표적인 기축통화는 미국달러(USD)이다. 기축통화는 국제무역에서 널리 사용되고, 환율 결정의 기준이 되기도 한다(많은 나라들이 달러 대비 환율로 자국통화를 평가한다).

28 환율변동이 국민경제에 미치는 효과에 대한 설명으로 옳지 않은 것은?

① 환율상승은 수출을 증대시키고 수입을 감소시켜 국제수지를 개선하는 효과를 가져온다.

② 환율상승은 수출입업자의 소득에 변동을 주며, 이는 2차적으로 국민소득을 변동시킨다.

③ 유휴시설이 존재하고 다른 조건이 불변이라면, 환율의 인상은 수출산업 및 관련산업의 고용을 증가시키고, 수입대체산업을 육성한다.

④ 환율상승은 수입품 또는 수입품을 원료로 하는 산업의 생산비를 감소시켜 국내물가를 안정화시킨다.

답 ④

환율상승은 수입품 또는 수입품을 원료로 하는 산업의 생산비를 증가시킨다. 원료를 비싸게 사와야 하기 때문이다. 비용 증가는 물가상승으로 이어진다.

CHAPTER 2 국제수지

1 국제수지의 의의

1. 국제수지

(1) 의의

국제수지(balance of payments)란 일정한 기간(보통 1년) 동안 한 국가의 거주자와 비거주자 사이에 행하여진 모든 경제적 거래를 체계적으로 분류하여 집계한 것을 말한다.[52]

① '거주자'의 범위

외국환거래법상의 정의에 의하여 자국의 영토 내에 거주하는 개인, 기업, 정부 등의 경제주체를 의미한다.

② '경제적 거래'의 범위

대외지급수단의 지급을 반대급부로 하는 상품·서비스·자본거래, 물물교환, 증여·원조 등의 이전거래를 의미한다.

(2) 국제수지표

① 의의

국제수지표란 일정기간에 이루어진 국제거래를 특정 형식에 따라서 분류·기록한 표이다. 그동안 국제수지표는 국가마다 제각기 다른 형식으로 작성되었으나, 제2차 세계대전 후에는 국제적으로 통일된 기준인 IMF의 국제수지 매뉴얼에 따라 작성되고 있다. 한국은행은 2014년 3월 국제수지매뉴얼 제6판(BPM6)을 이행하였다.

② 기재방법

구분	차변 (-)	대변 (+)
경상수지	상품 수입(실물자산 증가) 서비스 지급(제공 받음) 본원소득 지급 이전소득 지급	상품 수출(실물자산 감소) 서비스 수입(제공) 본원소득 수입 이전소득 수입
자본수지	자본이전 지급 비생산·비금융자산 취득	자본이전 수입 비생산·비금융자산 처분
금융계정	금융자산 증가 금융부채 감소	금융자산 감소 금융부채 증가

---

[52] 국제대차란, 특정시점에 있어서 한 국가의 대외적인 채권·채무의 현재 잔고를 대조시킨 것이다. 국제수지는 플로우(flow)의 개념인데 반해, 국제대차는 특정시점의 대외적인 채권·채무관계를 나타내는 스톡(stock)의 개념이다. 국제수지를 한 기업의 포괄손익계산서와 비교한다면, 국제대차는 그 기업의 재무상태표와 비교할 수 있을 것이다.

국제수지표는 복식부기의 원리에 따라 하나의 대외거래가 발생하면 대변과 차변에 각각 동일한 금액을 계상한다. 대변에는 상품 수출, 서비스 수입, 이자·배당금 영수, 금융자산 감소, 금융부채 증가 등을 계상하고, 차변에는 상품 수입, 서비스 지급, 이자·배당금 지급, 금융자산 증가, 금융부채 감소 등을 기록한다.

> **핵심체크** 국제수지표 작성 예시
>
> 거래 1. 자동차 50백만달러를 수출하고 대금을 현금으로 받은 경우
> 거래 2. 고철 30백만달러를 수입하고 대금을 현금으로 지급한 경우
>
> | 구분 | 차변 (-) | | 대변 (+) | |
> |------|------|------|------|------|
> | 거래 1 | 현금 | 50 | 상품수출 | 50 |
> | 거래 2 | 상품수입 | 30 | 현금 | 30 |

2. 국제수지표의 주요 항목

(1) 개요

국제수지표는 거주자와 비거주자 간의 거래를 그 유형에 따라 경상수지와 자본수지 및 금융계정으로 나누어 기록한다.

	상품수지	수출
		수입
	서비스수지	가공서비스
		운송
		여행
		건설
		보험서비스
		금융서비스
경상수지		통신, 컴퓨터, 정보서비스
		지식재산권 사용료
		유지보수 서비스
		기타 사업 서비스
		개인·문화·여가 서비스
		정부 서비스
	본원소득수지	급료 및 임금
		투자소득
	이전소득수지	일반 정부
		기타 부문

자본수지	자본 이전	
	비생산·비금융 자산	
금융계정	직접투자	
	증권투자	
	파생금융상품	
	기타 투자	
	준비자산	
오차 및 누락	–	

(2) 경상수지

① **상품수지**: 상품의 수출액과 수입액의 차액을 말한다. 수출이 수입보다 크면 수지는 흑자가 되며 반대로 수입이 수출보다 크면 수지는 적자가 된다. 국제수지표는 관세선 통과 여부와 상관없이 상품의 소유권이 이전되어야 수출입으로 계상하고 수출입 모두 FOB 가격을 기준으로 작성한다.

② **서비스수지**: 외국과의 서비스 거래로 수취한 돈과 지급한 돈의 차이를 말한다. 외국인 관광객이 국내에서 쓴 돈, 국내기업이 외국기업으로부터 받은 특허권 사용료 등은 서비스 수입이 되며, 반대로 해외 여행경비, 외국 기업에 지급한 운임 등은 서비스 지급이 된다.

③ **본원소득수지**: 급료 및 임금수지와 투자소득수지로 구성된다. 급료 및 임금 수지는 거주자가 외국에 단기간(1년 미만) 머물면서 일한 대가로 받은 돈과 국내에 단기로 고용된 비거주자에게 지급한 돈의 차이이다. 투자소득수지는 거주자가 외국에 투자하여 벌어들인 배당금·이자의 차이이다.

④ **이전소득수지**: 거주자와 비거주자 사이에 아무런 대가 없이 주고받은 거래의 차이를 말한다. 여기에는 해외에 거주하는 교포가 국내의 친척 등에게 보내오는 송금이나 정부 간에 이루어지는 무상원조 등이 기록된다.

(3) 자본수지

자본수지에는 자본이전 및 비생산·비금융자산 거래가 기록된다. 자본이전은 자산 소유권의 무상이전, 채권자에 의한 채무면제 등을 포함하며 비생산·비금융자산에는 브랜드네임, 상표 등 마케팅 자산과 기타 양도 가능한 무형자산의 취득과 처분이 기록된다.

(4) 금융계정

금융계정은 직접투자, 증권투자, 파생금융상품, 기타투자 및 준비자산으로 구성되며 거주자의 입장에서 자산 또는 부채 여부를 판단한다. 이 중 준비자산은 통화당국의 외환보유액 변동분 중 거래적 요인에 의한 것만 포함한다.

2 국제수지의 조정

1. 의의

(1) 국제수지의 조정의 의의

국제수지의 조정이란 한 국가의 대외거래에 있어서 수입과 지급의 총괄적 집계인 국제수지가 균형의 상태를 벗어나는 경우 이 불균형의 상태를 조정하는 대내외적인 조치를 말한다.

(2) 국제수지 균형 및 불균형의 원인

국제수지의 불균형은 각 국가마다 다른 변수들에 의해 발생되고 있다. 정치적 불안정과 같은 비경제적 요인에 의해 발생하기도 하지만, 주로 재화 및 서비스의 가격, 국민소득, 이자율, 통화량, 환율, 경기동향 등에 의하여 발생한다.

(3) 국제수지의 조정방법

① **자동적 조정방법**: 가격조정, 소득조정
② **인위적 조정방법**: 국제수지 조정 정책(재정·금융정책, 외환정책, 통상정책 등)

2. 국제수지의 자동적 조정

(1) 국제수지의 자동적 조정과정

한 국가의 국제수지가 불균형을 이루게 되면 그러한 불균형은 즉각 그 나라 경제의 여러 측면에서 영향을 주어 자동적으로 불균형이 해소된다. 국제수지의 자동적 조정과정은 환율제도에 따라 차이가 있다.

변동환율제도	국제수지의 불균형은 환율의 신축적인 변동에 의해 자동적으로 조정된다.
고정환율제도	환율이 고정되어 있기 때문에 국제수지의 균형은 환율 이외의 물가수준이나 국민소득의 변동에 따라 조정된다.

(2) 자동적 조정과정 설명이론

고정환율제도하에서 국제수지의 자동적 조정과정을 설명하는 국제수지조정이론에는 가격조정이론과 소득조정이론이 있다.

① **가격조정이론**: 가격변화에 의해 국제수지가 조정된다는 이론이다.

> 무역수지 적자발생 → 수입대금결제로 국내통화 환수 → 통화량 감소 → 수출재에 대한 수요 감소 → 수출재가격 인하 → 수출재에 대한 외국수요의 증가, 수입재에 대한 국내수요의 감소 → 수출증가, 수입감소 → 무역수지 흑자를 통한 국제수지 불균형 해소

② **소득조정이론**: 소득의 증감에 의해 국제수지가 조정된다는 이론이다.

> 무역수지 흑자발생 → 통화량 증대 → 재화에 대한 수요증가 → 국민소득 증대 → 수입증가 → 국제수지 불균형 해소

3. 국제수지의 인위적 조정(국제수지 조정 정책)

(1) 재정·금융정책

유효수요의 관리를 통해 국제수지를 조정하려는 것으로, 재정정책은 조세나 재정지출의 증감을 통해, 금융정책은 금리나 은행의 지불준비율의 조정을 통해 국제수지를 조정하려는 것이다.

① 재정정책

정부가 재정지출을 변화시켜 국제수지의 불균형을 조정하려는 정책이다. 국제수지가 적자일 때, 정부투자·정부소비·이전지출·조세정책 등을 통해 공공부문에 대한 정부지출을 축소하고 세율을 인상시키면 수입제품에 대한 민간부문의 총수요가 감소하게 되며, 이는 곧 수입을 감소시켜 경상수지의 흑자를 가져오게 된다.

② 금융정책

정부가 중앙은행의 화폐공급을 통제함으로써 국제수지의 불균형을 조정하려는 정책이다. 국제수지가 적자일 때, 정부는 금리인상이나 은행의 지급준비율[53]을 인상하여 민간보유 화폐량을 감소시켜 정부의 국채보유량을 증대시킨다. 즉, 민간의 구매력이 감소하게 되고, 이에 따라 수입이 감소되고 국제수지가 개선된다.

(2) 외환정책

고정환율제도인 경우 환율의 조정을 통하여 국제수지를 조정하는 것이다.

① 국제수지가 흑자인 경우

환율을 인하하면 외화표시 수출품의 가격은 상승하게 되며, 원화표시 수입품의 가격은 하락하게 됨으로써 결과적으로 수출감소 및 수입증가가 이루어져 국내보유 외환의 감축을 통한 국제수지의 불균형이 개선된다.

② 국제수지가 적자인 경우

위와는 반대로 환율을 인상하면 수출증가 및 수입감소를 통해 국제수지의 균형을 달성할 수 있다. 즉 국제수지의 적자를 해소할 수 있다.

(3) 통상정책

좁은 의미의 무역정책으로, 재화의 수출입을 직접적으로 규제하여 국제수지를 조정하려는 것이다.

(4) 소득정책

국제수지가 적자인 경우 국내의 임금 통제를 통해 실질소득, 즉 구매력을 감소시키면 이에 따라 수입이 감소되고, 국제수지가 조정된다.

---

53) 지불준비율(지급준비율, cash reserve ratio): 금융기관의 예금총액에 대한 현금준비 비율. 이 경우 현금이란 해당 금융기관의 현금시재뿐만 아니라, 타은행에의 요구불예금, 콜론 및 중앙은행 예치금도 포함한다. 앞의 3가지는 운전준비금이라고 하며, 중앙은행 예치금은 법률로 규정되어 있을 경우 법정준비금이라고 한다. 일반적으로는 이 법정준비금의 율을 지급준비율이라고 한다.

01 □□□ 국제수지표의 항목으로 적당하지 않은 것은?

① 급료 및 임금   ② 조세

③ 운송   ④ 여행

답 ②

국제수지표란 일정기간에 이루어진 국제거래를 특정 형식에 따라서 분류·기록한 표이다. 국제거래와 관련이 없는 '조세'는 국제수지표에 포함되지 않는다.

02 □□□ 다음 중 경상수지 계정의 차변에 기록되는 것은?

① 상품의 수출   ② 용역의 수출

③ 외국인에 대한 증여   ④ 외국인으로부터의 증여

답 ③

경상수지 계정의 차변(Debit)에는 '해외로 지급한 것들' 즉 외화가 나가는 항목들이 기록된다. 상품의 수입이나, 해외 여행을 가거나 유학 비용을 지불하는 것, 해외 투자자에게 이자나 배당을 지급하는 것, 해외 원조나 외국인노동자의 급여 송금도 여기에 기록된다.

03 □□□ 국제수지표(balance of international payments table)에 대한 설명으로 옳지 않은 것은?

① 국제대차표(balance of international indebtedness table)는 스톡(stock)의 개념이지만, 국제수지표는 플로우(flow) 개념이다.

② 상품수지에서 수출이 수입보다 많은 경우를 무역수지의 순조(favorable balance of trade)라 한다.

③ 본원소득수지는 경상수지 항목에 포함되며, 급료 및 임금수지와 투자소득수지로 구성된다.

④ 자본수지는 자본의 성격에 따라 직접투자, 증권투자, 파생금융상품, 기타 투자 등으로 구성된다.

답 ④

자본수지는 자본 이전과 비생산·비금융 자산으로 구성된다. 직접투자, 증권투자, 파생금융상품, 기타 투자, 준비자산으로 구성되는 항목은 '금융계정'이다.

04 □□□ 한 나라의 국제수지는 회계학적 의미에서 항상 균형을 이루는데, 그 이유로 옳은 것은?

① 수출액과 수입액이 동일하기 때문에
② 무역수지의 적자가 무역외수지의 흑자로 채워지기 때문에
③ 국제수지표가 복식부기의 원리에 따라 작성되기 때문에
④ 국가 간 자본이동이 끊임없이 이루어지기 때문에

답 ③

국제수지표는 복식부기의 원리에 따라 하나의 대외거래가 발생하면 대변과 차변에 각각 동일한 금액을 계상한다. 대변에는 상품 수출, 서비스 수입, 이자·배당금 영수, 금융자산 감소, 금융부채 증가 등을 계상하고, 차변에는 상품 수입, 서비스 지급, 이자·배당금 지급, 금융자산 증가, 금융부채 감소 등을 기록한다. 그래서 회계학적 의미에서는 항상 균형을 이룬다.

05 □□□ 다음 중 한 나라의 대외경쟁력의 척도로 가장 적합한 것은?

① 기초수지
② 투자수지
③ 경상수지
④ 종합수지

답 ③

경상수지는 상품수지, 서비스수지, 본원소득수지, 이전소득수지로 구성된다. 한 나라의 대외경쟁력의 척도로 가장 적합한 것은 경상수지이다.

06 □□□ 국제수지 적자를 시정하기 위한 정부정책으로서 적당하지 않은 것은?

① 통화안정증권을 추가 공급한다.
② 정부의 지출을 축소하고 조세율을 인상한다.
③ 법정지급준비율을 인하한다.
④ 중앙은행의 일반자금의 대출을 축소한다.

답 ③

국제수지 적자를 시정하기 위한 정부 정책 중 하나는 은행의 지급준비율을 인상하는 것이다. 지급준비율을 높이면 민간의 화폐량이 감소하고, 이에 따라 구매력이 감소하고, 수입은 줄어들고 국제수지는 개선된다.

07 자유변동환율제도에서 한 나라의 국제수지 적자는 다음 중 무엇에 의해 자동적으로 조정되는가?

① 자국통화의 시세하락   ② 자국통화의 시세상승

③ 국내 인플레이션   ④ 국민소득의 증가

답 ①

자유변동환율제도에서 국제수지의 불균형은 환율의 신축적인 변동에 의해 자동적으로 조정된다.

PART 4

국제경영

CHAPTER 1 기업의 국제화와 다국적 기업

1 기업의 국제화

1. 기업국제화의 의의

(1) 의의

기업국제화란 기업활동이 세계의 여러 나라로 확대되어 가는 과정이며, 기업이 국제경쟁력을 향상시키는 과정이기도 하다.

(2) 기업의 국제화과정

국내지향기업	국내생산	국내판매
해외지향기업	국내생산	해외판매
현지지향기업	현지생산	현지판매
범세계지향기업	해외생산	해외판매

(3) 세계화의 4차원(기업활동의 세계확대과정의 4가지 요인)

① 시장의 확대	기업활동의 지리적 범위(geographical scope)가 한 국가로부터 여러 국가로 확장되어 나가는 과정
② 사업(상품)의 확대	해외에서 여러 가지 사업을 동시에 수행하도록 사업의 범위(business scope)가 넓어지는 과정(핵심역량사업 → 기존사업·연관 산업 → 새로운 사업)
③ 참여방식의 확대	수출, 계약방식, 국제제휴, 해외직접투자 등으로 해외시장 참여방식이 다양해지는 과정
④ 경영기능의 확대	기업 경영기능을 세계 어느 곳에서도 효율적이고 다양하게 수행할 수 있도록 기업의 기능범위(functional scope)가 넓어지는 과정

2. 기업국제화의 동기

(1) 초기 국제화 과정에서의 기업국제화의 동기
① 국내시장의 협소
② 생산효율성 추구
③ 제품수명주기의 연장
④ 위험분산

(2) 해외직접투자 단계에서의 기업국제화의 동기
① 현지마케팅 강화
② 해외저가생산 및 조달
③ 국제다각화
④ 기술협력
⑤ 국제사업망 구축
⑥ 경쟁기업에 대한 견제

2 글로벌화와 다국적 기업

1. 기업의 글로벌화

(1) 의의

기업의 글로벌화(globalization)란 전 세계 시장을 하나의 통합된 단위로 인식하여, 통합적인 진출전략을 세우는 것을 말한다. 글로벌화는 우리말로 세계화라고 부르기도 한다. 기술혁신으로 규모의 경제가 가능해졌고, 규모의 경제를 충분히 활용하기 위해서는 인근시장을 통합해야 할 경제적 필요성이 생겼으며 이러한 현상이 동기가 되어 글로벌화는 더욱 촉진되었다.

┃ 글로벌화와 국제화의 차이 ┃

글로벌화 (globalization)	국경에 따른 시장구분의 의미가 사라져, 전 세계 시장을 하나의 시장으로 보는 것
국제화 (internationnalization)	한 국가에 있던 기업이 다른 국가로 생산 및 마케팅의 범위를 넓혀가는 것

(2) 글로벌화를 촉진시키는 요인

① 규모의 경제

자본집약적인 생산방식이 확대되면서 규모의 경제(economies of scale)도 커지게 되었다. 자본재에 대한 막대한 투자를 회수하기 위해서는 대규모 생산체제를 갖추어야 하기 때문이다. 즉, 규모의 경제를 활용하기 위해서 글로벌화가 촉진되었다.

② 기술진보

빠른 기술의 진보 및 혁신은 연구개발에의 투자를 확대시켰다. 국내시장의 수요만으로는 높은 연구개발비용을 충당할 수 없으므로, 국제적인 인수합병과 함께 글로벌화가 촉진되었다.

③ 소비자 수요의 동질화

과거 이질적이었던 소비자의 기호가 점차 동질화되어가고 있다. 코카콜라나 맥도날드가 전세계적으로 유행하고 있다는 것은 소비자의 수요나 구매행태가 동질화되어가고 있다는 상징적인 예시가 된다. 소비자수요를 동질화시키는 요인에는 커뮤니케이션 기술의 발달[54]과 전 세계적인 구매력의 향상을 꼽을 수 있다. 과거 제품수명주기이론에 따라 움직였던 생산과 수요의 형태와는 달리, 소비자수요의 동질성이라는 진화된 현상이 글로벌화를 촉진시켰다.

④ 무역장벽의 감소

무역장벽은 감소하고 지식재산권에 대한 보호는 강화되면서 기술이전이 자유로워졌고, 국가 간 자본의 이동도 활발해졌다. 무역장벽이 제거되면서 글로벌화는 더욱 촉진되었다.

---

54) 인터넷 비즈니스가 본격화되면서, 시장의 정보공유가 일반화되고 이로 인하여 글로벌화는 더욱 가속화되고 있다.

2. 다국적 기업

(1) 다국적 기업의 의의

① 일반적인 의의

다국적 기업(multinational corporation)이란 2개국 이상에서 경영활동을 전개하는 기업으로서, 실제적으로는 복수 국가에 현지법인을 운영하고 있는 기업이 다국적 기업으로 인식되고 있다. 기업들은 해외직접투자(foreign direct investment)를 통해 해외에 자회사를 설립하고 생산 및 마케팅 활동을 전개해 나가고 있으며, 다국적 기업을 뛰어넘어 초국적기업으로 성장해가고 있다. 다국적 기업이 세계경제에서 차지하는 비중은 날로 커지고 있다.

② 릴리엔탈의 정의

릴리엔탈(D. E. Lilienthal)은 1960년에 다국적 기업이라는 용어를 처음으로 사용하였고, 다국적 기업을 '2개국 이상에서 해외 생산활동을 전개하면서 연구개발, 생산 및 판매에 관한 의사결정을 내리는 기업'으로 정의하였다.

③ 버논의 정의

버논(R. Vernon)은 다국적 기업을 '포춘(Fortune)의 500대 기업에 연 2회 이상 등재되어 있는 동시에 6개국 이상에서 현지생산 및 판매활동을 하는 기업'이라고 정의함으로써 거대 규모의 제조기업만을 다국적기업으로 보았다.

④ 펄뮤터의 정의

펄뮤터(H. V. Permutter)는 다국적 기업을 경영자의 태도(본국중심주의, 현지중심주의, 세계중심주의)를 중시하여 '세계적 경영을 하는 기업'으로 정의하였다. 세계중심주의의 다국적 기업의 경우 본사와 자회사라는 개념이 열어지면서, 본사와 자회사 간 쌍방향의 정보교환과 협력적인 의사결정이 빈번해지고, 상호의존적인 구조를 갖는다. 해외의 자회사가 일부 사업 분야에서 주도적인 입장을 취할 수도 있다. 펄뮤터가 생각하는 진정한 의미의 다국적 기업은 세계중심주의이다.

(2) 펄뮤터의 다국적 기업의 유형

구분	본국중심주의 (ethnocentrism)	현지중심주의 (polycentrism)	세계중심주의 (geocentrism)
조직구조	본국의 본사 조직은 복잡하게 분화되어 있으나, 해외의 자회사는 단순한 구조임	현지의 자회사가 다양하고 서로 독립적인 조직을 운영함	본사 및 수개의 자회사 간 상호연관성이 높고 복잡하게 연결됨
의사결정권	본사에 집중되어 있음 (해외지사의 경우 본사에서 파견된 직원이 의사결정권을 가짐)	현지 경영자에게 의사결정권을 위임함	본사와 자회사간의 긴밀한 협조체제가 이루어짐
정보전달, 의사소통	본사에서 자회사로의 일방적인 명령과 지시가 이루어짐	본사 - 자회사, 자회사 - 자회사 간 정보전달이 적음	쌍방향의 활발한 정보전달이 이루어짐
경영성과의 평가와 통제	본국의 평가기준이 외국인과 자회사에게 적용됨	현지의 기준이 적용됨	전 세계적으로 적용 가능하고 현지사정에도 맞는 기준을 선택함

(3) 바틀렛(Bartlett)과 고샬(Ghoshal)의 유형

바틀렛(Bartlett)과 고샬(Ghoshal)은 효과적으로 해외 자회사를 통제하기 위해 자회사가 속한 현지시장의 중요성과 자회사의 역량에 따라 서로 다른 역할과 권한을 이양해야 한다고 주장하면서, 자회사의 유형을 전략적 리더, 기여자, 실행자, 블랙홀의 네 가지로 규정했다.

전략적 리더	전략적으로 중요한 시장에 위치하면서, 높은 수준의 역량을 보유한 자회사로서, 글로벌 시장의 대응 능력이 뛰어나다. 그러므로 본사는 전략적 리더에게 많은 자원과 의사결정권을 부여하여야 한다.
기여자	중요성이 낮은 시장에 위치하고 있으나, 높은 수준의 역량을 보유한 자회사로서, 기술이전 등을 통해 다른 자회사에게 기여한다. 그러므로 본사는 그 기여도에 따라 적정한 자원과 의사결정권을 부여하여야 한다.

실행자	중요성이 낮은 시장에 위치하면서, 낮은 수준의 역량을 보유한 자회사이다. 주로 제품 판매에 주력하거나 제한적인 조달 역할을 수행하게 된다. 그러므로 본사는 실행자의 매출 기여도에 따라 적절한 지원을 해야 한다.
블랙홀	전략적으로 중요한 시장에 위치해 있으면서도, 낮은 수준의 역량을 보유한 자회사로서, 다른 자회사에게 기여하지 못하고 오히려 경영자원을 빨아들이기만 한다. 그러므로 본사는 블랙홀을 전략적 리더로 전환시키기 위해 노력해야 한다.

(4) 딤자(Dymsza)가 제시한 글로벌 기업의 조직형태

딤자(Dymsza)는 글로벌 기업의 조직 형태를 기능별 조직, 제품별 조직, 지역별 조직, 매트릭스 조직으로 나누었다.

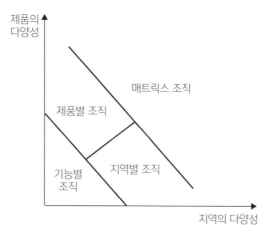

기능별 조직	최고경영자 아래에 총무부, 재무부, 영업부, 생산부 등을 두는 형태로써, 제품의 종류가 적고 생산이나 판매지역의 범위가 좁을 때 채택하는 형태
제품별 조직	최고경영자 아래에 제품A 사업부, 제품B 사업부, 제품C 사업부 등을 두는 형태로서, 제품의 종류가 다양하고 성격과 기술 등에 있어서 차이가 많은 경우 채택하는 형태
지역별 조직	최고경영자 아래에 아시아태평양 사업부, 유럽지역 사업부, 미주지역 사업부 등을 두는 형태로써, 생산이나 판매 등이 여러 지역에서 이루어지고 여러 지역의 특성이 다양한 경우 채택하는 형태
매트릭스 조직 (matrix organization)	• 제품별 조직과 지역별 조직 중 하나에 속했던 모든 사람들을 양쪽 조직에 모두 소속하게 만든 조직형태 • 기능별 조직, 제품별 조직, 지역별 조직이 다차원적으로 중첩된 형태 • 기업의 경영활동을 전개해 나갈 때 단위조직 간 견제와 균형을 유지할 수 있지만, 두 명의 상급관리자의 지시를 받아야 하기 때문에 제품별 조직의 상급관리자와 지역별 조직의 상급관리자의 의견이 충돌하는 경우 혼란이 발생할 수 있음

01
□□□

다국적 기업을 2개국 이상에서 해외 생산활동을 전개하면서 연구개발, 생산 및 판매에 대한 의사결정을 내리는 기업으로 정의하면서 1960년대에 다국적 기업이라는 용어를 처음으로 사용한 학자는?

① 릴리엔탈   ② 킨들버거
③ 포터   ④ 하이머

답 ①

릴리엔탈(D. E. Lilienthal)은 1960년에 다국적 기업이라는 용어를 처음으로 사용하였고, 다국적 기업을 '2개국 이상에서 해외 생산활동을 전개하면서 연구개발, 생산 및 판매에 대한 의사결정을 내리는 기업'으로 정의하였다.

02
□□□

펄뮤터가 구분한 다국적 기업의 유형 중 현지의 자회사가 다양하고 서로 독립적인 조직을 운영하는 유형은?

① 본국중심주의   ② 현지중심주의
③ 지역중심주의   ④ 세계중심주의

답 ②

펄뮤터는 다국적 기업을 본국중심주의(ethnocentrism), 현지중심주의(polycentrism), 세계중심주의(geocentrism)로 구분하고 있다. 이 중 현지의 자회사가 다양하고 서로 독립적인 조직을 운영하고, 현지 경영자에게 의사결정권을 위임하는 유형을 현지중심주의라고 한다.

03 바틀렛과 고샬이 주장한 해외 자회사의 유형으로 옳은 것은?

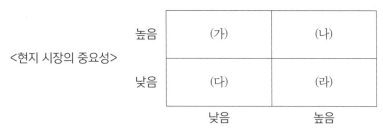

<현지 시장의 중요성>

	낮음	높음
높음	(가)	(나)
낮음	(다)	(라)

<자회사의 핵심역량>

① (가): 블랙홀
② (나): 기여자
③ (다): 전략적 리더
④ (라): 실행자

답 ①

바틀렛과 고샬은 자회사의 유형을 전략적 리더, 기여자, 실행자, 블랙홀로 규정하였다. (가) 블랙홀, (나) 전략적 리더, (다) 실행자, (라) 블랙홀이다.

04 딤자(Dymsza)가 제시한 글로벌 기업의 조직형태 중 매트릭스 조직에 대한 설명으로 옳지 않은 것은?

① 제품별 조직과 지역별 조직 중 하나에 속했던 모든 사람들을 양쪽 조직에 모두 소속하게 만든 조직형태이다.
② 기능별 조직, 제품별 조직, 지역별 조직이 다차원적으로 중첩된 형태이다.
③ 최고경영자 아래에 아시아태평양 사업부, 유럽지역 사업부, 미주지역 사업부 등을 두는 형태이다.
④ 기업의 경영활동을 전개해 나갈 때 단위조직 간 견제와 균형을 유지할 수 있지만, 두 명의 상급관리자의 지시를 받아야 하기 때문에 제품별 조직의 상급관리자와 지역별 조직의 상급관리자의 의견이 충돌하는 경우 혼란이 발생할 수 있다.

답 ③

딤자(Dymsza)는 글로벌 기업의 조직 형태를 기능별 조직, 제품별 조직, 지역별 조직, 매트릭스 조직으로 나누었다. 최고경영자 아래에 아시아태평양 사업부, 유럽지역 사업부, 미주지역 사업부 등을 두는 형태로서, 생산이나 판매 등이 여러 지역에서 이루어지고 여러 지역의 특성이 다양한 경우 채택하는 형태는 '지역별 조직'이다.

CHAPTER 2 해외직접투자

1 해외직접투자의 개념

1. 해외직접투자의 의의

(1) 의의

해외직접투자(FDI, foreign direct investment)란 기업이 해외에서 토지, 건물, 기계 등의 각종 실물자산을 취득하여 직접 생산활동을 수행하는 것을 말한다. 해외직접투자는 기업이 가진 경쟁우위를 활용하기 위해서, 시장거래를 기업내부의 거래로 내부화(internalization)함으로써 시장거래비용을 줄이고 효율성을 높이기 위해서, 또는 환율위험과 무역장벽을 회피하고 제품 수명주기를 연장시키거나 과점적 경쟁에 대응하기 위해서도 이루어진다.

(2) 국제간접투자와의 차이점

국제간접투자는 자본이득이나 배당 또는 이자소득을 목적으로 한 투자이지만, 해외직접투자는 경영권을 목적으로 한 투자이다.

(3) 특징

① 해외사업에 대하여 직접적으로 영향력을 행사하여 경영지배를 하는 것을 목적으로 한다.
② 단순한 자본이동뿐만이 아니라 광범위한 전문적, 기술적 지식 등을 포함한 포괄적 이전을 의미한다.
③ 자본과 기업의 수출로서, 한 국가의 기업이 국내지향 및 해외지향 경영에서 현지지향 및 세계지향 경영으로 전환하기 위한 필요조건이다.

2. 해외직접투자와 수출입의 관계

구분		단기효과	장기효과
수출	증가	현지법인의 신규생산시설 건설이나 제품 생산에 필요한 원부자재를 위한 수출 증가	해외이전한 저가제품이 아닌 고가, 고기능 제품의 수출증가
	전환	현지시장 또는 제3국 시장에 대한 본사 수출에서 자회사 판매로 전환	본사에서 추가적인 제품생산 이전시 추가적인 수출전환
	감소	관련산업의 수출감소	
수입	증가	자회사로부터 생산된 제품에 대한 역수입(逆輸入) 증가	자회사 생산의 고도화에 따른 신규생산설비, 기술 등의 외국으로부터의 수입증가
	전환	기존 제품생산을 위해 필요하였던 외국 원부자재 수입의 자회사로의 전환	본사에서 추가적인 제품 이전시 추가적인 수입전환
	감소	관련산업의 원부자재 수입감소	

3. 해외직접투자의 유형

(1) 자원조달형 투자

자원지향형	자원편재현상을 극복하고 자원의 안정적 공급과 가격안정을 목적으로 자원보유국에 진출하는 것
노동지향형	국내노동력의 부족과 인건비 상승에 따른 원가상승압력을 해소하기 위해 개발도상국에 진출하는 것

(2) 판매지향형 투자

원료의 확보라는 소극적 개념이 아닌 국제마케팅에 의한 해외시장 개척 또는 수요개발이라는 적극적인 목적으로 해외 진출하는 것을 말한다.

(3) 시장지향형 투자

수출대체형	상대국의 무역장벽이 강화되어 직접투자로 전환하는 것
수입확대형	투자국의 국내공급이 부족한 해외의 자원 수입을 목적으로 하는 것

(4) 광공업투자와 상업투자

광공업투자	개발수입을 위해 해외의 광업, 공업, 임업, 수산업 등에 투자하는 것
상업투자	해외에서 무역상사, 항공사, 제조업자, 외국환은행, 보험사 등이 상업 및 용역 활동을 수행하기 위해서 투자하는 것

4. 수직적 해외직접투자와 수평적 해외직접투자

(1) 수직적 해외직접투자

하나의 제품을 생산하는 데 필요한 공정이 여러 국가에서 이루어지는 형태의 투자를 말한다.

(2) 수평적 해외직접투자

세계 여러 국가에 복수의 공장을 건설하고 투자모국에서 생산하고 있는 제품과 동일한 제품을 생산하기 위한 투자를 말한다.

> **핵심체크 수직적 통합**
>
> 수직적 통합이란 원재료의 획득에서 최종제품의 생산, 판매에 이르는 전체적인 공급과정에서 기업이 일정 부분을 통제하는 전략으로서, 다각화의 한 방법이다. 이것은 동종업계의 다른 기업과 통합하는 수평적 통합과 대비된다. 수직적 통합은 전방통합과 후방통합의 두 가지로 구분할 수 있다. 원료를 공급하는 기업이 생산기업을 통합하거나, 제품을 생산하는 기업이 유통채널을 가진 기업을 통합하는 것을 전방통합(前方統合, forward integration)이라 하며, 이는 기업의 시장지배력을 강화시키기 위한 전략으로 사용된다. 반면 유통기업이 생산기업을 통합하거나, 생산기업이 원재료 공급기업을 통합하는 것을 후방통합(後方統合, backward integration)이라 하며, 이는 기업이 공급자에 대한 영향력을 강화하기 위한 전략으로 사용된다.

5. 해외투자의 철수

(1) 의의

해외투자철수(foreign divestment)란 국제사업활동을 수행하던 글로벌 기업이 자사의 여러 가지 전략이나 동기에 따라서 보다 더 효율적인 목적을 달성하기 위해 해당 해외사업을 다른 기업에게 매각 또는 청산하거나, 해외투자 재산을 본국으로 회수하거나 또는 다른 지역으로 재배치하는 것을 말한다.

(2) 유형

① 자발적인 철수

기업이 자발적인 의사결정에 따라서 전략적으로 철수하는 경우로서, 현지 경영활동의 실패나 현지국 투자여건의 악화 때문에 철수하거나 또는 자사의 자원을 보다 더 합리적으로 이용하기 위해 철수하는 경우를 말한다. 특히, 기업 경영자원의 합리적인 이용과 포트폴리오 전략에 따른 철수는 적극적인 철수(active divestment)라 한다.

② 비자발적인 철수

해외투자기업의 재산이 현지국 정부의 강제적인 조치에 의해서 국유화되거나 수용되는 경우에 발생하는 철수로서, 강제적인 철수(forced divestment)라 한다.

2 해외직접투자이론

1. 독점적 우위 이론(Monopolistic Advantage Theory)

(1) 의의

① 다국적 기업은 국내기업과는 달리 다양한 기업특유의 독점적 우위를 확보하고 있고 이를 활용하여 이윤극대화를 꾀하기 위해 해외투자를 한다는 이론으로서, 킨들버거(C. P. Kindleberger)와 하이머(S. Hymer)에 의해 체계화되었다.

② 킨들버거는 기업이 외국에 진출 시 겪어야 되는 외국비용을 상쇄할 수 있는 뛰어난 독점적 우위요소[55]가 있어야만 해외투자가 가능하다고 주장한다. 그리고 이러한 독점적 우위요소는 우위를 가져다주는 뛰어난 제품, 기술 등의 시장구조가 불완전하다는 가정 하에서 출발하고 있다. 즉 우수한 제품과 기술에 대한 시장이 불완전하기 때문에 이러한 제품과 기술은 몇몇 다국적 기업만 소유하게 되고 다른 기업들은 이러한 우위를 쉽게 획득하지 못한다고 보고 있다.

(2) 외국비용(costs of foreignness)

외국비용이란 해외투자 시 기업이 현지에서 갖는 여러 가지 불리한 점을 의미한다. 일반적으로 다국적 기업들이 해외투자를 하는 경우 다음과 같은 외국비용이 발생한다.

① 현지기업에게 유리한 정치, 경제 및 시장 환경
② 현지기업에게 유리한 사회적 관습 및 법률제도
③ 현지 중앙정부, 지역정부, 소비자, 공급업자, 노동조합, 시민단체 등 이해관계자집단과의 관계
④ 소비자의 현지기업이나 제품에 대한 좋은 이미지 및 선호
⑤ 본국과의 거리에 따른 현지법인 관리비용 및 통신비용의 증가
⑥ 문화가 다른 현지 종업원 관리에 따르는 경영위험
⑦ 현지시장 환경에 대한 정보부족

(3) 독점적 우위 요인의 종류

외국기업이 현지국 기업에 비해 일반적으로 갖는 독점적 우위 요인은 다음과 같다.

독점적 우위 요인	독점적 우위를 가져다주는 구체적 예
제품시장의 불완전성	제품차별화, 특수한 마케팅기술, 재판매가격유지 제도, 관리가격 등
요소시장의 불완전성	특허 및 비공개 기술, 기술획득 및 자본조달상의 우위, 경영자 능력의 차이
규모의 경제	수직적 통합요인, 수평적 통합요인
정부의 규제	조세 및 관세, 금리 및 환율정책, 특정산업의 수출입 규제 등

---

[55] 독점적 우위 요소: 특정기업이 보유하고 있는 기업내부의 지식자산을 의미하며, 특정기업에서 비교적 장기간에 걸친 투자를 통해 축적한 지식이다. 무역의 요소부존이론(헥셔 - 올린 이론)에서의 우위 요소(자본, 노동)가 입지특유(location specific)의 성격을 갖는다면, 지식자산은 기업특유(corporation specific)의 성격을 갖는다. 독점적 우위는 해외이전 시 추가적인 개발비용 부담이 거의 없다는 점에서 공공재적인 성격을 갖는다.

2. 내부화 이론(Internalization Theory)

(1) 의의

① 내부화이론은 시장구조의 불완전성이나 기업이 보유하고 있는 우위요소의 공공재적 성격으로 인하여 직접투자를 함으로써 해외사업 활동을 기업내부화한다고 주장하는 이론이다. 이 이론은 왜 다국적 기업이 해외투자를 하는지에 대한 문제뿐만이 아니라, 해외투자시 왜 100% 지분투자방식을 선호하는지에 대한 설명을 하고 있다.

② 버클리(P. J. Buckley), 카손(M. Casson), 러그만(Rugman) 등은 내부화의 일반적 개념을 해외직접투자 문제에 도입하여 내부화이론을 체계화하였다. 이들은 다국적 기업이 시장의 불완전성에서 오는 비효율적인 거래비용을 최소화하기 위해 내부화를 시도한다고 설명한다.

내부시장	100% 지분 투자한 현지법인조직
독점적 내부시장을 통한 거래	100% 지분 해외투자 = 내부화

(2) 내부화의 요인

① **독점적 이윤 보장을 위해서**

기술라이센싱 등과 같은 계약방식(외부화)보다 100% 지분출자를 통한 직접투자방식(내부화)이 장기적으로 보다 많은 독점적 이윤을 보장해준다.

② **거래비용을 줄이기 위해서(거래비용의 과다 문제 해결)**

외부화전략 선택 시 발생하는 거래비용(transaction cost), 즉 계약방식 선택 시의 협상의 어려움이나 사후적인 감시비용 등에 노출되지 않기 위해서 내부화를 하게 된다.

③ **시장불완전성을 극복하기 위해서**

내부화를 유발하는 요인은 시장불완전성에 있다. 기업이 기업특유의 자산을 해외이전할 때 자연적 혹은 인위적 시장불완전성이 발생한다. 기업특유의 자산에 대한 구매자와 판매자 간의 정보 비대칭성에 의하여 그 가치 산정에 문제가 발생하므로 이로 인한 손실을 줄여 이익을 극대화하기 위해 내부화를 하고자 한다.

④ **거래파트너의 기회주의적 행위를 피하기 위해서**

거래상대방의 기회주의적 행위는 거래비용을 높이는 하나의 요인이 된다. 외부화전략 선택 시 해외현지 거래파트너가 기술이나 영업노하우 등을 전수받은 후 기회주의적으로 거래를 중단하면, 거래파트너는 오히려 강력한 경쟁회사가 된다. 그러므로 100% 지분투자를 통해 이러한 위험을 원천적으로 회피하려 한다.

3. 절충이론(Eclectic Theory)

(1) 의의

독점적 우위이론과 내부화이론에 기초하여 더닝(Dunning)에 의해 발전된 이론으로, 독점적 우위이론과 내부화이론의 토대 위에 입지우위론(생산입지이론)을 절충 통합한 포괄적인 해외 직접투자 이론이다. 입지우위론은 어느 특정지역에서만 구할 수 있는 경영자원을 활용하기 위해서는 그 나라에 직접투자의 형태로서 진입해야 한다는 것을 의미한다. 예를 들어, 천연자원이나 값싼 노동력을 활용하기 위해서는 천연자원 풍부국이나 저임금국가에 직접 투자를 해야한다는 것이다.

독점적 우위이론	다국적 기업이 외국비용에도 불구하고 현지기업들과의 경쟁에서 이길 수 있는 요인에 대하여 설명
내부화이론	라이센싱, 수출 등의 다양한 방식 중 해외직접투자를 선호하는 이유에 대하여 설명
절충이론	위의 두 가지를 토대로, 해외시장 진출 시 수많은 현지국 중에서 왜 특정 국가, 특정 지역에 진출하는지(위치 선정)에 대하여 설명

(2) OLI 모델

기업의 해외투자활동에서 기업이 가지게 되는 우위의 요인을 절충이론은 다음의 세 가지로 구분한다. 세 가지의 약자를 따서 이를 OLI 모델이라 한다.

소유특유의 우위 (ownership – specific advantage)	다국적 기업이 현지기업이 보유하지 못한 기업특유의 자산을 보유함으로써 발생하는 이점
외국현지 장소특유의 우위[56] (location – specific advantage)	특정지역에 직접투자하는 경우 다른 지역 투자에 비해 갖는 이점
내부화특유의 우위 (internalization – specific advantage)	거래비용을 최소화하기 위해 기업이 해외진출 시 국제사업활동을 내부화함으로써 발생되는 이점

(3) 절충이론에 의한 해외시장 진출방식과 결정요소

절충이론에 의하면 기업 특유의 독점적 우위를 라이센싱을 통해 외부시장에 판매하는 것보다는 내부화하는 것이 유리할 때 기업은 라이센싱보다는 수출이나 해외직접투자를 선호하게 된다. 그리고 자본, 기술, 경영기법 등을 해외로 이전하여 현지의 저임금이나 풍부한 원료 등을 활용하여 해외에서 직접 생산하는 것이 유리할 때에는 해외직접투자를 선택하게 된다.

결정요소 개입방식	기업특유의 우위요소	내부화 우위요소	입지특유의 우위요소
해외직접투자	○	○	○
수출	○	○	×
계약방식(라이센싱)	○	×	×

---

56) 외국현지 장소특유의 우위(location – specific advantage) = 국가특유우위(country – specific advantage) = 입지특유의 우위

4. 기타 해외직접투자이론

(1) 고지마의 무역관련 해외투자이론

고지마(Kojima)는 해외직접투자형태를 일본형과 미국형으로 구분하고, 일본형 해외투자가 장려되어야 한다고 주장한다. 일본형투자는 무역촉진형 투자이고, 미국형투자는 무역대체형 투자로 보기 때문이다. 선진국이 자국 내 비교열위 산업을 해외로 이전하면, 개도국은 그 산업에 대해 비교우위를 가질 수 있으므로, 양국 모두에게 이익이 되는 투자가 이루어진다는 이론이다.

일본형 투자	일본기업과 해외투자 시 현지인력고용, 기술이전 뿐만이 아니라 일본으로부터의 중간재 및 원재료 수출로, 투자국에게는 수출이 유발되고 피투자국에게는 수입이 유발되어 양국의 거시경제발전에 기여하였다.
미국형 투자	대부분 독과점적 산업에서 현지시장 확대목적으로 이루어졌으므로, 현지에 수출되었던 상품교역을 줄어들게 하고, 투자기업의 독점적우위로 현지기업의 경쟁력이 약화되었다.

(2) 독과점적 대응이론(Oligopolistic Reaction Theory)

산업구조가 과점적인 상황에서 해외직접투자를 과점적 경쟁기업 간의 대응진출 및 상호경쟁 현상으로 설명하는 이론이다. 독과점적 대응으로 인한 해외투자는 단기적인 기업의 이윤극대화보다는 기업 간 균형유지가 최고의 목표이다.

① 과점적 경쟁이론이라고도 하고, 니커보크(Knickerbocker)의 모형이라고도 한다.
② 선도기업 추종설, 상호투자설 등이 있다. 선도기업 추종설은 국내의 특정 경쟁기업이 이미 다른 국가로 진출한 기업을 쫓아 해외로 진출한다는 이론이다.
③ 동일 산업에 속한 기업들이 특정 투자대상국에 집중 투자하는 밴드웨건 효과(bandwagon effect)와 밀접한 관련이 있다.

(3) 국제 제품수명주기이론

각국의 기술 및 소득수준의 차이와 제품의 국가별 도입시기의 차이에 의하여 특정 제품의 국제 무역패턴과 해외생산입지를 설명하는 이론이다. 국제 제품수명주기이론에 의한 해외직접투자의 목적은 다음과 같다.

성장기	선도 다국적 기업이 외국의 수출시장을 방어하기 위해서
성숙기	저가생산 및 제3세계시장으로의 진출을 위해서(해외생산기지 구축)

CHAPTER 2 실전문제

01 해외직접투자와 투자국의 수출입의 관계에 대한 설명으로 옳지 않은 것은?

① 해외직접투자가 이루어지면 자회사로부터의 역수입(逆輸入)이 증가한다.
② 해외직접투자가 이루어지면 관련 산업의 원부자재 수입이 증가한다.
③ 해외직접투자가 이루어지면 관련 산업의 수출이 감소한다.
④ 해외직접투자가 이루어지면 신규생산시설의 건설에 필요한 자재의 수출이 증가한다.

답 ②

해외직접투자(FDI, foreign direct investment)란 기업이 해외에서 토지, 건물, 기계 등의 각종 실물자산을 취득하여 직접 생산활동을 수행하는 것을 말한다. 해외직접투자가 이루어지면 생산기지가 해외로 이전하게 되므로, 국내로 수입되는 관련산업의 원부자재는 줄어들게 된다.

02 상대국의 무역장벽이 강화되어 직접투자로 전환하는 형태의 해외직접투자의 유형은?

① 자원조달형   ② 판매지향형
③ 수출대체형   ④ 수입확대형

답 ③

해외직접투자의 유형 중 시장지향형 투자는 수출대체형과 수입확대형으로 구분된다. 상대국의 무역장벽이 강화되어 직접투자로 전환한다면 수출대체형 해외직접투자이다. 투자국의 국내공급이 부족한 해외의 자원 수입을 목적으로 한다면 수입확대형 해외직접투자이다.

03 □□□ 킨들버거와 하이머의 독점적 우위 이론에 의할 때, 외국기업이 현지국 기업에 비하여 갖는 독점적 우위 요인으로 보기 어려운 것은?

① 제품차별화
② 특허 및 비공개 기술
③ 금리 및 환율정책
④ 현지법인 관리비용

답 ④

다국적 기업은 국내기업과는 달리 다양한 기업특유의 독점적 우위를 확보하고 있고 이를 활용하여 이윤 극대화를 꾀하기 위해 해외투자를 한다는 이론이 독점적 우위 이론이다. 독점적 우위 요인은 제품차별화, 특수한 마케팅 기술, 특허 및 비공개 기술, 기술획득 및 자본조달상의 우위, (현지 정부가 주는) 조세 및 관세 혜택 등이다. 그러나 현지법인 관리비용은 오히려 외국비용(costs of foreignness)에 해당한다.

04 □□□ 다음 중 독점적 우위 이론에 있어 외국비용(costs of foreignness)으로 보기 어려운 것은?

① 문화가 다른 현지 종업원 관리에 따르는 경영위험
② 현지정부, 소비자, 공급업자, 노동조합, 시민단체 등 이해관계자집단과의 관계
③ 내국민대우 원칙에 의한 현지정부의 획일적인 외국기업 대응
④ 소비자의 현지기업이나 제품에 대한 좋은 이미지 및 선호

답 ③

외국비용이란 해외투자 시 기업이 현지에서 갖는 여러가지 불리한 점을 의미한다. 현지기업에 유리한 환경, 관습, 제도 등도 외국비용에 들어가고, 현지법인 관리비용이나 현지시장 환경에 대한 정보 부족 등도 외국비용이 될 수 있다. 그러나 '내국민대우 원칙에 의한 현지정부의 획일적인 외국기업 대응'은 그렇게 외국기업을 대응할 가능성도 적지만, 외국기업을 현지기업과 동일하게 대한다고 해도 이것이 외국비용이 되는 것은 아니다.

05 □□□ 독점적 우위이론의 특징으로 옳지 않은 것은?

① 독점적 우위는 대체적으로 지식기반 자산(knowledge-based assets)이다.
② 독점적 우위는 대체적으로 다른 기업이 쉽게 모방할 수 없는 기업특유의 자산(firmspecific assets)이다.
③ 독점적 우위는 해외이전 시 추가적인 개발비용 부담이 거의 없다는 점에서 공공재적인 성격을 갖는다.
④ 독점적 우위는 피투자국 기업과 공유되는 자산으로서, 특허와 같이 배타적으로 사용할 수 있는 기술자산과는 구별된다.

특허 및 비공개 기술도 독점적 우위에 포함된다. 독점적 우위는 해외직접투자 기업이 갖는 우위로서 자산을 피투자국 기업과 공유하지 않는다.

06 다국적 기업이 해외투자를 하는 이유 및 해외투자 시 100% 지분투자방식을 선호하는 이유에 대하여 설명하고 있는 이론은?

① 내부화 이론
② 독점적 우위이론
③ 독과점적 대응이론
④ 고지마의 해외투자이론

답 ①

내부화 이론은 왜 다국적 기업이 해외투자를 하는지에 대한 문제뿐만이 아니라, 해외투자 시 왜 100% 지분투자방식을 선호하는지에 대한 설명을 하고 있다.

07 내부화 이론(Internalization Theory)에서 내부화를 하는 이유로 보기 어려운 것은?

① 장소특유의 우위요인을 활용하기 위해서
② 시장불완전성을 극복하기 위해서
③ 거래파트너의 기회주의적 행위를 피하기 위해서
④ 독점적 이윤 보장을 위해서

답 ①

시장 불완전성을 극복하기 위해서, 거래파트너의 기회주의적 행위를 피하기 위해서, 독점적 이윤 보장을 위해서 기업은 내부화를 한다. 기업이 해외직접투자를 할 때 장소특유의 우위 요인을 갖는다는 것은 '절충 이론'에서 주장하는 것이다.

08 더닝(J. H. Dunning)의 절충이론에 있어 해외투자활동에서 기업이 가지게 되는 우위의 요인으로 언급되지 않은 것은?

□□□

① 소유특유의 우위   ② 독과점의 우위
③ 외국현지 장소특유의 우위   ④ 내부화특유의 우위

답 ②

기업의 해외투자활동에서 기업이 가지게 되는 우위의 요인을 절충이론은 소유특유의 우위(Ownership-specific advantage), 외국현지 장소특유의 우위(location-specific advantage), 내부화 특유의 우위(internalization-specific advantage)의 세 가지로 구분한다.

09 더닝의 절충이론에서 기업의 우위요인과 해외사업활동 간의 관계에 대한 설명으로 옳지 않은 것은?

□□□

① 소유특유의 우위, 장소특유의 우위, 내부화의 우위 요소를 고려하여 기업은 직접투자, 수출, 라이센싱 방법을 선택한다.
② 기업 소유특유의 우위가 있으나 외국에서 생산할만한 장소특유 우위가 없다면 기업들은 수출이나 라이센싱 방법을 선택한다.
③ 기업소유특유와 내부화의 우위가 있으나, 장소특유의 우위가 없으면 기업들은 기술 라이센싱을 통해 해외에서 대리생산을 하게 된다.
④ 절충이론의 세 가지 우위요인을 모두 보유하고 있는 경우, 기업은 내부화하여 직접투자를 하게 된다.

답 ③

기업소유특유와 내부화의 우위가 있으나, 장소특유의 우위가 없다면 현지에 법인을 설립하는 것은 큰 실익이 없을 수 있다. 이런 경우 '수출'을 하는 것이 기업에게 유리하다. 내부화 우위요소도 없다면 현지의 기업과 계약을 맺어 기술을 공유하고 현지에서 생산하는 방식인 '라이센싱'을 채택하는 것이 유리하다.

10 고지마(Kojima)의 해외투자이론에서 미국형투자의 특징으로 옳지 않은 것은?

① 독과점적 산업에서의 현지시장 확대목적으로 투자가 이루어진다.
② 해외직접투자로 인해 현지에 수출되었던 상품교역이 감소된다.
③ 투자기업의 독점적 우위로 인해 현지기업의 경쟁력이 약화된다.
④ 투자국의 원재료 및 중간재 수출로 피투자국의 수입이 확대된다.

답 ④

고지마(Kojima)는 해외직접투자형태를 일본형과 미국형으로 구분하고, 일본형 해외투자가 장려되어야 한다고 주장한다. 일본형투자는 무역촉진형 투자이고, 미국형투자는 무역대체형투자로 보기 때문이다. '투자국의 원재료 및 중간재 수출로 피투자국의 수입이 확대'되는 투자는 일본형 투자이다.

11 다음의 내용과 관련이 깊은 해외직접투자이론은?

- 'A음료회사'가 동구권의 신흥시장에 진출하자, 경쟁사인 'B음료회사'도 같은 지역에 진출하였다.
- 'C전자'가 반도체부문 투자를 위해서 실리콘밸리에 진출하자, 경쟁사인 'D전자'도 같은 시기에 실리콘밸리에 진출하였다.

① 내부화이론
② 독점적 우위이론
③ 독과점적 대응이론
④ 국제 제품수명주기이론

답 ③

독과점적 대응이론(Oligopolistic Reaction Theory)은 산업구조가 과점적인 상황에서 해외직접투자를 과점적 경쟁기업 간의 대응진출 및 상호경쟁 현상으로 설명하는 이론이다. 문제의 예시와 같은 상황은 독과점적 대응이론으로 설명할 수 있다. 이 이론은 과점적 경쟁이론, 니커보크의 모형, 선도기업 추종설, 상호투자설 등으로도 부르며, 밴드웨건 효과(bandwagon effect)와 밀접한 관련이 있다.

CHAPTER 3 전략적 제휴와 국제계약사업

1 전략적 제휴와 국제계약사업 개요

1. 의의

산업의 영역이 넓어지고 해외진입시장이 다변화될수록 기업은 기존의 자원과 기술 역량만으로는 효과적으로 경쟁하기 어려워졌다. 이로 인하여 대부분의 다국적 기업은 시장, 사업, 기능 부문에서 내부자원과 조직을 활용하고, 그 외의 부문에서는 외부기업과의 다양한 전략적 제휴를 맺으면서 사업을 하게 된다. 전통적으로 기업 간 제휴는 자동차, 가전 및 섬유산업의 경우처럼 수직적 협력이 요구되는 산업에서 기업 간 협력을 의미하였으나, 최근에는 라이센싱, 프랜차이징, 경영관리계약 등 정형화된 계약형태의 협력사업이 크게 증가하고 있다.

2. 전략적 제휴와 국제계약사업의 이점

(1) 비용 및 위험감소

제휴를 통하여 기업은 기술개발, 생산, 마케팅, 유통 등에 있어서의 투자비용 및 사업위험을 크게 줄일 수 있다.

(2) 경쟁우위의 상호보완

제휴를 통하여 기업은 경쟁면에서 보완관계에 있는 기업으로부터 경쟁우위요소를 손쉽게 획득할 수 있다. 즉, 기술이나 영업노하우를 공유함으로써 기업 간 시너지효과를 갖게 된다.

(3) 생산합리화와 규모의 경제

제휴를 통하여 기업은 학습효과에 의한 단위비용절감 효과를 이루어 보다 경제적인 생산구조를 갖게 된다.

(4) 정부정책 및 문화적 장벽 극복

제휴를 통하여 기업은 현지 정부정책이나 법률에 의한 제한 및 문화적 장벽을 극복하려 한다.

3. 전략적 제휴와 국제계약사업의 분류

국제경영활동		내용
전략적 제휴	지분제휴	국제합작투자, 지분참여, M&A
	업무제휴	기술제휴, 조달제휴, 생산제휴, 마케팅제휴
국제 계약 사업	라이센싱	브랜드·기술 이전에 대하여 로열티 수취
	프랜차이징	상표·상호·원료·관리시스템 일괄제공 후 프랜차이징 수수료 수취
	경영관리계약	영업활동에 대한 경영서비스 제공후 경영관리수수료 수취
	턴키계약	해외 시설·건물 시공후 가동 직전단계에서 발주자에게 인계
	하청생산	생산명세·기술·원료 공급과 함께 생산위탁

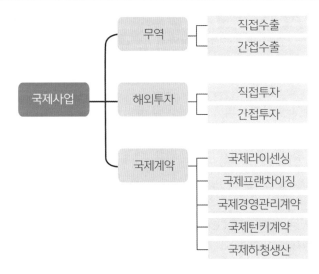

2 전략적 제휴

1. 지분제휴

(1) 국제합작투자

① 의의

국제합작투자란 국적이 다른 둘 이상의 기업이 출자하여 별도의 법인을 설립 운영하는 것을 말한다. 합작투자에는 특정 프로젝트를 수행하기 위해서 한시적으로 운영되는 특수한 경우도 있으나, 일반적으로 지속성을 갖고 운영된다.

② 국제합작투자의 동기

㉠ 신속한 해외진출

국제화경험이 적은 국내기업은 해외시장 진출 시 많은 위험을 감수해야 하므로, 신속하고 효과적인 해외진출을 위해서는 현지기업과 합작투자형식을 갖추는 것이 유리하다.

㉡ 정치·문화적 장벽 극복

합작투자 방식은 현지국의 정치·문화적 장벽을 극복하는 데 도움이 된다. 특히 해외현지투자 시 법적인 제한이 있는 경우 합작투자형식으로 진입할 수 있다.

㉢ 투자비용 및 위험 감소

정치적 위험이 높은 사회주의 국가나 시장위험이 높은 선진국에 진출 시 합작투자를 통해 투자위험을 감소시킬 수 있으며, 현지기업을 통해 현지의 경영자원을 효율적으로 확보할 수 있게 되어 비용 또한 감축시킬 수 있다.

㉣ 기업의 내부자원 한계

경험, 자본, 조직력 등이 부족한 경우 합작투자방식이 해외진출의 좋은 대안이 된다.

㉤ 규모의 경제

경쟁회사 간 합작법인을 만드는 경우 생산시설을 통합함으로써 규모의 경제의 효과를 누릴 수 있다.

(2) 지분참여와 M&A

① 지분참여

지분참여는 두 제휴회사가 기존의 제휴관계를 더욱 공고히 하려는 목적으로 상대방 회사의 지분 일부를 취득하는 것이다. 지분참여는 실제 경영참여의 목적이 아니라 상징적인 차원에서의 지분획득이 많다(일반적으로 10% 이하).

② 국제 M&A

㉠ 의의

국제 M&A(인수합병, mergers and acquisitions)는 기업합병(merger)과 기업인수 (acquisition)를 합친 개념으로, 인수기업과 피인수기업의 주 활동 국가가 다른 경우를 말한다. M&A는 한 기업이 다른 기업의 경영권을 인수할 목적으로 그 회사의 소유지분을 취득하는 것을 의미한다.

합병 (merger)	한 기업이 다른 기업을 흡수하여 한 개의 기업이 되는 것을 의미한다. 합병에는 한 기업이 다른 기업을 완전히 흡수하는 흡수합병과, 통합된 두 기업이 완전히 소멸되어 제3의 새로운 기업이 생겨나는 신설합병이 있다.
인수 (acquisition)	합병이 두 회사가 통합하여 하나의 회사가 되는 것에 비해서, 인수란 피인수기업을 그대로 존속시키면서 경영권을 행사하는 방법이다.

㉡ 목적

기업들이 해외에서 인수합병을 벌이는 목적은 신속한 해외시장진입과 이를 통하여 자신이 필요로 하는 경영자원을 획득하기 위해서이다. 또한 성숙산업에서의 인수합병은 그 산업에서 생산과잉을 초래하지 않고 시장에 진입할 수 있는 방법이라는 점에서 선호되고 있다. 특히 생산시설이 포화상태에 있는 산업에 신규진출하고자 할 때 공장을 새로 건설하여 산업 내에 과잉생산설비를 만드는 것보다는 인수합병을 하는 것이 효과적인 진입방법이 될 수 있다.

㉢ 유형

구분 기준	명칭	방식
거래 의사에 따른 분류	우호적 M&A	대상기업의 이사진이 수용해서 이루어지는 M&A
	적대적 M&A	대상기업의 이사진이 인수제의를 거부하고 방어행위에 돌입하는 경우 인수기업이 인수전략에 따라 인수작업에 착수하는 M&A
결합 형태에 따른 분류	수평적 M&A	동일산업 내 경쟁기업 간에 이루어지는 M&A
	수직적 M&A	부가가치사슬상 서로 유기적인 관련을 맺는 회사간의 M&A
	복합적 M&A (비관련 M&A)	같은 산업에 속하지 않는 전혀 다른 업종의 회사를 사업다각화의 일환으로 하는 M&A
인수대금 지급방법에 따른 분류	현금인수	주식을 양수하는 대가로 대상기업의 주주에게 현금을 지급하는 방식
	주식교환	대상기업 주주에게 합병기업의 주식으로 교환해 지급하는 방식
	채무증서교환	대상기업 주주에게 합병기업의 회사채를 지급하는 방식
	혼합교환	현금, 주식, 회사채 등의 지급방식을 혼합하여 지급하는 유형

> **⊃ 위임장 투쟁(Proxy Fight)**
> 주식취득이나 공개인수와는 달리 단 한 주의 주식을 소유하지 않고도 주주총회에서 의결권 위임자를 다수 확보함으로써 기업의 지배권을 확보하는 M&A 방법

2. 업무제휴

(1) 의의

업무제휴는 기술제휴, 조달제휴, 생산제휴, 마케팅제휴로 분류할 수 있으며, 이것들이 복합된 것을 복합제휴라 한다.

(2) 업무제휴의 형태 및 목적

구분	목적	특징
기술제휴	기술의 공동개발과 상호교환	자사의 부족한 기술에 대하여 타기업의 기술, 특허, 노하우를 도입 또는 공유하여 기술격차를 해소함
조달제휴	범세계적 조달로 비용절감 및 조달 원활화	전 세계적 차원에서 공동으로 부품을 조달하고, 물류네트워크를 공유함
생산제휴	생산비 절감	경영자원 상호공급, 공동생산, 생산수위탁을 통하여 생산비를 절감함
마케팅제휴	상대국 시장접근 및 판매강화	상호 공동판매, 위탁판매 또는 공동규격설정, 공동광고 등을 통해 판매를 강화함
국제제품스왑	과당경쟁 회피와 비용 절감	양자가 보유한 판매망을 활용하여 공동판매 활동 전개
복합제휴	협력을 다각적으로 가속화	기술, 조달, 생산, 마케팅 등의 분야 중 2개 이상에 동시 제휴를 함

핵심체크 시에라 3C

시에라 3C란 데 라 시에라(De la Sierra)가 성공적인 국제합작투자 및 제휴를 위하여 제시한 파트너 선정의 3가지 기준인 능력, 몰입성, 양립성을 말한다.

능력 (Capability)	보완적 능력	자사가 가지고 있는 약점을 파트너가 보완해줄 수 있는지, 자신의 강점을 파트너가 강화시켜 줄 수 있는지를 따지는 기준
몰입성 (Commitment)	핵심사업 분야	자사가 중시하고 있는 사업 분야를 파트너도 중요하게 여기고 있는지를 따지는 기준
양립성 (Compatibility)	공존 가능성	자사와 파트너의 전략, 문화, 경영관리 시스템이 얼마나 조화롭게 공유될 수 있는지를 따지는 기준

3 국제계약사업

1. 국제라이센싱

(1) 의의

국제라이센싱(licensing)이란 다국적 기업의 해외진출방식의 1차적인 방법으로서, 한 국가의 기업(라이센서, licensor)이 다른 국가의 기업(라이센시, licensee)에게 특허, 노하우, 등록상표 기타 무형자산을 공여하고 그 대가로 로열티를 받는 계약방식이다.

(2) 장·단점

구분	기술제공자(라이센서)	기술도입자(라이센시)
장점	① 추가적 이윤 확보(추가 수익 확보) ② 투자 및 위험부담 감소 ③ 신속한 목표시장 진출 및 선점 ④ 미래의 직접투자를 위한 자본축적 ⑤ 기술제공과 연계된 관련 부품 공급	① 기술개발 자금 부담과 위험의 회피 ② 새로운 사업의 창출 ③ 기술제공자의 명성과 브랜드의 공유 ④ 품질 향상
단점	① 기술도입자의 잠재적 경쟁자 가능성 ② 소비자의 품질 저하 인식(상표 라이센싱의 경우) ③ 시장 개발 이익이 공유됨	① 기술 가치에 대한 적절한 평가의 어려움 ② 기술제공자에 대한 의존성 ③ 시장진출 및 제품 개발의 제한

2. 국제프랜차이징

(1) 의의

① 국제 프랜차이징(franchising)은 기업이 자신의 상호, 상표, 기술 등의 사용권을 특정 기업이나 개인에게 허용할 뿐만 아니라 원료의 공급, 조직, 마케팅 등을 지원하는 포괄적 협력 관계를 유지하는 경영 방식이다.

② 사업본사인 프랜차이저(franchisor)가 해외에 있는 다른 기업, 즉 프랜차이지(franchisee)에게 상표의 사용권, 제품의 판매권, 기술 등을 제공하고 그 대가로 가맹금, 보증금, 프랜차이징 수수료 등을 받는 계약방식이다. 라이센싱의 한 유형이라고 볼 수도 있으나, 영업권의 단순한 사용허락을 넘어 구체적인 사업방식까지 제공한다는 면에서 라이센싱 계약보다 포괄적인 사업방식이다.

(2) 장·단점

구분	프랜차이저의 입장	프랜차이지(프랜차이징 가맹점)의 입장
장점	① 소자본으로 해외시장에 진출할 수 있다. ② 표준화된 마케팅 전략과 운영 노하우를 통해 정치적 위험이 높은 현지시장에 비교적 적은 투자위험으로 진출할 수 있다. ③ 표준화된 프랜차이징 시스템으로 진출하므로 진출국 수가 많을수록 평균 진출비용이 급격히 낮아진다.	① 사업본사가 보유한 강한 브랜드 이미지, 제품공급력, 경영능력 및 지속적인 경영지도로 인해 사업에 대한 위험부담을 크게 줄일 수 있다. ② 자본이나 경험이 적은 업주들이 쉽게 창업할 수 있다. ③ 마스터프랜차이징 계약 체결 시 큰 자본투자 없이 서브 프랜차이징(sub franchising) 계약을 통해 사업을 여러 지역으로 확장할 수 있다.
단점	① 다른 해외시장진입 방법에 비해 제한된 이익만을 누릴 수 있다. ② 가맹점들은 독립적인 운영주체이므로 경영통제에 한계가 있다. ③ 가맹점들은 경험이 축적되면 독립하려는 경향이 있으므로, 잠재적인 경쟁자가 된다.	① 사업본사에 최초의 가맹비 이외에도 프랜차이징 수수료를 정기적으로 지급하여야 한다. ② 사업본사로부터의 경영통제가 가맹점의 특수한 상황이나 해당 시장의 특수성을 감안하지 않는 경우 마찰이 생길 수 있다. ③ 사업본사나 다른 가맹점의 문제로 인하여 사업에 악영향을 받는 경우가 있다.

3. 국제경영관리계약

(1) 의의

국제경영관리계약(international management contract)이란 특정 국가의 기업(경영회사)이 일정기간 다른 국가의 기업(소유회사)의 경영업무를 대신 맡아 관리하고 경영관리 수수료를 소유회사가 경영회사에게 지급하는 계약방식이다.

(2) 특징

① 호텔산업에 많이 사용되며, 광업, 석유, 제조업, 농업, 임업, 서비스 및 공공사업 등에서도 사용된다.

② 현지정부가 외국 다국적 기업의 소유지분을 제한할 경우 다국적 기업이 자사의 관리기술과 자원을 활용하여 적은 위험부담으로 부가적인 수익을 올리고자 할 때 사용된다.

③ 계약을 통해 현지국 기업의 일상적인 영업활동을 관리할 권한을 부여받고, 이러한 경영서비스의 제공에 대해 일정한 대가를 수취하는 방식이다. 경영회사는 관리 수수료(management fees), 마케팅 공헌수수료(marketing contribution fees) 등을 지급받는다.

4. 국제턴키계약

(1) 의의

국제턴키계약(turnkey project)이란 특정 해외프로젝트와 관련해서 엔지니어링, 기자재 구매, 시공, 설치 등 공사 전 과정을 끝내고 설비가 가동될 수 있는 상태로(생산이 개시될 수 있는 시점에) 공사발주자에게 인도하는 일괄 수주계약방식이다.

(2) 특징

① 수출국의 산업수준을 단적으로 표시하는 수출계약이다.

② 고도의 생산기술에 의한 재료를 필요로 하므로 외화가득률이 높다.

③ 계약기간이 길고(일반적으로 2년~7년), 계약금액이 크다.

④ 일반 국제경영계약에 비하여 협상과정이 복잡하다.

⑤ 계약당사자인 설비 공급자 기업이 자기신용으로 자금부담을 떠안는 파이낸싱 공여방식 (project financing)으로 이루어지는 경우 국제은행과 파이낸싱 계약을 체결하여야 하며, 이러한 부담으로 인해 여러 기업이 함께 컨소시움을 형성하여 입찰에 응하는 경우가 많다.

(3) 유사 개념 비교

① 턴키 플러스

발전소나 화학공장 등은 공사완료 후 일정기간 시운전기간이 필요하고 관리요원들에 대한 교육훈련이 필요하다. 시설물의 건설완료 후 현지 종업원들에게 교육훈련까지 하는 것을 '턴키 플러스(turnkey plus)'라 한다.

② BOT 방식

공장이나 여타 설비를 건설한 후(Build), 일정기간 동안 직접 운영함으로써 투자비 및 이익을 회수하고(Operate), 해당 설비를 현지 정부나 현지 기업에게 이양(Transfer)하는 형태의 국제사업방식을 BOT(Build - Operate - Transfer) 방식이라 한다.

5. 국제하청생산계약

(1) 의의

국제하청생산계약이란 기업(주문기업)이 해외기업(하청기업)에게 생산에 필요한 원재료, 기술 등을 라이센싱 등의 방식으로 제공하고 주문명세대로 생산하게 하여 공급을 받는 계약생산 방식이다. 투자위험이 높은 북한, 동구권 등 사회주의 국가에 진출하고자 할 때 적절히 사용될 수 있다.

(2) 특징

① 현지에 공장시설투자를 하지 않고 현지에서 생산하는 효과를 누릴 수 있다(투자자본위험, 노사분규 등의 경영위험 회피 가능).

② 경기변동에 따라 신속하게 생산량을 조절할 수 있다.

③ 상대방에 대한 통제력이 부족하고, 의존성이 크다.

(3) 주문자상표부착 방식(OEM 방식)

① 의의

OEM(Original Equipment Manufacturing) 방식, 즉 주문자상표부착 방식이란 하청생산 기업이 주문자의 상표를 부착하여 주문자에게 납품하는 생산방식으로서, 신발, 의류, 가전 제품들과 같이 브랜드가 필요한 완제품 생산에 주로 이용된다.

② OEM 방식의 장·단점

장점	㉠ 상표와 같은 무형자산에 투자하지 않고, 생산능력만으로 해외시장에 진출할 수 있다. ㉡ 생산부문에 집중할 수 있으므로 생산기술이 급격하게 향상된다.
단점	㉠ 단가가 낮아 채산성에 한계가 있다. ㉡ 장기간 지속되는 경우 자체적으로 제품개발, 디자인, 마케팅, 유통의 능력을 개발하지 못한다. ㉢ OEM 바이어의 상표와 하청기업의 고유상표가 해외시장에서 경쟁하게 될 수 있다.

CHAPTER 3 실전문제

01
□□□

기업의 경영능력이 강한 반면, 진출대상국의 규제도 강한 경우 바람직한 국제화 전략은?

① 단독투자　　　　　　　　　　　② 수출
③ Joint - venture　　　　　　　　　④ 기술이전 및 철수

답 ③

기업의 경영능력이 강하면 해외에 진출하여야 한다. 그러나 진출대상국의 규제도 강하다면 해외직접투자를 하는 것은 위험하다. 이런 경우 합작투자(Joint - venture)가 바람직하다.

02
□□□

Microsoft의 웹사이트에 eBay의 온라인 마켓플레이스를 통합하여 소비자들은 다수의 Microsoft 웹사이트를 통해 eBay의 경매 서비스에 접근할 수 있게 되었다. 이와 관련된 제휴의 형태는?

① 기술제휴　　　　　　　　　　　② 조달제휴
③ 마케팅제휴　　　　　　　　　　④ 생산제휴

답 ③

업무제휴에는 기술제휴, 조달제휴, 생산제휴, 마케팅제휴, 국제제품스왑, 복합제휴 등이 있다. 이 중 상호 공동 판매, 공동 광고 등을 통해 판매를 강화하는 예시와 같은 경우는 '마케팅 제휴'라고 볼 수 있다.

03
□□□

다음 해외시장 진입방법 중 계약방식에 의한 진입형태가 아닌 것은?

① 라이센싱(licensing)　　　　　　② 프랜차이징(franchising)
③ 턴키플러스(turnkey plus)　　　　④ 공동수출(cooperative export)

답 ④

해외시장 진입방식에는 무역, 해외투자, 국제계약의 세 가지 방식이 있다. 라이센싱, 프랜차이징, 턴키플러스는 계약방식이지만, 공동수출은 무역 방식이다. 특히 시설물의 건설완료 후 현지 종업원들에게 교육훈련까지 하는 턴키계약을 턴키 플러스(turnkey plus)라 한다.

PART 4

국제경영 해커스공무원 이명호 무역학 이론+기출문제

04 국제라이센싱(licensing)에서 기술제공자 측면의 장점으로 옳지 않은 것은?

① 투자 및 위험부담 감소
② 외국시장의 테스트 기회
③ 기술제공과 연계된 관련부품 수출 증대
④ 시장개발이익의 공유

답 ④

시장 개발 이익이란 기술, 노하우 등의 무형자산을 향유하는 고객으로부터 얻는 이익을 말한다. 국제라이센싱을 하는 경우 기술도입자와 그 이익을 공유해야 하므로, 이것은 기술제공자에게는 단점이 된다.

05 다국적 기업이 국제라이센싱 계약을 체결하는 이유에 대한 설명으로 옳지 않은 것은?

① 라이센서는 현지시장 잠재력과 시장위험도를 파악하기 위해 체결한다.
② 라이센서는 기술이전에 따른 추가비용을 절감하기 위해 체결한다.
③ 라이센시는 특수한 상업적 노하우, 상업정보, 현지시장에 대한 노하우 등을 이전받을 목적으로 체결한다.
④ 라이센서는 원자재, 부품, 반제품 등의 수출을 증대시키기 위해 체결한다.

답 ②

다국적 기업이 국제라이센싱 계약을 체결하는 이유는 '기술 이전에 따른 추가비용을 절감하기 위해서'가 아니고, 기술만 이전하여 투자 위험을 감소시키고 추가적인 이윤을 확보하기 위해서이다.

06 사업본사가 해외에 있는 다른 기업에게 상표의 사용권, 제품의 판매권, 기술 등을 제공하고 그 대가를 받는 계약방식으로서, 영업권의 단순한 사용허락을 넘어 구체적인 사업방식까지 제공하는 것을 무엇이라 하는가?

① 국제프랜차이징   ② 국제경영관리계약
③ 국제하청생산계약   ④ 국제라이센싱

답 ①

국제 프랜차이징(franchising)은 기업이 자신의 상호, 상표, 기술 등의 사용권을 특정 기업이나 개인에게 허용할 뿐만 아니라 원료의 공급, 조직, 마케팅 등을 지원하는 포괄적 협력 관계를 유지하는 경영 방식이다. 국제 프랜차이징은 라이센싱의 한 유형이라고 볼 수도 있으나, 영업권의 단순한 사용허락을 넘어 구체적인 사업방식까지 제공한다는 면에서 라이센싱 계약보다 포괄적인 사업방식이다.

07 국제프랜차이징에 있어 프랜차이징 가맹점 입장에서의 일반적인 장점으로 옳지 않은 것은?

① 마스터프랜차이징 계약 체결시 큰 자본투자 없이 서브프랜차이징(sub franchising) 계약을 통해 사업을 여러 지역으로 확장할 수 있다.

② 자본이나 경험이 적은 업주들이 쉽게 창업할 수 있다.

③ 해당 시장의 특수성을 감안한 본사의 경영통제로 인하여 사업자간 마찰이 줄어든다.

④ 사업본사가 보유한 강한 브랜드 이미지, 제품공급력, 경영능력 및 지속적인 경영지도로 인해 사업에 대한 위험부담을 크게 줄일 수 있다.

답 ③

국제프랜차이징을 하는 경우 사업본사가 가맹점만의 특수한 상황이나 시장의 특수성을 고려하지 않고 경영통제를 하는 경우, 본사와 가맹점 사이에 마찰이 생길 수 있다. 이것은 프랜차이징 가맹점의 입장에서 큰 단점이 된다.

08 국제프랜차이징과 국제라이센싱을 비교하여 설명한 내용으로 옳은 것은?

① 국제프랜차이징은 도입자의 교섭력에 따라 로열티 수준이 달라지나, 국제라이센싱은 도입자간 표준화된 수수료가 청구된다.

② 국제프랜차이징의 계약기간은 기술 등의 특허기간을 넘지 않으나, 국제라이센싱의 계약기간은 보통 5년~10년이며 갱신이 가능하다.

③ 국제프랜차이징은 제품주기상 성숙기의 표준화된 제품이나 브랜드 이미지가 높은 소비자제품에 주로 적용되지만, 국제라이센싱은 일반적으로 식당, 학원 등 소비자 서비스업에 집중되어 있다.

④ 국제프랜차이징은 도입자가 사업본사로부터 신상품과 새로운 영업방식을 꾸준히 제공받을 수 있으나, 국제라이센싱은 기존 기술만이 계약대상이 되며 새로 개발되는 기술은 이전되지 않는다.

답 ④

국제프랜차이징은 사업본사가 가맹점에게 꾸준히 신상품과 새로운 영업방식을 공급한다. 그러나 국제라이센싱은 계약 당시 이전하기로 한 기술 이외에 추가적으로 개발된 기술은 이전되지 않는다.

✅ 선지분석
....

①, ②, ③ 국제프랜차이징과 국제라이센싱의 특징을 바꿔 놓았다.

09 국제경영관리계약의 특징으로 옳지 않은 것은?

① 호텔산업에 많이 사용되며, 광업, 석유, 제조업, 농업, 임업, 서비스 및 공공사업 등에서도 사용된다.
② 현지정부가 외국 다국적 기업의 소유지분을 제한할 경우 다국적 기업이 자사의 관리기술과 자원을 활용하여 적은 위험부담으로 부가적인 수익을 올리고자 할 때 사용된다.
③ 경영회사는 관리수수료(management fees), 마케팅공헌수수료(marketing contribution fees) 등을 지급받는다.
④ 궁극적으로 계약 대상 사업의 소유권 획득을 목적으로 한다.

답 ④

경영관리계약은 계약 대상 사업의 소유권 획득을 목적으로 하지는 않는다. 경영업무를 대신 맡아 관리하고 ③처럼 수수료를 받는 방식이다.

10 턴키(turn-key) 베이스에 의한 기술이전 과정의 마지막 단계로 활용되는 것은?

① 국제경영관리계약　　　　　　　　② 국제라이센싱
③ 국제공동기술연구　　　　　　　　④ 국제프랜차이징

답 ①

국제턴키계약의 마지막 단계로 국제경영관리계약을 활용하면, 시설물이 건설된 이후에 일정기간 경영 관리가 이루어지기도 한다. 특히 시설물의 건설완료 후 현지 종업원들에게 교육훈련까지 하는 것을 '턴키 플러스(turnkey plus)'라 한다.

11 국제턴키계약(turnkey project)에 대한 설명으로 옳지 않은 것은?

① 국제라이센싱, 국제프랜차이징 등 다른 국제경영계약에 비하여 절차가 간단하다.

② 생산설비를 건설 및 가동하여 해당 시설에 의한 생산이 가능한 시점에 소유권자에게 설비를 이양하는 계약이다.

③ 시설물의 건설완료 후 현지 종업원들에게 교육훈련까지 하는 경우 이를 턴키플러스(turnkey plus)라 한다.

④ 시설물의 건설완료 후 시설물의 유지보수를 위해 별도의 기술 라이센싱 계약을 체결하기도 한다.

답 ①

국제턴키계약은 다른 국제경영계약에 비하여 협상과정이 복잡하다.

12 생산자 입장에서의 OEM 방식에 대한 설명으로 옳지 않은 것은?

① 대체로 주문단가가 높아 채산성에 유리하다.

② 독자적인 제품개발, 디자인, 유통능력을 개발하지 못한다.

③ 바이어의 상표와 해외시장에서 경쟁하게 될 수 있다.

④ 상표와 같은 무형자산에 투자하지 않고 생산능력만으로 해외시장에 진출할 수 있다.

답 ①

OEM 방식으로 거래하는 경우, 단가가 낮아 채산성에 한계가 있다.

CHAPTER 4 현지경영전략

1 국제마케팅

1. 의의

국제마케팅이란 개인 및 조직의 필요와 욕구를 충족시키는 교환을 위해 기업이 해외시장에 개입하고 아이디어, 재화, 용역의 개념, 가격, 판매 및 유통을 다국적으로 계획하고 수행하는 과정을 말한다. 국제마케팅전략을 수립하는 경우, 국내시장의 소비자와 국제시장의 소비자가 가지는 욕구와 편익의 차이점을 파악하여야 한다.

2. 국제마케팅믹스전략(4P)

(1) 마케팅 믹스

기업이 목표시장에서 마케팅 목표를 달성하기 위해 사용하는 통제가능한 마케팅 수단들의 집합을 말한다. 마케팅 믹스는 기업이 제품의 매출, 수요, 고객의 반응과 태도에 영향을 주기 위해 활용할 수 있는 모든 수단으로 구성되어 있다.

(2) 4P

마케팅 믹스의 네 가지 변수, 즉 4P는 제품(Product), 가격(Price), 촉진(Promotion), 유통(Place)으로 구성된다.

① 제품(Product)

마케팅 믹스에서의 제품은 유형재와 서비스 등의 무형재를 모두 포함하는 개념이다. 제품을 구성하는 핵심요소(물리적 제품, 기능적 특징, 디자인 등), 포장요소(상표명, 등록상표, 포장 등), 보조서비스 요소(설치, 배달, 사후관리 등)가 제품전략에 있어서의 고려대상이다. 기업이 해외시장에 판매할 수 있는 제품은 기존제품, 수정제품, 개량제품, 신제품으로 구분된다.

핵심체크 브랜드(Brand)	
일반 상표 (Generic Brand)	생산된 제품에 별다른 브랜드 없이 내용물을 표시하는 것으로서 제품광고를 하지 않고 평범하게 포장하는 제품 브랜드(노 브랜드와 같은 뜻)
제조업체 상표 (National Brand)	전국적으로 판매되는 상표로서, 제조업체가 보유한 상표
유통업자 상표 (Distributor Brand)	제조업체를 제외한 소매업자, 도매업자 등 유통업자가 보유한 상표
자체 상표 (Private Brand)	점포가 독자적으로 개발한 고유 상표

② 가격(Price)

가격이란 연구개발비용, 생산비, 마케팅 비용 등을 회수하고 이익을 확보하기 위한 직접적 마케팅 수단이다. 가격은 원가, 수요, 경쟁이라는 3가지의 기본 요소에 의해 결정되며, 정부 규제, 환율, 물가상승 등도 국제가격에 영향을 미친다.

핵심체크 가격 설정 방식	
스키밍 가격 전략 (skimming pricing strategy)	신제품 도입 초기에 높은 가격을 책정함으로써 초기에 이윤을 극대화하고, 시간이 지나면서 시장경쟁상황에 따라 점차적으로 가격을 인하해 나감으로써 시장점유율을 유지시켜 나가는 국제가격전략이다. 초기 고가 전략이라고도 한다.
시장 침투 가격 전략 (penetration pricing strategy)	낮은 가격을 책정함으로써 시장 개발의 속도를 높이고 시장점유율을 높여 장기적으로 시장을 지배하려는 가격 설정방식이다. 이 전략은 수요의 가격탄력성이 높아 가격 인하에 대한 소비자의 반응이 큰 경우 효과적이다. 신제품을 시장에 선보일 때 초기에는 낮은 가격으로 제시한 후 시장점유율을 일정 수준 이상 확보하면 가격을 점차적으로 인상하게 되는데, 도입기 저가전략이라고도 한다.
원가 가산 가격 전략 (cost – plus pricing strategy)	재화나 서비스의 원가에 일정한 이익률을 고려하여 시장가격을 결정하는 방식이다. 제품의 원가와 이익률만을 이용하여 가격을 결정하기 때문에 내부 자료만으로 가격을 산출할 수 있다는 장점이 있으나, 시장의 수요 상황, 경쟁사의 가격 등을 고려하지 않는다는 한계가 있다.
단수 가격 전략 (odd pricing strategy)	제품 가격을 설정할 때 가격의 끝자리를 단수로 표시하여 정상 가격보다 약간 낮게 설정하는 마케팅 전략이다. 예를 들어 정상가격이 1만원인 제품의 판매가격을 9,900원으로 표시하여 가격대를 변동시킴으로써 소비자의 구매 결정을 유도하는 방식이다.
준거 가격 전략 (reference pricing strategy)	비교가 되는 여러 가격들을 제시하여 그 기업의 가격만 따로 떼어서 볼 수 없게 하는 전략이다. 제품의 경제적 가치보다는 심리적으로 가치 판단을 하게 하는 방식이다.

③ 촉진(Promotion)

촉진전략은 마케팅 목표, 제품계열, 마케팅 제도 등에 의해 결정된다. 촉진활동은 소비자와의 커뮤니케이션을 포함하며, 각국의 제도, 문화, 사회적 특성 등을 고려하여 행하여야 한다.

해외 촉진전략의 대표적인 유형에는 광고대행사의 선정, 촉진매체의 선정(TV, 잡지, 신문, 옥외 대형 포스터, 극장광고 등), 스폰서십의 활용(각종 행상에 대한 지원, 스포츠 마케팅활동) 등이 있다.

④ 유통(Place)

유통전략을 수립하는 경우 소비자, 제품, 중간상의 특성, 법적규제, 현지관습, 통제력의 정도 등을 고려하여야 한다. 유통경로의 형태는 제조업자의 개입 정도에 따라 간접판매경로와 직접판매경로로 구분할 수 있다. 간접판매경로란 국내경로를 이용해 해외시장에 제품을 공급하는 것을 말하며, 직접판매경로란 제조업자가 유통경로를 직접 개발하는 것을 말한다.

3. 목표시장의 선택

(1) 의의

시장의 선택이란 제한된 자원을 보유한 기업이 어떤 제품으로 어떤 시장에 진출할 것인지를 결정하는 것을 말한다. 시장의 선택은 판매시장 및 생산기지의 선택을 의미하며, 이에 따라 경쟁자와 경쟁의 범위가 결정된다.

(2) 목표시장선택 기법

① 그리드 기법

㉠ 의의

그리드 기법은 해외시장 선점에 필요한 수개의 중요한 요인을 우선 선정하고, 이를 점수화하여 해당 요인들을 충족하는 시장에 우선적으로 진출하는 방법이다. 이 평가는 현지경험이 풍부한 전문가그룹이 하는 것이 합리적이다.

㉡ 내용

ⓐ 그리드 기법에서는 진입가능과 불가능을 결정하는 가장 기본적인 요인으로 다수의 국가를 일차적으로 탈락시켜 예상국가를 줄여나가게 된다.

ⓑ 잔여국가에 대하여는 평가자가 중요하다고 생각하는 요인들에 대한 점수를 개별적으로 부여하고 그 합계액이 가장 높은 국가를 진출국가로 선택하게 된다.

ⓒ 각 요인에 대하여는 그 중요도에 따라 가중치를 적용할 수 있다.

영향요인	가중치	진입예상국가				
		1	2	3	4	5
Minimum Priority	–	A	U	A	A	A
A요소	0 – 2	4		3	3	4
B요소	0 – 4	1		2	2	3
C요소	0 – 3	2		3	5	2
합계		7		8	10	9

② 기회 – 위험 매트릭스 기법

　　㉠ 의의

　　기회 – 위험 매트릭스 기법이란 기업이 진출하려는 예상국가들의 '기회요인'과 '위험요인'의 지수를 도표화하여 예상국가 간의 위치를 비교하여 진입국가를 결정하는 방법이다. 일반적으로 기회요인은 수평축에, 위험요인은 수직축에 위치시킨다.

　　㉡ 내용

　　기회와 위험에 관한 요인을 수평축, 수직축에 점수별로 표시하되 각각의 요인에 가중치를 부여할 수 있다. 또한 현재의 위치뿐만이 아니라 미래의 위치를 함께 평가하여 시장의 선정과 이동에 대한 동태적인 평가를 할 수 있도록 한다.

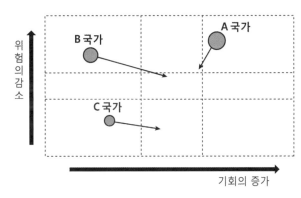

③ 시장포트폴리오 기법

　　㉠ 의의

　　시장포트폴리오 기법은 여러 시장에서 사업을 하고 있는 기업이 한정된 자원을 각 시장에 어떻게 효율적으로 배분할 것인가를 나타내주는 의사결정 기법 중의 하나이다.

　　㉡ 내용

　　이 기법에서는 '국가의 매력도'와 '자사의 경쟁력'을 토대로 4가지의 전략유형을 제시하고 있다.

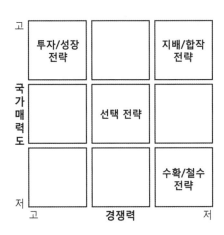

(3) 해외시장 진입방법 선택모형

① 의의

해외시장 진입방법 선택모형이란 수출, 라이센싱, 해외직접투자 중 어느 방식을 선택할 것인가에 관한 기본모형을 말한다.

② 러그만(Rugman)의 단순모형

무역장벽이 없으면 수출, 무역장벽이 있으나 기술유출위험이 있으면 해외직접투자, 기술유출위험이 없으면 라이센싱을 택하는 모형이다.

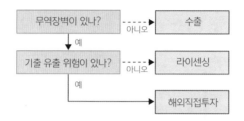

③ 허쉬(Hirsch)의 최소비용 모형

본국에서의 생산비, 현지국에서의 생산비, 수출마케팅비용, 외국비용, 라이센싱으로 인한 기술적 우위의 잠식과 관련된 비용 등을 종합적으로 고려하여 진입방법을 선택하는 모형이다.

㉠ 비용 항목

P_d와 P_f는 각각 본국과 현지국에서의 생산비이다. 수출마케팅 비용(M)은 수출을 할 경우 해외시장 정보를 수집하는 데 추가적으로 소요되는 비용으로, 운송비·보험료·관세 등의 비용을 포함한다. 외국비용(F)이란 외국기업으로서 현지 생산활동을 할 때 불리한 여건으로 인해 추가적으로 소요되는 비용을 말한다. 잠식 비용(K)은 라이센싱을 할 경우 기술이 유출되어 기업 특유의 우위가 잠식될 위험을 비용으로 환산한 것이다.

국가 특유 비용	P_d	본국에서의 생산비
	P_f	현지국에서의 생산비
기업 특유 비용	M	수출마케팅 비용
	F	외국비용
	K	기술적 우위의 잠식 비용

ⓛ 해외시장 진입방법 선정

비용 조건	최소비용	해외시장 진입 방법
$Pd + M < Pf + F$ 이고 $Pd + M < Pf + K$ 이면	$Pd + M$	수출
$Pf + K < Pd + M$ 이고 $Pf + K < Pf + F$ 이면	$Pf + K$	라이센싱
$Pf + F < Pd + M$ 이고 $Pf + F < Pf + K$ 이면	$Pf + F$	해외직접투자

④ 루트(Root)의 점진적 학습과정 모형

　㉠ 의의

기업은 해외시장에 대한 지식과 경험이 축적되면 높은 수준의 위험이 수반되는 진입방식도 채택할 수 있게 된다. 루트(F. R. Root)의 모형은 기업이 통제와 위험 정도에 따라 해외시장진입방식을 변화시켜 나가게 된다는 것을 동태적으로 설명한 모형이다.

> 간접수출 → 직접수출 → 해외판매 자회사설립 → 합작투자 생산자회사 설립 → 단독투자 생산자회사 설립(해외시장 진입방식의 고도화)

　㉡ 내부요인과 외부요인

루트에 따르면 기업은 해외시장에 진입할 때 기업의 내부요인과 외부요인 두 가지를 고려해서 진입방식을 결정한다.

내부요인	외부요인
ⓐ 제품(제품차별화 정도, 사전·사후서비스의 필요 정도, 제품의 특성 등) ⓑ 보유자원(기업의 규모와 자원의 투입 정도) ⓒ 핵심역량 ⓓ 진출대상국과 관련된 국제화의 경험	ⓐ 해당 산업의 구조적인 특성(경쟁상태, 진입장벽) ⓑ 현지국의 환경(시장요인, 생산요인, 환경요인)

⑤ BCG(Boston Consulting Group) 포트폴리오 매트릭스

BCG 포트폴리오 매트릭스란, 보스턴 컨설팅 그룹이 개발한 사업 포트폴리오 분석 차트로, 전략 산업 단위 또는 제품을 평가하기 위해 이것들을 성장률과 상대적 시장점유율로 구분한 매트릭스 위에 나타내는 방법을 말한다.

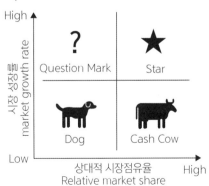

㉠ **물음표(Question Mark)**: 점유율은 낮으나 성장률이 높은 사업(적극적으로 투자하여 경쟁력을 높여야 함)

　　㉡ **별(Star)**: 점유율과 성장률이 모두 높은 사업(계속적으로 투자해야 함)

　　㉢ **개(Dog)**: 점유율과 성장률이 모두 낮은 사업(철수해야 함)

　　㉣ **자금 젖소(Cash Cow)**: 점유율은 높지만 성장률은 낮은 사업(성장 가능성은 낮지만 시장점유율이 높으므로, 현상 유지가 바람직함)

(4) STP 전략

STP(Segmentation, Targeting, Positioning) 전략은 우선 시장을 다수의 시장으로 분류(Segmentation)하고, 세분화된 여러 시장 중에서 자사의 능력과 경쟁 등을 고려하여 가치가 있는 표적시장을 선택(Targeting)한 후, 그 선택된 시장에서 제품속성이나 다양한 마케팅믹스 요인을 이용하여 자사제품을 고객에게 특정한 이미지로 인식시키는 (Positioning) 과정을 말한다.

① 현지시장 세분화

현지시장 세분화(segmentation)란 기업이 진출한 현지국의 시장을 일정한 기준에 따라 동질적인 여러 개의 집단으로 나누는 것이다.

② 목표시장의 선정

기업은 보유자원과 능력에 한계가 있으므로 전체시장을 대상으로 마케팅활동을 하기가 어렵다. 따라서 기업은 특정 세분시장(segment)을 마케팅 목표(targeting)로 한정하고 자원과 노력을 집중 투자하는 것이 바람직하다.

③ 포지셔닝

포지셔닝(positioning)이란 경쟁우위 달성을 목적으로 경쟁자의 제품과 다르게 인식되도록 마케팅 믹스를 사용하여 고객의 인지 속에 제품의 정확한 위치를 심어주는 과정이다.

4. 표준화 전략과 적응화 전략

(1) 표준화 전략

① 의의

표준화 전략이란 다국적 기업이 이익의 증대를 위해서 범세계적인 통일된 시스템을 유지하고 해외 자회사들의 활동을 통합하는 전략으로서, 본국시장에서의 마케팅 전략을 해외시장에서 그대로 사용하게 된다.

② 채택이유

규모의 경제	제품표준화로 단위당 생산비를 감소시켜 대량생산의 경제성을 활용하기 위해서
연구개발의 경제성	제품표준화로 제품 단위당 연구개발비를 낮추고, 신제품 개발 시 표준화 제품에 집중하기 위해서

마케팅의 효율성	표준화된 광고, 판매원훈련, 브로셔인쇄 등으로 마케팅 비용을 낮추기 위해서
소비자의 상표충성도	국가 간 이동이 많은 소비자들의 상표충성도(brand loyalty)를 활용하기 위해서

(2) 적응화 전략

① 의의

적응화 전략이란 다국적 기업이 이익의 증대를 위해서 해외 현지의 환경조건에 적응할 수 있는 개별적인 시스템을 채택하는 전략으로서, 현지(해외)시장에서의 마케팅 전략은 본국 시장과 차별화된다.

② 적응화 전략의 유형

제품 적응화	현지 소비자의 욕구, 현지정부 규제, 언어의 차이, 사용조건의 차이 등을 감안하여 제품을 현지시장에 맞게 변화시키는 전략
촉진 적응화	현지 소비자의 반응패턴, 현지정부 규제, TV·인터넷 등의 발달정도에 따라 판매촉진 방법을 현지시장에 맞게 적응시키는 전략
가격 적응화	현지 소비자의 가격민감성, 경쟁자의 가격에 따라 가격을 높이거나 낮추는 전략
유통 적응화	현지 소비자의 구매패턴, 정부의 유통규제, 경쟁사의 유통업체 통제상황을 고려하여 유통채널을 재설계하는 전략

(3) 키간(W. Keegan)의 국제제품전략

① 의의

키간은 기업이 해외 시장에 진출할 때 사용할 수 있는 제품 전략(Product Strategy)과 커뮤니케이션 전략(Communication)의 조합을 4가지로 제시하였다. 이 전략들은 제품의 표준화 vs 현지화, 커뮤니케이션의 표준화 vs 현지화 여부에 따라 나뉜다.

제품 전략	제품 자체를 현지시장에 맞춰 조정할 것인지(현지화), 아니면 동일하게 유지할 것인지(표준화)를 결정
커뮤니케이션 전략	광고, 프로모션 등 커뮤니케이션 수단을 현지에 맞춰 바꿀지 아니면 동일하게 유지할지를 결정

② 키간의 4가지 전략 유형

구분	커뮤니케이션 표준화(확대)	커뮤니케이션 현지화(적응)
제품 표준화(확대)	[완전 표준화 전략] 제품과 커뮤니케이션 모두 표준화	[커뮤니케이션 적응 전략] 제품은 동일, 메시지만 현지화
제품 현지화(적응)	[제품 적응 전략] 제품은 현지화, 메시지는 동일	[완전 현지화 전략] 제품과 메시지 모두 현지화 (철저한 현지 마케팅 전략)

(4) 프라하라드(Prahalad)와 도즈(Doz)의 통합 – 대응 모델

1987년에 프라하라드와 도즈가 도입한 통합 – 대응 그리드를 사용하여 국제기업의 전략적 변화와 포지셔닝을 검토할 수 있다. 이 모델은 국제 경영 환경을 글로벌 통합 압력과 지역별 적응(대응) 압력의 두 가지 차원으로 나누고, 이들 환경에 기초한 국제경영 전략을 제시한다.

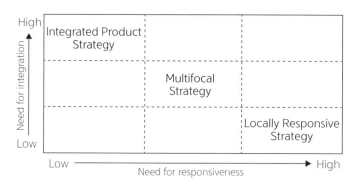

① **Integrated Product Strategy(통합 제품 전략)**

다국적 경쟁이 극심할 때, 규모의 경제와 비용 절감을 위해 제품을 통합하는 전략

② **Locally Responsive Strategy(지역별 대응전략)**

현지 고객의 니즈와 다양한 시장구조에 맞게 대응하는 전략

③ **Multifocal Strategy(다중심 전략)**

글로벌 통합압력과 현지시장에 대한 적응압력이 '비교적' 높은 상태에서, 현지 자회사들이 독자경영을 하도록 허용하면서, 본사는 자회사간의 이해를 통합 – 조정하는 전략

5. 경영혁신 기법

(1) SCM(Supply Chain Management, 공급체인관리)

공급자, 생산자, 유통업자 상호 간에 자재(원료) 및 정보의 흐름이 상하 양방향으로 이루어지도록 하는 시스템으로서 고객 서비스 요구사항, 공장과 유통센터의 네트워크 디자인, 재고관리, 외주와 제3자 물류관계, 핵심고객과 공급자 관계, 비즈니스 프로세스 등의 효율성 제고를 목표로 도입된 경영혁신기법을 말한다. SCM을 성공적으로 운영하기 위해서는 거래 파트너와의 유대가 강화되어야 하고, SCM에 대한 최고 경영자의 관심과 기대가 커야 한다.

> **핵심체크** GSCM(Global Supply Chain Management)
>
> 현대의 글로벌 기업은 생산, 판매, 운송 전문기업으로 특화하면서 글로벌 기업 간 글로벌 네트워크 구축을 통하여 글로벌 소싱, 글로벌 마케팅, 글로벌 물류활동으로 기업의 경쟁우위 확보를 통한 부가가치를 높이고 있다. GSCM이란 2개국 이상에 걸쳐 SCM이 이루어지는 것을 말한다. GSCM의 도입배경은 다음과 같다.
> 1. 해외법인의 수적 증가에 따른 글로벌 통합의 필요성 증대
> 2. 공급자, 고객 간의 글로벌 상호조정 요구의 증대
> 3. 글로벌 물류에 있어서의 재고 및 물류비용의 증대
> 4. 글로벌 물류를 위한 조직화의 요구 증대
> 5. 파트너의 협력적이고 효율적인 부품조달의 요구 증대

> **핵심체크** 채찍효과(bull - whip effect)
>
> 채찍의 손잡이 부분에 약한 힘이 가해져도 채찍의 끝부분에서는 큰 파동이 생기는 현상에서 유래한 것으로, 제품에 대한 수요 정보가 공급사슬상의 상층부로 전달될 때마다 정보가 계속하여 왜곡되는 현상이다. 공급사슬에서 고객의 수요가 상위단계 방향으로 전달될수록 각 단계별 수요의 변동성이 증가하는 현상으로, 사소하고 미미한 요인이 엄청난 결과를 불러온다는 나비효과와 유사한 효과이다.

(2) CRM(Customer Relationship Management, 고객관계관리)

현재의 고객과 잠재고객에 대한 정보를 정리분석하여 마케팅 정보로 변환시키고, 고객의 구매 관련 행동을 지수화하며, 이를 바탕으로 마케팅 프로그램을 개발, 실현, 수정하는 고객 중심의 경영기법을 말한다. 즉, 기업들이 고객들의 성향과 욕구를 미리 파악하여 이를 충족시켜주고 기업들이 목표로 하는 수익이나 광고효과 등을 얻어내는 기법으로서, 고객관계관리라고 한다. CRM은 기업의 프로세스 효율성을 향상시키고, 시장 확장의 기회를 증대시킨다.

(3) SWOT 분석

SWOT 분석이란 기업이 내부환경의 강점과 약점을 파악하고, 외부환경의 기회와 위협 요인을 발견하여 이를 토대로 강점과 기회를 활용하고 약점과 위협은 보완하거나 억제하는 전략을 수립하기 위한 마케팅 전략 수립 과정을 말한다. 국제기업전략을 수립하기 위하여 사용되는 SWOT 분석의 요소는 다음과 같다.

강점(Strength)	약점(Weakness)
기회(Opportunity)	위협(Threats)

(4) 균형성과표(BSC)

BSC(균형성과표, Balanced Score Card)란 조직의 비전과 전략목표 실현을 위해 4가지 관점의 성과 지표를 도출하여 성과를 관리하는 시스템이다. 4가지 관점은 재무, 고객, 내부프로세스, 학습과 성장이다. 이 중 가장 미래지향적인 관점이자 다른 3가지 관점의 성과를 이끌어내는 원동력인 관점은 학습과 성장 관점(Learning & Growth Perspective)이다.

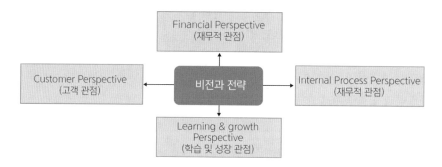

6. 컨트리 리스크

(1) 의의

컨트리 리스크(country risk)란 다국적 기업이 해외진출 시 직면하는 위험을 말하며, 존슨(H. C. Johnson)은 이를 기업위험(business risk), 재무위험(financial risk), 재난적 위험(catastrophic risk)으로 분류하고 있다. 한편, 로벅(S. H. Robock)은 이 세 가지에 정치적 위험(political risk)을 추가하였다.

기업위험	시장고유의 위험(market risk)과 비시장위험(non - market risk)[57]
재무위험	배당금 및 잉여금의 송금규제, 원천과세, 로열티·이자 등의 지급제한
재난적 위험	수용, 국유화, 기업판매의 강요 등 현지정부의 직접적인 행동
정치적 위험	기업환경에 급작스러운 변화를 초래하는 일국의 정치적 영향력

(2) 정치적 위험

① 의의

정치적 위험(political risk)이란 컨트리 리스크의 일종으로 기업이 정상적인 시장 활동으로 인해 야기되는 위험 이외의 비시장요인에 의해 발생되는 위험을 말한다. 정치적 위험은 예기치 않은 정치적 사건이나 현지정부의 정책변화로 발생하며, 각종 경제적, 사회적 요인에 의하여 발생하기도 한다. 예를 들면, 국가부채문제, 외환문제, 자산의 수용, 몰수 등과 같은 현지국 문제나 국제테러사건, 국제협약 등 국외사건이 다국적 기업의 활동에 영향을 미치는 것을 말한다.

---

57) 비시장위험: 세율의 상승, 정부의 규제, 금융정책, 현지인고용으로 인한 손실 등을 말한다.

② 정치적 위험의 속성

단순한 정치적인 변화가 있다고 해서 이를 정치적 위험이라고 볼 수는 없으며, 그러한 정치적인 변화가 예측하기 어려웠던 상황에서 국제기업의 활동이나 투자자산 또는 수익성 등에 영향을 미칠 때에야 이를 비로소 정치적 위험으로 간주하게 된다. 정치적 위험에는 다음과 같은 속성이 있다.

ㄱ 급작스러운 기업환경의 변화를 초래하는 불연속성을 가진다.

ㄴ 예측하기 어려운 불확실성을 가지고 있다.

ㄷ 기업의 활동에 영향을 미친다(영향력).

③ 정치적 위험의 측정

ㄱ 전문가의 자문

전문가의 자문이란 정치적 위험을 평가하기 위해서 다국적 기업 경영자나 외교관 등 분야 전문가(old hands)를 특별고문으로 고용하여 이들의 전문지식이나 경험을 활용하는 방법이다. 향후에 발생할 사건에 대해서도 전적으로 전문가의 판단력과 식견에 의존하게 된다.

ㄴ 델파이 방법[58]

델파이 방법(Delphi Techniques)이란 미래환경에 대한 예측 또는 시나리오를 주고 설문형태로 작성하여 전문가들로부터 개별적인 의견을 수집하고, 이 결과를 요약하여 다시 전문가들에게 피드백함으로써 의견을 수정할 기회를 주고 다시 종합하여 최종적인 예측을 하는 환경예측기법이다. 즉 각 분야의 전문가의 지식을 종합하는 방법이다.

ㄷ 체크리스트 방법

체크리스트 방법(check list method)이란 정치적 위험을 측정하기 위해 주요한 정치적 사건이나 지표를 지속적으로 점검하는 방법이다. 사건이 발생한 빈도 등 주요변수들의 추이에 따라 시나리오를 작성해 볼 수 있다. 이 방법은 비교적 적은 비용과 노력이 들고 그 방법도 용이하지만 평가의 정확성이 떨어질 수 있다는 단점이 있다.

ㄹ 전문기관의 지표 이용

전문기관이 정기적으로 발표하는 정치적 위험 지수(quantitative models)를 이용하는 방법이다. BERI(Business Environment Risk Intelligence), CRIS(Control Risks Information Services), EIU(Economist Intelligence Unit), ICRG(Political Risk Services: International Country Risk Guide) 등이 다국적 기업의 현지운영상 노출 된 정치적 위험에 대한 지수를 제공한다.

---

58) 델파이(Delphi)란 고대 그리스 신화에서 자신의 운명을 알고 싶은 사람이 델파이 지성소(Delphic Oracle)의 도움을 얻어 미래를 통찰할 수 있었다고 한 것에서 유래한 말이다. 델파이 방법은 예측하려는 문제에 관하여 전문가들의 견해를 유도하고 종합하여 집단적 판단으로 정리하는 일련의 절차로서, 미국의 랜드연구소(Rand Corporation)에서 개발하였다.

ⓜ 현지방문

현지방문(grand tours)이란 직접 현지국을 방문하여 현지의 정치, 경제, 사회 등의 환경을 조사하여 정치적 위험을 분석하는 방법이다. 주로 현지인들과의 면담으로 이루어지며, 수집된 정보가 체계적이지 못하다는 단점이 있다.

④ 정치적 위험의 관리

정치적 위험을 측정한 결과, 정치적 위험이 너무 크다고 판단되는 경우 투자를 피하거나 진행되고 있는 투자가 있다면 철수해야 한다. 그러나 정치적 위험이 관리 가능한 범위 내에 있다고 판단되면 정치적 위험을 어떻게 줄일 것인가를 고려해야 한다. 여기에서 정치적 위험을 줄인다는 것은 주어진 정치환경이나 정부규제 환경에 적응하는 것을 말한다.

주어진 환경에 적응하는 구체적인 방법은 다음과 같다.

㉠ 주식 공유

다국적 기업이 현지에 있는 기업이나 정부와 합작투자를 하게 되면, 정부는 그 투자기업을 외국기업이 아니라 국내기업으로 간주하게 되므로 국유화 같은 극단적인 방법을 피할 수 있다. 현지파트너는 자신이 보유한 네트워크를 통해 각종 규제를 회피하거나 최소화하는 역할을 하게 된다.

㉡ 경영의 현지화

현지인을 자회사경영에 참여시키는 등 경영을 현지화함으로써 정치적 위험을 줄일 수 있다. 여기에는 현지에 병원이나 학교를 설립하는 활동을 통해 현지기업의 인상을 심어주는 것도 포함된다.

㉢ 의존적 관계 수립

투자대상국이 다국적 기업에 의존하도록 만드는 것도 정치적 위험을 줄이는 방법이다. 다국적 기업이 현지기업에 원료나 기술 등을 독점적으로 공급하거나, 현지생산된 물품에 대한 해외판매권을 통제하는 등의 방법이 이에 해당한다.

㉣ 위험의 회피

정치적 위험에 대한 보험이 상품화되어 판매되고 있다. 일반 상업보험으로는 커버할 수 없는 정치적 위험을 보험으로 회피(hedging)하는 방법으로 정치적 위험을 줄일 수 있다. 또한 한곳에 집중해서 투자하지 않고 여러 국가에 분산하여 투자를 하는 것도 위험을 회피할 수 있는 방법 중의 하나이다.

2 | 현지 생산·구매·노무 관리

1. 공장입지

(1) 공장입지의 결정

공장입지의 결정이란 공장을 어느 지역에 세우고 어떻게 배열을 할 것인지를 결정하는 것을 말한다.

(2) 공장입지의 주요 고려사항

① 대규모시장과 잠재력이 큰 시장과 얼마나 근접해 있는가?

② 전력, 용수, 도로, 항만 등 경제하부구조가 얼마나 발달해 있는가?

③ 생산 및 관리 인력의 확보가 용이한가?

④ 현지 정부의 혜택 및 규제가 어느 정도인가?

⑤ 주요 거점과의 운송수단 확보 및 운임이 적정한가?

2. 글로벌 소싱

(1) 의의

소싱(sourcing)이란 기업이 부가가치를 창출하는 단계에서 생산요소, 원자재, 부품 등의 투입물을 조달하는 활동을 말한다. 소싱은 본국으로부터 이루어질 수도 있고, 현지 또는 제3국으로부터 이루어질 수도 있다. 글로벌소싱이란 현지 소싱 또는 국가 간 투입물이 이동하는 소싱을 의미한다.

(2) 글로벌 소싱의 주요 고려사항

① 공장입지에 따른 최적의 소싱방법은 무엇인가?

② 현지 제조업이 수직적으로 얼마나 통합되어 있는가?

③ 투입물의 내부소싱과 외부소싱 중 효율적인 것은 무엇인가?

④ 투입물의 현지소싱과 해외소싱 중 효율적인 것은 무엇인가?

⑤ 투입물의 단일소싱과 복수소싱 중 효율적인 것은 무엇인가?

(3) 세컨드 소싱과 듀얼 소싱

세컨드 소싱(Second Sourcing)은 기존의 주 공급자(Main supplier)에 더해, 같은 품목을 공급할 수 있는 대체 공급자(Second supplier)를 확보해놓는 조달 전략을 말한다. 반면에 듀얼 소싱(Dual Sourcing)은 두 공급자에게 분산 발주하는 조달 전략을 말한다.

구분	세컨드 소싱	듀얼 소싱
공급자	주 공급자 + 예비 공급자	두 공급자
활용방식	문제 발생시 대체	일상적으로 분산 발주
예시	공급자 A가 주로 공급, B는 비상시 대비	A와 B에 각각 60%, 40% 비율로 발주

3. 현지 노무관리

(1) 현지 인력채용

현지에서 인력을 채용하는 방법은 본사에서 필요로 하는 인재를 파견하는 방법, 현지인을 채용하는 방법 및 제3국인을 채용하는 방법이 있다. 현지인 채용의 장단점은 다음과 같다.

장점	단점
① 현지환경에 익숙하여, 의사소통과 문화적 이질감에 대한 문제점이 적다. ② 현지기업으로서의 이미지를 제고할 수 있다. ③ 본사에서 파견하는 것보다 비용을 줄일 수 있다. ④ 현지인은 현지 거주가 계속 가능하므로 업무의 지속성을 유지할 수 있다.	① 회사나 상품에 대한 지식이 부족하다. ② 본사의 정책과 경영철학에 대한 이해가 부족하다.

(2) 현지 노무관리의 중점사항

① 문화적 차이와 노무갈등요인을 파악하여 현지 종업원들의 이직률과 결근율을 줄이는 것
② 본사 파견직원과 갈등을 해소하여 노사분쟁 또는 쟁의행위를 미연에 방지하는 것

(3) 현지 노무관리의 갈등요인

낮은 충성도	특히 생산직 근로자들의 충성도가 낮다.
높은 결근율	주로 기업외적인 요인, 즉 현지인의 문화나 기질과 관계가 깊다.
높은 이직률	주로 기업내적인 요인, 즉 기업에 대한 충성심과 관계가 깊다.

(4) 현지 노무갈등의 해결방안

① 현지종업원들에 대하여 관심과 애정을 갖는다.
② 급여인상 및 각종 포상제도를 활용한다.
③ 다양한 지역사회 공헌활동(회사에 대한 자부심 고취)을 실시한다.

(5) 현지인력 교육

① 기본직능교육은 일반적으로 직장 내 훈련(on the job training: OJT)을 사용한다.

② 현지핵심인력을 교육하기 위해서는 임파워먼트(empowerment) 전략을 사용한다. 이 전략은 현지인들을 가장 잘 이해하고 통제할 수 있는 인원은 현지인들이라는 관점에서 나온 것이다. 임파워먼트의 핵심은 유능한 현지인들을 개발하고 이들에 대한 집중교육을 통하여 핵심경영인력으로 육성한 다음 이들에게 권한을 위임하는 것이다.

4. 문화적 환경에 대한 이해

(1) 의의

문화란 사람들이 공유하는 가치관, 규범 등의 총체를 말한다.[59] 문화적인 차이는 기업의 경영성과에 영향을 줄 수 있으며, 정치적 위험의 원인이 될 수도 있으므로 국제경영환경에서 문화적 차이를 발견하려는 연구가 이루어져 왔다. 여기에는 홉스테드의 모형, 홀의 모형, 클러크혼의 모형, 슈와르츠 모형 등이 있다.

(2) 홉스테드의 문화에 관한 종합평가 모형

① 의의

홉스테드(G. Hoftstede)는 전 세계적으로 10만 명이 넘는 IBM의 직원들을 대상으로 자료를 수집하여 각국의 문화적인 차이를 실증적으로 분석하였다. IBM의 40개국의 직원들의 성향을 분석해 본 결과 홉스테드는 문화적인 차이에 네 가지 차원이 있음을 발견하였다. 홉스테드 모형은 문화 속성을 권력거리(권력간격), 개인주의 – 집단주의, 불확실성 회피, 남성성 – 여성성의 차원으로 나눠 문화분류 기준으로 삼은 모형이다.

② 홉스테드의 문화에 관한 4가지 차원(홉스테드의 문화 모형)

㉠ 권력거리(권력간격)(power distance)

권력거리란 권력과 부의 불평등한 배분 상태를 수용하는 정도를 의미한다.

권력거리가 큰 문화	권력과 부의 불균등이 확대되는 추세를 보임
권력거리가 작은 문화	권력과 부의 격차를 가능하면 줄이려는 성향을 보임

㉡ 개인주의와 집단주의적 성향(individualism vs collectivism)

개인주의와 집단주의적 성향이란 구성원들이 얼마나 개인주의적인지 또는 집단주의적인지 그 성향의 정도를 의미한다.

개인주의적인 사회	개인 간의 연계가 느슨하며 개인의 성취와 자유가 높게 평가됨
집단주의적인 사회	개인 간의 관계가 밀접하게 연계되어 있음

---

59) 문화는 현지 마케팅에 큰 영향을 미친다. 마케팅믹스 중 문화의 영향을 많이 받는 것을 순서대로 나열하면 촉진> 제품> 유통> 가격의 순이다.

ⓒ 불확실성의 회피(uncertainty avoidance)

불확실성의 회피란 사회 구성원들이 모호한 상황이나 불확실성을 용인하는 정도를 의미한다.

회피성향이 높은 문화	직업안정성이나 직급의 승진패턴에 높은 가치를 부여하며 관리자들이 분명한 지시를 내려줄 것을 기대함
회피성향이 낮은 문화	변화에 대해 두려워하지 않으며 위험을 극복하려는 성향이 강함

ⓔ 남성다움과 여성다움(masculinity vs feminity)

남성다움과 여성다움이란 남성과 여성의 성의 역할이 어떻게 분담되고 있는지를 의미한다.

남성중심적인 문화	남녀 간의 역할분담이 이루어져 있고 성취감이나 자기주장, 물질적인 성공에 강한 선호를 나타냄 (경쟁과 성취에 더 높은 가치를 둠)
여성중심적인 문화	관계유지를 중요시하거나 구성원에 대해 배려해주는 경향, 삶의 질을 강조하는 면이 강하게 나타남 (복지와 화목에 더 높은 가치를 둠)

③ 홉스테드의 연구의 문제점

ⓐ 한 나라에는 여러 개의 문화가 존재하므로 한 나라에 매우 이질적인 문화가 혼재하는 경우 연구의 오류가 생길 수 있다.

ⓑ IBM의 종업원들을 연구 대상으로 하였으므로 그 표본이 일반화되기 어렵다.

ⓒ 홉스테드의 문화모형이 지나치게 서구적이라는 약점을 보완하기 위해 마이클 본드(Bond)는 장기지향성(long – term orientation)이라는 문화차원을 추가하였다. 장기지향성이란 우리나라, 중국, 일본 등 동아시아의 국가들이 역동적인 경제성장을 이룩한 것은 전통을 중시하고, 절약과 높은 저축률을 보이고, 희생정신이 높은 성향을 가지는 장기지향적인 문화 차원을 말한다. 장기지향성은 유교적 역동성(confucian dynamism)이라고도 한다.[60]

▌ 개인주의와 권력거리 차원에서 본 국가별 문화적 차이(예시) ▌

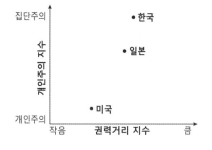

▌ 위험회피성향과 남성적 성향 차원에서 본 국가별 문화적 차이(예시) ▌

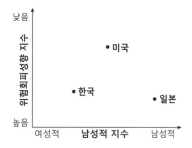

---

60) 홉스테드의 4가지 문화차원에 본드의 장기지향성(long – term orientation)/단기지향성(short – term orientation)을 합하여, '5가지 문화차원'이라고 부르기도 한다.

(3) 홀(Hall)의 문화모형

에드워드 홀(E. T. Hall)은 상이한 문화 배경에서 각 문화에 속하는 구성원이 상이하게 반응한 다고 전제하고, 각국의 문화를 의사소통방식에 따라 고배경 문화(고맥락 문화, high - context culture)와 저배경 문화(저맥락 문화, low - context culture)로 구분하였다.

고배경 문화	의사소통이 대화의 내용 자체보다는 환경, 상황, 관습, 경험, 비언어적 표현 등에 의존하는 문화를 말한다. 이런 문화 아래에서는 대화를 할 때 자세하게 설명을 하지 않아도 상대방이 자신의 메시지를 이해할 것이라고 가정하기 때문에, '배경'에 대한 암묵적 의미를 해석하는 더욱 중요하다. ㉠ 책임과 신뢰가 중요한 덕목이 되는 문화 ㉡ 관계 기반의 수의계약이 많은 문화
저배경 문화	의사소통이 대화의 내용 자체를 중요시하는 문화를 말한다. 이런 문화 아래에서는 대화를 할 때 최대한 자세하게 정보를 제공해야 상대방이 이해할 것이라고 가정하기 때문에, 명확한 정보의 교환이 이루어진다. ㉠ 법률적인 서류가 보증서 역할을 하는 문화 ㉡ 경쟁입찰을 강조하는 문화

(4) 클러크혼(Kluckhohn)의 문화모형

클러크혼(F. R. Kluckhohn)은 상이한 문화를 비교하기 위해서 다음과 같이 6가지 질문을 제시하였다. 클러크혼 모형은 인간과 자연과의 관계 기준, 인간본성 기준, 시간지향성 기준, 공간지향성 기준, 활동지향성 기준, 인간관계 기준 등 문화가 갖는 가치지향성을 기준으로 문화속성을 분류한 모형이다. '클러크혼과 스트로드백(Strodbeck) 문화모형'이라고도 한다.

인간의 본성	인간의 본성은 선한가, 악한가? 변하는가, 변하지 않는가?
인간과 자연의 관계	인간은 자연을 지배할 수 있나, 없나?
인간관계	개인주의적인가, 집단주의적인가, 권위주의적인가?
활동양식	정적인가, 동적(목표달성을 위해 끊임없이 달려감)인가?
시간지향성	과거 지향적인가, 현재 지향적인가, 미래 지향적인가?
공간지향성	공간을 사적으로 이용하는 것을 좋아하나, 공적으로 이용하는 것을 좋아하나? (예 미국인들은 폐쇄적 장소에서 회의하기를 좋아함)

(5) 슈와르츠(Schwartz) 모형

인간이 가지는 가치를 보수주의와 자율성, 계층주의와 평등주의, 정복과 조화 등으로 구분하여 각국 문화를 설명한 모형이다.

CHAPTER 4 실전문제

01 일반적으로 기업의 시장확대전략은 시장다각화 전략과 시장집중화 전략으로 구분할 수 있다. 시장다각화 전략의 선택요인이 아닌 것은?
☐☐☐

① 시장성장률이 낮은 경우
② 판매의 안정성이 높은 경우
③ 경쟁기업의 반응이 단기에 나타나는 경우
④ 제품과 의사소통의 적응 필요성이 낮은 경우

답 ②

기업이 다각화 전략을 채택하는 이유는 무엇보다도 '안정성'을 확보하기 위해서이다. 경기변동에 대한 안정성을 확보하고, 자원(재료) 공급의 안정성을 확보하기 위해서 시장 다각화 전략을 채택한다. 판매의 안정성이 이미 높다면 기업은 시장 다각화 전략을 세울 필요가 없을 것이다.

02 해외시장 선점에 필요한 수개의 중요한 요인을 우선 선정하고, 이를 점수화하여 해당 요인들을 충족하는 시장에 우선적으로 진출하는 방법으로서 진입가능한 국가와 불가능한 국가를 결정하는 가장 기본적인 요인으로 다수의 국가를 일차적으로 탈락시키는 방식의 목표시장 선택기법은 무엇인가?
☐☐☐

① 시장포트폴리오 기법   ② 델파이 기법
③ 기회 – 위험 매트릭스 기법   ④ 그리드 기법

답 ④

그리드 기법은 해외시장 선점에 필요한 수개의 중요한 요인을 우선 선정하고, 이를 점수화하여 해당 요인들을 충족하는 시장에 우선적으로 진출하는 방법이다. 그리드 기법에서는 진입가능과 불가능을 결정하는 가장 기본적인 요인으로 다수의 국가를 일차적으로 탈락시켜 예상국가를 줄여나가게 된다.

03 해외시장을 선택함에 있어 국가의 매력도와 자사의 경쟁력을 토대로 4가지의 전략유형을 제시하는 목표시장 선택방법은?

① 시장포트폴리오 기법　　　　　　② 기회 - 위험 매트릭스 기법
③ 그리드 기법　　　　　　　　　　④ 델파이 기법

답 ①

시장포트폴리오 기법은 여러 시장에서 사업을 하고 있는 기업이 한정된 자원을 각 시장에 어떻게 효율적으로 배분할 것인가를 나타내주는 의사결정 기법 중의 하나이다. 이 기법에서는 '국가의 매력도'와 '자사의 경쟁력'을 토대로 4가지의 전략유형을 제시하고 있다.

04 시장포트폴리오 기법에 의하여 목표시장을 선택하는 경우, 투자대상 국가의 매력도는 높으나 자사의 경쟁력은 낮을 때 취해야 하는 전략은?

① 투자 · 성장 전략　　　　　　　　② 지배 · 합작 전략
③ 선택 전략　　　　　　　　　　　④ 수확 · 철수 전략

답 ②

지배 · 합작 전략: 투자대상 국가의 매력도는 높고, 자사의 경쟁력은 낮을 때

✓ **선지분석**
① 투자 · 성장 전략: 투자대상 국가의 매력도가 높고, 자사의 경쟁력도 높을 때
③ 선택 전략: 투자대상 국가의 매력도와 자사의 경쟁력이 모두 중간 수준일 때
④ 수확 · 철수 전략: 투자대상 국가의 매력도가 낮고, 자사의 경쟁력도 낮을 때

05 해외시장에 진출하는 경우 표준화 전략을 채택하는 이유가 아닌 것은?

① 제품표준화로 단위당 생산비를 감소시켜 대량생산의 경제성을 활용하기 위해서
② 표준화된 광고, 판매원훈련, 브로셔 인쇄 등으로 마케팅 비용을 낮추기 위해서
③ 국가 간 이동이 많은 소비자들의 상표충성도(brand loyalty)를 활용하기 위해서
④ 현지 소비자의 소비패턴과 가격민감도에 따라 전략을 변화시키기 위해서

답 ④

표준화 전략이란 다국적 기업이 이익의 증대를 위해서 범세계적인 통일된 시스템을 유지하고 해외 자회사들의 활동을 통합하는 전략이다. 표준화 전략은 ①~③과 제품표준화로 단위당 생산비를 감소시켜 대량생산의 경제성을 활용하기 위해서 채택한다. 현지 소비자의 소비패턴과 가격민감도에 따라 전략을 변화시키기 위해서는 적응화 전략을 채택해야 한다.

06 현지적응화(adaptation)를 추진하는 이유로 보기 어려운 것은?

① 제품의 기능이 유사하여도 그것이 사용되는 상황은 다를 수 있다.
② 수요의 이질성이 심화되어 표준화전략의 한계를 나타냈다.
③ 현지적응화 전략이 표준화전략보다 기업에게 더 많은 이익을 보장해준다.
④ 마케팅전략의 표준화는 현지국 정부에 의해 제약을 받을 가능성이 높다.

답 ③

현지적응화 전략이 표준화전략보다 기업에게 더 많은 이익을 보장해 주지는 않는다. 해외 진출 시 표준화 전략이 적합할 때가 있고, 적응화 전략이 적합할 때가 있다. 어느 전략이 더 유리하거나 수익성이 높다고 말할 수는 없다.

07 수출, 라이센싱, 해외직접투자 등 세 가지 대표적인 해외시장 진입방법에 따른 비용항목과 그 변동 추이에 대한 예상을 중심으로 이를 수식화하여 해외시장 진입방법을 선택하는 모형은?

① 러그만(Rugman)의 단순모형
② 허쉬(Hirsch)의 최소비용 모형
③ 루트(Root)의 점진적 학습과정 모형
④ 더닝(Dunning)의 절충 모형

답 ②

허쉬(Hirsch)의 최소비용 모형은 본국에서의 생산비, 현지국에서의 생산비, 수출마케팅비용, 외국비용, 라이센싱으로 인한 기술적 우위의 잠식과 관련된 비용 등을 종합적으로 고려하여 진입방법을 선택하는 모형이다. 최소비용에 따라 수출, 라이센싱, 해외직접투자 방식을 선택하게 된다.

08 보스턴 컨설팅 그룹이 개발한 BCG 포트폴리오 매트릭스에 의할 때, 점유율은 높지만 성장률은 낮은 사업을 무엇이라 하는가?

① Question Mark
② Star
③ Dog
④ Cash Cow

답 ④

자금 젖소(Cash Cow): 점유율은 높지만 성장률은 낮은 사업

✅ **선지분석**

① 물음표(Question Mark): 점유율은 낮으나 성장률이 높은 사업
② 별(Star): 점유율과 성장률이 모두 높은 사업
③ 개(Dog): 점유율과 성장률이 모두 낮은 사업

09 □□□ **정치적 위험(political risk)에 대한 설명으로 옳지 않은 것은?**

① 정치적 위험은 정치적사건 또는 현지정부의 정책변화로 발생하는 위험을 말하며, 경제적 · 사회적 요인에 의하여 발생하는 위험은 포함되지 않는다.
② 급작스러운 기업환경의 변화를 초래하는 불연속성을 가진다.
③ 정치적인 변화에 대한 예측이 어려우므로 불확실성을 가지고 있다.
④ 국제기업의 활동이나 투자자산 또는 수익성 등에 영향을 미친다.

답 ①

정치적 위험(political risk)이란 컨트리 리스크의 일종으로 기업이 정상적인 시장 활동으로 인해 야기되는 위험 이외의 비시장요인에 의해 발생되는 위험을 말한다. 정치적 위험은 예기치 않은 정치적 사건이나 현지정부의 정책변화로 발생하며, 각종 경제적, 사회적 요인에 의하여 발생하기도 한다.

10 □□□ **정치적 위험에 관한 설명으로서 옳지 않은 것은?**

① 경제적인 정치위험과 사회적인 정치위험으로도 분류할 수 있다.
② 현지투자 확정시점에서 예측가능한 정치적 변화는 정치적 위험에 포함시킬 필요가 없다.
③ 기업에 유리한 영향을 미치는 정치적 변화는 정치적 위험으로 분류할 수 없다.
④ 정치적 위험은 어떠한 형태로든 기업의 수익에 영향을 미치는 것이어야 한다.

답 ③

정치적인 변화가 예측하기 어려웠던 상황에서 국제기업의 활동이나 투자자산 또는 수익성 등에 영향을 미칠 때에야 이를 비로소 정치적 위험으로 간주하게 된다. 기업에 유리하든 불리하든 예측하기 어려운 변동이 수익성 등에 영향을 미치면 정치적 위험으로 본다.

11 □□□ **국제경영상 정치적 위험을 분석하고 평가하기 위해서 학자, 외교관 등 관계전문가로부터 전문적인 자문을 구하는 방법은?**

① grand tours
② old hands
③ quantitative models
④ check list method

답 ②

전문가의 자문이란 정치적 위험을 평가하기 위해서 다국적 기업 경영자나 외교관 등 분야 전문가(old hands)를 특별고문으로 고용하여 이들의 전문지식이나 경험을 활용하는 방법이다.

12
□□□ 미래환경에 대한 예측 또는 시나리오를 주고 설문형태로 작성하여 전문가들로부터 개별적인 의견을 수집하고, 이 결과를 요약하여 다시 전문가들에게 피드백함으로써 의견을 수정할 기회를 주고 다시 종합하여 최종적인 예측을 하는 환경예측기법은?

① 델파이 방법   ② 체크리스트 방법
③ 전문가 자문   ④ 전문기관지표 이용법

답 ①

델파이 방법(Delphi Techniques)이란 미래환경에 대한 예측 또는 시나리오를 주고 설문형태로 작성하여 전문가들로부터 개별적인 의견을 수집하고, 이 결과를 요약하여 다시 전문가들에게 피드백함으로써 의견을 수정할 기회를 주고 다시 종합하여 최종적인 예측을 하는 환경예측기법이다.

13
□□□ 주로 현지국 방문 및 현지인들과의 면담에 의해 정치적 위험을 측정하는 기법은?

① Grand tours   ② Quantitative models
③ Old hands   ④ Delphi Techniques

답 ①

현지방문(grand tours)이란 직접 현지국을 방문하여 현지의 정치, 경제, 사회 등의 환경을 조사하여 정치적 위험을 분석하는 방법이다. 주로 현지인들과의 면담으로 이루어지며, 수집된 정보가 체계적이지 못하다는 단점이 있다.

14
□□□ 글로벌 소싱(sourcing)에서의 기본적인 의사결정 요소가 아닌 것은?

① 내부소싱 또는 외부소싱의 문제   ② 단일소싱 또는 복수소싱의 문제
③ 현지소싱 또는 해외소싱의 문제   ④ 임의소싱 또는 강제소싱의 문제

답 ④

①, ②, ③은 그 효율성의 문제를 따라서 소싱 방식을 결정하지만, ④는 소싱에 있어 의사결정 요소가 아니다.

15 국제인사관리에서 현지인 채용 시 발생할 수 있는 단점으로 옳지 않은 것은?

① 본사의 기업목표나 업무수행방식에 대한 이해 부족

② 국제기업의 이익보다 현지국의 이익을 우선시하는 경향

③ 본사의 제품이나 관리기법에 대한 지식 부족

④ 업무의 계속성 유지 불가능

답 ④

현지인은 현지 거주가 가능하므로 업무의 계속성을 유지할 수 있다.

16 개도국 자회사에 대한 국제인사관리에서 현지인을 채용하여 경영활동을 수행할 경우의 장점으로 옳지 않은 것은?

① 모국인을 현지에 파견하는 경우보다 저렴한 노동력으로 현지인을 고용할 수 있다.

② 기술적인 능력 또는 지식이 파견된 모국인보다 풍부하여 업무의 효율성을 높일 수 있다.

③ 현지인은 현지 거주가 계속 가능하므로 업무의 지속성을 유지할 수 있다.

④ 현지인은 현지의 언어와 문화에 익숙하므로 의사소통과 문화적 이질감에 대한 문제점이 제거될 수 있다.

답 ②

현지인이 무조건 모국인보다 기술적 능력이나 지식이 풍부하다고 볼 수는 없다. 오히려 현지인은 회사나 상품에 대한 지식이 부족한 경우가 많다.

17 국제적인 기업경영에 있어 임파워먼트(empowerment) 전략이 적합한 현지 채용인력에 대한 교육훈련 분야는 무엇인가?

① 기본직능교육

② 현지핵심인력교육

③ 기업문화교육

④ 본국연수교육

답 ②

현지핵심인력을 교육하기 위해서는 임파워먼트(empowerment) 전략을 사용한다. 임파워먼트의 핵심은 유능한 현지인들을 개발하고 이들에 대한 집중교육을 통하여 핵심 경영인력으로 육성한 다음 이들에게 권한을 위임하는 것이다.

18

□□□ 국가 간 문화적 차이에 대한 홉스테드의 연구에 있어 문화적 차이의 4가지 차원에 해당하지 않는 것은?

① 남성다움과 여성다움　　　　② 불확실성의 회피
③ 구성원의 도덕성　　　　　　④ 권력거리

답 ③

홉스테드는 문화를 다음의 네 가지 차원으로 구분하였다.
1. 권력거리가 큰 문화 vs 권력거리가 작은 문화
2. 개인주의적인 사회 vs 집단주의적인 사회
3. 불확실성의 회피성향이 높은 문화 vs 불확실성의 회피성향이 낮은 문화
4. 남성 중심적인 문화 vs 여성 중심적인 문화

19

□□□ 홀(Hall)의 문화모형은 상이한 문화 배경에서 각 문화에 속하는 구성원이 상이하게 반응한다고 전제하고, 각국의 문화를 의사소통방식에 따라 두 가지로 구분하였는데, 그 두 가지는 무엇인가?

① 고배경 문화와 저배경 문화
② 개인주의 문화와 집단주의 문화
③ 권력간격이 높은 문화와 권력간격이 낮은 문화
④ 불확실성 회피가 강한 문화와 불확실성 회피가 낮은 문화

답 ①

홀(E. T. Hall)은 상이한 문화 배경에서 각 문화에 속하는 구성원이 상이하게 반응한다고 전제하고, 각국의 문화를 의사소통방식에 따라 고배경 문화(high-context culture)와 저배경 문화(low-context culture)로 구분하였다.

gosi.Hackers.com

부록

01 신용장 통일규칙 제6차 개정(UCP 600)

The Uniform Customs and Practice for Documentary Credits, 2007 Revision, ICC Publication no. 600 ("UCP")

Article 1 Application of UCP

The Uniform Customs and Practice for Documentary Credits, 2007 Revision, ICC Publication no. 600 ("UCP") are rules that apply to any documentary credit ("credit") (including, to the extent to which they may be applicable, any standby letter of credit) when the text of the credit expressly indicates that it is subject to these rules. They are binding on all parties thereto unless expressly modified or excluded by the credit.

Article 2 Definitions

For the purpose of these rules :

Advising bank means the bank that advises the credit at the request of the issuing bank.

Applicant means the party on whose request the credit is issued.

Banking day means a day on which a bank is regularly open at the place at which an act subject to these rules is to be performed.

Beneficiary means the party in whose favour a credit is issued.

Complying presentation means a presentation that is in accordance with the terms and conditions of the credit, the applicable provisions of these rules and international standard banking practice.

Confirmation means a definite undertaking of the confirming bank, in addition to that of the issuing bank, to honour or negotiate a complying presentation.

Confirming bank means the bank that adds its confirmation to a credit upon the issuing bank's authorization or request.

Credit means any arrangement, however named or described, that is irrevocable and thereby constitutes a definite undertaking of the issuing bank to honour a complying presentation.

제1조 UCP 적용

국제상업회의소 간행물 제600호에 의한 2007년 개정 화환신용장 통일규칙 및 관행은 신용장 본문에서 이 규칙이 적용됨을 명백하게 표시한 경우 모든 화환신용장(이하 '신용장'이라 한다)(적용가능한 범위 내에서 보증신용장을 포함)에 적용되는 규칙이다. 이 규칙은 신용장상에서 명시적으로 수정되거나 배제되지 아니하는 한 (신용장 거래의) 모든 관계 당사자를 구속한다.

제2조 정의

이 규칙의 목적상 :

통지은행은 개설은행의 요청에 따라 신용장을 통지하는 은행을 의미한다.

개설의뢰인은 신용장 개설을 요청한 당사자를 의미한다.

은행영업일은 이 규칙에 따라 업무가 이루어지는 장소에서 은행이 정상적으로 영업을 하는 날을 의미한다.

수익자는 개설된 신용장에 의한 혜택(이익)을 받는 당사자를 의미한다.

일치하는 제시란 신용장 제조건, 이 규칙의 적용가능한 조항과 국제표준은행관행(ISBP)에 따른 제시를 의미한다.

확인이란 일치하는 제시에 대하여 결제 또는 매입하겠다는 개설은행의 확약에 추가하여 확인은행이 확약하는 것을 의미한다.

확인은행이란 개설은행의 권한부여(수권)와 요청에 따라 신용장에 확인을 추가하는 은행을 의미한다.

신용장이란 어떤 명칭을 사용하였든 어떻게 묘사(기술)되었든 간에 일치하는 제시에 대하여 취소불능으로 개설은행이 결제(일람후지급, 인수후지급, 연지급 확약)하겠다는 확약을 구성하는 약정을 의미한다.

Honour means:

a. to pay at sight if the credit is available by sight payment.

b. to incur a deferred payment undertaking and pay at maturity if the credit is available by deferred payment.

c. to accept a bill of exchange ("draft") drawn by the beneficiary and pay at maturity if the credit is available by acceptance.

Issuing bank means the bank that issues a credit at the request of an applicant or on its own behalf.

Negotiation means the purchase by the nominated bank of drafts (drawn on a bank other than the nominated bank) and/or documents under a complying presentation, by advancing or agreeing to advance funds to the beneficiary on or before the banking day on which reimbursement is due to the nominated bank.

Nominated bank means the bank with which the credit is available or any bank in the case of a credit available with any bank.

Presentation means either the delivery of documents under a credit to the issuing bank or nominated bank or the documents so delivered.

Presenter means a beneficiary, bank or other party that makes a presentation.

Article 3 Interpretations

For the purpose of these rules:
Where applicable, words in the singular include the plural and in the plural include the singular.

A credit is irrevocable even if there is no indication to that effect.

A document may be signed by handwriting, facsimile signature, perforated signature, stamp, symbol or any other mechanical or electronic method of authentication.

A requirement for a document to be legalized, visaed, certified or similar will be satisfied by any signature, mark, stamp or label on the document which appears to satisfy that requirement.

결제란 다음을 말한다.

a. 만약 신용장이 일람지급을 약정하였다면 일람출급으로 지급하는 것.

b. 만약 신용장이 연지급을 약정하였다면 연지급확약을 하고 만기에 대금을 지급하는 것.

c. 만약 신용장이 인수를 약정하였다면 수익자가 발행한 환어음을 인수하고 만기에 대금을 지급하는 것.

개설은행은 개설의뢰인의 신청에 의해 또는 그 자신을 위하여 신용장을 개설하는 은행을 의미한다.

매입이란 지정은행이 대금상환을 받은 날짜 또는 그 전에 일치하는 제시하의 (지정은행 이외의 은행이 지급인인) 환어음 및/또는 서류에 대하여 수익자에게 대금을 지급하거나 대금지급에 동의함으로써 매수하는 것을 의미한다.

지정은행이란 지급·인수 또는 매입할 수 있도록 신용장에서 권한을 받은 은행을 의미하며, 자유매입신용장에서는 어떤 은행이라도 지정은행이 된다.

제시란 개설은행 또는 지정은행에 신용장(조건)에 따라 서류를 인도하는 행위 또는 그렇게 인도하는 서류 자체를 의미한다.

제시인이란 수익자 또는 제시를 하는 은행 또는 다른 당사자를 의미한다.

제3조 해석

이 규칙의 목적상:
적용 가능한 경우, 단수형의 단어는 복수형의 단어를 포함하고, 복수형의 단어는 단수형의 단어를 포함한다.

신용장은 취소불능의 표시가 없는 경우에도 취소불능이다.

서류는 자필수기, 팩시밀리서명, 천공서명, 스탬프, 상징 또는 그 밖의 기계식 또는 전자식 인증방법에 의하여 서명될 수 있다.

공인된, 사증된, 증명된 또는 이와 유사한 서류의 요건은 그 요건을 충족하는 것으로 나타나는 서류상의 모든 서명, 표시, 스탬프 또는 라벨에 의하여 충족될 수 있다.

Branches of a bank in different countries are considered to be separate banks.

Terms such as "first class", "well known", "qualified", "independent", "official", "competent" or "local" used to describe the issuer of a document allow any issuer except the beneficiary to issue that document.

Unless required to be used in a document, words such as "prompt", "immediately" or "as soon as possible" will be disregarded.

The expression "on or about" or similar will be interpreted as a stipulation that an event is to occur during a period of five calendar days before until five calendar days after the specified date, both start and end dates included.

The words "to", "until", "till", "from" and "between" when used to determine a period of shipment include the date or dates mentioned, and the words "before" and "after" exclude the date mentioned.

The words "from" and "after" when used to determine a maturity date exclude the date mentioned.

The terms "first half" and "second half" of a month shall be construed respectively as the 1st to the 15th and the 16th to the last day of the month, all dates inclusive.

The terms "beginning", "middle" and "end" of a month shall be construed respectively as the 1st to the 10th, the 11th to the 20th and the 21st to the last day of the month, all dates inclusive.

Article 4 Credits v. Contracts

a. A credit by its nature is a separate transaction from the sale or other contract on which it may be based. Banks are in no way concerned with or bound by such contract, even if any reference whatsoever to it is included in the credit.
Consequently, the undertaking of a bank to honour, to negotiate or to fulfil any other obligation under the credit is not subject to claims or defences by the applicant resulting from its relationships with the issuing bank or the beneficiary.
A beneficiary can in no case avail itself of the contractual relationships existing between banks or between the applicant and the issuing bank.

다른 국가에 소재하는 같은 은행의 지점은 독립된 다른 은행으로 간주된다.

"일류의", "저명한", "자격 있는", "독립적인", "공적인", "능력 있는" 또는 "현지의"라는 용어가 서류 발행자를 명시하는 것으로 사용되었다면 수익자 이외의 자는 어떤 자라도 서류를 발행하는 것이 허용된다.

서류에 사용되는 것으로 요구되지 않았다면 "신속하게", "즉시" 또는 "가능한 한 빨리"라는 단어는 무시된다.

"on or about" 또는 이와 유사한 표현은 사건이 명시된 일자 이전의 5일부터 그 이후의 5일까지의 기간 동안에 발생하는 약정으로서 초일 및 종료일을 포함하는 것으로 해석된다.

"to", "until", "till", "from"이라는 단어가 선적기간을 결정하기 위하여 사용될 때에는 언급된 일자를 포함하고, "before"와 "after"는 언급된 일자를 제외한다.

"from"과 "after"라는 단어가 만기일을 결정하기 위하여 사용될 때에는 언급된 일자를 제외한다.

어느 달의 "전반"과 "후반"이라는 단어는 각각 해당 월의 1일부터 15일까지, 16일부터 말일까지로 하고, 양끝의 일자를 포함하는 것으로 해석된다.

어느 달의 "초", "중", "말"이라는 단어는 각각 해당 월의 1일부터 10일, 11일부터 20일, 21일부터 말일까지로 하고, 양끝의 일자를 포함하는 것으로 해석된다.

제4조 신용장과 계약

a. 신용장은 본질적으로 매매계약 또는 다른 계약에 근거를 두고 있더라도 그와는 독립적인 거래이다.
은행은 신용장에 그러한 계약에 대한 언급이 있더라도 그러한 계약과 아무런 관계가 없으며 또한 구속되지 않는다.
따라서 신용장에 의한 지급·인수, 매입 또는 다른 의무이행은 개설은행과 개설의뢰인 또는 수익자와 개설의뢰인 간의 관계에서 일어난 개설의뢰인에 의한 클레임이나 항변의 구속을 받지 않는다.
수익자는 어떠한 경우에도 은행 간 또는 개설의뢰인과 개설은행 간의 계약관계를 원용할 수 없다.

b. An issuing bank should discourage any attempt by the applicant to include, as an integral part of the credit, copies of the underlying contract, proforma invoice and the like.

Article 5 Documents v. Goods, Services or Performance

Banks deal with documents and not with goods, services or performance to which the documents may relate.

Article 6 Availability, Expiry Date and Place for Presentation

a. A credit must state the bank with which it is available or whether it is available with any bank. A credit available with a nominated bank is also available with the issuing bank.

b. A credit must state whether it is available by sight payment, deferred payment, acceptance or negotiation.

c. A credit must not be issued available by a draft drawn on the applicant.

d. i . A credit must state an expiry date for presentation. An expiry date stated for honour or negotiation will be deemed to be an expiry date for presentation.

ii . The place of the bank with which the credit is available is the place for presentation. The place for presentation under a credit available with any bank is that of any bank. A place for presentation other than that of the issuing bank is in addition to the place of the issuing bank.

e. Except as provided in sub – article 29 (a), a presentation by or on behalf of the beneficiary must be made on or before the expiry date.

Article 7 Issuing Bank Undertaking

a. Provided that the stipulated documents are presented to the nominated bank or to the issuing bank and that they constitute a complying presentation, the issuing bank must honour if the credit is available by:

i . sight payment, deferred payment or acceptance with the issuing bank;

ii . sight payment with a nominated bank and that nominated bank does not pay;

---

b. 개설은행은 신용장의 필수적인 부분으로써 근거계약의 사본, 견적송장 등을 포함시키고자 하는 개설의뢰인의 어떠한 시도도 하지 못하게 해야 한다.

제5조 서류 대 물품, 용역, 의무이행

은행은 서류로 거래하는 것이며 그 서류가 관계된 물품, 용역, 의무이행으로 거래하는 것은 아니다.

제6조 이용가능, 유효기일, 제시장소

a. 신용장은 그것이 이용가능한 은행을 명시하여야 하며, 그렇지 않다면 그 신용장이 어떤 은행에서도 이용될 수 있다는 것을 명시하여야 한다. 지정은행에서 이용할 수 있는 신용장은 또한 개설은행에서도 이용할 수 있다.

b. 신용장은 그것이 일람지급, 연지급, 인수 또는 매입에 이용될 수 있다는 것을 명시하여야 한다.

c. 신용장은 개설의뢰인을 지급인으로 하는 환어음이 사용되도록 개설되어서는 안 된다.

d. i . 신용장은 제시를 위한 유효기일을 명시하여야 한다. 결제 및 매입을 위하여 명시된 유효기일은 제시를 위한 유효기일로 간주된다.

ii . 신용장을 이용할 수 있는 은행의 장소란 (서류) 제시를 위한 장소이다. 어떤 은행에서도 이용 가능한 신용장에서의 제시 장소는 어떤 은행의 장소이어도 상관없다. 개설은행의 장소 이외의 장소가 제시 장소라면, (그것은) 개설은행의 장소에 추가한 것이다.

e. 제29조 (a)항의 경우를 제외하고 수익자에 의한 또는 수익자를 대리하는 제시는 유효기일 또는 유효기일 이전에 행해져야 한다.

제7조 개설은행의 약정

a. 만약 신용장이 다음과 같이 이용될 수 있다면 신용장에서 요구된 서류가 지정은행 또는 개설은행에 제시되고 그것이 일치하는 제시가 된다면 개설은행은 결제할 의무가 있다.

i . 개설은행에서 일람지급, 연지급 또는 인수에 이용될 수 있다면

ii . 지정은행에서 일람지급에 이용될 수 있으나 지급은행이 지급하지 않는다면

<table>
<tr><td>

iii. deferred payment with a nominated bank and that nominated bank does not incur its deferred payment undertaking or, having incurred its deferred payment undertaking, does not pay at maturity;

iv. acceptance with a nominated bank and that nominated bank does not accept a draft drawn on it or, having accepted a draft drawn on it, does not pay at maturity;

v. negotiation with a nominated bank and that nominated bank does not negotiate.

b. An issuing bank is irrevocably bound to honour as of the time it issues the credit.

c. An issuing bank undertakes to reimburse a nominated bank that has honoured or negotiated a complying presentation and forwarded the documents to the issuing bank. Reimbursement for the amount of a complying presentation under a credit available by acceptance or deferred payment is due at maturity, whether or not the nominated bank prepaid or purchased before maturity. An issuing bank's undertaking to reimburse a nominated bank is independent of the issuing bank's undertaking to the beneficiary.

</td><td>

iii. 지정은행에서 연지급약정에 이용될 수 있으나 지정은행이 연지급약정을 하지 않거나 연지급약정을 하였으나 만기에 지급하지 않는다면

iv. 지정은행에서 인수에 이용될 수 있으나 지정은행이 지정은행을 지급인으로 한 환어음을 인수하지 않거나 그 환어음을 인수하였으나 만기에 지급하지 않는다면

v. 지정은행에서 매입에 이용될 수 있으나 지정은행이 매입하지 않는다면

b. 개설은행은 신용장을 개설하는 시점부터, 취소불능으로 결제할 의무를 가진다.

c. 개설은행은 일치하는 제시에 대하여 결제 또는 매입을 하고 그 서류를 개설은행에 송부한 지정은행에 신용장대금을 상환할 것을 약정한다. 인수 또는 연지급에 이용될 수 있는 신용장의 일치하는 제시에 대한 상환은 지정은행이 만기 이전에 선지급하거나 매입하였는지 여부에 관계없이 만기일에 이행되어야 한다. 개설은행의 지정은행에 대한 상환약정은 개설 은행의 수익자에 대한 약정의무로부터 독립적이다.

</td></tr>
</table>

Article 8 Confirming Bank Undertaking

a. Provided that the stipulated documents are presented to the confirming bank or to any other nominated bank and that they constitute a complying presentation, the confirming bank must:

  i. honour, if the credit is available by

    a. sight payment, deferred payment or acceptance with the confirming bank;

    b. sight payment with another nominated bank and that nominated bank does not pay;

    c. deferred payment with another nominated bank and that nominated bank does not incur its deferred payment undertaking or, having incurred its deferred payment undertaking, does not pay at maturity;

제8조 확인은행의 의무

a. 만약 신용장에서 요구된 서류가 확인은행 또는 다른 지정은행에 제시되고 그것이 일치된 제시가 되면 확인은행은 다음을 이행하여야 한다.

  i. 만약 신용장이 다음과 같이 이용될 수 있다면 결제할 의무가 있다.

    a. 확인은행이 일람지급, 연지급 또는 인수할 수 있는 경우

    b. 다른 지정은행에서 일람지급으로 이용될 수 있으나 그 지정은행이 지급하지 않는 경우

    c. 다른 지정은행에서 연지급으로 이용될 수 있으나 그 지정은행이 연지급확약을 부담하지 않거나 또는 연지급확약을 부담하였으나 만기에 대금을 지급하지 않는 경우

d. acceptance with another nominated bank and that nominated bank does not accept a draft drawn on it or, having accepted a draft drawn on it, does not pay at maturity;

e. negotiation with another nominated bank and that nominated bank does not negotiate.

    ii. negotiate, without recourse, if the credit is available by negotiation with the confirming bank.

b. A confirming bank is irrevocably bound to honour or negotiate as of the time it adds its confirmation to the credit.

c. A confirming bank undertakes to reimburse another nominated bank that has honoured or negotiated a complying presentation and forwarded the documents to the confirming bank. Reimbursement for the amount of a complying presentation under a credit available by acceptance or deferred payment is due at maturity, whether or not another nominated bank prepaid or purchased before maturity. A confirming bank's undertaking to reimburse another nominated bank is independent of the confirming bank's undertaking to the beneficiary.

d. If a bank is authorized or requested by the issuing bank to confirm a credit but is not prepared to do so, it must inform the issuing bank without delay and may advise the credit without confirmation.

Article 9 Advising of Credits and Amendments

a. A credit and any amendment may be advised to a beneficiary through an advising bank. An advising bank that is not a confirming bank advises the credit and any amendment without any undertaking to honour or negotiate.

b. By advising the credit or amendment, the advising bank signifies that it has satisfied itself as to the apparent authenticity of the credit or amendment and that the advice accurately reflects the terms and conditions of the credit or amendment received.

---

d. 다른 지정은행에서 인수로 이용될 수 있으나 그 지정 은행이 자행을 지급인으로 발행된 어음을 인수하지 않거나 또는 자행을 지급인으로 하여 발행된 환어음 을 인수하였으나 만기에 대금을 지급하지 않는 경우

e. 다른 지정은행에서 매입으로 이용될 수 있으나 그 지 정은행이 매입하지 않는 경우

    ii. 만약 신용장이 확인은행에서 매입으로 이용될 수 있다면 소구권(상환청구권) 없이 매입하여야 한다.

b. 확인은행은 신용장에 자행의 확인을 추가하는 시점부 터 취소불능으로 결제하거나 매입할 의무를 가진다.

c. 확인은행은 일치하는 제시에 대하여 결제 또는 매입 을 하고 서류를 확인은행에 송부한 지정은행에 신용 장대금을 상환하여야 한다. 인수 또는 연지급에 이용 될 수 있는 신용장의 일치하는 제시에 대한 상환은 다 른 지정은행이 만기 이전에 선지급하거나 매입하였 는지 여부에 관계없이 만기일에 이행되어야 한다. 확 인은행의 지정은행에 대한 상환약정은 확인은행의 수익자에 대한 약정으로부터 독립적이다.

d. 만약 어떤 은행이 개설은행으로부터 신용장을 확인 하도록 권한을 부여받거나 요청받았으나 이를 이행 할 용의가 없는 경우, 그 은행은 지체없이 개설은행에 그 사실을 통지하여야 하고 신용장을 확인하지 않고 통지할 수 있다.

제9조 신용장과 조건변경의 통지

a. 신용장 및 모든 조건변경은 통지은행을 통하여 수익 자에게 통지될 수 있다. 확인은행이 아닌 통지은행은 결제 또는 매입하겠다는 어떤 확약 없이 신용장 및 모 든 조건변경을 통지한다.

b. 신용장 또는 조건변경을 통지함으로써 통지은행은 그 자신이 신용장 또는 조건변경의 외견상 진정성에 관하여 스스로 충족하였다는 것과 그 통지가 수령된 신용장 또는 조건변경의 제 조건을 정확하게 반영하 고 있다는 것을 의미한다.

c. An advising bank may utilize the services of another bank ("second advising bank") to advise the credit and any amendment to the beneficiary. By advising the credit or amendment, the second advising bank signifies that it has satisfied itself as to the apparent authenticity of the advice it has received and that the advice accurately reflects the terms and conditions of the credit or amendment received.

d. A bank utilizing the services of an advising bank or second advising bank to advise a credit must use the same bank to advise any amendment thereto.

e. If a bank is requested to advise a credit or amendment but elects not to do so, it must so inform, without delay, the bank from which the credit, amendment or advice has been received.

f. If a bank is requested to advise a credit or amendment but cannot satisfy itself as to the apparent authenticity of the credit, the amendment or the advice, it must so inform, without delay, the bank from which the instructions appear to have been received. If the advising bank or second advising bank elects nonetheless to advise the credit or amendment, it must inform the beneficiary or second advising bank that it has not been able to satisfy itself as to the apparent authenticity of the credit, the amendment or the advice.

Article 10 Amendments

a. Except as otherwise provided by article 38, a credit can neither be amended nor cancelled without the agreement of the issuing bank, the confirming bank, if any, and the beneficiary.

b. An issuing bank is irrevocably bound by an amendment as of the time it issues the amendment. A confirming bank may extend its confirmation to an amendment and will be irrevocably bound as of the time it advises the amendment. A confirming bank may, however, choose to advise an amendment without extending its confirmation and, if so, it must inform the issuing bank without delay and inform the beneficiary in its advice.

c. 통지은행은 수익자에게 신용장 및 모든 조건변경을 통지하기 위하여 다른 은행(제2통지은행)의 서비스를 이용할 수 있다. 신용장 또는 조건변경을 통지함으로써 제2통지은행은 신용장의 외견상 진정성을 충족시키고 송부받은 신용장 또는 조건변경의 조건을 정확하게 반영하고 있다는 것을 보여준다.

d. 신용장을 통지하기 위하여 통지은행 또는 제2통지은행 서비스를 이용하는 은행은 그 신용장의 조건변경서를 통지하기 위하여 동일한 은행을 이용하여야 한다.

e. 어떤 은행이 신용장 또는 조건변경을 통지하도록 요청받았으나 그렇게 하지 않기로 하였다면 그 은행은 신용장, 조건변경 또는 통지를 송부한 은행에 지체없이 그 사실을 통지하여야 한다.

f. 만약 은행이 신용장 또는 조건변경을 통지하도록 요청받았으나 신용장, 조건변경 또는 통지의 외견상 진위성을 충족시킬 수 없다면 그 은행은 그 지시를 송부한 은행에 지체없이 그 사실을 통지하여야 한다. 그럼에도 불구하고 통지은행 또는 제2통지은행이 신용장 또는 조건변경을 통지하기로 하였다면 그 은행은 수익자 또는 제2통지은행에 신용장, 조건변경 또는 통지의 외견상 진위성을 충족시킬 수 없었다는 사실을 통지하여야 한다.

제10조 조건변경

a. 제38조에서 달리 규정한 경우를 제외하고는 신용장은 개설은행, (있는 경우) 확인은행 및 수익자의 동의 없이는 조건변경되거나 취소될 수 없다.

b. 개설은행은 조건변경서를 발행한 시점부터 취소불능으로 조건변경에 구속된다. 확인은행은 조건변경에 확인을 연장시킬 수 있고 조건변경을 통지한 시점으로부터 취소불능으로 구속된다. 그러나 확인은행은 조건변경에 확인을 연장하지 않고 통지하기로 할 수 있으며 그렇게 선택하였다면 개설은행에 지체없이 그 사실을 통지하여야 하고 조건변경을 통지할 때 수익자에게 그 사실을 통지하여야 한다.

c. The terms and conditions of the original credit (or a credit incorporating previously accepted amendments) will remain in force for the beneficiary until the beneficiary communicates its acceptance of the amendment to the bank that advised such amendment. The beneficiary should give notification of acceptance or rejection of an amendment. If the beneficiary fails to give such notification, a presentation that complies with the credit and to any not yet accepted amendment will be deemed to be notification of acceptance by the beneficiary of such amendment. As of that moment the credit will be amended.

d. A bank that advises an amendment should inform the bank from which it received the amendment of any notification of acceptance or rejection.

e. Partial acceptance of an amendment is not allowed and will be deemed to be notification of rejection of the amendment.

f. A provision in an amendment to the effect that the amendment shall enter into force unless rejected by the beneficiary within a certain time shall be disregarded.

Article 11
Teletransmitted and Pre-Advised Credits and Amendments

a. An authenticated teletransmission of a credit or amendment will be deemed to be the operative credit or amendment, and any subsequent mail confirmation shall be disregarded.

If a teletransmission states "full details to follow" (or words of similar effect), or states that the mail confirmation is to be the operative credit or amendment, then the teletransmission will not be deemed to be the operative credit or amendment. The issuing bank must then issue the operative credit or amendment without delay in terms not inconsistent with the teletransmission.

b. A preliminary advice of the issuance of a credit or amendment ("pre-advice") shall only be sent if the issuing bank is prepared to issue the operative credit or amendment. An issuing bank that sends a pre-advice is irrevocably committed to issue the operative credit or amendment, without delay, in terms not inconsistent with the pre-advice.

c. 원신용장 조건(또는 이전에 수락된 조건변경이 있는 신용장 조건)은 수익자가 조건변경을 통지한 은행에 조건변경의 수락을 통지할 때까지 수익자에게 유효하다. 수익자는 조건변경의 수락 또는 거절을 통지하여야 한다. 만약 수익자가 그러한 통지를 하지 않고 신용장과 아직 수락되지 않은 조건변경에 일치되게 제시하는 것은 수익자가 그러한 조건변경에 수락의 통지를 이행하는 것으로 간주한다. 그 순간부터 신용장은 조건변경된다.

d. 조건변경을 통지하는 은행은 조건변경을 송부한 은행에 조건변경의 수락 또는 거절의 모든 사실을 통지하여야 한다.

e. 조건변경의 부분적 수락은 허용되지 않으며 조건변경에 대한 거절 통지로 간주된다.

f. 만약 수익자가 어떤 시점 내에 조건변경을 거절하지 않았다면 조건변경이 유효하게 성립된다는 조건은 무시되어야 한다.

제11조
전신과 사전통지된 신용장과 조건변경

a. 진정성이 확인된 신용장 또는 조건변경의 전신은 유효한 신용장 또는 조건변경으로 간주된다. 그리고 어떠한 추가적인 우편확인서도 무시되어야 한다.

만약 전신에 "상세한 명세가 송부됨" 또는 우편확인서가 유효한 신용장 또는 조건변경이라는 것이 명시되어 있다면 전신은 유효한 신용장 또는 조건변경으로 간주되지 않는다. 그러한 경우 개설은행은 지체없이 전신과 불일치하지 않는 조건으로 유효한 신용장 또는 조건변경을 발행하여야 한다.

b. 신용장 또는 조건변경 발행의 사전통지는 개설은행이 유효한 신용장 또는 조건변경을 발행할 준비가 된 경우에만 송부하여야 한다. 사전통지를 보낸 개설은행은 최소불능으로 사전통지와 불일치하지 않는 조건으로 지체없이 유효한 신용장 또는 조건변경을 발행하여야 한다.

Article 12 Nomination

a. Unless a nominated bank is the confirming bank, an authorization to honour or negotiate does not impose any obligation on that nominated bank to honour or negotiate, except when expressly agreed to by that nominated bank and so communicated to the beneficiary.

b. By nominating a bank to accept a draft or incur a deferred payment undertaking, an issuing bank authorizes that nominated bank to prepay or purchase a draft accepted or a deferred payment undertaking incurred by that nominated bank.

c. Receipt or examination and forwarding of documents by a nominated bank that is not a confirming bank does not make that nominated bank liable to honour or negotiate, nor does it constitute honour or negotiation.

Article 13
Bank‐to‐Bank Reimbursement Arrangements

a. If a credit states that reimbursement is to be obtained by a nominated bank ("claiming bank") claiming on another party ("reimbursing bank"), the credit must state if the reimbursement is subject to the ICC rules for bank‐to‐bank reimbursements in effect on the date of issuance of the credit.

b. If a credit does not state that reimbursement is subject to the ICC rules for bank‐to‐bank reimbursements, the following apply:

  ⅰ. An issuing bank must provide a reimbursing bank with a reimbursement authorization that conforms with the availability stated in the credit. The reimbursement authorization should not be subject to an expiry date.

  ⅱ. A claiming bank shall not be required to supply a reimbursing bank with a certificate of compliance with the terms and conditions of the credit.

  ⅲ. An issuing bank will be responsible for any loss of interest, together with any expense incurred, if reimbursement is not provided on first demand by a reimbursing bank in accordance with the terms and conditions of the credit.

제12조 지정

a. 만약 지정은행이 확인은행이 아니라면 지정은행이 지급·인수 또는 매입할 것을 명백하게 동의하고 그것을 수익자에게 통지한 경우를 제외하고는 지급·인수 또는 매입에 대한 수권은 지정은행이 지급·인수 또는 매입할 의무를 부과하지 않는다.

b. 어떤 은행이 환어음을 인수하거나 연지급약정서를 발행하도록 지정하였다면 개설은행은 지정은행이 선지급하거나 또는 지정은행이 인수한 어음 또는 발행한 연지급약정서를 매입하도록 권한을 부여한 것이다.

c. 확인은행이 아닌 지정은행이 서류를 수취하거나 또는 심사 후 서류를 전달하는 것은 지정은행이 지급·인수 또는 매입할 의무를 부과하는 것이 아니며 그것이 지급·인수 또는 매입을 구성하지도 않는다.

제13조
은행간 대금상환약정

a. 만약 신용장이 지정은행이 다른 당사자(상환은행)에게 청구하여 대금상환을 받도록 명시하였다면 신용장에 상환이 신용장 개설일로부터 은행간 대금상환에 대한 국제상업회의소 규칙의 적용을 받는다는 사실을 명시하여야 한다.

b. 만약 신용장에 상환이 은행간 대금상환에 대한 국제상업회의소 규칙의 적용을 받는다는 사실을 명시하지 않았다면 다음과 같이 적용된다.

  ⅰ. 개설은행은 신용장에 명시된 이용가능성에 일치되는 상환수권을 상환은행에 주어야 한다. 상환수권은 유효기일의 적용을 받지 않아야 한다.

  ⅱ. 상환청구은행은 상환은행에 신용장조건 일치증명서를 제시하도록 요구받아서는 안 된다.

  ⅲ. 개설은행은 상환이 신용장 조건과 일치되게 상환은행에 첫 요구시에 되지 않았다면 그에 따른 비용과 이자 손실을 부담하여야 한다.

iv. A reimbursing bank's charges are for the account of the issuing bank. However, if the charges are for the account of the beneficiary, it is the responsibility of an issuing bank to so indicate in the credit and in the reimbursement authorization. If a reimbursing bank's charges are for the account of the beneficiary, they shall be deducted from the amount due to a claiming bank when reimbursement is made. If no reimbursement is made, the reimbursing bank's charges remain the obligation of the issuing bank.

c. An issuing bank is not relieved of any of its obligations to provide reimbursement if reimbursement is not made by a reimbursing bank on first demand.

Article 14
Standard for Examination of Documents

a. A nominated bank acting on its nomination, a confirming bank, if any, and the issuing bank must examine a presentation to determine, on the basis of the documents alone, whether or not the documents appear on their face to constitute a complying presentation.

b. A nominated bank acting on its nomination, a confirming bank, if any, and the issuing bank shall each have a maximum of five banking days following the day of presentation to determine if a presentation is complying. This period is not curtailed or otherwise affected by the occurrence on or after the date of presentation of any expiry date or last day for presentation.

c. A presentation including one or more original transport documents subject to articles 19, 20, 21, 22, 23, 24 or 25 must be made by or on behalf of the beneficiary not later than 21 calendar days after the date of shipment as described in these rules, but in any event not later than the expiry date of the credit.

d. Data in a document, when read in context with the credit, the document itself and international standard banking practice, need not be identical to, but must not conflict with, data in that document, any other stipulated document or the credit.

iv. 상환은행 수수료는 개설은행 부담이다. 그러나 만약 상환수수료가 수익자 부담이라면 개설은행은 신용장과 상환수권서에 그러한 사실을 명시할 책임을 진다. 만약 상환은행의 수수료가 수익자 부담이라면 상환수수료는 대금이 상환될 때 상환청구은행에 지급하여야 할 금액으로부터 차감할 수 있다. 만약 어떤 상환도 되지 않았다면 상환은행 수수료는 개설은행이 부담하여야 한다.

c. 개설은행은 상환이 상환은행에 첫 요구시에 되지 않았다면 상환할 의무에서 벗어나지 못한다.

제14조
서류 심사 기준

a. 지정에 따라 행동하는 지정은행, (있는 경우) 확인은행과 개설은행은 서류가 문면상 일치하는 제시가 되는지를 결정하기 위하여 서류만을 기초로 심사하여야 한다.

b. 지정에 따라 행동하는 지정은행, (있는 경우) 확인은행과 개설은행은 각각 제시가 일치하는가를 결정하기 위하여 서류제시일의 다음 영업일을 기산일로 하여 최장 5영업일이 주어진다. 이 기간은 유효기일의 제시일자 또는 제시최종일 또는 후에 발생하는 사건에 의해서 단축되거나 달리 영향을 받지 않는다.

c. 제19조, 제20조, 제21조, 제22조, 제23조, 제24조가 적용되는 하나 이상의 운송서류 원본이 포함되어 제시되는 경우 이 규칙에서 규정하고 있는 선적일 후 21일보다 늦지 않게 제시되어야 하며 어떠한 경우라도 신용장 유효기일보다 늦게 제시되어서는 안 된다.

d. 신용장 문맥에 따라 읽을 때 서류의 정보, 서류 자체와 국제표준은행관행이 동일할 필요는 없으나, 그 서류의 자료, 다른 어떤 제시서류 또는 신용장과 상충되어서는 안 된다.

e. In documents other than the commercial invoice, the description of the goods, services or performance, if stated, may be in general terms not conflicting with their description in the credit.

f. If a credit requires presentation of a document other than a transport document, insurance document or commercial invoice, without stipulating by whom the document is to be issued or its data content, banks will accept the document as presented if its content appears to fulfil the function of the required document and otherwise complies with sub – article 14 (d).

g. A document presented but not required by the credit will be disregarded and may be returned to the presenter.

h. If a credit contains a condition without stipulating the document to indicate compliance with the condition, banks will deem such condition as not stated and will disregard it.

i. A document may be dated prior to the issuance date of the credit, but must not be dated later than its date of presentation.

j. When the addresses of the beneficiary and the applicant appear in any stipulated document, they need not be the same as those stated in the credit or in any other stipulated document, but must be within the same country as the respective addresses mentioned in the credit. Contact details (telefax, telephone, email and the like) stated as part of the beneficiary's and the applicant's address will be disregarded. However, when the address and contact details of the applicant appear as part of the consignee or notify party details on a transport document subject to articles 19, 20, 21, 22, 23, 24 or 25, they must be as stated in the credit.

k. The shipper or consignor of the goods indicated on any document need not be the beneficiary of the credit.

l. A transport document may be issued by any party other than a carrier, owner, master or charterer provided that the transport document meets the requirements of articles 19, 20, 21, 22, 23 or 24 of these rules.

e. 상업송장 이외의 서류에서 상품, 서비스 또는 의무이행의 명세는, 만약 기재되는 경우, 신용장의 명세와 상충되지 않는 일반적인 용어로 기재될 수 있다.

f. 만약 신용장에서 누가 서류를 발행해야 되는지 또는 자료 내용을 명시하지 않고 운송서류, 보험서류 또는 상업송장 이외의 서류 제시를 요구하였다면 은행은 자료 내용이 요구서류의 기능을 충족하는 것으로 나타나고 제14조 (d)항의 규정과 일치한다면 은행은 제시된 대로 서류를 수리한다.

g. 신용장에서 요구하지 않았으나 제시된 서류는 무시되고 제시인에게 반환될 수 있다.

h. 만약 신용장이 조건과 일치되게 표시되는 서류를 명시함이 없이 조건만 기재하고 있다면 은행은 그러한 조건을 기재하지 않은 것으로 간주하고 무시한다.

i. 서류가 신용장 개설일 이전 일자로 발행될 수 있으나 제시일자 보다 늦은 일자로 발행되어서는 안 된다.

j. 수익자와 개설의뢰인의 주소가 어떤 제시서류에 나타날 때 그것은 신용장과 다른 제시서류의 그것과 동일할 필요는 없으나 신용장에 명시된 각기의 주소와 동일국가이어야 한다. 수익자와 개설의뢰인의 주소의 일부로 기재된 연락처 명세(팩스, 전화, 이메일 등)는 무시된다. 그러나 개설의뢰인의 주소와 연락처 명세가 제19조, 제20조, 제21조, 제22조, 제23조, 제24조 또는 제25조의 적용을 받는 운송서류상의 수하인 또는 통지처의 일부로서 나타날 때에는 신용장에 명시된 대로 기재되어야 한다.

k. 어떤 서류에 표시된 상품 선적인과 송하인은 신용장의 수익자일 필요는 없다.

l. 만약 운송서류가 이 규칙 제19조, 제20조, 제21조, 제22조, 제23조 또는 제24조이 요구조건을 충족시킨다면 운송인, 운송수단 소유자(선주), 선장, 용선자 이외의 모든 다른 당사자에 의하여 발행될 수 있다.

Article 15 Complying Presentation

a. When an issuing bank determines that a presentation is complying, it must honour.

b. When a confirming bank determines that a presentation is complying, it must honour or negotiate and forward the documents to the issuing bank.

c. When a nominated bank determines that a presentation is complying and honours or negotiates, it must forward the documents to the confirming bank or issuing bank.

Article 16
Discrepant Documents, Waiver and Notice

a. When a nominated bank acting on its nomination, a confirming bank, if any, or the issuing bank determines that a presentation does not comply, it may refuse to honour or negotiate.

b. When an issuing bank determines that a presentation does not comply, it may in its sole judgement approach the applicant for a waiver of the discrepancies. This does not, however, extend the period mentioned in sub – article 14 (b).

c. When a nominated bank acting on its nomination, a confirming bank, if any, or the issuing bank decides to refuse to honour or negotiate, it must give a single notice to that effect to the presenter. The notice must state:

  i. that the bank is refusing to honour or negotiate; and

  ii. each discrepancy in respect of which the bank refuses to honour or negotiate; and

  iii. a) that the bank is holding the documents pending further instructions from the presenter; or
  b) that the issuing bank is holding the documents until it receives a waiver from the applicant and agrees to accept it, or receives further instructions from the presenter prior to agreeing to accept a waiver; or
  c) that the bank is returning the documents; or
  d) that the bank is acting in accordance with instructions previously received from the presenter.

제15조 일치하는 제시

a. 개설은행이 제시가 일치한다고 결정하였을 때 개설은행은 결제하여야 한다.

b. 확인은행이 제시가 일치한다고 결정하였을 때 확인은행은 결제 또는 매입하고 그 서류를 개설은행에 송부하여야 한다.

c. 지정은행이 제시가 일치한다고 결정하고 결제 또는 매입하였을 때 지정은행은 서류를 확인은행 또는 개설은행에 송부하여야 한다.

제16조
하자있는 서류, 하자용인과 통지

a. 지정에 따라 행동하는 지정은행, (있는 경우) 확인은행 또는 개설은행이 제시가 일치하지 않는다고 결정하였을 때 그 은행은 결제 또는 매입을 거절할 수 있다.

b. 개설은행이 제시가 일치하지 않는다고 결정하였을 때 개설은행은 그의 독자적 판단으로 개설의뢰인에게 하자용인 여부(불일치에 관한 권리포기여부)를 조회할 수 있다. 그러나 이것이 제14조 (b)항에서 언급된 기간을 연장하지는 않는다.

c. 지정에 따라 행동하는 지정은행, (있는 경우) 확인은행 또는 개설은행이 결제 또는 매입을 거절하기로 결정하였다면 그 은행은 서류 제시인에게 그것을 1회만 통지하여야 한다.
통지에는 다음을 기재하여야 한다.

  i. 은행은 결제 또는 매입을 거절한다는 것, 그리고

  ii. 은행이 결제 또는 매입을 거절하게 되는 하자사항, 그리고

  iii. a) 은행이 제시인의 추가지시를 기다리며 서류를 보관하고 있거나, 또는

  b) 개설은행이 개설의뢰인으로부터 하자용인을 받아 하자용인을 수락할 때까지 서류 보류하거나 또는 하자용인을 수락하는 것을 동의하기 전에 제시인으로부터 추가지시를 받거나, 또는

  c) 은행이 서류를 반환하거나, 또는
  d) 은행이 이전에 제시인으로부터 받은 지시에 따라 행동한다.

d. The notice required in sub – article 16 (c) must be given by telecommunication or, if that is not possible, by other expeditious means no later than the close of the fifth banking day following the day of presentation.

e. A nominated bank acting on its nomination, a confirming bank, if any, or the issuing bank may, after providing notice required by sub – article 16 (c) (iii) (a) or (b), return the documents to the presenter at any time.

f. If an issuing bank or a confirming bank fails to act in accordance with the provisions of this article, it shall be precluded from claiming that the documents do not constitute a complying presentation.

g. When an issuing bank refuses to honour or a confirming bank refuses to honour or negotiate and has given notice to that effect in accordance with this article, it shall then be entitled to claim a refund, with interest, of any reimbursement made.

Article 17
Original Documents and Copies

a. At least one original of each document stipulated in the credit must be presented.

b. A bank shall treat as an original any document bearing an apparently original signature, mark, stamp, or label of the issuer of the document, unless the document itself indicates that it is not an original.

c. Unless a document indicates otherwise, a bank will also accept a document as original if it:

ⅰ. appears to be written, typed, perforated or stamped by the document issuer's hand; or

ⅱ. appears to be on the document issuer's original stationery; or

ⅲ. states that it is original, unless the statement appears not to apply to the document presented.

d. If a credit requires presentation of copies of documents, presentation of either originals or copies is permitted.

d. 제16조 (c)항에서 요구된 통지는 전신 또는 그것의 이용이 불가능하다면 다른 신속한 수단으로 서류 제시 다음 날을 기산일로 하여 5영업일 종료보다 늦지 않아야 한다.

e. 지정에 따라 행동하는 지정은행, (있는 경우) 확인은행 또는 개설은행은 제16조 (c) (iii) (a) 또는 (b)에서 요구된 통지를 한 후 언제라도 제시인에게 서류를 반환할 수 있다.

f. 만약 개설은행 또는 확인은행이 이 규칙에서 정하는 대로 행동하지 않았다면 그 은행은 서류가 일치하는 제시가 아니라는 주장을 할 수 없다.

g. 개설은행이 결제를 거절하거나 또는 확인은행이 결제 또는 매입을 거절하고 이 조항에 따른 통지를 하였다면, 개설은행은 이미 상환된 대금에 이자를 추가하여 그 상환금액의 반환을 청구할 권리가 있다.

제17조
원본 서류와 사본

a. 적어도 신용장에서 명시된 서류의 원본 한 통은 제시되어야 한다.

b. 은행은 서류 자체가 원본이 아니라는 표시가 없다면 명백하게 서류 발행자의 원서명, 마크, 스탬프 또는 라벨이 표시된 서류를 원본으로 취급한다.

c. 서류에 다른 명시가 없다면 은행은 또한 다음과 같은 서류를 원본으로 수리한다.

ⅰ. 서류 발행인의 손으로 작성되거나 타이핑, 천공서명되거나 스탬프된 것으로 나타나는 경우, 또는

ⅱ. 서류 발행인의 원본 용지에 나타난 경우

ⅲ. 원본이라는 표시가 제시된 서류에 적용되지 않는 것으로 나타나지 않는다면 원본이라고 표시된 경우

d. 만약 신용장이 서류 사본의 제시를 요구하였다면 원본 또는 사본이 제시되는 것이 허용된다.

e. If a credit requires presentation of multiple documents by using terms such as "in duplicate", "in two folds" or "in two copies", this will be satisfied by the presentation of at least one original and the remaining number in copies, except when the document itself indicates otherwise.

Article 18 Commercial Invoice

a. A commercial invoice:
 i . must appear to have been issued by the beneficiary (except as provided in article 38);
 ii . must be made out in the name of the applicant (except as provided in sub – article 38 (g));
 iii. must be made out in the same currency as the credit; and
 iv. need not be signed.

b. A nominated bank acting on its nomination, a confirming bank, if any, or the issuing bank may accept a commercial invoice issued for an amount in excess of the amount permitted by the credit, and its decision will be binding upon all parties, provided the bank in question has not honoured or negotiated for an amount in excess of that permitted by the credit.

c. The description of the goods, services or performance in a commercial invoice must correspond with that appearing in the credit.

Article 19
Transport Document Covering at Least Two Different Modes of Transport

a. A transport document covering at least two different modes of transport (multimodal or combined transport document), however named, must appear to:
 i . indicate the name of the carrier and be signed by:
  • the carrier or a named agent for or on behalf of the carrier, or
  • the master or a named agent for or on behalf of the master.
  Any signature by the carrier, master or agent must be identified as that of the carrier, master or agent. Any signature by an agent must indicate whether the agent has signed for or on behalf of the carrier or for or on behalf of the master.

e. 만약 신용장이 "in duplicate(2통)", "in two folds(2부)" 또는 "in two copies(2통)"와 같은 용어를 사용하여 복수의 서류 제시를 요구하였다고 해도, 이 조건은 서류 자체에 달리 표시하고 있지 않는 한, 적어도 원본 한 통을 제시하면 되고, 나머지는 사본을 제시하면 족하다.

제18조 상업송장

a. 상업송장
 i . (제38조가 적용되는 경우를 제외하고는) 수익자가 발행한 것으로 나타나야 한다.
 ii . (제38조 (g)가 적용되는 경우를 제외하고는) 개설의뢰인 앞으로 발행되어야 한다.
 iii. 신용장과 같은 통화로 발행되어야 한다. 그리고,
 iv. 서명될 필요는 없다.

b. 지정에 따라 행동하는 지정은행, (있는 경우) 확인은행 또는 개설은행은 신용장에서 허용된 금액을 초과하여 발행된 상업송장을 수리할 수 있다. 그리고 개설은행의 결정은 만약 그 문제된 은행이 신용장에서 허용된 금액을 초과한 금액을 결제하거나 또는 매입하지 않는다면 모든 당사자를 구속한다.

c. 상업송장의 상품, 서비스 또는 의무이행 명세는 신용장에 나타나는 것과 일치해야 한다.

제19조
적어도 두 개 이상의 다른 운송방법을 포괄하는 운송서류

a. 적어도 두 개 이상의 다른 운송방법을 포괄하는 운송서류(복합운송서류)는 그 명칭에 관계없이 다음과 같이 나타나야 한다.
 i . 운송인 명칭이 표시되고 다음의 자에 의해서 서명되어야 한다.
  • 운송인 또는 운송인을 위한 또는 운송인을 대리하는 기명대리인(자기명칭을 표시한 대리인)
  • 선장 또는 선장을 위한 또는 선장을 대리하는 기명대리인(자기 명칭을 표시한 대리인)
  운송인, 선장 또는 대리인의 서명은 운송인, 선장 또는 대리인의 서명으로서 확인되어야 한다.
  대리인 서명은 그 대리인이 운송인을 위하여 또는 운송인을 대리하여, 또는 선장을 위하여 또는 선장을 대리하여 서명한다는 것을 표시하여야 한다.

ii. indicate that the goods have been dispatched, taken in charge or shipped on board at the place stated in the credit, by:
- pre‐printed wording, or
- a stamp or notation indicating the date on which the goods have been dispatched, taken in charge or shipped on board.

The date of issuance of the transport document will be deemed to be the date of dispatch, taking in charge or shipped on board, and the date of shipment. However, if the transport document indicates, by stamp or notation, a date of dispatch, taking in charge or shipped on board, this date will be deemed to be the date of shipment.

iii. indicate the place of dispatch, taking in charge or shipment and the place of final destination stated in the credit, even if:
   a. the transport document states, in addition, a different place of dispatch, taking in charge or shipment or place of final destination, or
   b. the transport document contains the indication "intended" or similar qualification in relation to the vessel, port of loading or port of discharge.

iv. be the sole original transport document or, if issued in more than one original, be the full set as indicated on the transport document.

v. contain terms and conditions of carriage or make reference to another source containing the terms and conditions of carriage (short form or blank back transport document). Contents of terms and conditions of carriage will not be examined.

vi. contain no indication that it is subject to a charter party.

b. For the purpose of this article, transhipment means unloading from one means of conveyance and reloading to another means of conveyance (whether or not in different modes of transport) during the carriage from the place of dispatch, taking in charge or shipment to the place of final destination stated in the credit.

c. i. A transport document may indicate that the goods will or may be transhipped provided that the entire carriage is covered by one and the same transport document.

ii. 상품이 신용장에서 명시된 장소에서 발송, 수탁 또는 본선적재되었다는 것은 다음과 같이 표시하여야 한다.
- 미리 인쇄된 문구 또는
- 상품이 발송, 수탁 또는 본선적재된 일자를 표시하는 스탬프 또는 부기

운송서류 발행일자는 발송일, 수탁일 또는 본선적재일과 선적일로 간주된다. 그러나 만약 운송서류가 스탬프 또는 부기에 의해서 발송일, 수탁일, 본선적재일을 표시하였다면 그 일자가 선적일로 간주된다.

iii. 비록 다음의 경우라 할지라도 신용장에서 명시된 발송지, 수탁지, 선적지 및 최종목적지를 표시하여야 한다.
   a. 운송서류가 추가적으로 다른 발송지, 수탁지 또는 선적지 또는 최종목적지를 기재하는 경우, 또는
   b. 운송서류가 선박, 선적항 또는 도착항과 관련하여 "예정된"이라는 표시 또는 이와 유사한 제한을 포함하는 경우

iv. 한 통의 운송서류 원본 또는, 한통 이상의 원본으로 발행된 경우에는, 운송서류상에 표시된 대로 전통인 것이어야 한다.

v. 운송조건을 포함하거나 또는 운송조건이 다른 근거를 참조하라고 표시되어야 한다(약식 또는 배면백지식 운송서류). 운송조건의 내용은 심사되지 않는다.

vi. 용선계약이 적용된다는 어떠한 표시도 포함되어서는 안 된다.

b. 이 조항의 목적상, 환적은 신용장에 명시된 발송지, 수탁지 또는 선적지로부터 최종목적지까지 한 운송수단으로부터 내려져 다른 운송방법으로 재적재되는 것을 의미한다(운송방법이 같은지 다른지 여부는 상관하지 않는다).

c. i. 운송서류는 만약 전 운송이 하나의 동일한 운송서류에 의해서 포괄된다면 상품이 환적되거나 될 수 있다는 것이 표시될 수 있다.

ii. A transport document indicating that transhipment will or may take place is acceptable, even if the credit prohibits transhipment.

Article 20 Bill of Lading

a. A bill of lading, however named, must appear to:
  i. indicate the name of the carrier and be signed by:
    • the carrier or a named agent for or on behalf of the carrier, or
    • the master or a named agent for or on behalf of the master.
  Any signature by the carrier, master or agent must be identified as that of the carrier, master or agent.
  Any signature by an agent must indicate whether the agent has signed for or on behalf of the carrier or for or on behalf of the master.

  ii. indicate that the goods have been shipped on board a named vessel at the port of loading stated in the credit by:

    • pre – printed wording, or
    • an on board notation indicating the date on which the goods have been shipped on board.
  The date of issuance of the bill of lading will be deemed to be the date of shipment unless the bill of lading contains an on board notation indicating the date of shipment, in which case the date stated in the on board notation will be deemed to be the date of shipment.
  If the bill of lading contains the indication "intended vessel" or similar qualification in relation to the name of the vessel, an on board notation indicating the date of shipment and the name of the actual vessel is required.

  iii. indicate shipment from the port of loading to the port of discharge stated in the credit. If the bill of lading does not indicate the port of loading stated in the credit as the port of loading, or if it contains the indication "intended" or similar qualification in relation to the port of loading, an on board notation indicating the port of loading as stated in the credit, the date of shipment and the name of the vessel is required. This provision applies even when loading on board or shipment on a named vessel is indicated by pre – printed wording on the bill of lading.

ii. 환적이 될 것이거나, 될 수 있다고 표시된 운송서류는 비록 신용장에서 환적이 금지되더라도 수리될 수 있다.

제20조 선하증권

a. 선하증권은 어떤 명칭을 사용하든지 간에 다음과 같이 나타나야 한다.
  i. 운송인 명칭이 표시되고 다음의 자에 의해서 서명되어야 한다.
    • 운송인 또는 운송인을 위한 또는 운송인을 대리하는 기명대리인(자기 명칭을 표시한 대리인)
    • 선장 또는 선장을 위한 또는 선장을 대리하는 기명대리인(자기 명칭을 표시한 대리인)
  운송인, 선장 또는 대리인의 서명은 운송인, 선장 또는 대리인의 서명으로서 확인되어야 한다.
  대리인의 서명은 그 대리인이 운송인을 위하여 또는 운송인을 대리하여 또는 선장을 위하여 또는 선장을 대리하여 서명한다는 것을 표시하여야 한다.

  ii. 상품이 신용장에서 명시된 선적항에서 자기 명칭을 표시한 선박에 본선적재되었다는 것은 다음과 같이 표시되어야 한다.

    • 미리 인쇄된 문구, 또는
    • 상품이 본선적재된 일자를 표시하는 스탬프 또는 부기
  만약 선하증권이 선적일자를 표시하는 본선적재부기를 하지 않았다면 선하증권 발행일자가 선적일로 간주된다. 선하증권에 본선적재부기가 된 경우에는 본선적재 부기일자가 선적일로 간주된다.
  선박명과 관련하여 "예정된 선박" 또는 이와 유사한 표시가 된 경우에는 선적일과 실제 선박명이 기재된 본선적재부기가 요구된다.

  iii. 신용장에 기재된 선적항으로부터 도착항까지의 선적을 표시하여야 한다. 만약 선하증권이 선적항으로 신용장에 기재된 선적항을 표시하지 않는다면 또는 선적항과 관련하여 "예정된" 또는 이와 유사한 표시가 된 경우에는 신용장에 기재된 선적항과 선적일과 적재선박명이 기재된 본선적재부기가 요구된다. 이 조항은 자기 명칭을 표시하는 선박에의 본선적재가 선하증권에 미리 인쇄되어 표시된 경우에도 적용된다.

iv. be the sole original bill of lading or, if issued in more than one original, be the full set as indicated on the bill of lading.

v. contain terms and conditions of carriage or make reference to another source containing the terms and conditions of carriage (short form or blank back bill of lading). Contents of terms and conditions of carriage will not be examined.

vi. contain no indication that it is subject to a charter party.

b. For the purpose of this article, transhipment means unloading from one vessel and reloading to another vessel during the carriage from the port of loading to the port of discharge stated in the credit.

c. **i.** A bill of lading may indicate that the goods will or may be transhipped provided that the entire carriage is covered by one and the same bill of lading.

ii. A bill of lading indicating that transhipment will or may take place is acceptable, even if the credit prohibits transhipment, if the goods have been shipped in a container, trailer or LASH barge as evidenced by the bill of lading.

d. Clauses in a bill of lading stating that the carrier reserves the right to tranship will be disregarded.

Article 21 Non-Negotiable Sea Waybill

a. A non-negotiable sea waybill, however named, must appear to:

i. indicate the name of the carrier and be signed by:
- the carrier or a named agent for or on behalf of the carrier, or
- the master or a named agent for or on behalf of the master.

Any signature by the carrier, master or agent must be identified as that of the carrier, master or agent.

Any signature by an agent must indicate whether the agent has signed for or on behalf of the carrier or for or on behalf of the master.

---

iv. 선하증권 원본 한 통 또는 원본이 한 통을 초과하여 발행된다면 선하증권에 표시된 전통이어야 한다.

v. 운송조건을 포함하거나 또는 운송조건이 다른 근거를 참조하라고 표시되어야 한다(약식 또는 배면백지식 선하증권). 운송조건의 내용은 심사되지 않는다.

vi. 용선계약이 적용된다는 어떤 표시도 포함되어서는 안 된다.

b. 이 조항의 목적상, 환적은 신용장에 기재된 선적항으로부터 도착항까지 운송 중 한 선박으로부터 내려져 다른 선박으로 다시 적재되는 것을 의미한다.

c. **i.** 선하증권은 만약 전체 운송이 하나의 동일한 선하증권에 의해서 포괄된다면 상품이 환적될 것이거나 될 수 있다는 것이 표시될 수 있다.

ii. 비록 신용장이 환적을 금지한다 할지라도 상품이 컨테이너, 트레일러, 래시 바지에 선적되었다는 것이 선하증권에 표시되었다면 환적이 일어나거나 일어날 수 있다는 표시가 된 선하증권은 수리될 수 있다.

d. 운송인이 환적할 권리를 갖고 있다는 것을 표시한 선하증권 조항은 무시되어야 한다.

제21조 비유통성 해상운송장

a. 비유통성해상운송장은 어떤 명칭을 사용하든지 간에 다음과 같이 나타나야 한다.

i. 운송인 명칭이 표시되고 다음의 자에 의해서 서명되어야 한다.
- 운송인 또는 운송인을 위한 또는 운송인을 대리하는 기명대리인(자기 명칭을 표시한 대리인)
- 선장 또는 선장을 위한 또는 선장을 대리하는 기명대리인(자기 명칭을 표시한 대리인)

운송인, 선장 또는 대리인의 서명은 운송인, 선장 또는 대리인의 서명으로서 확인되어야 한다.

대리인 서명은 그 대리인이 운송인을 위하여 또는 운송인을 대리하여 또는 선장을 위하여 또는 선장을 대리하여 서명한다는 것을 표시하여야 한다.

ii. indicate that the goods have been shipped on board a named vessel at the port of loading stated in the credit by:
- pre－printed wording, or
- an on board notation indicating the date on which the goods have been shipped on board. The date of issuance of the non－negotiable sea waybill will be deemed to be the date of shipment unless the non－negotiable sea waybill contains an on board notation indicating the date of shipment, in which case the date stated in the on board notation will be deemed to be the date of shipment.

If the non－negotiable sea waybill contains the indication "intended vessel" or similar qualification in relation to the name of the vessel, an on board notation indicating the date of shipment and the name of the actual vessel is required.

iii. indicate shipment from the port of loading to the port of discharge stated in the credit.

If the non－negotiable sea waybill does not indicate the port of loading stated in the credit as the port of loading, or if it contains the indication "intended" or similar qualification in relation to the port of loading, an on board notation indicating the port of loading as stated in the credit, the date of shipment and the name of the vessel is required. This provision applies even when loading on board or shipment on a named vessel is indicated by pre－printed wording on the non－negotiable sea waybill.

iv. be the sole original non－negotiable sea waybill or, if issued in more than one original, be the full set as indicated on the non－negotiable sea waybill.

v. contain terms and conditions of carriage or make reference to another source containing the terms and conditions of carriage (short form or blank back non－negotiable sea waybill). Contents of terms and conditions of carriage will not be examined.

vi. contain no indication that it is subject to a charter party.

b. For the purpose of this article, transhipment means unloading from one vessel and reloading to another vessel during the carriage from the port of loading to the port of discharge stated in the credit.

ii. 상품이 신용장에서 명시된 선적항에서 자기 명칭을 표시한 선박에 본선적재되었다는 것을 다음과 같이 표시하여야 한다.
- 미리 인쇄된 문구, 또는
- 상품이 본선적재된 일자를 표시하는 스탬프 또는 부기

만약 비유통성해상운송장이 선적일자를 표시하는 본선적재부기를 하지 않았다면 비유통성해상운송장 발행일자가 선적일로 간주된다. 비유통성해상운송장에 본선적재부기가 된 경우에는 본선적재부기일자가 선적일로 간주된다.

선박명과 관련하여 "예정된 선박" 또는 이와 유사한 표시가 된 경우에는 선적일과 실제 선박명이 기재된 본선적재부기가 요구된다.

iii. 신용장에 기재된 선적항으로부터 도착항까지의 선적을 표시하여야 한다.

만약 비유통성해상운송장이 선적항으로 신용장에 기재된 선적항을 표시하지 않는다면 또는 선적항과 관련하여 "예정된" 또는 이와 유사한 표시가 된 경우에는 신용장에 기재된 선적항과 선적일과 적재선박명이 기재된 본선적재부기가 요구된다. 이 조항은 자기명칭을 표시하는 선박에의 본선적재가 비유통성해상운송장에 미리 인쇄되어 표시된 경우에도 적용된다.

iv. 비유통성해상운송장 원본 한 통 또는 원본이 한 통을 초과하여 발행된다면 비유통성 해상운송장에 표시된 전통이어야 한다.

v. 운송조건을 포함하거나 또는 운송조건이 다른 근거를 참조하라고 표시되어야 한다(약식 또는 배면백지 비유통성해상운송장). 운송조건 내용은 심사되지 않는다.

vi. 용선계약이 적용된다는 어떤 표시도 포함되어서는 안 된다.

b. 이 조항의 목적상, 환적은 신용장에 기재된 선적항으로부터 도착항까지 운송중 한 선박으로부터 내려져 다른 선박으로 재적재되는 것을 의미한다.

c. i . A non-negotiable sea waybill may indicate that the goods will or may be transhipped provided that the entire carriage is covered by one and the same non-negotiable sea waybill.

   ii . A non-negotiable sea waybill indicating that transhipment will or may take place is acceptable, even if the credit prohibits transhipment, if the goods have been shipped in a container, trailer or LASH barge as evidenced by the non-negotiable sea waybill.

d. Clauses in a non-negotiable sea waybill stating that the carrier reserves the right to tranship will be disregarded.

Article 22 Charter Party Bill of Lading

a. A bill of lading, however named, containing an indication that it is subject to a charter party (charter party bill of lading), must appear to:

   i . be signed by:
   • the master or a named agent for or on behalf of the master, or
   • the owner or a named agent for or on behalf of the owner, or
   • the charterer or a named agent for or on behalf of the charterer.
   Any signature by the master, owner, charterer or agent must be identified as that of the master, owner, charterer or agent.
   Any signature by an agent must indicate whether the agent has signed for or on behalf of the master, owner or charterer.
   An agent signing for or on behalf of the owner or charterer must indicate the name of the owner or charterer.

   ii . indicate that the goods have been shipped on board a named vessel at the port of loading stated in the credit by:
   • pre-printed wording, or
   • an on board notation indicating the date on which the goods have been shipped on board.
   The date of issuance of the charter party bill of lading will be deemed to be the date of shipment unless the charter party bill of lading contains an on board notation indicating the date of shipment, in which case the date stated in the on board notation will be deemed to be the date of shipment.

c. i . 비유통성해상운송장은 만약 전운송이 하나의 동일한 비유통성해상운송장에 의해서 포괄된다면 상품이 환적되거나 될 수 있다는 것이 표시될 수 있다.

   ii . 비록 신용장이 환적을 금지하더라도 상품이 컨테이너, 트레일러, 래시 바지에 선적되었다는 것이 비유통성해상운송장에 표시되었다면 환적이 일어나거나 일어날 수 있다는 표시가 된 비유통성해상운송장이 수리될 수 있다.

d. 운송인이 환적할 권리를 갖고 있다는 것을 표시한 비유통성해상운송장 조항은 무시되어야 한다.

제22조 용선계약선하증권

a. 어떤 명칭을 사용하였든 용선계약의 적용을 받는다는 선하증권(용선계약선하증권)은 다음과 같이 나타나야 한다.

   i . 다음의 자에 의해서 서명되어야 한다.
   • 선장 또는 선장을 위한 또는 선장을 대리하는 기명대리인(자기 명칭을 표시한 대리인)
   • 선주 또는 선주을 위한 또는 선주을 대리하는 기명대리인(자기 명칭을 표시한 대리인)
   • 용선자 또는 용선자를 위하여 또는 용선자을 대리하는 기명대리인(자기 명칭을 표시한 대리인)
   선장, 선주, 용선자 또는 대리인의 서명은 선장, 선주, 용선자 또는 대리인의 서명으로서 확인되어야 한다.
   대리인 서명은 그 대리인이 선장을 위하여 또는 선장을 대리하여 또는 선주를 위하여 또는 선주를 대리하여 또는 용선자를 위하여 또는 용선자를 대신하여 서명한다는 것을 표시하여야 한다.

   ii . 상품이 신용장에서 명시된 선적항에서 자기 명칭을 표시한 선박에 본선적재되었다는 것을 다음과 같이 표시하여야 한다.
   • 미리 인쇄된 문구, 또는
   • 상품이 본선적재된 일자를 표시하는 스탬프 또는 부기
   만약 용선계약선하증권이 선적일자를 표시하는 본선적재부기를 하지 않았다면 용선계약선하증권 발행일자가 선적일로 간주된다. 용선계약선하증권에 본선적재부기가 된 경우에는 본선적재부기일자가 선적일로 간주된다.

iii. indicate shipment from the port of loading to the port of discharge stated in the credit. The port of discharge may also be shown as a range of ports or a geographical area, as stated in the credit.

iv. be the sole original charter party bill of lading or, if issued in more than one original, be the full set as indicated on the charter party bill of lading.

b. A bank will not examine charter party contracts, even if they are required to be presented by the terms of the credit.

Article 23 Air Transport Document
a. An air transport document, however named, must appear to:

i . indicate the name of the carrier and be signed by:
  • the carrier, or
  • a named agent for or on behalf of the carrier.
  Any signature by the carrier or agent must be identified as that of the carrier or agent.
  Any signature by an agent must indicate that the agent has signed for or on behalf of the carrier.

ii . indicate that the goods have been accepted for carriage.

iii. indicate the date of issuance. This date will be deemed to be the date of shipment unless the air transport document contains a specific notation of the actual date of shipment, in which case the date stated in the notation will be deemed to be the date of shipment.
  Any other information appearing on the air transport document relative to the flight number and date will not be considered in determining the date of shipment.

iv. indicate the airport of departure and the airport of destination stated in the credit.

v . be the original for consignor or shipper, even if the credit stipulates a full set of originals.

vi. contain terms and conditions of carriage or make reference to another source containing the terms and conditions of carriage. Contents of terms and conditions of carriage will not be examined.

iii. 신용장에 기재된 선적항으로부터 도착항까지의 선적을 표시하여야 한다. 도착항은 또한 신용장에 기재된 일정 범위의 항구 또는 지리적 지역을 표시할 수 있다.

iv. 용선계약선하증권 원본 한 통 또는 원본이 한 통을 초과하여 발행된다면 용선계약선하증권에 표시된 전통이어야 한다.

b. 비록 신용장에서 용선계약이 제시될 것을 요구하였다 하더라도 은행은 용선계약을 심사하지 않는다.

제23조 항공운송서류
a. 항공운송서류는 어떤 명칭을 사용하였든 다음과 같이 나타나야 한다.

i . 운송인 명칭이 표시되고 다음의 자에 의해서 서명되어야 한다.
  • 운송인 또는
  • 운송인을 위하여 또는 운송인을 대리하는 자기 명칭을 표시한 대리인
  운송인 또는 대리인의 서명은 운송인 또는 대리인의 서명으로 확인되어야 한다.
  대리인 서명은 그 대리인이 운송인을 위하여 또는 운송인을 대리하여 서명한다는 것을 표시하여야 한다.

ii . 상품이 운송을 위하여 수탁되었다는 것을 표시하여야 한다.

iii. 발행일자를 표시하여야 한다. 항공운송서류에 실제 선적일에 대한 어떤 특정한 부기가 포함되어 있지 않다면 이 일자가 선적일이 된다. 항공운송서류에 실제 선적일에 대한 어떤 특정한 부기가 포함된 경우에는 부기일자가 선적일로 간주된다. 운항번호와 일자와 관련된 항공운송서류에 나타난 어떤 다른 정보는 선적일을 결정할 때 고려되지 않는다.

iv. 신용장에 기재된 출발공항과 도착공항을 표시하여야 한다.

v . 비록 신용장에서 원본 전통을 요구하였더라도 송하인 또는 선적인용 원본이 제시되면 된다.

vi. 운송조건을 포함하거나 또는 운송조건이 다른 근거를 참조하라고 표시되어야 한다. 운송조건 내용은 심사되지 않는다.

b. For the purpose of this article, transhipment means unloading from one aircraft and reloading to another aircraft during the carriage from the airport of departure to the airport of destination stated in the credit.

c. i . An air transport document may indicate that the goods will or may be transhipped, provided that the entire carriage is covered by one and the same air transport document.

ⅱ. An air transport document indicating that transhipment will or may take place is acceptable, even if the credit prohibits transhipment.

Article 24 Road, Rail or Inland Waterway Transport Documents

a. A road, rail or inland waterway transport document, however named, must appear to:

i . indicate the name of the carrier and:
- be signed by the carrier or a named agent for or on behalf of the carrier, or
- indicate receipt of the goods by signature, stamp or notation by the carrier or a named agent for or on behalf of the carrier.

Any signature, stamp or notation of receipt of the goods by the carrier or agent must be identified as that of the carrier or agent.

Any signature, stamp or notation of receipt of the goods by the agent must indicate that the agent has signed or acted for or on behalf of the carrier.

If a rail transport document does not identify the carrier, any signature or stamp of the railway company will be accepted as evidence of the document being signed by the carrier.

ⅱ. indicate the date of shipment or the date the goods have been received for shipment, dispatch or carriage at the place stated in the credit. Unless the transport document contains a dated reception stamp, an indication of the date of receipt or a date of shipment, the date of issuance of the transport document will be deemed to be the date of shipment.

ⅲ. indicate the place of shipment and the place of destination stated in the credit.

---

b. 이 조항의 목적상, 환적은 신용장에 기재된 출발공항으로부터 도착공항까지 운송중 한 항공기로부터 내려져 다른 항공기로 재적재되는 것을 의미한다.

c. i . 항공운송서류는 만약 전운송이 하나의 동일한 항공운송서류에 의해서 커버된다면 상품이 환적되거나 될 수 있다는 것이 표시될 수 있다.

ⅱ. 비록 신용장이 환적을 금지하더라도 환적이 일어나거나 일어날 수 있다는 표시가 된 항공운송서류가 수리될 수 있다.

제24조 도로, 철로 또는 내지수로 운송서류

a. 도로, 철로 또는 내지수로 운송서류는 어떤 명칭을 사용하였든 다음과 같이 나타나야 한다.

i . 운송인 명칭이 표시되고 그리고,
- 운송인 또는 운송인을 위한 또는 운송인을 대리하는 대리인이 서명하거나 또는
- 운송인 또는 운송인을 위한 또는 대리하는 기명대리인이 서명, 스탬프 또는 부기에 의해서 상품 수탁을 표시하여야 한다.

운송인 또는 대리인에 의한 어떤 서명, 스탬프 또는 상품수탁부기는 운송인 또는 대리인의 그것으로 확인되어야 한다.

대리인에 의한 어떤 서명, 스탬프 또는 상품수탁부기는 대리인이 운송인을 위하여 또는 운송인을 대리하여 서명하거나 행동하고 있다는 표시가 있어야 한다.

만약 철도운송서류가 운송인을 확인하지 않았다면 철도회사의 서명 또는 스탬프가 운송인이 서류에 서명한 증거로 받아들여진다.

ⅱ. 신용장에서 기재한 장소에서 선적일 또는 상품이 선적, 발송, 운송을 위하여 수탁한 일자가 표시되어야 한다. 만약 운송서류에 일자가 표시된 접수스탬프 또는 접수일표시 또는 선적일 표시가 없다면 운송서류 발행일을 선적일로 간주한다.

ⅲ. 신용장에 기재된 선적지와 목적지가 표시되어야 한다.

b. i . A road transport document must appear to be the original for consignor or shipper or bear no marking indicating for whom the document has been prepared.

ii . A rail transport document marked "duplicate" will be accepted as an original.

iii . A rail or inland waterway transport document will be accepted as an original whether marked as an original or not.

c. In the absence of an indication on the transport document as to the number of originals issued, the number presented will be deemed to constitute a full set.

d. For the purpose of this article, transhipment means unloading from one means of conveyance and reloading to another means of conveyance, within the same mode of transport, during the carriage from the place of shipment, dispatch or carriage to the place of destination stated in the credit.

e. i . A road, rail or inland waterway transport document may indicate that the goods will or may be transhipped provided that the entire carriage is covered by one and the same transport document.

ii . A road, rail or inland waterway transport document indicating that transhipment will or may take place is acceptable, even if the credit prohibits transhipment.

Article 25 Courier Receipt, Post Receipt or Certificate of Posting

a. A courier receipt, however named, evidencing receipt of goods for transport, must appear to:

i . indicate the name of the courier service and be stamped or signed by the named courier service at the place from which the credit states the goods are to be shipped; and

ii . indicate a date of pick‐up or of receipt or wording to this effect. This date will be deemed to be the date of shipment.

b. A requirement that courier charges are to be paid or prepaid may be satisfied by a transport document issued by a courier service evidencing that courier charges are for the account of a party other than the consignee.

b. i . 도로운송서류는 송하인 또는 선적인용 원본으로 나타나거나 또는 그 서류가 누구를 위하여 작성되었는지에 대한 표시가 없어야 한다.

ii . "duplicate(2통)"라고 표시된 도로운송서류는 원본으로 수리된다.

iii . 철도 또는 내수로 운송서류는 원본 표시 여부에 관계없이 원본으로 수리된다.

c. 운송서류에 원본 통수가 표시되지 않은 경우 제시된 통수가 전통을 구성하는 것으로 간주된다.

d. 이 조항의 목적상 환적은 신용장에 기재된 선적, 발송 또는 운송지로부터 목적지까지 운송 중 동일한 운송 방법내에서 어떤 한 운송수단으로부터 내려져 다른 운송수단으로 재적재되는 것을 의미한다.

e. i . 도로, 철도 또는 내수로 운송서류는 만약 전운송이 하나의 동일한 운송서류에 의해서 커버된다면 상품이 환적되거나 될 수 있다는 것이 표시될 수 있다.

ii . 비록 신용장이 환적을 금지하더라도 환적이 일어나거나 일어날 수 있다는 표시가 된 도로, 철도 또는 내수로 운송서류는 수리될 수 있다.

제25조 특송배달수취증, 우편수취증 또는 우편증명서

a. 특송배달수취증은 어떤 명칭을 사용하든 관계없이 상품이 운송을 위하여 수탁되었다는 것을 다음과 같이 표시하여야 한다.

i . 특사배달업체의 명칭과 신용장에서 상품이 선적되기로 한 장소에서 자기 이름을 표시한 특사배달업체가 스탬프하거나 서명하여야 한다. 그리고

ii . 집배 또는 수취일자 또는 이러한 효력을 갖는 단어가 표시되어야 한다. 이 일자가 선적일로 간주된다.

b. 특사배달료가 지급되거나 선지급되어야 한다는 요구조건은 특사배달료가 수하인 이외의 제3자 부담이라는 표시를 하면서 특사배달 업체가 발행한 운송서류로 만족된다.

c. A post receipt or certificate of posting, however named, evidencing receipt of goods for transport, must appear to be stamped or signed and dated at the place from which the credit states the goods are to be shipped. This date will be deemed to be the date of shipment.

Article 26
"On Deck", "Shipper's Load and Count", "Said by Shipper to Contain" and Charges Additional to Freight

a. A transport document must not indicate that the goods are or will be loaded on deck. A clause on a transport document stating that the goods may be loaded on deck is acceptable.

b. A transport document bearing a clause such as "shipper's load and count" and "said by shipper to contain" is acceptable.

c. A transport document may bear a reference, by stamp or otherwise, to charges additional to the freight.

Article 27 Clean Transport Document
A bank will only accept a clean transport document. A clean transport document is one bearing no clause or notation expressly declaring a defective condition of the goods or their packaging. The word "clean" need not appear on a transport document, even if a credit has a requirement for that transport document to be "clean on board".

Article 28 Insurance Document and Coverage
a. An insurance document, such as an insurance policy, an insurance certificate or a declaration under an open cover, must appear to be issued and signed by an insurance company, an underwriter or their agents or their proxies.
Any signature by an agent or proxy must indicate whether the agent or proxy has signed for or on behalf of the insurance company or underwriter.

b. When the insurance document indicates that it has been issued in more than one original, all originals must be presented.

c. Cover notes will not be accepted.

d. An insurance policy is acceptable in lieu of an insurance certificate or a declaration under an open cover.

c. 어떤 명칭을 사용하였든간에 운송을 위한 상품의 수탁을 증빙하는 우편수취증 또는 우편증명서는 신용장에서 상품이 선적되어야 한다고 명시한 장소에서 스탬프되거나 또는 서명되는 것으로 나타나야 한다. 이 일자가 선적일로 간주된다.

제26조
"갑판적재", "내용물 부지약관"과 운임에 대한 추가비용

a. 운송서류에는 상품이 갑판에 적재되거나 적재될 것이라는 표시가 없어야 한다. 상품이 갑판에 적재될 수도 있다는 것을 표시하고 있는 운송서류상의 조항은 수리될 수 있다.

b. "shiper's load and count(선적인이 적재하고 수량을 계산하였음)"과 "said by shipper to contain(선적인의 내용신고에 따름)"이라는 조항이 있는 운송서류는 수리할 수 있다.

c. 운송서류에는 스탬프 또는 다른 방법으로 운임에 추가하는 비용을 표시할 수 있다.

제27조 무고장 운송서류
은행은 단지 무고장 운송서류만 수리한다. 무고장 운송서류는 상품 또는 포장의 하자상태를 명백하게 표시하는 조항 또는 부기가 없는 것을 말한다. "무고장"이라는 단어는 비록 신용장에서 운송서류가 "무고장 본선적재"일 것을 요구하더라도 운송서류에 나타날 필요가 없다.

제28조 보험서류와 부보범위
a. 보험증권 또는 예정보험하의 보험증명서 또는 선언서와 같은 보험서류는 보험회사, 인수업자 또는 그들의 대리인이 발행하고 서명하는 것으로 나타나야 한다. 대리인에 의한 서명은 대리인이 보험회사 또는 인수업자를 위하여 또는 대리로 서명하였는지를 표시하여야 한다.

b. 보험서류가 원본 한통을 초과하여 발행되었을 때 모든 원본이 제시되어야 한다.

c. 보험부보각서는 수리되지 않는다.

d. 보험증권은 예정보험하의 보험증명서 또는 선언서 대신에 수리될 수 있다.

e. The date of the insurance document must be no later than the date of shipment, unless it appears from the insurance document that the cover is effective from a date not later than the date of shipment.

f. i. The insurance document must indicate the amount of insurance coverage and be in the same currency as the credit.

   ii. A requirement in the credit for insurance coverage to be for a percentage of the value of the goods, of the invoice value or similar is deemed to be the minimum amount of coverage required.

   If there is no indication in the credit of the insurance coverage required, the amount of insurance coverage must be at least 110% of the CIF or CIP value of the goods.

   When the CIF or CIP value cannot be determined from the documents, the amount of insurance coverage must be calculated on the basis of the amount for which honour or negotiation is requested or the gross value of the goods as shown on the invoice, whichever is greater.

   iii. The insurance document must indicate that risks are covered at least between the place of taking in charge or shipment and the place of discharge or final destination as stated in the credit.

g. A credit should state the type of insurance required and, if any, the additional risks to be covered. An insurance document will be accepted without regard to any risks that are not covered if the credit uses imprecise terms such as "usual risks" or "customary risks".

h. When a credit requires insurance against "all risks" and an insurance document is presented containing any "all risks" notation or clause, whether or not bearing the heading "all risks", the insurance document will be accepted without regard to any risks stated to be excluded.

i. An insurance document may contain reference to any exclusion clause.

j. An insurance document may indicate that the cover is subject to a franchise or excess (deductible).

e. 보험서류 일자는 부보가 선적일보다 늦지 않게 유효하다는 것이 보험서류에 나타나지 않는 한 선적일보다 늦어서는 안 된다.

f. i. 보험서류는 부보금액을 표시하여야 하고 신용장 통화와 동일한 통화로 표시되어야 한다.

   ii. 상품금액, 상업송장 금액 또는 유사한 것의 비율로 표시된 보험커버에 대한 신용장 요구조건은 요구되는 최소한의 보험금액으로 간주된다.
   요구되는 보험커버에 대하여 신용장에 아무런 표시가 없다면 보험커버 금액은 적어도 상품의 CIF 또는 CIP 금액의 110%가 되어야 한다.
   CIF 또는 CIP 금액을 서류로부터 결정할 수 없을 때 보험커버금액은 결제 또는 매입이 요구되는 금액 또는 송장에 나타난 상품의 총금액 중 어느 쪽이든 큰 금액을 기준으로 계산하여야 한다.

   iii. 보험서류는 위험이 적어도 신용장에 기재된 수탁지 또는 선적지로부터 양륙지 또는 최종목적지까지 커버되고 있다는 것을 표시하여야 한다.

g. 신용장은 요구되는 보험의 종류가 기재되어야 한다. 그리고 만약 있다면 커버되어야 할 추가위험이 기재되어야 한다. 보험서류는 만약 신용장이 "보통의 위험" 또는 "관례적인 위험"과 같은 부정확한 용어를 사용하였다면 커버되지 않은 어떤 위험을 고려하지 않고 수리된다.

h. 신용장이 "모든 위험"을 커버하는 보험을 요구하고 그리고 보험서류가 "모든 위험"이라는 표제를 갖고 있느냐에 상관없이 "모든 위험"이라는 부기 또는 약관을 가지는 것으로 나타날 때 보험서류는 제외되는 어떤 위험을 고려하지 않고 수리된다.

i. 보험서류에는 모든 면책조항에 대한 참조문언을 기재할 수 있다.

j. 보험서류에는 담보가 소손해면책률 또는 초과공제 면책률을 조건으로 한다는 것을 표시할 수 있다.

Article 29 Extension of Expiry Date or Last Day for Presentation

a. If the expiry date of a credit or the last day for presentation falls on a day when the bank to which presentation is to be made is closed for reasons other than those referred to in article 36, the expiry date or the last day for presentation, as the case may be, will be extended to the first following banking day.

b. If presentation is made on the first following banking day, a nominated bank must provide the issuing bank or confirming bank with a statement on its covering schedule that the presentation was made within the time limits extended in accordance with sub – article 29 (a).

c. The latest date for shipment will not be extended as a result of sub – article 29 (a).

Article 30 Tolerance in Credit Amount, Quantity and Unit Prices

a. The words "about" or "approximately" used in connection with the amount of the credit or the quantity or the unit price stated in the credit are to be construed as allowing a tolerance not to exceed 10% more or 10% less than the amount, the quantity or the unit price to which they refer.

b. A tolerance not to exceed 5% more or 5% less than the quantity of the goods is allowed, provided the credit does not state the quantity in terms of a stipulated number of packing units or individual items and the total amount of the drawings does not exceed the amount of the credit.

c. Even when partial shipments are not allowed, a tolerance not to exceed 5% less than the amount of the credit is allowed, provided that the quantity of the goods, if stated in the credit, is shipped in full and a unit price, if stated in the credit, is not reduced or that sub – article 30 (b) is not applicable. This tolerance does not apply when the credit stipulates a specific tolerance or uses the expressions referred to in sub – article 30 (a)

Article 31 Partial Drawings or Shipments

a. Partial drawings or shipments are allowed.

제29조 유효기일 연장 또는 제시최종일

a. 신용장 유효기일 또는 제시최종일이 제시가 되는 은행이 제36조가 적용되는 사유 이외의 사유로 휴업한 때에는 경우에 따라서 유효기일 또는 제시최종일은 다음 첫 은행영업일까지 연장된다.

b. 제시가 다음 첫 영업일에 된 때 지정은행은 개설은행 또는 확인은행에 29조 (a)항에 따라 연장된 제한시간 이내에 제시되었음을 표시서류에 기재하여야 한다.

c. 선적 최종일은 제29조 (a)항의 결과로 연장되지 않는다.

제30조 신용장 금액, 수량과 단가의 과부족 허용

a. 신용장에 기재된 신용장 금액 또는 수량 또는 단가와 관련하여 사용되는 "about(약)" 또는 "approxi-mately(대략)"이라는 단어는 그것이 언급하는 금액, 수량, 단가의 10%를 초과하지 않는 과부족을 허용하는 것으로 해석된다.

b. 만약 신용장이 수량을 포장단위 개수 또는 개개품목의 개수로 명시하지 않고, 환어음 발행금액이 신용장 금액을 초과하지 않는다면 상품 수량의 5% 과부족 편차가 허용된다.

c. 분할선적이 허용되지 않을 때라 할지라도 만약 신용장에 기재된 상품수량이 완전히 선적되고 신용장에 단가가 기재되었다면 단가가 감액되지 않고 제30조 (b)항이 적용되지 않는다면 신용장 금액의 5% 이내의 편차가 허용된다. 이 편차는 신용장이 특정한 편차를 명시하거나 제30조 (a)항에서 언급된 표현을 사용하는 때에는 적용되지 않는다.

제31조 분할어음 발행 또는 분할선적

a. 분할어음 발행 또는 분할선적은 허용된다.

b. A presentation consisting of more than one set of transport documents evidencing shipment commencing on the same means of conveyance and for the same journey, provided they indicate the same destination, will not be regarded as covering a partial shipment, even if they indicate different dates of shipment or different ports of loading, places of taking in charge or dispatch. If the presentation consists of more than one set of transport documents, the latest date of shipment as evidenced on any of the sets of transport documents will be regarded as the date of shipment.

A presentation consisting of one or more sets of transport documents evidencing shipment on more than one means of conveyance within the same mode of transport will be regarded as covering a partial shipment, even if the means of conveyance leave on the same day for the same destination.

c. A presentation consisting of more than one courier receipt, post receipt or certificate of posting will not be regarded as a partial shipment if the courier receipts, post receipts or certificates of posting appear to have been stamped or signed by the same courier or postal service at the same place and date and for the same destination.

Article 32 Instalment Drawings or Shipments

If a drawing or shipment by instalments within given periods is stipulated in the credit and any instalment is not drawn or shipped within the period allowed for that instalment, the credit ceases to be available for that and any subsequent instalment.

Article 33 Hours of Presentation

A bank has no obligation to accept a presentation outside of its banking hours.

Article 34
Disclaimer on Effectiveness of Documents

A bank assumes no liability or responsibility for the form, sufficiency, accuracy, genuineness, falsification or legal effect of any document, or for the general or particular conditions stipulated in a document or superimposed thereon; nor does it assume any liability or responsibility for the description, quantity, weight, quality, condition, packing, delivery, value or existence of the goods, services or other performance represented by any document, or for the good faith or acts or omissions, solvency, performance or standing of the consignor, the carrier, the forwarder, the consignee or the insurer of the goods or any other person.

b. 동일한 운송수단으로 시작되고 동일한 운송을 위한 선적을 입증하는 한 개를 초과하는 운송서류로 구성되는 제시는 만약 그것이 동일 목적지를 표시하고 있다면 비록 선적일이 다르고, 선적항과 수탁지 또는 발송지가 다를지라도 분할선적으로 간주되지 않는다. 만약 제시가 하나를 초과하는 운송서류로 구성되어 있고, 이러한 운송서류 세트로 입증된 가장 늦은 선적일을 선적일로 간주한다.
동일한 운송방식 내에서 둘 이상의 운송수단상의 선적을 증명하는 하나 또는 둘 이상의 세트의 운송서류로 이루어진 제시는 비록 운송수단들이 같은 날짜에 같은 목적지로 향하더라도 분할선적으로 본다.

c. 둘 이상의 특송배달수취증, 우편수취증 또는 우편증명서로 구성된 제시는 만약 특송배달수취증, 우편수취증 또는 우편증명서가 동일지역을 목적지로 하여 동일 일자에 동일장소에서 특사배달업체 또는 우편당국이 스탬프하거나 서명한 것으로 나타난다면 분할선적으로 간주하지 않는다.

제32조 할부어음 발행 또는 할부선적

신용장에서 일정한 기간 내에 할부방식에 의한 어음발행 또는 선적이 명시되어 있고 어느 할부분이 할부를 위하여 허용된 기간 내에 어음발행되지 않거나 선적되지 못한 경우 신용장은 그 할부분과 그 이후의 모든 할부분에 대하여 무효가 된다.

제33조 제시 시간

은행은 은행영업시간 이외의 제시를 수리할 의무를 지지 않는다.

제34조
서류의 유효성에 대한 면책

은행은 어떤 서류이든 그 형식, 충분성, 정확성, 진정성, 위조 또는 법적 효력에 대하여, 또는 그 서류에 명시된 일반 및 특정조건 또는 부가조항에 대하여 어떠한 의무나 책임도 지지 않으며, 또한 서류에 표시되어 있는 상품의 명세, 수량, 중량, 품질, 상태, 포장, 인도, 기타 가치 또는 실존여부에 대하여 또는 상품의 송하인, 운송인, 운송주선업자, 수하인, 보험자 또는 기타 모든 관계자의 성실성이나 작위 및 부작위, 지급능력, 의무이행, 업태에 관하여 어떠한 의무나 책임도 지지 않는다.

Article 35 Disclaimer on Transmission and Translation

A bank assumes no liability or responsibility for the consequences arising out of delay, loss in transit, mutilation or other errors arising in the transmission of any messages or delivery of letters or documents, when such messages, letters or documents are transmitted or sent according to the requirements stated in the credit, or when the bank may have taken the initiative in the choice of the delivery service in the absence of such instructions in the credit.

If a nominated bank determines that a presentation is complying and forwards the documents to the issuing bank or confirming bank, whether or not the nominated bank has honoured or negotiated, an issuing bank or confirming bank must honour or negotiate, or reimburse that nominated bank, even when the documents have been lost in transit between the nominated bank and the issuing bank or confirming bank, or between the confirming bank and the issuing bank.

A bank assumes no liability or responsibility for errors in translation or interpretation of technical terms and may transmit credit terms without translating them.

Article 36 Force Majeure

A bank assumes no liability or responsibility for the consequences arising out of the interruption of its business by Acts of God, riots, civil commotions, insurrections, wars, acts of terrorism, or by any strikes or lockouts or any other causes beyond its control.

A bank will not, upon resumption of its business, honour or negotiate under a credit that expired during such interruption of its business.

Article 37 Disclaimer for Acts of an Instructed Party

a A bank utilizing the services of another bank for the purpose of giving effect to the instructions of the applicant does so for the account and at the risk of the applicant.

b. An issuing bank or advising bank assumes no liability or responsibility should the instructions it transmits to another bank not be carried out, even if it has taken the initiative in the choice of that other bank.

제35조 전달과 번역에 대한 면책

통보, 서신, 서류가 신용장에 기재된 요구조건에 따라서 전달되거나 송부될 때, 또는 은행이 신용장에 전달 서비스의 선택에 대한 지시가 없을 때 은행이 그 선택을 주도하였더라도 은행은 어떠한 통보, 서한, 서류의 전달에서 발생하는 송달지연 또는 분실, 훼손 또는 기타 오류로 인해 발생하는 결과에 대하여 어떤 의무나 책임도 지지 않는다.

만약 지정은행이 제시가 일치하고 있다고 결정하고 그 서류를 개설은행 또는 확인은행에 송부하는 경우에는 서류가 지정은행과 개설은행 또는 확인은행간에, 또는 확인은행과 개설은행간에 송달 중에 분실된 경우라 하더라도, 지정은행이 결제 또는 매입하였는지의 여부에 관계없이, 개설은행 또는 확인은행은 결제 또는 매입하거나, 또는 그 지정은행에 대금을 상환하여야 한다. 비록 서류가 지정은행과 개설은행 또는 지정은행과 확인은행 또는 확인은행과 개설은행간 우송 중에 분실되었다 할지라도 마찬가지이다.

은행은 전문용어의 번역 또는 해석상 오류에 대하여 어떤 의무나 책임도 지지 않으며 신용장의 용어를 번역하지 않고 신용장 조건을 전달할 수 있다.

제36조 불가항력

은행은 천재지변, 폭동, 소요, 반란, 전쟁, 테러행위 또는 파업이나 직장폐쇄 또는 그들이 통제할 수 없는 다른 요인으로 인한 업무중단에 대하여 아무런 의무나 책임도 지지 않는다.

은행은 업무가 재개되었을 때 그러한 업무중단 중에 유효기일이 경과한 신용장에 대하여 결제하거나 매입하지 않는다.

제37조 지시받은 당사자의 행위에 대한 면책

a. 개설의뢰인의 지시를 이행할 목적으로 다른 은행의 서비스를 이용하는 은행은 개설의뢰인의 비용과 위험부담으로 행동한다.

b. 개설은행 또는 통지은행은 비록 주도적으로 다른 은행을 선택하였다 할지라도 만약 그들이 전달한 지시가 수행되지 않은 경우에 어떠한 의무나 책임도 지지 않는다.

c. A bank instructing another bank to perform services is liable for any commissions, fees, costs or expenses ("charges") incurred by that bank in connection with its instructions.

If a credit states that charges are for the account of the beneficiary and charges cannot be collected or deducted from proceeds, the issuing bank remains liable for payment of charges.

A credit or amendment should not stipulate that the advising to a beneficiary is conditional upon the receipt by the advising bank or second advising bank of its charges.

d. The applicant shall be bound by and liable to indemnify a bank against all obligations and responsibilities imposed by foreign laws and usages.

Article 38 Transferable Credits

a. A bank is under no obligation to transfer a credit except to the extent and in the manner expressly consented to by that bank.

b. For the purpose of this article:

Transferable credit means a credit that specifically states it is "transferable". A transferable credit may be made available in whole or in part to another beneficiary ("second beneficiary") at the request of the beneficiary ("first beneficiary").

Transferring bank means a nominated bank that transfers the credit or, in a credit available with any bank, a bank that is specifically authorized by the issuing bank to transfer and that transfers the credit. An issuing bank may be a transferring bank. Transferred credit means a credit that has been made available by the transferring bank to a second beneficiary.

c. Unless otherwise agreed at the time of transfer, all charges (such as commissions, fees, costs or expenses) incurred in respect of a transfer must be paid by the first beneficiary.

d. A credit may be transferred in part to more than one second beneficiary provided partial drawings or shipments are allowed.

A transferred credit cannot be transferred at the request of a second beneficiary to any subsequent beneficiary. The first beneficiary is not considered to be a subsequent beneficiary.

c. 다른 은행에 그러한 서비스를 이행하도록 지시한 은행은 그 지시와 관련하여 그 은행에 발생한 수수료, 요금, 대가, 지출에 대하여 책임을 진다.

만약 신용장이 수수료가 수익자 부담이라고 기재하였으나 수수료가 추심될 수 없거나 신용장 대금에서 차감할 수 없다면 개설은행이 수수료를 지급할 책임을 진다.

신용장 또는 조건변경은 수익자에 대한 통지가 통지은행 또는 제2통지은행이 자신의 수수료를 수령하는 것을 조건으로 한다고 명시하여서는 안 된다.

d. 개설의뢰인은 외국의 법률 및 관습에 의해서 부과되는 모든 의무와 책임에 구속되며 이에 대하여 은행에 보상할 책임이 있다.

제38조 양도가능 신용장

a. 은행은 그 은행이 명백하게 동의한 범위와 방법에 의한 경우를 제외하고는 신용장을 양도할 의무를 지지 않는다.

b. 이 조항의 목적상:

양도가능신용장이란 "양도가능"이라고 특별히 기재된 신용장을 의미한다. 양도가능신용장은 수익자("제1수익자")의 요청에 따라 다른 수익자("제2수익자")가 전체적으로 또는 부분적으로 이용할 수 있다.

양도은행은 신용장을 양도하는 지정은행을 의미한다. 또한 어떤 은행이나 이용가능한 신용장에서는 개설은행에 의해서 양도가 특별히 수권되어 신용장을 양도한 은행을 가리킨다. 개설은행은 양도은행이 될 수 있다.

양도된 신용장이란 양도은행에 의해서 제2수익자가 이용할 수 있도록 된 신용장을 의미한다.

c. 양도 시에 달리 명시하지 않았다면 양도에 관련된 모든 수수료(수수료, 요금, 대가 또는 지출)는 제1수익자가 지급하여야 한다.

d. 신용장은 만약 분할어음 발행 또는 분할선적이 허용되었다면 한 사람 이상의 제2수익자에게 부분적으로 양도될 수 있다.

양도가능신용장은 제2수익자에 의해서 차후 수익자에게 양도될 수 없다. 제1수익자는 차후 수익자로 간주되지 않는다.

e. Any request for transfer must indicate if and under what conditions amendments may be advised to the second beneficiary. The transferred credit must clearly indicate those conditions.

f. If a credit is transferred to more than one second beneficiary, rejection of an amendment by one or more second beneficiary does not invalidate the acceptance by any other second beneficiary, with respect to which the transferred credit will be amended accordingly. For any second beneficiary that rejected the amendment, the transferred credit will remain unamended.

g. The transferred credit must accurately reflect the terms and conditions of the credit, including confirmation, if any, with the exception of:
  – the amount of the credit,
  – any unit price stated therein,
  – the expiry date,
  – the period for presentation, or
  – the latest shipment date or given period for shipment, any or all of which may be reduced or curtailed.

The percentage for which insurance cover must be effected may be increased to provide the amount of cover stipulated in the credit or these articles. The name of the first beneficiary may be substituted for that of the applicant in the credit.

If the name of the applicant is specifically required by the credit to appear in any document other than the invoice, such requirement must be reflected in the transferred credit.

h. The first beneficiary has the right to substitute its own invoice and draft, if any, for those of a second beneficiary for an amount not in excess of that stipulated in the credit, and upon such substitution the first beneficiary can draw under the credit for the difference, if any, between its invoice and the invoice of a second beneficiary.

e. 양도청구에는 조건변경이 된 경우 제2수익자에게 어떤 조건으로 이것을 통지할 수 있는지를 명시하여야 한다. 양도된 신용장은 이 조건을 명확하게 표시하여야 한다.

f. 신용장이 한 사람 이상의 제2수익자에게 양도된 경우 한 사람 이상의 제2수익자가 조건변경을 거절하였다고 하더라도 신용장 조건변경과 관련된 다른 제2수익자의 수락이 무효화되는 것은 아니며 양도된 신용장은 이들에 대하여 조건변경된다. 조건변경을 거절한 제2수익자에 대하여는 양도된 신용장은 조건변경되지 않는다.

g. 양도된 신용장은 다음 사항을 제외하고 만약 있다면 확인을 포함하여 정확하게 신용장조건을 반영하여야 한다.
  – 신용장 금액
  – 신용장상의 단가
  – 유효기일
  – 제시기간 또는
  – 최종 선적일 또는 선적기간
이들 항목 중 일부 또는 전부는 감액 또는 단축될 수 있다.
보험커버 비율은 신용장 또는 이 규칙에 따라 명시된 부보금액을 제공하기 위하여 증가될 수 있다.
제1수익자의 이름은 신용장 개설의뢰인의 이름을 대체할 수 있다.

개설의뢰인의 이름이 상업송장 이외의 다른 어떤 서류에 나타날 것을 신용장에서 특별히 요구하였다면 그러한 요구조건은 양도된 신용장에 반영되어야 한다.

h. 제1수익자는 신용장에 명시된 금액을 초과하지 않는 범위 내에서 제2수익자의 송장과 환어음을 대체할 권리를 가진다. 그리고 대체되었을 때 제1수익자는 그의 송장과 제2수익자 송장간의 차액이 있다면 차액에 대하여 환어음을 발행할 수 있다.

i. If the first beneficiary is to present its own invoice and draft, if any, but fails to do so on first demand, or if the invoices presented by the first beneficiary create discrepancies that did not exist in the presentation made by the second beneficiary and the first beneficiary fails to correct them on first demand, the transferring bank has the right to present the documents as received from the second beneficiary to the issuing bank, without further responsibility to the first beneficiary.

j. The first beneficiary may, in its request for transfer, indicate that honour or negotiation is to be effected to a second beneficiary at the place to which the credit has been transferred, up to and including the expiry date of the credit. This is without prejudice to the right of the first beneficiary in accordance with sub‐article 38 (h).

k. Presentation of documents by or on behalf of a second beneficiary must be made to the transferring bank.

Article 39 Assignment of Proceeds

The fact that a credit is not stated to be transferable shall not affect the right of the beneficiary to assign any proceeds to which it may be or may become entitled under the credit, in accordance with the provisions of applicable law. This article relates only to the assignment of proceeds and not to the assignment of the right to perform under the credit.

i. 제1수익자가 자신의 송장과 환어음을 제시하였으나 첫 요구 시에 그렇게 하지 못하였다면 또는 제1수익자가 제시한 송장이 제2수익자의 제시에는 존재하지 않았던 하자를 발생시켰고, 제1수익자가 첫 요구 시에 수정하지 못하였다면 양도은행은 제2수익자로부터 받은 서류를 제1수익자에 대한 더 이상의 책임을 지지 않고 개설은행에 제시할 권리를 가진다.

j. 제1수익자는 양도 신청을 할 때 신용장 유효기일까지 신용장이 양도된 장소에서 제2수익자에게 결제 또는 매입하도록 지시할 수 있다. 이것이 제38조 (h)항에 따른 제1수익자의 권리를 침해하지 않는다.

k. 제2수익자에 의한 또는 제2수익자를 대신한 서류는 양도은행에 제시되어야 한다.

제39조 대금 양도

신용장이 양도가능하다고 기재되지 않았다고 하더라도 수익자가 적용가능한 법률의 규정에 따라 신용장에서 그가 받을 자격이 있거나 받아야 할 자격을 가지게 될 대금을 양도할 수 있는 권리에 영향을 주는 것은 아니다. 이 조항은 대금 양도에만 관련되며 해당 신용장에 따라 행사하는 권리 양도와는 관련되지 않는다.

02 추심에 관한 통일규칙(URC 522)

ICC Uniform Rules for Collections URC 522

A. GENERAL PROVISIONS AND DEFINITIONS	**A. 총칙 및 정의**

ARTICLE 1 APPLICATION OF URC 522

a. The Uniform Rules for Collections, 1995 Revision, ICC Publication No. 522, shall apply to all collections as defined in Article 2 where such rules are incorporated into the text of the "collection instruction" referred to in Article 4 and are binding on all parties thereto unless otherwise expressly agreed or contrary to the provisions of a national, state or local law and/or regulation which cannot be departed from.

b. Banks shall have no obligation to handle either a collection or any collection instruction or subsequent related instructions.

c. If a bank elects, for any reason, not to handle a collection or any related instructions received by it, it must advise the party from whom it received the collection or the instructions by telecommunication or, if that is not possible, by other expeditious means, without delay.

ARTICLE 2 DEFINITION OF COLLECTION

For the purposes of these Articles:

a. "Collection" means the handling by banks of documents as defined in sub‑Article 2(b), in accordance with instructions received, in order to:

1. obtain payment and/or acceptance, or
2. deliver documents against payment and/or against acceptance, or
3. deliver documents on other terms and conditions.

b. "Documents" means financial documents and/or commercial documents:

1. "Financial documents" means bills of exchange, promissory notes, cheques, or other similar instruments used for obtaining the payment of money;

제1조 통일규칙의 적용

a. 1995년 개정, ICC간행물 번호 522, 추심에 관한 통일규칙은 본 규칙의 준거문언이 제4조에 언급된 '추심지시서'의 본문에 삽입된 경우에 제2조에 정의된 모든 추심에 적용할 수 있으며, 별도의 명시적인 합의가 없거나 또는 국가, 주, 또는 지방의 법률 및/또는 위반할 수 없는 규칙의 규정에 반하지 아니하는 한 모든 관계당사자를 구속한다.

b. 은행은 추심 또는 추심지시 또는 관련된 후속지시를 취급해야 할 의무를 지지 아니한다.

c. 은행이 어떠한 이유에서 접수된 추심 또는 관련지시를 취급하지 않을 것을 선택한 경우에는 추심 또는 지시를 송부한 당사자에게 전신, 또는 전신이 가능하지 않은 경우, 다른 신속한 수단으로 지체 없이 통지해야 한다.

제2조 추심의 정의

본 규칙의 목적상,

a. "추심"이란 은행이 접수된 지시에 따라 다음과 같은 목적으로 아래 b항에 정의된 서류를 취급하는 것을 의미한다.

1. 지급 및/또는 인수를 취득하거나
2. 서류를 지급인도 및/또는 인수인도 하거나
3. 기타의 제조건으로 서류를 인도하는 목적

b. "서류"란 다음의 금융서류 및/또는 상업서류를 의미한다.

1. "금융서류"란 환어음, 약속어음, 수표 또는 기타 금전의 지급을 취득하기 위하여 사용되는 이와 유사한 증서를 의미하며,

2. "Commercial documents" means invoices, transport documents, documents of title or other similar documents, or any other documents whatsoever, not being financial documents.

c. "Clean collection" means collection of financial documents not accompanied by commercial documents.

d. "Documentary collection" means collection of:
1. Financial documents accompanied by commercial documents;
2. Commercial documents not accompanied by financial documents.

ARTICLE 3 PARTIES TO A COLLECTION

a. For the purposes of these Articles the "parties thereto" are:
1. the "principal" who is the party entrusting the handling of a collection to a bank;
2. the "remitting bank" which is the bank to which the principal has entrusted the handling of a collection;
3. the "collecting bank" which is any bank, other than the remitting bank, involved in processing the collection;
4. the "presenting bank" which is the collecting bank making presentation to the drawee.

b. The "drawee" is the one to whom presentation is to be made in accordance with the collection instruction.

B. FORM AND STRUCTURE OF COLLECTIONS

ARTICLE 4 COLLECTION INSTRUCTION

a. 1. All documents sent for collection must be accompanied by a collection instruction indicating that the collection is subject to URC 522 and giving complete and precise instructions. Banks are only permitted to act upon the instructions given in such collection instruction, and in accordance with these Rules.
2. Banks will not examine documents in order to obtain instructions.
3. Unless otherwise authorised in the collection instruction, banks will disregard any instructions from any party/bank other than the party/bank from whom they received the collection.

---

2. "상업서류"란 송장, 운송서류, 권리증권 또는 이와 유사한 서류, 또는 그밖에 금융서류가 아닌 모든 서류를 의미한다.

c. "무담보추심"이란 상업서류가 첨부되지 않은 금융서류의 추심을 의미한다.

d. "화환추심"이란 다음과 같은 추심을 의미한다.
1. 상업서류가 첨부된 금융서류의 추심
2. 금융서류가 첨부되지 않은 상업서류의 추심

제3조 추심 당사자

a. 본조의 목적상 관계당사자란 다음과 같은 자를 의미한다.
1. 은행에 추심업무를 의뢰하는 당사자인 "추심의뢰인",
2. 추심의뢰인으로 부터 추심업무를 의뢰받은 은행인 "추심의뢰은행"
3. 추심의뢰이외에 추심의뢰 과정에 참여하는 모든 은행인 "추심은행"
4. 지급인에게 제시를 행하는 추심은행인 "제시은행"

b. "지급인"이란 추심지시서에 따라 제시를 받아야 할 자를 말한다.

B. 추심의 형식과 구조

제4조 추심 지시서

a. 1. 추심을 위해 송부되는 모든 서류에는 그 본 규칙 (URC 522)의 적용을 받고 있음을 명시하고 완전하고 정확한 지시가 기재된 추심지시서를 첨부해야 한다. 은행은 그러한 추심지시서에 기재된 지시에 의거하여, 그리고 본 규칙에 따라서만 업무를 수행하여야 한다.
2. 은행은 지시를 찾아 서류를 검토하지 않는다.
3. 추심지시서에 별도의 수권이 없으면 은행은 추심을 송부한 당사자/은행 이외의 어느 당사자/은행 으로부터의 어떠한 지시도 무시한다.

b. A collection instruction should contain the following items of information, as appropriate.

1. Details of the bank from which the collection was received including full name, postal and SWIFT addresses, telex, telephone, facsimile numbers and reference.

2. Details of the principal including full name, postal address, and if applicable telex, telephone and facsimile numbers.

3. Details of the drawee including full name, postal address, or the domicile at which presentation is to be made and if applicable telex, telephone and facsimile numbers.

4. Details of the presenting bank, if any, including full name, postal address, and if applicable telex, telephone and facsimile numbers.

5. Amount(s) and currency(ies) to be collected.

6. List of documents enclosed and the numerical count of each document.

7. **a)** Terms and conditions upon which payment and/or acceptance is to be obtained.

   b) Terms of delivery of documents against:
   1) payment and/or acceptance
   2) other terms and conditions

   It is the responsibility of the party preparing the collection instruction to ensure that the terms for the delivery of documents are clearly and unambiguously stated, otherwise banks will not be responsible for any consequences arising therefrom.

8. Charges to be collected, indicating whether they may be waived or not.

9. Interest to be collected, if applicable, indicating whether it may be waived or not, including:
   a) rate of interest
   b) interest period
   c) basis of calculation (for example 360 or 365 days in a year) as applicable.

10. Method of payment and form of payment advice.

11. Instructions in case of non-payment, non-acceptance and/or non-compliance with other instructions.

---

b. 추심지시서는 다음과 같은 정보를 적절하게 포함하여야 한다.

1. 추심을 송부한 은행의 완전한 이름, 우편주소 및 SWIFT 주소, 텔렉스, 전화, 팩스 번호 및 참조사항을 포함한 명세

2. 추심의뢰인의 완전한 이름, 우편주소, 그리고 해당되는 경우, 텔렉스, 전화, 팩스 번호를 포함한 명세

3. 지급인의 완전한 이름, 우편주소 또는 제시가 행해질 주소(domicile) 및 해당되는 경우 텔렉스, 전화, 팩스 번호를 포함한 명세

4. 있는 경우 제시은행의 완전한 이름, 우편주소, 및 해당되는 경우 텔렉스, 전화, 팩스번호를 포함한 명세

5. 추심되는 금액과 통화

6. 동봉한 서류의 목록과 각 서류의 숫자

7. **a)** 지급 및/또는 인수가 취득되는 조건(terms and conditions)

   b) 다음과 상환으로 서류의 인도 조건
   1) 지급
   2) 인수
   3) 기타 조건(other terms and conditions)
   추심지시서를 송부하는 당사자는 서류의 인도 조건을 분명하고 명확하게 기술되도록 할 책임이 있으며, 그렇지 않을 경우 이로 인해 발생하는 어떠한 결과에 대해서도 은행은 책임을 지지 아니한다.

8. 추심될 수수료. 수수료가 포기 될 수 있는지의 여부를 기재한다.

9. 추심될 이자. 해당되는 경우 포기될 수 있는 지의 여부와 다음 사항을 포함한다.
   a) 이자율
   b) 환산기간
   c) 해당되는 경우, 계산 방법(예, 1년을 365일로 할지 아니면 360 일로 할 것인지

10. 지금방법과 지급통지의 형식

11. 지급거절, 인수거절, 및/또는 다른 지시의 준수 거절의 경우에 대한 지시

c. 1. Collection instructions should bear the complete address of the drawee or of the domicile at which the presentation is to be made. If the address is incomplete or incorrect, the collecting bank may, without any liability and responsibility on its part, endeavour to ascertain the proper address.

2. The collecting bank will not be liable or responsible for any ensuing delay as a result of an incomplete/incorrect address being provided.

C. FORM OF PRESENTATION

ARTICLE 5 PRESENTATION

a. For the purposes of these Articles, presentation is the procedure whereby the presenting bank makes the documents available to the drawee as instructed.

b. The collection instruction should state the exact period of time within which any action is to be taken by the drawee.

Expressions such as "first", "prompt", "immediate", and the like should not be used in connection with presentation or with reference to any period of time within which documents have to be taken up or for any other action that is to be taken by the drawee. If such terms are used banks will disregard them.

c. Documents are to be presented to the drawee in the form in which they are received, except that banks are authorised to affix any necessary stamps, at the expense of the party from whom they received the collection unless otherwise instructed, and to make any necessary endorsements or place any rubber stamps or other identifying marks or symbols customary to or required for the collection operation.

d. For the purpose of giving effect to the instructions of the principal, the remitting bank will utilise the bank nominated by the principal as the collecting bank. In the absence of such nomination, the remitting bank will utilise any bank of its own, or another bank's choice in the country of payment or acceptance or in the country where other terms and conditions have to be complied with.

e. The documents and collection instruction may be sent directly by the remitting bank to the collecting bank or through another bank as intermediary.

---

c. 1. 추심지시서에는 지급인의 완전한 주소 도는 제시가 행해져야 할 곳 (domicile)의 완전한 주소. 주소가 불완전하거나 부정확한 경우에는 추심은행은 의무나 책임없이 올바른 주소를 확인하기 위해 노력할 수 있다.

2. 추심은행은 불완전하거나 부정확한 주소로 인해 발생하는 어떠한 지연에 대해서도 의무나 책임을 지지 아니한다.

C. 제시의 형식

제5조 제 시

a. 이 조항들의 목적상, 제시란 제시은행이 지시받은 대로 그리고 본 규칙에 따라서 서류를 지급인이 취득할 수 있도록 만드는 절차이다.

b. 추심지시서는 지급인이 조치를 취해야 하는 정확한 기한을 기재하여야 한다.

제시 또는 지급인에 의해 서류가 인수되거나 지급인에 의해 서류가 인수되어야 하는 기간에 대한 언급과 관련하여, 또는 지급인에 의해 취해져야 하는 다른 조치에 대하여 "첫째", "신속한", "즉시" 그리고 이와 유사한 표현들은 사용되어져서는 아니 된다. 만일 그러한 용어가 사용된 경우 은행은 이를 무시한다.

c. 서류는 접수된 형태로 지급인에게 제시되어야 한다. 다만 은행은 별도의 지시가 없는 한 추심의뢰인의 비용부담으로 필요한 인지를 첨부할 수 있도록 수권되어 있는 경우, 그리고 필요한 배서를 하거나 또는 추심업무에 관례적이거나 요구되는 고무인 또는 기타 인식표지나 부호를 표시할 수 있도록 수권되어 있는 경우에는 그러하지 아니하다.

d. 추심의뢰인의 지시를 실행할 목적으로, 추심의뢰은행은 추심의뢰인에 의해 지정된 은행을 추심은행으로 이용할 수 있다. 그러한 지정이 없는 경우에는 추심의뢰은행은 지급국가 또는 인수국가, 또는 기타 조건이 준수되어야 하는 국가내에 자신이 선택하거나 다른 은행이 선택한 모든 은행을 이용할 수 있다.

e. 서류와 추심지시서는 추심의뢰은행이 추심은행으로 직접 송부되거나, 다른 은행을 중개인으로 하여 송부될 수 있다.

f. If the remitting bank does not nominate a specific presenting bank, the collecting bank may utilise a presenting bank of its choice.

ARTICLE 6 SIGHT/ACCEPTANCE

In the case of documents payable at sight the presenting bank must make presentation for payment without delay. In the case of documents payable at a tenor other than sight the presenting bank must, where acceptance is called for, make presentation for acceptance without delay, and where payment is called for, make presentation for payment not later than the appropriate maturity date.

ARTICLE 7 RELEASE OF COMMERCIAL DOCUMENTS
Documents Against Acceptance (D/A) vs. Documents Against Payment (D/P)

a. Collections should not contain bills of exchange payable at a future date with instructions that commercial documents are to be delivered against payment.

b. If a collection contains a bill of exchange payable at a future date, the collection instruction should state whether the commercial documents are to be released to the drawee against acceptance (D/A) or against payment (D/P).
In the absence of such statement commercial documents will be released only against payment and the collecting bank will not be responsible for any consequences arising out of any delay in the delivery of documents.

c. If a collection contains a bill of exchange payable at a future date and the collection instruction indicates that commercial documents are to be released against payment, documents will be released only against such payment and the collecting bank will not be responsible for any consequences arising out of any delay in the delivery of documents.

f. 추심의뢰은행이 특정 제시은행을 지정하지 않은 경우에는 추심은행은 자신이 선택한 제시은행을 이용할 수 있다.

제6조 일람출급 / 인수

서류가 일람출급인 경우에는 제시은행은 지체없이 지급을 위한 제시를 하여야 한다. 서류가 일람출급이 아닌 기한부지급조건인 경우에는 제시은행은 인수가 요구되는 때에는 지체없이 인수를 위한 제시를, 그리고 지급이 요구되는 때에는 적합한 만기일 내에 지급을 위한 제시를 해야 한다.

제7조 상업서류의 인도
– 인수인도 (D/A) vs. 지급인도 (D/P)

a. 추심은 장래의 확정일 지급조건의 환어음을 상업서류는 지급과 상환으로 인도되어야 한다는 지시와 함께 포함하여서는 아니 된다.

b. 만일 추심이 장래확정일 지급조건의 환어음을 포함하는 경우에는 추심지시서에는 상업서류가 인수인도 (D/A) 또는 지급인도 (D/P)중 어느 조건으로 지급인에게 인도되어야 하는 지를 명시해야 한다.

그러한 명시가 없는 경우에는, 상업서류는 지급과 상환으로만 인도되어야 하며, 서류인도의 지연에 기인하는 어떠한 결과에 대해서도 추심은행은 책임을 지지 아니한다.

c. 만일 추심이 장래확정일 지급조건의 환어음을 포함하고 추심지시서에 상업서류는 지급과 상환으로 인도되어야 한다고 기재된 경우에는, 서류는 오직 그러한 지급과 상환으로만 인도되고, 추심은행은 서류인도의 지연에서 기인하는 어떠한 결과에 대해서도 책임을 지지 아니한다.

ARTICLE 8 CREATION OF DOCUMENTS

Where the remitting bank instructs that either the collecting bank or the drawee is to create documents (bills of exchange, promissory notes, trust receipts, letters of undertaking or other documents) that were not included in the collection, the form and wording of such documents shall be provided by the remitting bank, otherwise the collecting bank shall not be liable or responsible for the form and wording of any such document provided by the collecting bank and/or the drawee.

D. LIABILITIES AND RESPONSIBILITIES

ARTICLE 9 GOOD FAITH AND REASONABLE CARE

Banks will act in good faith and exercise reasonable care.

ARTICLE 10 DOCUMENTS vs. GOODS, SERVICES, PERFORMANCES

a. Goods should not be despatched directly to the address of a bank or consigned to or to the order of a bank without prior agreement on the part of that bank.

Nevertheless, in the event that goods are despatched directly to the address of a bank or consigned to or to the order of a bank for release to a drawee against payment or acceptance or upon other terms and conditions without prior agreement on the part of that bank, such bank shall have no obligation to take delivery of the goods, which remain at the risk and responsibility of the party despatching the goods.

b. Banks have no obligation to take any action in respect of the goods to which a documentary collection relates, including storage and insurance of the goods even when specific instructions are given to do so. Banks will only take such action if, when, and to the extent that they agree to do so in each case. Notwithstanding the provisions of sub – Article 1(c) this rule applies even in the absence of any specific advice to this effect by the collecting bank.

제8조 서류의 작성

추심의뢰은행이 추심은행 또는 지급인이 추심에 포함되어 있지 않은 서류 (환어음, 약속어음, 수입화물위탁증서 (Trust Receipts), 약속증서 (letter of undertaking) 또는 기타 서류)를 작성할 것을 지시하는 경우에는 그러한 서류의 형식과 자구는 추심의뢰은행에 의해 제공되어야 한다. 그렇지 않은경우 추심은행은 추심은행 및/또는 지급인에 의해 제공된 그러한 서류의 형식과 자구에 대하여 의무나 책임을 지지 아니한다.

D. 의무 및 책임

제9조 신의성실과 상당한 주의

은행은 신의성실에 따라 행동하고 또 상당한 주의를 행사해야 한다.

제10조 서류 vs. 물품/용역/이행

a. 물품은 은행의 없이 사전동의 은행의 주소로 직접 발송되거나 은행 또는 은행의 지시인에게 탁송되어서는 아니 된다.

그럼에도 불구하고 물품이 은행은 사전동의 없이 지급인에게 지급인도, 인수인도, 또는 기타의 조건으로 인도하기 위하여 직접 발송되거나, 은행 또는 은행의 지시인에게 탁송되는 경우에는 그 은행은 물품을 인수하여야 할 의무를 지지 아니하며 그 물품은 물품을 발송하는 당사자의 위험과 책임으로 남는다.

b. 은행은 화환추심이 관계되는 물품에 관하여 물품의 보관, 부보를 포함한 어떠한 조치도 취할 의무가 없으며, 그러한 조치를 하도록 지시를 받은 경우에도 그러하다. 은행은 그러한 조치를 취할 것을 동의한다면, 동의한 때에 동의한 한도까지만 그러한 조치를 취한다. 1조 c의 규정에도 불구하고 이 규칙은 추심은행에 의한 어떠한 명확한 통지가 없는 경우에도 이러한 효력을 갖도록 적용된다.

c. Nevertheless, in the case that banks take action for the protection of the goods, whether instructed or not, they assume no liability or responsibility with regard to the fate and/or condition of the goods and/or for any acts and/or omissions on the part of any third parties entrusted with the custody and/or protection of the goods. However, the collecting bank must advise without delay the bank from which the collection instruction was received of any such action taken.

d. Any charges and/or expenses incurred by banks in connection with any action taken to protect the goods will be for the account of the party from whom they received the collection.

e. 1. Notwithstanding the provisions of sub‑Article 10(a), where the goods are consigned to or to the order of the collecting bank and the drawee has honoured the collection by payment, acceptance or other terms and conditions, and the collecting bank arranges for the release of the goods, the remitting bank shall be deemed to have authorized the collecting bank to do so.

2. Where a collecting bank on the instructions of the remitting bank or in terms of sub‑Article 10(e)i, arranges for the release of the goods, the remitting bank shall indemnify such collecting bank for all damages and expenses incurred.

ARTICLE 11 DISCLAIMER FOR ACTS OF AN INSTRUCTED PARTY

a. Banks utilising the services of another bank or other banks for the purpose of giving effect to the instructions of the principal, do so for the account and at the risk of such principal.

b. Banks assume no liability or responsibility should the instructions they transmit not be carried out, even if they have themselves taken the initiative in the choice of such other bank(s).

c. A party instructing another party to perform services shall be bound by and liable to indemnify the instructed party against all obligations and responsibilities imposed by foreign laws and usages.

---

c. 그럼에도 불구하고, 은행이 지시를 받았는지 받지 않았는지 간에, 그 물품의 보호를 위해 조치를 취한 경우에는 그 결과 및/또는 물품의 상태 및/또는 물품의 보관 및/또는 보호를 위임받은 어떠한 제3자측의 어떠한 작위 및/또는 부작위에 관하여 어떠한 의무나 책임도 지지 아니한다. 그러나, 추심은행은 취한 조치에 대하여 지체없이 추심지시를 송부한 은행에게 통지해야 한다.

d. 물품을 보호하기 위해 취해지 조치와 관련하여 은행에게 발생한 어떠한 수수료 및/또는 비용은 추심을 송부한 당사자의 부담으로 한다.

e. 1. 10조 a의 규정에도 불구하고, 물품이 추심은행 또는 추심은행의 지시인에게 탁송되고, 지급인이 추심에 대해 지급, 인수, 또는 기타 조건을 충족시켰으며, 추심은행이 물품의 인도를 주선하는 경우에는, 추심의뢰은행이 추심은행에게 그렇게 하도록 수권한 것으로 간주된다.

2. 추심은행이 추심의뢰은행의 지시에 의거하여 또는 전항의 e 1과 관련하여 물품의 인도를 주선하는 경우에는 추심의뢰은행은 그 추심은행에게 발생한 모든 손해와 비용을 보상해야 한다.

제11조 지시받은 당사자의 행동에 대한 면책

a. 추심의뢰인의 지시를 이행하기 위하여 다른 은행의 서비스를 이용하는 은행은 그 추심의뢰인의 비용과 위험부담으로 이를 행한다.

b. 은행이 전달한 지시가 이행되지 않는 경우에 그 은행은 의무나 책임을 지지 아니하며, 그 은행 자신이 그러한 다른 은행의 선택을 주도한 경우에도 그러하다.

c. 다른 당사자에게 서비스를 이행하도록 지시하는 당사자는 외국 법률과 관행에 의해 부과되는 모든 의무와 책임을 져야하며, 또 이에 대하여 지시받은 당사자에게 보상하여야 한다.

ARTICLE 12 DISCLAIMER ON DOCUMENTS RECEIVED

a. Banks must determine that the documents received appear to be as listed in the collection instruction and must advise by telecommunication or, if that is not possible, by other expeditious means, without delay, the party from whom the collection instruction was received of any documents missing, or found to be other than listed.

Banks have no further obligation in this respect.

b. If the documents do not appear to be listed, the remitting bank shall be precluded from disputing the type and number of documents received by the collecting bank.

c. Subject to sub – Article 5(c) and sub – Articles 12(a) and 12(b) above, banks will present documents as received without further examination.

ARTICLE 13 DISCLAIMER ON EFFECTIVENESS OF DOCUMENTS

Banks assume no liability or responsibility for the form, sufficiency, accuracy, genuineness, falsification or legal effect of any document(s), or for the general and/or particular conditions stipulated in the document(s) or superimposed thereon; nor do they assume any liability or responsibility for the description, quantity, weight, quality, condition, packing, delivery, value or existence of the goods represented by any document(s), or for the good faith or acts and/or omissions, solvency, performance or standing of the consignors, the carriers, the forwarders, the consignees or the insurers of the goods, or any other person whomsoever.

ARTICLE 14 DISCLAIMER ON DELAYS, LOSS IN TRANSIT AND TRANSLATION

a. Banks assume no liability or responsibility for the consequences arising out of delay and/or loss in transit of any message(s), letter(s) or document(s), or for delay, mutilation or other error(s) arising in transmission of any telecommunication or for error(s) in translation and/or interpretation of technical terms.

b. Banks will not be liable or responsible for any delays resulting from the need to obtain clarification of any instructions received.

제12조 접수된 서류에 대한 면책

a. 은행은 접수된 서류가 추심지시서에 열거된 것과 치외관상 일하는지를 결정하여야 하며, 또 누락되거나 열거된 것과 다른 서류에 대하여 지체없이 전신으로, 이것이 가능하지 않은 경우에는 다른 신속한 수단으로 추심지시서를 송부한 당사자에게 통지해야 한다.

은행은 이와 관련 더 이상의 의무가 없다.

b. 만일 서류가 외관상 열거된 것과 다른 경우에 추심의뢰은행은 추심은행에 의해 접수된 서류의 종류와 숫자를 반박할 수 없다.

c. 5조 c 그리고 a 와 b의 적용을 받으면서, 은행은 서류를 더 이상 심사하지 않고 접수된 대로 제시한다.

제13조 서류의 유효성에 대한 면책

은행은 서류의 형식, 충분성, 정확성, 진정성, 허위성 또는 법적 효력에 대하여, 서류에 규정되거나 첨가된 일반적 조건 및/또는 특정조건에 대하여 어떠한 의무나 책임도 지지 아니한다. 또한 은행은 서류에 의해 표시되는 물품의 명세, 양, 무게, 품질, 상태, 포장, 인도, 가격, 또는 존재에 대하여, 또는 물품의 탁송인, 운송인, 운송주선인, 수하인, 또는 보험자, 또는 다른 모든 사람의 신의성실, 작위 및 또는 부작위, 파산, 이행 또는 지위에 대하여 어떠한 의무나 책임도 지지 아니한다.

제14조 송달 및 번역중의 지연, 멸실에 대한 면책

a. 은행은 모든 통보, 서신, 또는 서류의 송달중의 지연 및/또는 멸실에 기인하여 발생하는 결과, 또는 모든 전기통신의 송신중에 발생하는 지연, 훼손 또는 기타의 오류, 또는 전문용어의 번역이나 해석상의 오류에 대하여 어떠한 의무나 책임을 지지 아니한다.

b. 은행은 접수된 지시의 설명을 취득할 필요에서 기인하는 어떠한 지연에 대해서도 책임을 지지 아니한다.

ARTICLE 15 FORCE MAJEURE

Banks assume no liability or responsibility for consequences arising out of the interruption of their business by Acts of God, riots, civil commotions, insurrections, wars, or any other causes beyond their control or by strikes or lockouts.

제15조 불가항력

은행은 천재, 소요, 폭동, 반란, 전쟁 또는 기타 불가항력의 사유 또는 동맹파업이나 직장폐쇄로 인해 발생하는 결과에 대하여 어떠한 의무 또는 책임을 지지 아니한다.

E. PAYMENT

E. 지급

ARTICLE 16 PAYMENT WITHOUT DELAY

a. Amounts collected (less charges and/or disbursements and/or expenses where applicable) must be made available without delay to the party from whom the collection instruction was received in accordance with the terms and conditions of the collection instruction.

b. Notwithstanding the provisions of sub‑Article 1(c), and unless otherwise agreed, the collecting bank will effect payment of the amount collected in favour of the remitting bank only.

제16조 지체없이 지급

a. 추심된 금액은 (해당되는 경우 수수료 및/또는 지출금 및/또는 비용을 공제하고) 추심지시서의 조건에 따라 추심지시서를 송부한 당사자에게 지체없이 지급되어야 한다.

b. 1조 c 의 규정에도 불구하고, 별도의 합의가 없는 경우에는 추심은행은 추심의뢰은행을 위하여 추심금액의 지급을 행한다.

ARTICLE 17 PAYMENT IN LOCAL CURRENCY

In the case of documents payable in the currency of the country of payment (local currency), the presenting bank must, unless otherwise instructed in the collection instruction, release the documents to the drawee against payment in local currency only if such currency is immediately available for disposal in the manner specified in the collection instruction.

제17조 내국통화에 의한 지급

지급국가의 통화 (내국통화)로 지급하도록 한 서류의 경우에는, 제시은행은 추심지시서에 별도의 지시가 없는 한, 내국통화가 추심지시서에 명시된 방법으로 즉시 처분할 수 있는 경우에만 현지화에 의한 지급과 상환으로 지급인에게 서류를 인도해야 한다.

ARTICLE 18 PAYMENT IN FOREIGN CURRENCY

In the case of documents payable in a currency other than that of the country of payment (foreign currency), the presenting bank must, unless otherwise instructed in the collection instruction, release the documents to the drawee against payment in the designated foreign currency only if such foreign currency can immediately be remitted in accordance with the instructions given in the collection instruction.

제18조 외국통화에 의한 지급

지급국가의 통화 이외의 통화 (외국통화)로 지급하도록 한 서류의 경우에는, 제시은행은 추심지시서에 별도의 지시가 없는 한, 그 외국통화가 추심지시서의 지시에 따라 즉시 송금될 수 있는 경우에 한하여 그 외국통화에 의한 지급과 상환으로 지급인에게 서류를 인도해야 한다.

ARTICLE 19 PARTIAL PAYMENTS

a. In respect of clean collections, partial payments may be accepted if and to the extent to which and on the conditions on which partial payments are authorized by the law in force in the place of payment. The financial document(s) will be released to the drawee only when full payment thereof has been received.

제19조 분할 지급

a. 무담보추심에 있어서 분할 지급은 지급지의 유효한 법률에 의하여 허용되는 경우에 그 허용되는 범위와 조건에 따라 인정될 수 있다. 금융서류는 지급전액이 수령되었을 때에만 지급인에게 인도된다.

b. In respect of documentary collections, partial payments will only be accepted if specifically authorized in the collection instruction. However, unless otherwise instructed, the presenting bank will release the documents to the drawee only after full payment has been received, and the presenting bank will not be responsible for any consequences arising out of any delay in the delivery of documents.

c. In all cases partial payments will be accepted only subject to compliance with the provisions of either Article 17 or Article 18 as appropriate.
Partial payment, if accepted, will be dealt with in accordance with the provisions of Article 16.

F. INTEREST, CHARGES AND EXPENSES

ARTICLE 20 INTEREST

a. If the collection instruction specifies that interest is to be collected and the drawee refuses to pay such interest, the presenting bank may deliver the document(s) against payment or acceptance or on other terms and conditions as the case may be, without collecting such interest, unless sub – Article 20(c) applies.

b. Where such interest is to be collected, the collection instruction must specify the rate of interest, interest period and basis of calculation.

c. Where the collection instruction expressly states that interest may not be waived and the drawee refuses to pay such interest the presenting bank will not deliver documents and will not be responsible for any consequences arising out of any delay in the delivery of document(s). When payment of interest has been refused, the presenting bank must inform by telecommunication or, if that is not possible, by other expeditious means without delay the bank from which the collection instruction was received.

ARTICLE 21 CHARGES AND EXPENSES

a. If the collection instruction specifies that collection charges and/or expenses are to be for account of the drawee and the drawee refuses to pay them, the presenting bank may deliver the document(s) against payment or acceptance or on other terms and conditions as the case may be, without collecting charges and/or expenses, unless sub – Article 21(b) applies.

---

b. 화환 추심에 있어서, 분할 지급은 추심지시서에서 특별히 허용된 경우에만 인정된다. 그러나 별도의 지시가 없는 한, 제시은행은 지급전액을 수령한 후에 한하여 서류를 지급인에게 인도하며, 제시은행은 서류인도의 지체에서 비롯되는 어떠한 결과에 대해서도 책임을 지지 아니한다.

c. 모든 경우에 있어서 분할 지급은 제17조 또는 제18조의 해당되는 규정에 따라서만 허용된다.

분할지급은 허용되는 경우 제16조의 규정에 따라 취급된다.

F. 이자, 수수료, 비용

제20조 이자

a. 추심지시서에서 이자가 추심되어야 함을 명시하고 지급인이 그 이자의 지급을 거절할 경우에는 20조 c 에 해당되지 아니하는 한 제시은행은 그 이자를 추심하지 아니하고 서류를 경우에 따라 지급인도 또는 인수인도, 또는 기타의 조건으로 인도할 수 있다.

b. 그 이자가 추심되어야 하는 때에는, 추심지시서에는 이자율, 환산기간과 계산방법을 기재하여야 한다.

c. 추심지시서가 이자는 포기될 수 없음을 명확하게 기재하고, 지급인이 그 이자의 지급을 거절하는 경우, 제시은행은 서류를 인도하지 아니하며, 서류인도의 지연에서 비롯되는 어떠한 결과에 대해서도 책임을 지지 아니한다. 이자의 지급이 거절되었을 때, 제시은행은 전신, 또는 이것이 가능하지 않은 경우에는 다른 신속한 수단으로 지체없이 추심지시서를 송부한 은행에 통지해야 한다.

제21조 수수료 및 비용

a. 추심지시서에 추심수수료 및/또는 비용은 지급인의 부담으로 하도록 명시하고 있으나 그 지급인이 이의 지급을 거절하는 경우에는 제시은행은 21조 b 에 해당하지 아니하는 한 수수료 및/또는 비용을 추심하지 아니하고 서류를, 경우에 따라 지급인도, 인수인도, 또는 기타 조건으로 인도할 수 있다.

Whenever collection charges and/or expenses are so waived they will be for the account of the party from whom the collection was received and may be deducted from the proceeds.

b. Where the collection instruction expressly states that charges and/or expenses may not be waived and the drawee refuses to pay such charges and/or expenses, the presenting bank will not deliver documents and will not be responsible for any consequences arising out of any delay in the delivery of the document(s). When payment of collection charges and/or expenses has been refused the presenting bank must inform by telecommunication or, if that is not possible, by other expeditious means without delay the bank from which the collection instruction was received.

c. In all cases where in the express terms of a collection instruction or under these Rules, disbursements and/or expenses and/or collection charges are to be borne by the principal, the collecting bank(s) shall be entitled to recover promptly outlays in respect of disbursements, expenses and charges from the bank from which the collection instruction was received, and the remitting bank shall be entitled to recover promptly from the principal any amount so paid out by it, together with its own disbursements, expenses and charges, regardless of the fate of the collection.

d. Banks reserve the right to demand payment of charges and/or expenses in advance from the party from whom the collection instruction was received, to cover costs in attempting to carry out any instructions, and pending receipt of such payment also reserve the right not to carry out such instructions.

G. OTHER PROVISIONS

ARTICLE 22 ACCEPTANCE

The presenting bank is responsible for seeing that the form of the acceptance of a bill of exchange appears to be complete and correct, but is not responsible for the genuineness of any signature or for the authority of any signatory to sign the acceptance.

이와 같이 포기되는 추심수수료 및/또는 비용은 언제나 추심을 송부한 당사자의 부담으로 하며 대금으로부터 공제될 수 있다.

b. 추심지시서에서 수수료 및/또는 비용은 포기하여서는 아니 됨을 명확하게 기재하고 지급인이 이의 지급을 거절하는 경우에는 제시은행은 서류를 인도하지 아니하며 서류인도의 어떠한 지체에서 비롯되는 어떠한 결과에 대해서도 책임을 지지 아니한다. 추심 수수료 및/또는 비용의 지급이 거절되었을 때 제시은행은 반드시 전신, 또는 이것이 가능하지 않은 때에는, 다른 신속한 수단으로 추심지시서를 송부한 은행에 지체없이 통지하여야 한다.

c. 추심지시서의 명시된 조건에서 또는 이 규칙에 따라 지출금 및/또는 비용 및/또는 추심수수료를 추심의뢰인의 부담으로 하는 모든 경우에 있어서 추심은행은 지출금, 비용, 수수료와 관련한 지출경비를 추심지시서를 송부한 은행으로부터 즉시 회수할 권리가 있다. 또 추심의뢰은행은 추심의 결과에 관계없이 그가 이렇게 지급한 모든 금액과 자신의 지출금, 비용 및 수수료를 추심의뢰인으로 부터 즉시 회수할 권리가 있다.

d. 은행은 어떤 지시를 이행하려고 시도하는 데 있어서의 경비를 충당하기 위하여 수수료 및/또는 비용의 사전지급을 추심지시서를 송부한 당사자에게 요구할 권리를 보유한다. 또한 그 지급을 수령할 때까지 그 지시를 이행하지 아니 할 권리를 보유한다.

G. 기타 규정

제22조 인수

제시은행은 환어음의 인수의 형식이 완전하고 정확하게 나타나 있는 지를 확인해야할 책임이 있다. 그러나 제시은행은 어떠한 서명의 진정성이나 인수의 서명을 한 어떠한 서명인의 권한에 대하여 책임을 지지 아니한다.

ARTICLE 23 PROMISSORY NOTES AND OTHER INSTRUMENTS

The presenting bank is not responsible for the genuineness of any signature or for the authority of any signatory to sign a promissory note, receipt, or other instruments.

ARTICLE 24 PROTEST

The collection instruction should give specific instructions regarding protest (or other legal process in lieu thereof), in the event of non‑payment or non‑acceptance.

In the absence of such specific instructions, the banks concerned with the collection have no obligation to have the document(s) protested (or subjected to other legal process in lieu thereof) for non‑payment or non‑acceptance.

Any charges and/or expenses incurred by banks in connection with such protest, or other legal process, will be for the account of the party from whom the collection instruction was received.

ARTICLE 25 CASE‑OF‑NEED

If the principal nominates a representative to act as case‑of‑need in the event of non‑payment and/or non‑acceptance the collection instruction should clearly and fully indicate the powers of such case‑of‑need. In the absence of such indication banks will not accept any instructions from the case‑of‑need.

ARTICLE 26 ADVICES

Collecting banks are to advise fate in accordance with the following rules:

a. FORM OF ADVICE

All advices or information from the collecting bank to the bank from which the collection instruction was received, must bear appropriate details including, in all cases, the latter bank's reference as stated in the collection instruction.

b. METHOD OF ADVICE

It shall be the responsibility of the remitting bank to instruct the collecting bank regarding the method by which the advices detailed in sub‑Articles (c)i, (c)ii and (c)iii are to be given. In the absence of such instructions, the collecting bank will send the relative advices by the method of its choice at the expense of the bank from which the collection instruction was received.

제23조 약속어음 및 기타 증서

제시은행은 어떠한 서명의 진정성 또는 약속어음, 영수증, 또는 기타 증서에 서명을 한 어떠한 서명인의 권한에 대하여 책임을 지지 아니한다.

제24조 거절증서

추심지시서에는 인수거절 또는 지급거절의 경우에 있어서의 거절증서 (또는 이에 갈음하는 기타 법적절차)에 관한 별도의 지시를 명기하여야 한다.

그러한 별도의 지시가 없는 경우에는 추심에 관여하는 은행은 지급거절 또는 인수거절에 대하여 서류의 거절증서를 작성토록 하거나 (또는 이에 갈음하는 법적절차가 취해지도록 할) 아무런 의무를 지지 아니한다.

그러한 거절증서 또는 기타 법적 절차와 관련하여 은행에게 발생하는 모든 수수료 및/또는 비용은 추심지시서를 송부한 당사자의 부담으로 한다.

제25조 예비지급인

만일 추심의뢰인이 인수거절 및/또는 지급거절의 경우에 예비지급인으로서 행동할 대표자를 지명하는 경우에는, 추심지시서에 그러한 예비지급인의 권한을 명확하고 완전하게 기재하여야 한다. 그러한 지시가 없는 경우에는 은행은 예비지급인으로부터의 어떠한 지시에도 응하지 아니한다.

제26조 통 지

추심은행은 다음과 같은 규칙에 따라 추심결과를 통지하여야 한다.

a. 통지의 형식

: 추심은행이 추심지시서를 송부한 은행으로 보내는 모든 지시 또는 정보에는 항상 추심지시서에 기재된 대로의 은행참조번호를 포함한 적절한 명세가 기재되어야 한다.

b. 통지의 방법

: 추심의뢰은행은 추심은행에게 c1, c2 및 c3에 상술된 통지가 행해져야 하는 방법에 대해 지시해야 할 의무가 있다. 그러한 지시가 없는 경우에는, 추심은행은 자신이 선택한 방법으로 추심지시서를 송부한 은행의 부담으로 관련된 통지를 보낸다.

c. 1. ADVICE OF PAYMENT

The collecting bank must send without delay advice of payment to the bank from which the collection instruction was received, detailing the amount or amounts collected, charges and/or disbursements and/or expenses deducted, where appropriate, and method of disposal of the funds.

2. ADVICE OF ACCEPTANCE

The collecting bank must send without delay advice of acceptance to the bank from which the collection instruction was received.

3. ADVICE OF NON‐PAYMENT AND/OR NON‐ACCEPTANCE

The presenting bank should endeavour to ascertain the reasons for non‐payment and/or non‐acceptance and advise accordingly, without delay, the bank from which it received the collection instruction.

The presenting bank must send without delay advice of non‐payment and/or advice of non‐acceptance to the bank from which it received the collection instruction.

On receipt of such advice the remitting bank must give appropriate instructions as to the further handling of the documents. If such instructions are not received by the presenting bank within 60 days after its advice of non‐payment and/or non‐acceptance, the documents may be returned to the bank from which the collection instruction was received without any further responsibility on the part of the presenting bank.

c. 1. 지급통지

: 추심은행은 추심의뢰서를 송부한 은행에게 추심한 금액, 해당되는 경우 공제한 수수료 및/또는 지출금 및/또는 비용 및 그 자금의 처분방법을 상술한 지급의 통지를 지체없이 송부하여야 한다.

2. 인수통지

: 추심은행은 추심의뢰서를 송부한 은행으로 인수의 통지를 지체없이 송부하여야 한다.

3. 지급거절 또는 인수거절의 통지

: 제시은행은 지급거절 또는 인수거절의 사유를 확인하기 위하여 노력하고 그 결과를 추심지시서를 송부한 은행에게 지체없이 통지하여야 한다.

제시은행은 지급거절 또는 인수거절의 통지를 지체없이 추심지시서를 송부한 은행으로 송부해야 한다.

추심의뢰은행은 그러한 통지를 수령한 때에는 향후의 서류취급에 대한 적절한 지시를 하여야 한다. 만일 그러한 지시가 지급거절 또는 인수거절을 통지한 후 60일 내에 제시은행에 의해 접수되지 않는 경우에는 서류는 제시은행측에 더 이상의 책임없이 추심지시서를 송부한 은행으로 반송될 수 있다.

03 국제물품매매계약에 관한 UN협약(1980)

이 협약의 당사국은,

신국제경제질서의 확립에 관하여 국제연합 총회 제6차 특별회의에서 채택된 결의의 광범한 목적을 유념하고, 평등과 상호의 이익을 기초로 한 국제무역의 발전은 국가 간의 우호관계를 증진시키는 데 중요한 요소임을 고려하며, 국제물품매매의 계약을 규율하고, 상이한 사회적, 경제적 및 법률적 제도를 고려하는 통일규칙의 채택이 국제무역에서의 법률적인 장벽을 제거하는 데 공헌하며 또 국제무역의 발전을 증진시킬 것이라는 견해하에서, 다음과 같이 합의하였다.

제1부 적용범위 및 통칙

제1장 적용범위

제1조(적용의 기본원칙)

(1) 이 협약은 다음과 같은 경우에 영업소가 상이한 국가에 있는 당사자 간의 물품매매계약에 적용된다.
  (a) 당해 국가가 모두 체약국인 경우, 또는
  (b) 국제사법의 규칙에 따라 어느 체약국의 법률을 적용하게 되는 경우.

(2) 당사자가 상이한 국가에 그 영업소를 갖고 있다는 사실이 계약의 체결전 또는 그 당시에 당사자 간에 행한 계약이나 모든 거래에서, 또는 당사자가 밝힌 정보로부터 나타나지 아니한 경우에는 이를 무시할 수 있다.

(3) 당사자의 국적이나, 또는 당사자 또는 계약의 민사상 또는 상사상의 성격은 이 협약의 적용을 결정함에 있어서 고려되지 아니한다.

제2조(협약의 적용제외)

이 협약은 다음과 같은 매매에는 적용되지 아니 한다.

(a) 개인용, 가족용 또는 가사용으로 구입되는 물품의 매매. 다만 매도인이 계약의 체결전 또는 그 당시에 물품이 그러한 용도로 구입된 사실을 알지 못하였거나 또는 알았어야 할 것도 아닌 경우에는 제외한다.

(b) 경매에 의한 매매,

(c) 강제집행 또는 기타 법률상의 권한에 의한 매매,

(d) 지분, 투자증권, 유통증권 또는 통화의 매매,

(e) 선박, 부선, 수상익선(水上翼船), 또는 항공기의 매매,

(f) 전기의 매매 등

제3조(서비스계약 등의 제외)

(1) 물품을 제조하거나 또는 생산하여 공급하는 계약은 이를 매매로 본다. 다만 물품을 주문한 당사자가 그 제조 또는 생산에 필요한 재료의 중요한 부분을 공급하기로 약정한 경우에는 그러하지 아니하다.

(2) 이 협약은 물품을 공급하는 당사자의 의무 중에서 대부분이 노동 또는 기타 서비스의 공급으로 구성되어 있는 계약의 경우에는 적용되지 아니한다.

제4조(적용대상과 대상외의 문제)

이 협약은 단지 매매계약의 성립과 그러한 계약으로부터 발생하는 매도인과 매수인의 규율한다. 특히 이 협약에서 별도의 명시적인 규정이 있는 경우를 제외하고, 이 협약은 다음과 같은 사항에는 관계되지 아니한다.

(a) 계약 또는 그 어떠한 조항이나 어떠한 관행의 유효성,

(b) 매각된 물품의 소유권에 관하여 계약이 미칠 수 있는 효과.

제5조(사망 등의 적용제외)

이 협약은 물품에 의하여 야기된 어떠한 자의 사망 또는 신체적인 상해에 대한 매도인의 책임에 대해서는 적용되지 아니한다.

제6조(계약에 의한 적용배제)

당사자는 이 협약의 적용을 배제하거나, 또는 제12조에 따라 이 협약의 어느 규정에 관해서는 그 효력을 감퇴키거나 변경시킬 수 있다.

제2장 총칙

제7조(협약의 해석원칙)

(1) 이 협약의 해석에 있어서는, 협약의 국제적인 성격과 그 적용상의 통일성의 증진을 위한 필요성 및 국제무역상의 신의성실의 준수에 대한 고려가 있어야 한다.

(2) 이 협약에 의하여 규율되는 사항으로서 이 협약에서 명시적으로 해결되지 아니한 문제는 이 협약이 기초하고 있는 일반원칙에 따라 해결되어야 하며, 또는 그러한 원칙이 없는 경우에는 국제사법의 원칙에 의하여 적용되는 법률에 따라 해결되어야 한다.

제8조(당사자 진술이나 행위의 해석)

(1) 이 협약의 적용에 있어서 당사자의 진술 또는 기타의 행위는 상대방이 그 의도를 알았거나 또는 알 수 있었던 경우에는 당사자의 의도에 따라 해석되어야 한다.

(2) 전항의 규정이 적용될 수 없는 경우에는, 당사자의 진술 또는 기타의 행위는 상대방과 같은 종류의 합리적인 자가 동일한 사정에서 가질 수 있는 이해력에 따라 해석되어야 한다.

(3) 당사자의 의도 또는 합리적인 자가 가질 수 있는 이해력을 결정함에 있어서는, 당사자 간의 교섭, 당사자 간에 확립되어 있는 관습, 관행 및 당사자의 후속되는 어떠한 행위를 포함하여 일체의 관련된 사정에 대한 상당한 고려가 있어야 한다.

제9조(관습과 관행의 구속력)

(1) 당사자는 그들이 합의한 모든 관행과 당사자 간에서 확립되어 있는 모든 관습에 구속된다.

(2) 별도의 합의가 없는 한, 당사자가 알았거나 또는 당연히 알았어야 하는 관행으로서 국제무역에서 해당되는 특정무역에 관련된 종류의 계약당사자에게 널리 알려져 있고 통상적으로 준수되고 있는 관행은 당사자가 이를 그들의 계약 또는 계약성립에 묵시적으로 적용하는 것으로 본다.

제10조(영업소의 정의)

이 협약의 적용에 있어서,

(a) 어느 당사자가 둘 이상의 영업소를 갖고 있는 경우에는, 영업소라 함은 계약의 체결전 또는 그 당시에 당사자들에게 알려졌거나 또는 예기되었던 사정을 고려하여 계약 및 그 이행과 가장 밀접한 관계가 있는 영업소를 말한다.

(b) 당사자가 영업소를 갖고 있지 아니한 경우에는, 당사자의 일상적인 거주지를 영업소로 참조하여야 한다.

제11조(계약의 형식)

매매계약은 서면에 의하여 체결되거나 또는 입증되어야 할 필요가 없으며, 또 형식에 관해서도 어떠한 다른 요건에 따라야 하지 아니한다. 매매계약은 증인을 포함하여 여하한 수단에 의해서도 입증될 수 있다.

제12조(계약형식의 국내요건)

매매계약 또는 합의에 의한 계약의 변경이나 해제, 또는 모든 청약, 승낙 또는 기타의 의사표시를 서면 이외의 형식으로 행하는 것을 허용하고 있는 이 협약의 제11조, 제29조 또는 제2부의 모든 규정은 어느 당사자가 이 협약의 제96조에 의거한 선언을 행한 체약국에 그 영업소를 갖고 있는 경우에는 적용되지 아니한다. 당사자는 본조의 효력을 감퇴시키거나 또는 변경하여서는 아니된다.

제13조(서면의 정의)

이 협약의 적용에 있어서 "서면"이란 전보와 텔렉스를 포함한다.

제2부 계약의 성립

제14조(청약의 기준)

(1) 1인 이상의 특정한 자에게 통지된 계약체결의 제의는 그것이 충분히 확정적이고 또한 승낙이 있을 경우에 구속된다고 하는 청약자의 의사를 표시하고 있는 경우에는 청약으로 된다. 어떠한 제의가 물품을 표시하고, 또한 그 수량과 대금을 명시적 또는 묵시적으로 지정하거나 또는 이를 결정하는 규정을 두고 있는 경우에는 이 제의는 충분히 확정적인 것으로 한다.

(2) 1인 이상의 특정한 자에게 통지된 것 이외의 어떠한 제의는 그 제의를 행한 자가 반대의 의사를 명확히 표시하지 아니하는 한, 이는 단순히 청약을 행하기 위한 유인으로만 본다.

제15조(청약의 효력발생)

(1) 청약은 피청약자에게 도달한 때 효력이 발생한다.

(2) 청약은 그것이 취소불능한 것이라도 그 철회가 청약의 도달전 또는 그와 동시에 피청약자에게 도달하는 경우에는 이를 철회할 수 있다.

제16조(청약의 취소)

(1) 계약이 체결되기까지는 청약은 취소될 수 있다. 다만 이 경우에 취소의 통지는 피청약자가 승낙을 발송하기 전에 피청약자에게 도달하여야 한다.

(2) 그러나 다음과 같은 경우에는 청약은 취소될 수 없다.

　(a) 청약이 승낙을 위한 지정된 기간을 명시하거나 또는 기타의 방법으로 그것이 철회불능임을 표시하고 있는 경우, 또는

　(b) 피청약자가 청약을 취소불능이라고 신뢰하는 것이 합리적이고, 또 피청약자가 그 청약을 신뢰하여 행동한 경우.

제17조(청약의 거절)

청약은 그것이 취소불능한 것이라도 어떠한 거절의 통지가 청약자에게 도달한 때에는 그 효력이 상실된다.

제18조(승낙의 시기 및 방법)

(1) 청약에 대한 동의를 표시하는 피청약자의 진술 또는 기타의 행위는 이를 승낙으로 한다. 침묵 또는 부작위 그 자체는 승낙으로 되지 아니한다.

(2) 청약에 대한 승낙은 동의의 의사표시가 청약자에게 도달한 때에 그 효력이 발생한다. 승낙은 동의의 의사표시가 청약자가 지정한 기간 내에 도달하지 아니하거나, 또는 어떠한 기간도 지정되지 아니한 때에는 청약자가 사용한 통신수단의 신속성을 포함하여 거래의 사정을 충분히 고려한 상당한 기간 내에 도달하지 아니한 경우에는 그 효력이 발생하지 아니한다. 구두의 청약은 별도의 사정이 없는 한 즉시 승낙되어야 한다.

(3) 그러나 청약의 규정에 의하거나 또는 당사자 간에 확립된 관습 또는 관행의 결과에 따라, 피청약자가 청약자에게 아무런 통지 없이 물품의 발송이나 대금의 지급에 관한 행위를 이행함으로써 동의의 의사표시를 할 수 있는 경우에는, 승낙은 그 행위가 이행되어진 때에 그 효력이 발생한다. 다만 그 행위는 전항에 규정된 기간 내에 이행되어진 경우에 한한다.

제19조(변경된 승낙의 효력)

(1) 승낙을 의도하고는 있으나 이에 추가, 제한 또는 기타의 변경을 포함하고 있는 청약에 대한 회답은 청약의 거절이면서 또한 반대청약을 구성한다.

(2) 그러나 승낙을 의도하고 있으나 청약의 조건을 실질적으로 변경하지 아니하는 추가적 또는 상이한 조건을 포함하고 있는 청약에 대한 회답은 승낙을 구성한다. 다만 청약자가 부당한 지체 없이 그 상위를 구두로 반대하거나 또는 그러한 취지의 통지를 발송하지 아니하여야 한다. 청약자가 그러한 반대를 하지 아니하는 경우에는, 승낙에 포함된 변경사항을 추가한 청약의 조건이 계약의 조건으로 된다.

(3) 특히, 대금지급, 물품의 품질 및 수량, 인도의 장소 및 시기, 상대방에 대한 당사자 일방의 책임의 범위 또는 분쟁의 해결에 관한 추가적 또는 상이한 조건은 청약의 조건을 실질적으로 변경하는 것으로 본다.

제20조(승낙기간의 해석)

(1) 전보 또는 서신에서 청약자가 지정한 승낙의 기간은 전보가 발신을 위하여 교부된 때로부터, 또는 서신에 표시된 일자로부터, 또는 그러한 일자가 표시되지 아니한 경우에는 봉투에 표시된 일자로부터 기산된다. 전화, 텔렉스 또는 기타의 동시적 통신수단에 의하여 청약자가 지정한 승낙의 기간은 청약이 피청약자에게 도달한 때로부터 기산된다.

(2) 승낙의 기간 중에 들어 있는 공휴일 또는 비영업일은 그 기간의 계산에 산입된다. 그러나 기간의 말일이 청약자의 영업소에서의 공휴일 또는 비영업일에 해당하는 이유로 승낙의 통지가 기간의 말일에 청약자의 주소에 전달될 수 없는 경우에는, 승낙의 기간은 이에 이어지는 최초의 영업일까지 연장된다.

제21조(지연된 승낙)

(1) 지연된 승낙은 그럼에도 불구하고 청약자가 지체 없이 구두로 피청약자에게 유효하다는 취지를 통지하거나 또는 그러한 취지의 통지를 발송한 경우에는, 이는 승낙으로서의 효력을 갖는다.

(2) 지연된 승낙이 포함되어 있는 서신 또는 기타의 서면상으로, 이것이 통상적으로 전달된 경우라면 적시에 청약자에게 도달할 수 있었던 사정에서 발송되었다는 사실을 나타내고 있는 경우에는, 그 지연된 승낙은 승낙으로서의 효력을 갖는다. 다만 청약자가 지체 없이 피청약자에게 청약이 효력을 상실한 것으로 본다는 취지를 구두로 통지하거나 또는 그러한 취지의 통지를 발송하지 아니하여야 한다.

제22조(승낙의 철회)

승낙은 그 승낙의 효력이 발생하기 이전 또는 그와 동시에 철회가 청약자에게 도달하는 경우에는 이를 철회할 수 있다.

제23조(계약의 성립시기)

계약은 청약에 대한 승낙이 이 협약의 규정에 따라 효력을 발생한 때에 성립된다.

제24조(도달의 정의)

이 협약의 제2부의 적용에 있어서, 청약, 승낙의 선언 또는 기타의 모든 의사표시는 그것이 상대방에게 구두로 통지되거나, 또는 기타 모든 수단에 의하여 상대방 자신에게, 상대방의 영업소 또는 우편송부처에, 또는 상대방이 영업소나 우편송부처가 없는 경우에는 그 일상적인 거주지에 전달되었을 때에 상대방에게 "도달"한 것으로 한다.

제3부 물품의 매매

제1장 총칙

제25조(본질적 위반의 정의)

당사자의 일방이 범한 계약위반이 그 계약하에서 상대방이 기대할 권리가 있는 것을 실질적으로 박탈할 정도의 손해를 상대방에게 주는 경우에는, 이는 본질적 위반으로 한다. 다만 위반한 당사자가 그러한 결과를 예견하지 못하였으며, 또한 동일한 종류의 합리적인 자도 동일한 사정에서 그러한 결과를 예견할 수가 없었던 경우에는 그러하지 아니하다.

제26조(계약해제의 통지)

계약해제의 선언은 상대방에 대한 통지로써 이를 행한 경우에 한하여 효력을 갖는다.

제27조(통신상의 지연과 오류)

이 협약 제3부에서 별도의 명시적인 규정이 없는 한, 어떠한 통지, 요청 또는 기타의 통신이 이 협약 제3부에 따라 그 사정에 적절한 수단으로 당사자에 의하여 행하여진 경우에는, 통신의 전달에 있어서의 지연 또는 오류, 또는 불착이 발생하더라도 당사자가 그 통신에 의존할 권리를 박탈당하지 아니한다.

제28조(특정이행과 국내법)

이 협약의 규정에 따라 당사자의 일방이 상대방에 의한 의무의 이행을 요구할 권리가 있는 경우라 하더라도, 법원은 이 협약에 의하여 규율되지 아니하는 유사한 매매계약에 관하여 국내법에 따라 특정이행을 명하는 판결을 하게 될 경우를 제외하고는 특정이행을 명하는 판결을 하여야 할 의무가 없다.

제29조(계약변경 또는 합의종료)

(1) 계약은 당사자 쌍방의 단순한 합의만으로 변경되거나 또는 종료될 수 있다.
(2) 어떠한 변경 또는 합의에 의한 종료를 서면으로 할 것을 요구하는 규정이 있는 서면에 의한 계약은 그 이외의 방법으로 변경되거나 합의에 의하여 종료될 수 없다. 그러나 당사자 일방은 자신의 행위에 의하여 상대방이 그러한 행위를 신뢰한 범위에까지 위의 규정을 원용하는 것으로부터 배제될 수 있다.

제2장 매도인의 의무

제30조(매도인의 의무요약)

매도인은 계약과 이 협약에 의하여 요구된 바에 따라 물품을 인도하고, 이에 관련된 모든 서류를 교부하며, 또 물품에 대한 소유권을 이전하여야 한다.

제1절 물품의 인도와 서류의 교부

제31조(인도의 장소)

매도인이 물품을 다른 특정한 장소에서 인도할 의무가 없는 경우에는, 매도인의 인도의 의무는 다음과 같이 구성된다.

(a) 매매계약이 물품의 운송을 포함하는 경우 – 매수인에게 전달하기 위하여 물품을 최초의 운송인에게 인도하는 것.

(b) 전항의 규정에 해당되지 아니하는 경우로서 계약이 특정물, 또는 특정한 재고품으로부터 인출되어야 하거나 또는 제조되거나 생산되어야 하는 불특정물에 관련되어 있으며, 또한 당사자 쌍방이 계약체결 시에 물품이 특정한 장소에 존재하거나 또는 그 장소에서 제조되거나 생산된다는 것을 알고 있었던 경우 – 그 장소에서 물품을 매수인의 임의처분하에 두는 것.

(c) 기타의 경우 – 매도인이 계약체결 시에 영업소를 가지고 있던 장소에서 물품을 매수인의 임의처분하에 두는 것.

제32조(선적수배의 의무)

(1) 매도인이 계약 또는 이 협약에 따라 물품을 운송인에게 인도하는 경우에 있어서, 물품이 하인에 의하거나 선적서류 또는 기타의 방법에 의하여 그 계약의 목적물로서 명확히 특정되어 있지 아니한 경우에는, 매도인은 물품을 특정하는 탁송통지서를 매수인에게 송부하여야 한다.

(2) 매도인이 물품의 운송을 수배하여야 할 의무가 있는 경우에는, 매도인은 사정에 따라 적절한 운송수단에 의하여 그러한 운송의 통상적인 조건으로 지정된 장소까지의 운송에 필요한 계약을 체결하여야 한다.

(3) 매도인이 물품의 운송에 관련한 보험에 부보하여야 할 의무가 없는 경우에는, 매도인은 매수인의 요구에 따라 매수인이 그러한 보험에 부보하는 데 필요한 모든 입수가능한 정보를 매수인에게 제공하여야 한다.

제33조(인도의 시기)

매도인은 다음과 같은 시기에 물품을 인도하여야 한다.

(a) 어느 기일이 계약에 의하여 지정되어 있거나 또는 결정될 수 있는 경우에 그 기일,

(b) 어느 기간이 계약에 의하여 지정되어 있거나 또는 결정될 수 있는 경우에는, 매수인이 기일을 선택하여야 하는 사정이 명시되어 있지 않는 한 그 기간 내의 어떠한 시기, 또는

(c) 기타의 모든 경우에는 계약체결후의 상당한 기간 내

제34조(물품에 관한 서류)

매도인이 물품에 관련된 서류를 교부하여야 할 의무가 있는 경우에는, 매도인은 계약에서 요구되는 시기와 장소와 방법에 따라 서류를 교부하여야 한다. 매도인이 당해 시기 이전에 서류를 교부한 경우에는, 매도인은 당해 시기까지는 서류상의 모든 결함을 보완할 수 있다. 다만 이 권리의 행사가 매수인에게 불합리한 불편이나 또는 불합리한 비용을 발생하게 하여서는 아니된다. 그러나 매수인은 이 협약에서 규정된 바의 손해배상을 청구하는 모든 권리를 보유한다.

제2절 물품의 일치성 및 제3자의 청구권

제35조(물품의 일치성)

(1) 매도인은 계약에서 요구되는 수량, 품질 및 상품명세에 일치하고, 또한 계약에서 요구되는 방법으로 용기에 담거나 또는 포장된 물품을 인도하여야 한다.

(2) 당사자가 별도로 합의한 경우를 제외하고, 물품은 다음과 같지 아니하는 한 계약과 일치하지 아니한 것으로 한다.

  (a) 물품은 그 동일한 명세의 물품이 통상적으로 사용되는 목적에 적합할 것.

  (b) 물품은 계약체결 시에 명시적 또는 묵시적으로 매도인에게 알려져 있는 어떠한 특정의 목적에 적합할 것. 다만 사정으로 보아 매수인이 매도인의 기량과 판단에 신뢰하지 않았거나 또는 신뢰하는 것이 불합리한 경우에는 제외한다.

  (c) 물품은 매도인이 매수인에게 견본 또는 모형으로서 제시한 물품의 품질을 보유할 것.

  (d) 물품은 그러한 물품에 통상적인 방법으로, 또는 그러한 방법이 없는 경우에는 그 물품을 보존하고 보호하는 데 적절한 방법으로 용기에 담거나 또는 포장되어 있을 것.

(3) 매수인이 계약체결 시에 물품의 어떠한 불일치를 알고 있었거나 또는 알지 못하였을 수가 없는 경우에는, 매도인은 물품의 어떠한 불일치에 대하여 전항의 제a호 내지 제d호에 따른 책임을 지지 아니한다.

제36조(일치성의 결정시점)

(1) 매도인은 위험이 매수인에게 이전하는 때에 존재한 어떠한 불일치에 대하여 계약 및 이 협약에 따른 책임을 진다. 이는 물품의 불일치가 그 이후에 드러난 경우에도 동일하다.

(2) 매도인은 전항에서 규정된 때보다 이후에 발생하는 어떠한 불일치에 대해서도 그것이 매도인의 어떠한 의무위반에 기인하고 있는 경우에는 이에 책임을 진다. 그러한 의무위반에는 일정한 기간동안 물품이 통상적인 목적 또는 어떠한 특정의 목적에 적합성을 유지할 것이라는 보증, 또는 특정된 품질이나 특질을 보유할 것이라는 보증의 위반도 포함된다.

제37조(인도만기전의 보완권)

매도인이 인도기일 이전에 물품을 인도한 경우에는, 매수인에게 불합리한 불편이나 또는 불합리한 비용을 발생시키지 아니하는 한, 매도인은 그 기일까지는 인도된 물품의 모든 부족분을 인도하거나, 또는 수량의 모든 결함을 보충하거나, 또는 인도된 모든 불일치한 물품에 갈음하는 물품을 인도하거나, 또는 인도된 물품의 모든 불일치를 보완할 수 있다. 그러나 매수인은 이 협약에서 규정된 바의 손해배상을 청구하는 모든 권리를 보유한다.

제38조(물품의 검사기간)

(1) 매수인은 그 사정에 따라 실행가능한 짧은 기간 내에 물품을 검사하거나 또는 물품이 검사되어지도록 하여야 한다.

(2) 계약이 물품의 운송을 포함하고 있는 경우에는, 검사는 물품이 목적지에 도착한 이후까지 연기될 수 있다.

(3) 물품이 매수인에 의한 검사의 상당한 기회도 없이 매수인에 의하여 운송중에 목적지가 변경되거나 또는 전송(轉送)되고, 또한 계약 체결 시에 매도인이 그러한 변경이나 전송의 가능성을 알았거나 또는 알았어야 하는 경우에는, 검사는 물품이 새로운 목적지에 도착한 이후까지 연기될 수 있다.

제39조(불일치의 통지시기)

(1) 매수인이 물품의 불일치를 발견하였거나 또는 발견하였어야 한 때부터 상당한 기간 내에 매도인에게 불일치의 성질을 기재한 통지를 하지 아니한 경우에는, 매수인은 물품의 불일치에 의존하는 권리를 상실한다.

(2) 어떠한 경우에도, 물품이 매수인에게 현실적으로 인도된 날로부터 늦어도 2주 이내에 매수인이 매도인에게 불일치의 통지를 하지 아니한 경우에는, 매수인은 물품의 불일치에 의존하는 권리를 상실한다. 다만 이러한 기간의 제한이 계약상의 보증기간과 모순된 경우에는 그러하지 아니하다.

제40조(매도인의 악의)

물품의 불일치가 매도인이 알았거나 또는 알지 못하였을 수가 없는 사실에 관련되고 또 매도인이 이를 매수인에게 고지하지 아니한 사실에도 관련되어 있는 경우에는, 매도인은 제38조 및 제39조의 규정을 원용할 권리가 없다.

제41조(제3자의 청구권)

매도인은 매수인이 제3자의 권리 또는 청구권을 전제로 물품을 수령하는 것에 동의한 경우가 아닌 한, 제3자의 권리 또는 청구권으로부터 자유로운 물품을 인도하여야 한다. 그러나 그러한 제3자의 권리 또는 청구권이 공업소유권 또는 기타 지적소유권에 기초를 두고 있는 경우에는, 매도인의 의무는 제42조에 의하여 규율된다.

제42조(제3자의 지적소유권)

(1) 매도인은 계약 체결 시에 매도인이 알았거나 또는 알지 못하였을 수가 없는 공업소유권 또는 지적소유권에 기초를 두고 있는 제3자의 권리 또는 청구권으로부터 자유로운 물품을 인도하여야 한다. 다만 그 권리 또는 청구권은 다음과 같은 국가의 법률에 의한 공업소유권 또는 기타 지적소유권에 기초를 두고 있는 경우에 한한다.

  (a) 물품이 어느 국가에서 전매되거나 또는 기타의 방법으로 사용될 것이라는 것을 당사자 쌍방이 계약 체결 시에 예상한 경우에는, 그 물품이 전매되거나 또는 기타의 방법으로 사용되는 국가의 법률, 또는

  (b) 기타의 모든 경우에는, 매수인이 영업소를 갖고 있는 국가의 법률

(2) 전항에 따른 매도인의 의무는 다음과 같은 경우에는 이를 적용하지 아니한다.

  (a) 계약 체결 시에 매수인이 그 권리 또는 청구권을 알았거나 또는 알지 못하였을 수가 없는 경우, 또는

  (b) 그 권리 또는 청구권이 매수인에 의하여 제공된 기술적 설계, 디자인, 공식 또는 기타의 명세서에 매도인이 따른 결과로 발생한 경우.

제43조(제3자의 권리에 대한 통지)

(1) 매수인이 제3자의 권리 또는 청구권을 알았거나 또는 알았어야 하는 때로부터 상당한 기간 내에 매도인에게 그 제3자의 권리 또는 청구권의 성질을 기재한 통지를 하지 아니한 경우에는, 매수인은 제41조 또는 제42조의 규정을 원용할 권리를 상실한다.

(2) 매도인이 제3자의 권리 또는 청구권 및 그 성질을 알고 있었던 경우에 매도인은 전항의 규정을 원용할 권리가 없다.

제44조(통지불이행의 정당한 이유)

제39조 제1항 및 제43조 제1항의 규정에도 불구하고, 매수인은 요구된 통지의 불이행에 대한 정당한 이유가 있는 경우에는 제50조에 따라 대금을 감액하거나 또는 이익의 손실을 제외한 손해배상을 청구할 수 있다.

제3절 매도인의 계약위반에 대한 구제

제45조(매수인의 구제방법)

(1) 매도인이 계약 또는 이 협약에 따른 어떠한 의무를 이행하지 아니하는 경우에는, 매수인은 다음과 같은 것을 행할 수 있다.

　(a) 제46조 내지 제52조에서 규정된 권리를 행사하는 것,

　(b) 제74조 내지 제77조에서 규정된 바의 손해배상을 청구하는 것 등.

(2) 매수인은 손해배상 이외의 구제를 구하는 권리의 행사로 인하여 손해배상을 청구할 수 있는 권리를 박탈당하지 아니한다.

(3) 매수인이 계약위반에 대한 구제를 구할 때에는, 법원 또는 중재판정부는 매도인에게 어떠한 유예기간도 적용하여서는 아니된다.

제46조(매수인의 이행청구권)

(1) 매수인은 매도인에게 그 의무의 이행을 청구할 수 있다. 다만 매수인이 이러한 청구와 모순되는 구제를 구한 경우에는 그러하지 아니하다.

(2) 물품이 계약과 일치하지 아니한 경우에는, 매수인은 대체품의 인도를 청구할 수 있다. 다만 이러한 청구는 불일치가 계약의 본질적인 위반을 구성하고 또 대체품의 청구가 제39조에 따라 지정된 통지와 함께 또는 그 후 상당한 기간 내에 행하여지는 경우에 한한다.

(3) 물품이 계약과 일치하지 아니한 경우에는, 매수인은 모든 사정으로 보아 불합리하지 아니하는 한 매도인에 대하여 수리에 의한 불일치의 보완을 청구할 수 있다. 수리의 청구는 제39조에 따라 지정된 통지와 함께 또는 그 후 상당한 기간 내에 행하여져야 한다.

제47조(이행추가기간의 통지)

(1) 매수인은 매도인에 의한 의무의 이행을 위한 상당한 기간만큼의 추가기간을 지정할 수 있다.

(2) 매수인이 매도인으로부터 그 지정된 추가기간 내에 이행하지 아니하겠다는 뜻의 통지를 수령하지 않은 한, 매수인은 그 기간 중에는 계약위반에 대한 어떠한 구제도 구할 수 없다. 그러나 매수인은 이로 인하여 이행의 지연에 대한 손해배상을 청구할 수 있는 어떠한 권리를 박탈당하지 아니한다.

제48조(인도기일후의 보완)

(1) 제49조의 규정에 따라, 매도인은 인도기일후에도 불합리한 지체 없이 그리고 매수인에게 불합리한 불편을 주거나 또는 매수인이 선지급한 비용을 매도인으로부터 보상받는 데 대한 불확실성이 없는 경우에는 자신의 비용부담으로 그 의무의 어떠한 불이행을 보완할 수 있다. 그러나 매수인은 이 협약에 규정된 바의 손해배상을 청구하는 모든 권리를 보유한다.

(2) 매도인이 매수인에 대하여 그 이행을 승낙할 것인지의 여부를 알려 주도록 요구하였으나 매수인이 상당한 기간 내에 그 요구에 응하지 아니한 경우에는 매도인은 그 요구에서 제시한 기간 내에 이행할 수 있다. 매수인은 그 기간 중에는 매도인의 이행과 모순되는 구제를 구하여서는 아니된다.

(3) 특정한 기간 내에 이행하겠다는 매도인의 통지는 매수인이 승낙여부의 결정을 알려주어야 한다는 내용의 전항에 규정하고 있는 요구를 포함하는 것으로 추정한다.

(4) 본조 제2항 또는 제3항에 따른 매도인의 요구 또는 통지는 매수인에 의하여 수령되지 아니한 경우에는 그 효력이 발생하지 아니한다.

제49조(매수인의 계약해제권)

(1) 매수인은 다음과 같은 경우에 계약의 해제를 선언할 수 있다.

(a) 계약 또는 이 협약에 따른 매도인의 어떠한 의무의 불이행이 계약의 본질적인 위반에 상당하는 경우, 또는

(b) 인도불이행의 경우에는, 매도인이 제47조 제1항에 따라 매수인에 의하여 지정된 추가기간 내에 물품을 인도하지 아니하거나, 또는 매도인이 그 지정된 기간 내에 인도하지 아니하겠다는 뜻을 선언한 경우.

(2) 그러나 매도인이 물품을 이미 인도한 경우에는, 매수인은 다음과 같은 시기에 계약의 해제를 선언하지 않는 한 그 해제의 권리를 상실한다.

(a) 인도의 지연에 관해서는, 매수인이 인도가 이루어진 사실을 알게 된 때로부터 상당한 기간 내,

(b) 인도의 지연 이외의 모든 위반에 관해서는, 다음과 같은 때로부터 상당한 기간 내.

(i) 매수인이 그 위반을 알았거나 또는 알았어야 하는 때,

(ii) 제47조 제1항에 따라 매수인에 의하여 지정된 어떠한 추가기간이 경과한 때, 또는 매도인이 그러한 추가기간 내에 의무를 이행하지 아니하겠다는 뜻을 선언한 때, 또는

(iii) 제48조 제2항에 따라 매도인에 의하여 제시된 어떠한 추가기간이 경과한 때, 또는 매수인이 이행을 승낙하지 아니하겠다는 뜻을 선언한 때.

제50조(대금의 감액)

물품이 계약과 일치하지 아니하는 경우에는 대금이 이미 지급된 여부에 관계없이, 매수인은 실제로 인도된 물품이 인도시에 가지고 있던 가액이 계약에 일치하는 물품이 그 당시에 가지고 있었을 가액에 대한 동일한 비율로 대금을 감액할 수 있다. 그러나 매도인이 제37조 또는 제48조에 따른 그 의무의 어떠한 불이행을 보완하거나, 또는 매수인이 그러한 조항에 따른 매도인의 이행의 승낙을 거절하는 경우에는, 매수인은 대금을 감액할 수 없다.

제51조(물품일부의 불일치)

(1) 매도인이 물품의 일부만을 인도하거나, 또는 인도된 물품의 일부만이 계약과 일치하는 경우에는, 제46조 내지 제50조의 규정은 부족 또는 불일치한 부분에 관하여 적용한다.

(2) 인도가 완전하게 또는 계약에 일치하게 이행되지 아니한 것이 계약의 본질적인 위반에 해당하는 경우에 한하여, 매수인은 계약 그 전체의 해제를 선언할 수 있다.

제52조(기일전의 인도 및 초과수량)

(1) 매도인이 지정된 기일 전에 물품을 인도하는 경우에는, 매수인은 인도를 수령하거나 또는 이를 거절할 수 있다.

(2) 매도인이 계약에서 약정된 것보다도 많은 수량의 물품을 인도하는 경우에는, 매수인은 초과수량의 인도를 수령하거나 또는 이를 거절할 수 있다. 매수인이 초과수량의 전부 또는 일부의 인도를 수령하는 경우에는, 매수인은 계약비율에 따라 그 대금을 지급하여야 한다.

제3장 매수인의 의무

제53조(매수인의 의무요약)

매수인은 계약 및 이 협약에 의하여 요구된 바에 따라 물품의 대금을 지급하고 물품의 인도를 수령하여야 한다.

제1절 대금의 지급

제54조(대금지급을 위한 조치)

매수인의 대금지급의 의무는 지급을 가능하게 하기 위한 계약 또는 어떠한 법률 및 규정에 따라 요구되는 그러한 조치를 취하고 또 그러한 절차를 준수하는 것을 포함한다.

제55조(대금이 불확정된 계약)

계약이 유효하게 성립되었으나, 그 대금을 명시적 또는 묵시적으로 지정하지 아니하거나 또는 이를 결정하기 위한 조항을 두지 아니한 경우에는, 당사자는 반대의 어떠한 의사표시가 없는 한 계약 체결 시에 관련거래와 유사한 사정하에서 매각되는 동종의 물품에 대하여 일반적으로 청구되는 대금을 묵시적으로 참조한 것으로 본다.

제56조(순중량에 의한 결정)

대금이 물품의 중량에 따라 지정되는 경우에 이에 의혹이 있을 때에는, 그 대금은 순중량에 의하여 결정되어야 한다.

제57조(대금지급의 장소)

(1) 매수인이 기타 어느 특정한 장소에서 대금을 지급하여야 할 의무가 없는 경우에는, 매수인은 다음과 같은 장소에서 매도인에게 이를 지급하여야 한다.
    (a) 매도인의 영업소, 또는
    (b) 지급이 물품 또는 서류의 교부와 상환으로 이루어져야 하는 경우에는, 그 교부가 행하여지는 장소.

(2) 매도인은 계약 체결 후에 그 영업소를 변경함으로 인하여 야기된 지급의 부수적인 비용의 모든 증가액을 부담하여야 한다.

제58조(대금지급의 시기)

(1) 매수인이 기타 어느 특정한 대금을 지급하여야 할 의무가 없는 경우에는, 매수인은 매도인이 계약 및 이 협정에 따라 물품 또는 그 처분을 지배하는 서류 중에 어느 것을 매수인의 임의처분하에 인도한 때에 대금을 지급하여야 한다. 매도인은 그러한 지급을 물품 또는 서류의 교부를 위한 조건으로 정할 수 있다.

(2) 계약이 물품의 운송을 포함하는 경우에는, 매도인은 대금의 지급과 상환하지 아니하면 물품 또는 그 처분을 지배하는 서류를 매수인에게 교부하지 아니한다는 조건으로 물품을 발송할 수 있다.

(3) 매수인은 물품을 검사할 기회를 가질 때까지는 대금을 지급하여야 할 의무가 없다. 다만 당사자 간에 합의된 인도 또는 지급의 절차가 매수인이 그러한 기회를 가지는 것과 모순되는 경우에는 그러하지 아니하다.

제59조(지급청구에 앞선 지급)

매수인은 매도인측의 어떠한 요구나 그에 따른 어떠한 절차를 준수할 필요없이 계약 및 이 협약에 의하여 지정되었거나 또는 이로부터 결정될 수 있는 기일에 대금을 지급하여야 한다.

제2절 인도의 수령

제60조(인도수령의 의무)

매수인의 인도수령의 의무는 다음과 같은 것으로 구성된다.

(a) 매도인에 의만 인도를 가능케 하기 위하여 매수인에게 합리적으로 기대될 수 있었던 모든 행위를 하는 것, 그리고

(b) 물품을 수령하는 것.

제3절 매수인의 계약위반에 대한 구제

제61조(매도인의 구제방법)

(1) 매수인이 계약 또는 이 협약에 따른 어떠한 의무를 이행하지 아니하는 경우에는, 매도인은 다음과 같은 것을 행할 수 있다.

   (a) 제62조 내지 제65도에 규정된 권리를 행사하는 것,

   (b) 제74조 내지 제77조에 규정된 바의 손해배상을 청구하는 것 등.

(2) 매도인은 손해배상 이외의 구제를 구하는 권리의 행사로 인하여 손해배상을 청구할 수 있는 권리를 박탈당하지 아니한다.

(3) 매도인이 계약위반에 대한 구제를 구할 때에는, 법원 또는 중재판정부는 매수인에게 어떠한 유예기간도 허용하여서는 아니된다.

제62조(매도인의 이행청구권)

매도인은 매수인에 대하여 대금의 지급, 인도의 수령 또는 기타 매수인의 의무를 이행하도록 청구할 수 있다. 다만 매도인이 이러한 청구와 모순되는 구제를 구한 경우에는 그러하지 아니하다.

제63조(이행추가기간의 통지)

(1) 매도인은 매수인에 의한 의무의 이행을 위한 상당한 기간 만큼의 추가기간을 지정할 수 있다.

(2) 매도인이 매수인으로부터 그 지정된 추가기간 내에 이행하지 아니하겠다는 뜻의 통지를 수령하지 않은 한, 매도인은 그 기간 중에는 계약위반에 대한 어떠한 구제도 구할 수 없다. 그러나 매도인은 이로 인하여 이행의 지연에 대한 손해배상을 청구할 수 있은 어떠한 권리를 박탈당하지 아니한다.

제64조(매도인의 계약해제권)

(1) 매도인은 다음과 같은 경우에 계약의 해제를 선언할 수 있다.

(a) 계약 또는 이 협약에 따른 매수인의 어떠한 의무의 불이행이 계약의 본질적인 위반에 상당하는 경우, 또는

(b) 매수인이 제63조 제1항에 따라 매도인에 의하여 지정된 추가기간 내에 대금의 지급 또는 물품의 인도수령의 의무를 이행하지 아니하거나, 또는 매수인이 그 지정된 기간 내에 이를 이행하지 아니하겠다는 뜻을 선언한 경우.

(2) 그러나 매수인이 대금을 이미 지급한 경우에는, 매도인은 다음과 같은 시기에 계약의 해제를 선언하지 않는 한 그 해제의 권리를 상실한다.

(a) 매수인에 의한 이행의 지연에 관해서는, 매도인이 그 이행이 이루어진 사실을 알기 전, 또는

(b) 매수인에 의한 이행의 지연 이외의 모든 위반에 관해서는, 다음과 같은 때로부터 상당한 기간 내.

(i) 매도인이 그 위반을 알았거나 또는 알았어야 하는 때, 또는

(ii) 제63조 제1항에 따라 매도인에 의하여 지정된 어떠한 추가기간이 경과한 때, 또는 매수인이 그러한 추가기간 내에 의무를 이행하지 않겠다는 뜻을 선언한 때.

제65조(물품명세의 확정권)

(1) 계약상 매수인이 물품의 형태, 용적 또는 기타의 특징을 지정하기로 되어 있을 경우에 만약 매수인이 합의된 기일 또는 매도인으로부터의 요구를 수령한 후 상당한 기간 내에 그 물품명세를 작성하지 아니한 때에는, 매도인은 그가 보유하고 있는 다른 모든 권리의 침해 없이 매도인에게 알려진 매수인의 요구조건에 따라 스스로 물품명세를 작성할 수 있다.

(2) 매도인이 스스로 물품명세를 작성하는 경우에는, 매도인은 매수인에게 이에 관한 세부사항을 통지하여야 하고, 또 매수인이 이와 상이한 물품명세를 작성할 수 있도록 상당한 기간을 지정하여야 한다. 매수인이 그러한 통지를 수령한 후 지정된 기간 내에 이와 상이한 물품명세를 작성하지 아니하는 경우에는, 매도인이 작성한 물품명세가 구속력을 갖는다.

제4장 위험의 이전

제66조(위험부담의 일반원칙)

위험이 매수인에게 이전된 이후에 물품의 멸실 또는 손상은 매수인을 대금지급의 의무로부터 면제시키지 아니한다. 다만 그 멸실 또는 손상이 매도인의 작위 또는 부작위에 기인한 경우에는 그러하지 아니하다.

제67조(운송조건부 계약품의 위험)

(1) 매매계약이 물품의 운송을 포함하고 있는 경우에 매도인이 특정한 장소에서 이를 인도하여야 할 의무가 없는 때에는, 위험은 물품이 매매계약에 따라 매수인에게 송부하도록 최초의 운송인에게 인도된 때에 매수인에게 이전한다. 매도인이 특정한 장소에서 물품을 운송인에게 인도하여야 할 의무가 있는 경우에는, 위험은 물품이 그러한 장소에서 운송인에게 인도되기까지는 매수인에게 이전하지 아니한다. 매도인이 물품의 처분을 지배하는 서류를 보유하는 권한이 있다는 사실은 위험의 이전에 영향을 미치지 아니 한다.

(2) 그럼에도 불구하고, 위험은 물품이 하인, 선적서류, 매수인에 대한 통지 또는 기타의 방법에 의하여 계약에 명확히 특정되기까지는 매수인에게 이전하지 아니 한다.

제68조(운송중매매물품의 위험)

운송중에 매각된 물품에 관한 위험은 계약 체결 시로부터 매수인에게 이전한다. 그러나 사정에 따라서는 위험은 운송계약을 구현하고 있는 서류를 발행한 운송인에게 물품이 인도된 때로부터 매수인이 부담한다. 그럼에도 불구하고, 매도인이 매매계약의 체결 시에 물품이 이미 멸실 또는 손상되었다는 사실을 알았거나 또는 알았어야 하는 경우에 이를 매수인에게 밝히지 아니한 때에는, 그 멸실 또는 손상은 매도인의 위험부담에 속한다.

제69조(기타 경우의 위험)

(1) 제67조 및 제68조에 해당되지 아니하는 경우에는, 위험은 매수인이 물품을 인수한 때, 또는 매수인이 적시에 이를 인수하지 아니한 경우에는 물품이 매수인의 임의처분하에 적치되고 매수인이 이를 수령하지 아니하여 계약위반을 범하게 된 때로부터 매수인에게 이전한다.

(2) 그러나 매수인이 매도인의 영업소 이외의 장소에서 물품을 인수하여야 하는 경우에는, 위험은 인도의 기일이 도래하고 또 물품이 그러한 장소에서 매수인의 임의처분하에 적치된 사실을 매수인이 안 때에 이전한다.

(3) 계약이 아직 특정되지 아니한 물품에 관한 것인 경우에는, 물품은 계약의 목적물로서 명확히 특정되기까지는 태수인의 임의처분하에 적치되지 아니한 것으로 본다.

제70조(매도인의 계약위반시의 위험)

매도인이 계약의 본질적인 위반을 범한 경우에는, 제67조, 제68조 및 제69조의 규정은 그 본질적인 위반을 이유로 매수인이 원용할 수 있는 구제를 침해하지 아니한다.

제5장 매도인과 매수인의 의무에 공통되는 규정

제1절 이행기일전의 계약위반과 분할이행계약

제71조(이행의 정지)

(1) 당사자 일방은 계약체결 후에 상대방이 다음과 같은 사유의 결과로 그 의무의 어떤 실질적인 부분을 이행하지 아니할 것이 명백하게 된 경우에는, 자기의 의무의 이행을 정지할 수 있다.

   (a) 상대방의 이행능력 또는 그 신뢰성의 중대한 결함, 또는

   (b) 상대방의 계약이행의 준비 또는 계약이행의 행위.

(2) 매도인이 전항에 기술된 사유가 명백하게 되기 전에 이미 물품을 발송한 경우에는, 비록 매수인이 물품을 취득할 권한을 주는 서류를 소지하고 있더라도, 매도인은 물품이 매수인에게 인도되는 것을 중지시킬 수 있다. 본 항의 규정은 매도인과 매수인 간에서의 물품에 대한 권리에만 적용한다.

(3) 이행을 정지한 당사자는 물품의 발송 전후에 관계없이 상대방에게 그 정지의 통지를 즉시 발송하여야 하고, 또 상대방이 그 이행에 관하여 적절한 확약을 제공하는 경우에는 이행을 계속하여야 한다.

제72조(이행기일전의 계약해제)

(1) 계약의 이행기일 이전에 당사자의 일방이 계약의 본질적인 위반을 범할 것이 명백한 경우에는, 상대방은 계약의 해제를 선언할 수 있다.

(2) 시간이 허용하는 경우에는, 계약의 해제를 선언하고자 하는 당사자는 상대방이 그 이행에 관하여 적절한 확약을 제공할 수 있도록 하기 위하여 상대방에게 상당한 통지를 발송하여야 한다.

(3) 전항의 요건은 상대방이 그 의무를 이행하지 아니할 것을 선언한 경우에는 이를 적용하지 아니한다.

제73조(분할이행계약의 해제)

(1) 물품의 분할인도를 위한 계약의 경우에 있어서, 어느 분할부분에 관한 당사자 일방의 어떠한 의무의 불이행이 그 분할부분에 관하여 계약의 본질적인 위반을 구성하는 경우에는, 상대방은 그 분할부분에 관하여 계약의 해제를 선언할 수 있다.

(2) 어느 분할부분에 관한 당사자 일방의 어떠한 의무의 불이행이 상대방으로 하여금 장래의 분할부분에 관하여 계약의 본질적인 위반이 발생할 것이라는 결론을 내리게 하는 충분한 근거가 되는 경우에는, 상대방은 장래의 분할부분에 관하여 계약의 해제를 선언할 수 있다. 다만 상대방은 상당한 기간 내에 이를 행하여야 한다.

(3) 어느 인도부분에 관하여 계약의 해제를 선언하는 매수인은 이미 행하여진 인도 또는 장래의 인도에 관해서도 동시에 계약의 해제를 선언할 수 있다. 다만 그러한 인도부분들이 상호 의존관계로 인하여 계약 체결 시에 당사자 쌍방이 의도한 목적으로 사용될 수 없을 경우에 한한다.

제2절 손해배상액

제74조(손해배상액산정의 원칙)

당사자 일방의 계약위반에 대한 손해배상액은 이익의 손실을 포함하여 그 위반의 결과로 상대방이 입은 손실과 동등한 금액으로 한다. 그러한 손해배상액은 계약 체결 시에 위반의 당사자가 알았거나 또는 알았어야 할 사실 및 사정에 비추어서 그 위반의 당사자가 계약 체결 시에 계약위반의 가능한 결과로서 예상하였거나 또는 예상하였어야 하는 손실을 초과할 수 없다.

제75조(대체거래시의 손해배상액)

계약이 해제되고 또한 해제 후에 상당한 방법과 상당한 기간 내에 매수인이 대체품을 구매하거나 또는 매도인이 물품을 재매각한 경우에는, 손해배상을 청구하는 당사자는 계약대금과 대체거래의 대금과의 차액뿐만 아니라 제74조에 따라 회수가능한 기타의 모든 손해배상액을 회수할 수 있다.

제76조(시가에 기초한 손해배상액)

(1) 계약이 해제되고 또한 물품에 시가가 있는 경우에는, 손해배상을 청구하는 당사자는 제75조에 따라 구매 또는 재매각을 행하지 아니한 때에는 계약대금과 계약해제시의 시가와의 차액뿐만 아니라 제74조에 따라 회수가능한 기타의 모든 손해배상액을 회수할 수 있다. 그러나 손해배상을 청구하는 당사자가 물품을 인수한 후에 계약을 해제한 경우에는, 계약해제시의 시가에 대신하여 물품인수시의 시가를 적용한다.

(2) 전항의 적용에 있어서, 시가라 함은 물품의 인도가 행하여졌어야 할 장소에서 지배적인 가격을 말하고, 그 장소에서 아무런 시가가 없는 경우에는 물품의 운송비용의 차이를 적절히 감안하여 상당한 대체가격으로 할 수 있는 다른 장소에서의 가격을 말한다.

제77조(손해경감의 의무)

계약위반을 주장하는 당사자는 이익의 손실을 포함하여 그 위반으로부터 야기된 손실을 경감하기 위하여 그 사정에 따라 상당한 조치를 취하여야 한다. 그러한 조치를 취하지 아니하는 경우에는, 위반의 당사자는 경감되었어야 하는 손실의 금액을 손해배상액에서 감액하도록 청구할 수 있다.

제3절 이자

제78조(연체금액의 이자)

당사자 일방이 대금 또는 기타 모든 연체된 금액을 지급하지 아니한 경우에는, 상대방은 제74조에 따라 회수가능한 손해배상액의 청구에 침해받지 아니하고 그 금액에 대한 이자를 청구할 권리를 갖는다.

제4절 면책

제79조(손해배상책임의 면제)

(1) 당사자 일방은 그 의무의 불이행이 자신의 통제를 벗어난 장해에 기인하였다는 점과 계약 체결시에 그 장해를 고려하거나 또는 그 장해나 장해의 결과를 회피하거나 극복하는 것이 합리적으로 기대될 수 없었다는 점을 입증하는 경우에는 자신의 어떠한 의무의 불이행에 대하여 책임을 지지 아니한다.

(2) 당사자의 불이행이 계약의 전부 또는 일부를 이행하기 위하여 고용된 제3자의 불이행에 기인한 경우에는, 그 당사자는 다음과 같은 경우에 한하여 그 책임이 면제된다.

(a) 당사자가 전항의 규정에 따라 면책되고, 또

(b) 당사자가 고용한 제3자가 전항의 규정이 그에게 적용된다면 역시 면책되는 경우.

(3) 본조에 규정된 면책은 장해가 존재하는 동안의 기간에만 효력을 갖는다.

(4) 불이행의 당사자는 장해와 그것이 자신의 이행능력에 미치는 영향에 관하여 상대방에게 통지하여야 한다. 불이행의 당사자가 장해를 알았거나 또는 알았어야 하는 때로부터 상당한 기간 내에 그 통지가 상대방에게 도착하지 아니한 경우에는, 당사자는 그러한 불착으로 인하여 발생하는 손해배상액에 대한 책임이 있다.

(5) 본조의 규정은 어느 당사자에 대해서도 이 협약에 따른 손해배상액의 청구 이외의 모든 권리를 행사하는 것을 방해하지 아니한다.

제80조(자신의 귀책사유와 불이행)

당사자 일방은 상대방의 불이행이 자신의 작위 또는 부작위에 기인하여 발생한 한도 내에서는 상대방의 불이행을 원용할 수 없다.

제5절 해제의 효과

제81조(계약의무의 소멸과 반환청구)

(1) 계약의 해제는 이미 발생한 모든 손해배상의 의무를 제외하고 양당사자를 계약상의 의무로부터 면하게 한다. 해제는 분쟁해결을 위한 어떠한 계약조항이나 계약의 해제에 따라 발생하는 당사자의 권리와 의무를 규율하는 기타 모든 계약조항에 영향을 미치지 아니한다.

(2) 계약의 전부 또는 일부를 이행한 당사자 일방은 상대방에 대하여 그 계약하에서 자신이 이미 공급하였거나 또는 지급한 것에 대한 반환을 청구할 수 있다. 당사자 쌍방이 반환하여야 할 의무가 있는 경우에는, 양당사자는 동시에 이를 이행하여야 한다.

제82조(물품반환이 불가능한 경우)

(1) 매수인이 물품을 수령한 상태와 실질적으로 동등한 물품을 반환하는 것이 불가능한 경우에는, 매수인은 계약의 해제를 선언하거나 또는 매도인에게 대체품의 인도를 요구하는 권리를 상실한다.

(2) 전항의 규정은 다음과 같은 경우에는 이를 적용하지 아니한다.

　(a) 물품을 반환하거나 또는 매수인이 물품을 수령한 상태와 실질적으로 동등한 물품을 반환하는 것이 불가능한 사유가 매수인의 작위 또는 부작위에 기인하지 아니한 경우,

　(b) 제38조에 규정된 검사의 결과로 물품의 전부 또는 일부가 이미 멸실되었거나 또는 변질된 경우, 또는

　(c) 매수인이 불일치를 발견하였거나 또는 발견하였어야 하는 때 이전에 물품의 전부 또는 일부가 이미 매수인에 의하여 정상적인 영업과정에서 매각되었거나, 또는 정상적인 사용과정에서 소비되었거나 또는 변형된 경우.

제83조(기타의 구제방법)

매수인은 제82조에 따라 계약의 해제를 선언하는 권리 또는 매도인에게 대체품의 인도를 요구하는 권리를 상실한 경우에도, 계약 및 이 협약에 따른 기타 모든 구제방법을 보유한다.

제84조(이익의 반환)

(1) 매도인이 대금을 반환하여야 할 의무가 있는 경우에는, 매도인은 대금이 지급된 날로부터의 그것에 대한 이자도 지급하여야 한다.

(2) 매수인은 다음과 같은 경우에는 물품의 전부 또는 일부로부터 취득한 이익을 매도인에게 반환하여야 한다.

　(a) 매수인이 물품의 전부 또는 일부를 반환하여야 하는 경우, 또는

　(b) 매수인이 물품의 전부 또는 일부를 반환하거나 또는 그가 물품을 수령한 상태와 실질적으로 동등하게 물품의 전부 또는 일부를 반환하는 것이 불가능함에도 불구하고, 매수인이 계약의 해제를 선언하였거나 또는 매도인에게 대체품의 인도를 요구한 경우.

제6절 물품의 보존

제85조(매도인의 보존의무)

매수인이 물품의 인도수령을 지체한 경우에, 또는 대금의 지급과 물품의 인도가 동시에 이행되어야 하는 때에 매수인이 그 대금을 지급하지 아니하고 매도인이 물품을 점유하고 있거나 또는 기타의 방법으로 그 처분을 지배할 수 있는 경우에는, 매도인은 물품을 보존하기 위하여 그 사정에 합리적인 조치를 취하여야 한다. 매도인은 자신의 합리적인 비용을 매수인으로부터 보상받을 때까지 물품을 유치할 권리가 있다.

제86조(매수인의 보존의무)

(1) 매수인이 물품을 수령한 경우에 있어서 그 물품을 거절하기 위하여 계약 또는 이 협약에 따른 어떠한 권리를 행사하고자 할 때에는, 매수인은 물품을 보존하기 위하여 그 사정에 합리적인 조치를 취하여야 한다. 매수인은 자신의 합리적인 비용을 매도인으로부터 보상받을 때까지 물품을 유치할 권리가 있다.

(2) 매수인 앞으로 발송된 물품이 목적지에서 매수인의 임의처분하에 적치된 경우에 있어서 매수인이 물품을 거절하는 권리를 행사할 때에는, 매수인은 매도인을 위하여 물품을 점유하여야 한다. 다만 이것은 대금의 지급이 없이 그리고 불합리한 불편이나 불합리한 비용이 없이 행하여질 수 있는 경우에 한한다. 이 규정은 매도인이나 또는 매도인을 위하여 물품을 관리하도록 수권된 자가 목적지에 있는 경우에는 이를 적용하지 아니한다. 매수인이 본 항의 규정에 따라 물품을 점유하는 경우에는, 매수인의 권리와 의무에 대해서는 전항의 규정을 적용한다.

제87조(제3자 창고에의 기탁)

물품을 보존하기 위한 조치를 취하여야 할 의무가 있는 당사자는 그 발생한 비용이 불합리한 것이 아닌 한, 상대방의 비용으로 물품을 제3자의 창고에 기탁할 수 있다.

제88조(물품의 매각)

(1) 제85조 또는 제86조에 따라 물품을 보존하여야 할 의무가 있는 당사자는 상대방이 물품의 점유 또는 반송에 있어서, 또는 대금이나 보존비용의 지급에 있어서 불합리하게 지연한 경우에는, 적절한 방법으로 물품을 매각할 수 있다. 다만 상대방에 대하여 그 매각의 의도에 관한 합리적인 통지가 있어야 한다.

(2) 물품이 급속히 변질되기 쉬운 것이거나 또는 그 보존에 불합리한 비용이 요구되는 경우에는, 제85조 또는 제86조에 따라 물품을 보존하여야 할 의무가 있는 당사자는 이를 매각하기 위한 합리적인 조치를 취하여야 안다. 보존의 의무가 있는 당사자는 가능한 한, 상대방에게 매각의 의도에 관하여 통지를 하여야 한다.

(3) 물품을 매각하는 당사자는 매각의 대금으로부터 물품의 보존과 그 매각에 소요된 합리적인 비용과 동등한 금액을 유보할 권리를 갖는다. 그러나 그 당사자는 상대방에게 잔액을 반환하여야 한다.

제4부 최종규정

제89조(협약의 수탁자)

국제연합의 사무총장은 이 협약의 수탁자로서 이에 임명된다.

제90조(타협정자의 관계)

이 협약은 이미 발효되었거나 또는 앞으로 발효되는 어떠한 국제적인 협정이 이 협약에 의하여 규율되는 사항에 관한 규정을 포함하고 있는 경우에는 이에 우선하지 아니한다. 다만 당사자 쌍방이 그러한 협정의 당사국에 영업소를 갖고 있는 경우에 한한다.

제91조(서명과 협약의 채택)

(1) 이 협약은 국제물품매매계약에 관한 국제연합회의의 최종일에 서명을 위하여 개방되며, 또 1981년 9월 30일까지 뉴욕의 국제연합본부에서 모든 국가에 의한 서명을 위하여 개방해 둔다.

(2) 이 협약은 서명국에 의하여 비준, 승낙 또는 승인되는 것을 전제로 한다.

(3) 이 협약은 서명을 위하여 개방된 날로부터 서명국이 아닌 모든 국가에 의한 가입을 위하여 개방된다.

(4) 비준서, 승낙서, 승인서 및 가입서는 국제연합의 사무총장에게 기탁하는 것으로 한다.

제92조(일부규정의 채택)

(1) 체약국은 서명, 비준, 승낙, 승인 또는 가입의 당시에 그 국가가 이 협약의 제2부에 구속되지 아니한다거나 또는 이 협약의 제3부에 구속되지 아니한다는 것을 선언할 수 있다.

(2) 이 협약의 제2부 또는 제3부에 관하여 전항의 규정에 따른 선언을 하는 체약국은 그 선언이 적용되는 각부에 의하여 규율되는 사항에 관해서는 이 협약의 제1조 제1항에서 규정하는 체약국으로 보지 아니한다.

제93조(연방국가의 채택)

(1) 체약국이 그 헌법에 의하여 이 협약에서 취급되는 사항에 관하여 상이한 법체계가 적용되는 둘 이상의 영역을 보유하고 있는 경우에는, 체약국은 서명, 비준, 승낙, 승인 또는 가입의 당시에 이 협약을 전부의 영역 또는 그 중의 하나 이상의 일부의 영역에만 적용한다는 것을 선언할 수 있으며, 또 언제든지 다른 선언을 제출함으로써 앞의 선언을 변경할 수 있다.

(2) 전항의 선언은 수탁자에게 통고되어야 하며, 또 이 협약이 적용되는 영역을 명시적으로 기재하여야 한다.

(3) 본조에 따른 선언에 의하여, 이 협약이 체약국의 하나 이상의 일부의 영역에 적용되고 그 전부의 영역에는 적용되지 아니한 경우에 당사자 일방의 영업소가 그 체약국에 있는 때에는, 그 영업소는 이 협약의 적용에 있어서 체약국에 있지 아니한 것으로 본다. 다만 그 영업소가 이 협약이 적용되는 영역에 있는 경우에는 그러하지 아니하다.

(4) 체약국이 본조 제1항에 따른 선언을 하지 아니하는 경우에는, 이 협약은 그 체약국의 전부의 영역에 적용되는 것으로 한다.

제94조(관련법이 있는 국가의 채택)

(1) 이 협약이 규율하는 사항에 관하여 이와 동일하거나 또는 밀접한 관계가 있는 법령을 두고 있는 둘 이상의 체약국은 당사자 쌍방이 이들 체약국에 영업소를 갖고 있는 경우의 매매계약 및 그 성립에 대하여 이 협약을 적용하지 아니한다는 것을 언제라도 선언할 수 있다. 그러한 선언은 체약국이 공동으로 또는 호혜주의를 조건으로 하여 일방적으로 행할 수 있다.

(2) 이 협약이 규율하는 사항에 관하여 하나 이상의 비체약국과 동일하거나 또는 밀접한 관계가 있는 법령을 두고 있는 체약국은 당사자 쌍방이 이들 해당 국가에 영업소를 갖고 있는 경우의 매매계약 및 그 성립에 대하여 이 조약을 적재하지 아니한다는 것을 언제라도 선언할 수 있다.

(3) 전항에 따른 선언의 대상이 된 국가가 그 후 체약국이 된 경우에는, 그 선언은 이 협약이 그 새로운 체약국에 대하여 효력을 발생한 날로부터 본조 제1항에 따른 선언으로서의 효력을 갖는다. 다만 새로운 체약국이 그러한 선언에 참가하거나 또는 호혜주의를 조건으로 하는 일방적인 선언을 행하는 경우에 한한다.

제95조(제1조 제1항 b호의 배제)

어느 국가의 경우에도 이 협약의 비준서, 승낙서, 승인서 또는 가입서를 기탁할 당시에 이 협약의 제1조 제1항 b호의 규정에 구속되지 아니한다는 것을 선언할 수 있다.

제96조(계약형식요건의 유보)

체약국의 법률상 매매계약을 서면으로 체결하거나 또는 입증하도록 요구하고 있는 체약국은 제12조의 규정에 따라, 어떠한 매매계약이나 그 변경 또는 합의에 의한 해지 또는 모든 청약, 승낙 또는 기타의 의사표시를 서면 이외의 어느 방법으로 행하는 것을 인정하고 있는 이 협약의 제11조, 제29조 또는 제2부의 어떠한 규정도 당사자의 어느 일방이 그 체약국에 영업소를 갖고 있는 경우에는 이를 적용하지 아니한다는 것을 선언할 수 있다.

제97조(협약에 관한 선언절차)

(1) 서명시에 이 협약에 따라 행한 선언은 비준, 승낙 또는 승인에 즈음하여 이를 확인하여야 하는 것으로 한다.

(2) 선언 및 선언의 확인은 서면으로 이를 행하여야 하며, 또 정식으로 수탁자에게 통고하여야 한다.

(3) 선언은 관련된 국가에 대하여 이 협약이 효력을 발생함과 동시에 그 효력을 발생한다. 그러나 이 협약이 그 국가에 대하여 효력을 발생한 이후에 수탁자가 정식의 통고를 수령한 선언은 수탁자가 이를 수령한 날로부터 6개월을 경과한 후 이어지는 월의 최초일에 그 효력을 발생한다. 제94조에 따른 호혜주의를 조건으로 하는 일방적인 선언은 수탁자가 최후의 선언을 수령한 날로부터 6개월을 경과한 후 이어지는 월의 최초일에 그 효력을 발생한다.

(4) 이 협약에 따른 선언을 행한 모든 국가는 수탁자 앞으로 서면에 의한 정식의 통고를 함으로써 언제든지 이를 철회할 수 있다. 그러한 철회는 수탁자가 통고를 수령한 날로부터 6개월을 경과한 후 이어지는 월의 최초일에 그 효력을 발생한다.

(5) 제94조에 따른 선언의 철회는 그 철회가 효력을 갖는 날로부터 동조에 따른 다른 국가의 모든 호혜적인 선언의 효력을 상실하게 한다.

제98조(유보의 금지)

어떠한 유보도 이 협약에서 명시적으로 인정된 경우를 제외하고는 이를 허용하지 아니한다.

제99조(협약의 발효)

(1) 이 협약은 본조 제6항의 규정에 따라 제92조에 의한 선언에 기재되어 있는 문서를 포함하여 제10번째의 비준서, 승낙서, 승인서 또는 가입서가 기탁된 날로부터 12개월을 경과한 후 이어지는 월의 최초일에 그 효력을 발생한다.

(2) 어느 국가가 제10번째의 비준서, 승낙서, 승인서 또는 가입서를 기탁한 후에 이 협약을 비준, 승낙, 승인 또는 가입하는 경우에는, 이 협약은 그 적용이 배제되는 부을 제외하고 본조 제6항의 규정에 따라 그 국가의 비준서, 승낙서, 승인서 또는 가입서가 기탁된 날로부터 12개월을 경과한 후 이어지는 월의 최초일에 그 국가에 대하여 효력을 발생한다.

(3) 이 협약을 비준, 승낙, 승인 또는 가입하는 국가가 1964년 7월 1일 헤이그에서 작성된 국제물품매매계약의 성립에 관한 통일법에 관련한 협약(1964년 헤이그 성립협약) 및 1964년 7월 1일 헤이그에서 작성된 국제물품매매에 관한 통일법에 관련한 협약(1964년 헤이그 매매협약)의 일방 또는 쌍방의 당사국인 경우에는, 그 국가는 이와 동시에 네덜란드 정부에 폐기의 취지를 통고함으로써 경우에 따라서는 1964년 헤이그 매매협약과 1964년 헤이그 성립협약의 일방 또는 쌍방을 폐기하여야 한다.

(4) 1964년 헤이그 매매협약의 당사국으로서 이 협약을 비준, 승낙, 승인 또는 가입하는 국가가 제92조에 따라 이 협약의 제2부에 구속되지 아니한다는 것을 선언하거나 또는 선언한 경우에는, 그 국가는 이 협약의 비준, 승낙, 승인 또는 가입시에 네덜란드 정부에 폐기의 취지를 통고함으로써 1964년 헤이그 매매협약을 폐기하여야 한다.

(5) 1964년 헤이그 성립협약의 당사국으로서 이 협약을 비준, 승낙, 승인 또는 가입하는 국가가 제92조에 따라 이 협약의 제3부에 구속되지 아니한다는 것을 선언하거나 또는 선언한 경우에는, 그 국가는 이 협약의 비준, 승낙, 승인 또는 가입시에 네덜란드 정부에 폐기의 취지를 통고함으로써 1964년 헤이그 성립협약을 폐기하여야 한다.

(6) 본조의 적용에 있어서, 1964년 헤이그 성립협약 또는 1964년 헤이그 매매협약의 당사국에 의한 이 협약의 비준, 승낙, 승인 또는 가입은 당사국측의 이 두 가지 협약에 대한 폐기의 통고가 스스로 효력을 발생하기까지는 그 효력을 발생하지 아니한다. 이 협약의 수탁자는 이러한 점에 대한 필요한 상호조정을 확실히 하기 위하여 1964년 협약의 수탁자인 네덜란드 정부와 협의하여야 한다.

제100조(계약에 대한 적용일)

(1) 이 협약은 제1조 제1항 a호에 언급된 체약국이나 또는 동조 제1항 b호에 언급된 체약국에 대하여 그 효력을 발생하는 날 또는 그 이후에 계약의 체결을 위한 제의가 행하여진 경우에만 계약의 성립에 적용한다.

(2) 이 협약은 제1조 제1항 a호에 언급된 체약국이나 또는 동조 제1항 b호에 언급된 체약국에 대하여 그 효력을 발생하는 날 또는 그 이후에 체결되는 계약에만 적용한다.

제101조(협약의 폐기)

(1) 체약국은 수탁자 앞으로 서면에 의한 정식의 통고를 함으로써 이 협약 또는 이 협약의 제2부 또는 제3부를 폐기할 수 있다.

(2) 폐기는 수탁자가 그 통고를 수령한 날로부터 12개월을 경과한 후 이어지는 월의 최초일에 그 효력을 발생한다. 폐기가 효력을 발생하기 위한 보다 긴 기간이 그 통고에 명시되어 있는 경우에는, 폐기는 수탁자가 그 통고를 수령한 날로부터 그러한 기간이 경과한 때에 그 효력을 발생한다.

참고문헌 BIBLIOGRAPHY

아래의 양서(良書)들이 본 수험서의 집필에 큰 도움이 되었습니다. 세부내용별로 출처를 밝히지 못한 점 양해 부탁드립니다. 감사합니다.

대한상공회의소, 『인코텀즈 2020』, 대한상공회의소, 2019

한국무역협회, 『알기쉬운 무역실무 길라잡이』, 한국무역협회, 2019

이장로·신만수, 『국제경영(7판)』, 무역경영사, 2018

이용근, 『국제무역계약론』, 삼영사, 2017

김찬호·최혁준·최창렬, 『국제경영』, 청람, 2016

한국은행, 『알기 쉬운 경제지표 해설(8차 개정판)』, 한국은행, 2014

여택동·전정기·장동식, 『WTO 체제하의 국제통상론』, 두남, 2014

박영태, 『국제무역규칙론』, 삼영사, 2014

김인준·이영섭, 『국제금융론 제2판』, 율곡출판사, 2011

남풍우, 『무역결제론(개정 6판)』, 두남, 2010

김창봉·박상안·정재우, 『국제무역 경제학』, 박영사, 2010

박대위·구종순, 『무역개론』, 박영사, 2010

곽근재·김의동·안창모·장봉규·최근배·허재창, 『무역학 개론』, 박영사, 2010

이시환·김광수, 『Incoterms 2010』, 도서출판 두남, 2010

이무원·박수홍, 『국제무역학의 이해』, 도서출판 두남, 2009

김인철, 『국제무역 경제학』, 박영사, 2009

박길상, 『ON – OFF 무역학개론』, 법문사, 2009

이영섭·김인준, 『국제경제론(제6판)』, 다산출판사, 2008

홍승기·이제홍·김중관·이주원, 『현대무역학개론』, 형설출판사, 2008

강원진, 『무역영어』, 박영사, 2008

장세진, 『글로벌경영』, 박영사, 2008

방송대보충교재, 『요점 국제경영학』, 예지각, 2008

한국무역협회 무역아카데미, 『국제무역사 문제해설서』, 한국무역협회, 2008

한국무역협회 무역아카데미, 『전자무역』, 한국무역협회, 2008

서갑성·이성민·이정호, 『무역학원론』, 형설출판사, 2007

오정훈, 『국제금융』, 박영사, 2007

이장로·신만수, 『국제경영』, 홍문사, 2006

방송대보충교재, 『무역학원론』, 예하미디어, 2006

방송대보충교재, 『국제무역이론』, 예하미디어, 2006

강태구·김태기·박복재, 『무역학개론』, 무역경영사, 2006

윤기관·오근엽·구종순·문희철, 『현대무역의 이해』, 법문사, 2006

곽근재·김의동·안창모·장봉규·최근배·허재창, 『무역학개론』, 박영사, 2004

이대호·박현우, 『무역학연습』, 형설출판사, 2002

MEMO

해커스공무원

이명호

무역학

이론 + 기출문제

1권 | 이론

개정 4판 1쇄 발행 2025년 5월 20일

지은이	이명호 편저
펴낸곳	해커스패스
펴낸이	해커스공무원 출판팀

주소	서울특별시 강남구 강남대로 428 해커스공무원
고객센터	1588-4055
교재 관련 문의	gosi@hackerspass.com
	해커스공무원 사이트(gosi.Hackers.com) 교재 Q&A 게시판
	카카오톡 플러스 친구 [해커스공무원 노량진캠퍼스]
학원 강의 및 동영상강의	gosi.Hackers.com

ISBN	1권: 979-11-7244-996-4 (14320)
	세트: 979-11-7244-995-7 (14320)
Serial Number	04-01-01

공무원 교육 1위,
해커스공무원 gosi.Hackers.com

해커스공무원

· **해커스공무원 학원 및 인강**(교재 내 인강 할인쿠폰 수록)
· 해커스 스타강사의 **공무원 무역학 무료 특강**
· 정확한 성적 분석으로 약점 극복이 가능한 **합격예측 온라인 모의고사**(교재 내 응시권 및 해설강의 수강권 수록)